HISTÓRIA DO ESTRUTURALISMO

FRANÇOIS DOSSE

HISTÓRIA DO ESTRUTURALISMO

VOL. II O canto do cisne de 1967 a nossos dias

TRADUÇÃO
Álvaro Cabral

REVISÃO TÉCNICA
Marcia Mansor D'Alessio

Título original em francês
Histoire du structuralisme. Tome II: Le chant du cygne, 1967 à nos jours

Direitos de publicação reservados à:
Fundação Editora da Unesp (FEU)
Praça da Sé, 108
01001-900 – São Paulo – SP
Tel.: (0xx11) 3242-7171
Fax: (0xx11) 3242-7172
www.editoraunesp.com.br
www.livrariaunesp.com.br
feu@editora.unesp.br

Dados Internacionais de Catalogação na Publicação (CIP) de acordo com ISBD

D724h

Dosse, François
História do estruturalismo: o canto do cisne, de 1967 a nossos dias – volume II / François Dosse; tradução de Álvaro Cabral; revisão técnica de Marcia Mansor D'Alessio. São Paulo: Editora Unesp, 2018.

Tradução de: *Histoire du structuralisme. Tome II: le chant du cygne, 1967 à nos jours*
Inclui bibliografia, índice e anexo.
ISBN: 978-85-393-0759-3

1. Filosofia. 2. Estruturalismo. 3. História. 4. Escolas filosóficas de pensamento. I. Cabral, Álvaro. II. D'Alessio, Marcia Mansor. III. Título.

2018-1287 CDD 149.96
CDU 165.75

Elaborado por Vagner Rodolfo da Silva – CRB-8/9410

Índice para catálogo sistemático:
1. Filosofia: Estruturalismo 149.96
2. Filosofia: Estruturalismo 165.75

Editora afiliada:

Asociación de Editoriales Universitarias de América Latina y el Caribe

Associação Brasileira de Editoras Universitárias

O estruturalismo não é um método novo: é a consciência desperta e inquieta do saber moderno.

Michel Foucault, *Le mots et les choses*

Agradecimentos

Sou grato a todos os que tiveram a amabilidade de oferecer seu depoimento no transcorrer de entrevistas que foram reproduzidas na íntegra.[1] Seus testemunhos representam uma contribuição essencial, uma vez que constituíram material de suma importância para a realização deste capítulo da história intelectual francesa: Marc Abélès, Alfred Adler, Michel Aglietta, Jean Allouch, Pierre Ansart, Michel Arrivé, Marc Augé, Sylvain Auroux, Kostas Axelos, Georges Balandier, Étienne Balibar, Henri Bartolli, Michel Beaud, Daniel Becquemont, Jean-Marie Benoist, Alain Boissinot, Raymond Boudon, Jacques Bouveresse, Claude Brémond, Hubert Brochier, Louis-Jean Calvet, Jean-Claude Chevalier, Jean Clavreul, Claude Conté, Jean-Claude Coquet, Maria Daraki, Jean-Toussaint Desanti, Philippe Descola, Vicent Descombes, Jean-Marie Domenach, Joël Dor, Daniel Dory, Roger-Pol Droit, Jean Dubois, Georges Duby, Oswald Ducrot, Claude Dumézil, Jean Duvignaud, Roger Establet, François Ewald, Arlette Farge, Jean-Pierre Faye, Pierre Fougeyrollas, Françoise Gadet, Marcel Gauchet, Gérard Genette, Jean-Christophe Goddard, Maurice Godelier, Gilles Gaston-Granger, Wladimir Granoff, André Green, Algirdas-Julien Greimas, Marc Guillaume, Claude Hagège, Philippe Hamon, Georges-André

1 O leitor encontrará no Anexo o detalhamento das especialidades e funções atuais de cada uma das pessoas entrevistadas.

Haudricourt, Louis Hay, Paul Henry, Françoise Héritier-Augé, Jacques Hoarau, Michel Izard, Jean-Luc Jamard, Jean Jamin, Julia Kristeva, Bernard Laks, Jérôme Lallement, Jean Laplanche, Francine Le Bret, Serge Leclaire, Dominique Lecourt, Henri Lefebvre, Pierre Legendre, Gennie Lemoine, Claude Lévi-Strauss, Jacques Lévy, Alain Lipietz, René Lourau, Pierre Macherey, René Major, Serge Martin, André Martinet, Claude Meillassoux, Charles Melman, Gérard Mendel, Henri Mitterand, Juan-David Nasio, André Nicolaï, Pierre Nora, Claudine Normand, Bertrand Olgilvie, Michelle Perrot, Marcellin Pleynet, Jean Pouillon, Joëlle Proust, Jacques Rancière, Alain Renaut, Olivier Revault d'Allonnes, Élisabeth Roudinesco, Nicolas Ruwet, Moustafa Safouan, Georges-Élia Sarfati, Bernard Sichère, Dan Sperber, Joseph Sumpf, Emmanuel Terray, Tzvetan Todorov, Alain Touraine, Paul Valadier, Jean-Pierre Vernant, Marc Vernet, Serge Viderman, Pierre Vilar, François Wahl e Marina Yaguello.

Outras personalidades foram contatadas, mas não pude entrevistá-las: Didier Anzieu, Alain Badiou, Christian Baudelot, Jean Baudrillard, Pierre Bourdieu, Georges Canguilhem, Cornelius Castoriadis, Hélène Cixous, Serge Cottet, Antoine Culioli, Guilles Deleuze, Jacques Derrida, Louis Dumont, Julien Freund, Luce Irigaray, Francis Jacques, Christian Jambet, Catherine Kerbrat-Orecchioni, Victor Karady, Serge-Christophe Kolm, Claude Lefort, Philippe Lejeune, Emmanuel Lévinas, Jean-François Lyotard, Gérard Miller, Jacques-Alain Miller, Jean-Claude Milner, Edgar Morin, Thérèse Parisot, Jean-Claude Passeron, Jean-Bertrand Pontalis, Paul Ricœur, Jacqueline de Romily, François Roustang, Michel Serres e Louis-Vincent Thomas.

Agradeço também aos que aceitaram a pesada tarefa de rever este manuscrito e me auxiliaram proveitosamente com suas sugestões e correções, permitindo-me assim levar a bom termo este empreendimento: Daniel e Trudi Becquemont, Jean-Michel Besnier, Alain Boissinot, René Gelly, François Gèze e Thierry Paquot, Pierre Vidal-Naquet.

Sou grato também a Monique Lulin, pelas Éditions du Seuil, Pierre Nora, pelas Éditions Gallimard, e Christine Silva, pelas Éditions La Découverte, por terem me comunicado as tiragens de um certo número de obras desse período.

Sumário

PARTE 3

O ESTRUTURALISMO ENTRE CIENTIFICISMO, ESTÉTICA E HISTÓRIA

PARTE 4

O DECLÍNIO DO PARADIGMA ESTRUTURALISTA

PARTE 5

O TEMPO, O ESPAÇO, A DIALÓGICA

Prefácio

Estruturalismo ou estruturalismos? Ao término do percurso triunfal dos estruturalistas, que marcou de forma indelével os anos 1950 e 1960, descrito no primeiro volume, *O campo do signo*,[1] desta *História do estruturalismo*, parece evidente que o fenômeno engloba uma realidade plural, lógicas disciplinares singulares e indivíduos particulares. Ele depende muito mais de um mosaico díspar do que de uma escola fantasmática, mesmo que um certo olhar e muitas permutas conceituais permitam identificar um *momento estruturalista*. Em meados dos anos 1960, as tentativas de Louis Althusser e de Michel Foucault refletiram, indubitavelmente, uma vontade unitária no sentido de reagrupar em torno de uma filosofia renovada todas as pesquisas mais modernas das ciências sociais, que se reconheciam sob o qualificativo de estruturalistas. Em 1966, como vimos, atingiu-se o apogeu dessa ambição.

Mas, a partir de 1967, não tardaram a aparecer as primeiras fissuras, que revelaram o caráter frequentemente artificial dos reagrupamentos do primeiro período. Cada um trata então de recuar, procura mudar de rumo a fim de evitar o qualificativo de estruturalista, jura até que nunca o foi, com a exceção de Claude Lévi-Strauss, que prossegue em sua caminhada à margem dos riscos e acasos da atualidade.

---

1 Dosse, *História do estruturalismo*, v.I.

Paradoxalmente, é em 1967, no momento em que a mídia descobre e celebra a unidade e o sucesso do estruturalismo, que os estruturalistas decidem guardar certa distância em relação ao que consideram ser uma unidade artificial. É então o tempo da desconstrução, da dispersão, do refluxo. Mas só afeta superficialmente o ritmo das pesquisas estruturais que prosseguem de acordo com uma outra temporalidade. O êxito institucional do estruturalismo graças ao movimento de Maio de 1968 constituirá, por seu lado, uma etapa essencial na banalização/assimilação de um programa que perdeu seu estandarte de revolta contra a tradição, de contracultura, para converter-se num dos horizontes teóricos, mas silenciosos, da pesquisa no domínio das ciências sociais.

PARTE 1

AS PRIMEIRAS FISSURAS

I

O CHOMSKISMO

NOVA FRONTEIRA?

Em 1967, Nicolas Ruwet publica a sua tese de doutorado pela editora Plon, *Introduction à la grammaire générative*. Expõe aí os princípios chomskianos que são para ele, como para numerosos linguistas, a expressão de uma ruptura radical com o primeiro período estruturalista. Nicolas Ruwet, nascido em 1933, recebeu sua formação inicial em Liége, mas está insatisfeito com um ensino que se assemelha ao que é ministrado, na mesma época, na Sorbonne. Em 1959, no entanto, decide trocar a Bélgica por Paris: "Pensava mais ou menos na etnologia e também me interessava pela psicanálise. Músico no começo, já tinha lido um certo número de obras de linguística: Saussure, Trubetzkoy, Jakobson".[1] Nicolas Ruwet encontra-se, portanto, de imediato, na confluência de diversas disciplinas – um bom sintoma da exigência globalizante do estruturalismo – e sai em busca de rigor no anseio de participar de corpo e alma na aventura científica em curso.

Em Paris, acompanha simultaneamente os cursos de Émile Benveniste no Collège de France, os de André Martinet na Sorbonne e o seminário de Claude Lévi-Strauss nos Hautes Études:

> O que me apaixonou, no início, aconteceu no seminário de Lévi-Strauss, quando ele apresentou um grande artigo de Roman Jakobson,

---

1 Nicolas Ruwet, entrevista com o autor.

"Linguistique et poétique", que acabara de ser publicado em inglês. Ele estava empolgado e leu-nos praticamente todo o texto, dedicando-lhe as duas horas de aula.[2]

Pouco depois, em 1962, Nicolas Ruwet ingressa no Fonds National de la Recherche Scientifique (FNRS) na Bélgica, num programa de poética: "Contava escrever uma tese sobre Baudelaire que nunca fiz".[3] Em 1963, prefacia a coletânea de trabalhos de Jakobson, uma das mais importantes obras publicadas nesse período – com o selo das Éditions de Minuit, sob o título de *Essais de linguistique générale* – e frequenta, por outro lado, o famoso seminário de Lacan, com seu amigo Lucien Sebag. Foi de um modo inteiramente fortuito, por ocasião de uma viagem com Sebag, a filha de Lacan e alguns amigos, que Ruwet descobriu Chomsky em 1960, na casa que Lacan tinha alugado em Saint-Tropez:

> Encontrei-me sozinho no cômodo que servia de escritório a Lacan, e sobre a escrivaninha estava um pequeno livro editado pela Mouton: era *Syntactic structures*, de Chomsky [...]. Encomendei-o imediatamente ao regressar das férias, e achei-o muito interessante, mas não entendia nada, ainda me faltavam muitos elementos.[4]

Nicolas Ruwet, apesar dessa leitura, permanece na esteira de Jakobson e Hjelmslev, e escreve para Eric de Dampierre um artigo que informa em que ponto se encontra a linguística geral em 1964 – artigo em que faz o elogio do estruturalismo.[5]

A conversão ao chomskismo

Entretanto, foi nesse momento, 1964, que tudo balançou, quando um amigo de Liège lhe emprestou o livro de Paul Postal que acabara de ser

2 Ibidem.
3 Ibidem.
4 Ibidem.
5 Idem, La Linguistique générale aujourd'hui, *Archives européenes de sociologie*, v.5, n.2, dez. 1964, p.277-310.

publicado, *Constituent Structure. A Study of Contemporary Models of Syntatic Description.* O autor apresentava aí as grandes ideias de Chomsky:

> Li-o no trem Liège-Paris e desembarquei gerativista na gare du Nord. Em algumas horas, tinha percorrido a minha estrada de Damasco. Tudo estava subitamente subvertido. Devia terminar o meu artigo para Eric de Dampierre, mas já não acreditava mais nisso.[6]

Nicolas Ruwet passa então três anos consecutivos lendo tudo o que se publica sobre a gramática gerativa e preparando a sua tese – a qual, no começo, não pensava publicar em livro, mas tinha por único objetivo a obtenção do diploma oficial para completar uma carreira um tanto heterodoxa, como a da maior parte dos estruturalistas. Contudo, essa obra converter-se-ia depressa no breviário da nova geração, aquela que descobriu a linguística nos anos de 1967-1968.

Até então, Chomsky era pouco conhecido na França. É certo que *Syntactic Structures* data de 1957, mas foi necessário esperar por 1969 para que a obra aparecesse em francês, nas Éditions du Seuil. Nesse meio tempo, a introdução do chomskismo na França passa, portanto, por Nicolas Ruwet, para quem a retratação é completa em relação ao período precedente. A partir de dezembro de 1966, começa a apresentar a gramática gerativa no número IV da revista *Langages*. Ruwet vê em Chomsky a possibilidade de trabalhar na sintaxe abandonada até então por Sausssure e Jakobson. Se existe, entretanto, continuidade entre o estruturalismo e o chomskismo em sua busca comum de maior cientificidade, a vantagem do gerativismo, segundo Ruwet, reside na sua concepção popperiana da ciência como falsificável: "A ruptura situa-se na possibilidade de propor hipóteses que sejam falsificáveis. Isso me impressionou fortemente".[7] O gerativismo estabelece a exigência de uma teoria explícita, precisa, que funcione à maneira de um algoritmo cujas operações podem aplicar-se mecanicamente: "Karl Popper mostrou de forma clara que era impossível fundamentar a ciência num princípio de indução".[8] Com a dupla articulação da linguagem numa

6 Idem, entrevista com o autor.
7 Idem, entrevista com o autor.
8 Idem, *Introduction à la grammaire générative*, p.12.

estrutura profunda, a da competência, e numa estrutura superficial, postula-se uma dupla universalidade: a das regras convencionadas, do sistema, e também a de "um certo número de universais substanciais".[9] Essa busca de universais reata e visa levar mais longe a ambição estruturalista que se inspirava, ela mesma, no princípio geral enunciado por Platão no *Sofisma* (262 a.C.), o qual já fornece "a base material da linguística estrutural".[10] Platão afirma aí que o estudo de um sistema de sinais pressupõe um certo número, limitado, de condições: a identificação de unidades mínimas, seu número finito, o fato de se poder combiná-las e, em último lugar, que nem todas as combinações sejam possíveis.

Se, como veremos, o movimento de Maio de 1968 fragilizará, em grande parte, o paradigma estruturalista, o chomskismo encontra-se, pelo contrário, em consonância, em simbiose com os acontecimentos do final dos anos 1960, mas na base de um curioso mal-entendido. Em primeiro lugar, Chomsky é um radical na acepção norte-americana, que contesta a guerra do Vietnã e, nesse sentido, apresenta-se como a própria expressão da postura crítica. Mas, sobretudo, os franceses entenderam gerativo "no sentido de que engendra, fecunda, movimenta-se. Não se queriam estruturas estáticas. Associou-se, então, o estruturalismo a um conservadorismo, quando o termo gerativo é puramente técnico e nada tem a ver com tudo isso".[11] Para Chomsky, pelo contrário, a gramática gerativa não pretende ser mais do que uma gramática explícita, a do modelo de competência dos sujeitos, e "significa simplesmente enumerar de maneira explícita por meio de regras".[12] A fecundidade dos mal-entendidos provocará o encontro inesperado da gramática gerativa com a geração contestatória que verá no chomskismo o meio de reconciliar a história, o movimento e a estrutura. Mesmo que essa percepção se baseie num contrassenso, nem por isso deixou de ser, afinal, o modo pelo qual o gerativismo penetrou na França.

9 Ibidem, p.357.
10 Milner, *Introduction à la science du langage*, p.492.
11 Nicolas Ruwet, entrevista com o autor.
12 Idem, *Introduction à la grammaire générative*, p.33.

A arqueologia do gerativismo

O segundo mal-entendido relaciona-se com o fato de que Chomsky não designava em suas críticas o estruturalismo europeu, mas o americano de Leonard Bloomfield e de sua escola "distributivista" – a chamada "escola de Yale", que dominava a linguística nos Estados Unidos na década de 1950. Bloomfield, inspirando-se nas teses da psicologia behaviorista, considerava ser preciso contentar-se com a descrição dos mecanismos da língua, fazer sobressair as regularidades sem se interrogar sobre a significação dos enunciados. Esse enfoque pressupunha duas operações: a decomposição dos enunciados em constituintes imediatos e sua classificação em ordem distributiva. A linguística norte-americana anterior a Chomsky era, portanto, nos seus aspectos essenciais, descritiva, linear e baseada numa transparência postulada entre os atos da fala e sua significância. Os sistemas de oposições identificados pelo estruturalismo americano permitem, sobretudo, evitar o mentalismo. Esse enfoque distribucionista, descritivo, apoia-se, sobretudo, na vontade de restabelecer as diversas línguas ameríndias a partir dos anos 1920, perspectiva que foi a de toda uma etnolinguística que evoluiu além-Atlântico à margem do saussurismo, com Boas, Sapir... "A ruptura do chomskismo situa-se em relação à escola linguística americana. Essa ruptura é manifesta, mas tem uma base que ninguém refuta: é a articulação. Nenhuma teoria se propõe analisar a estrutura das frases."[13]

A filiação do estruturalismo (ou distributivismo) americano passa por Zellig Harris, que descreveu o método em 1951.[14] Ele postula, como Bloomfield, a correspondência do sentido e da distribuição, e define os princípios de uma abordagem que se apoia na constituição de um *corpus* representativo e homogêneo para chegar, mediante segmentações sucessivas, à determinação dos diferentes morfemas e fonemas da língua. Para ter acesso a essas estruturas originais, Harris define as regras mecânicas de cálculo e elimina todo e qualquer vestígio de subjetivismo ou traço contextual: "As noções funcionais, o sujeito de uma frase, por exemplo, foram substituídas por classes complexas de distribuição".[15]

13 Marina Yaguello, entrevista com o autor.
14 Harris, *Methods in Structural Linguistics*.
15 Pavel, *Le Mirage linguistique*, p.120.

Toda forma de intencionalidade do locutor é rejeitada, portanto, e expulsa do campo científico do distributivismo. Harris leva, pois, ao extremo a lógica de Bloomfield, e introduz a noção de transformação para ter acesso ao estudo das estruturas discursivas a partir de classes de equivalência. Essa linha de pesquisa leva-o a uma formalização cada vez mais apurada,[16] para fazer derivar as diversas manifestações discursivas de um número limitado de frases elementares, constituídas a partir de operadores de base: "Nesse modelo, tudo repousa na assimilação do sentido à informação objetiva e na resolução preconcebida de uma semântica fraca".[17]

Os princípios do gerativismo

Chomsky situa-se inicialmente na filiação do distributivismo de Harris, mas, se conserva o caráter explícito do método, não tarda a orientar seus trabalhos, com Morris Halle, numa nova direção, "gerativa", no Instituto de Tecnologia de Massachusetts. Rechaça, então, as limitações impostas pelo distributivismo a um *corpus* que não esgota a riqueza da língua. Por outro lado, pretende ultrapassar o mero estágio descritivo e atingir o nível, mais essencial, da explicação. Denuncia, dessa forma, os métodos taxionômicos e, num primeiro momento, restringe seu campo de estudo à sintaxe, para construir uma teoria sintática independente, uma gramática autônoma em relação ao seu uso específico: "O resultado final dessas pesquisas deveria ser uma teoria das estruturas linguísticas na qual os mecanismos descritivos utilizados nas gramáticas particulares seriam apresentados e estudados de maneira abstrata, sem referência específica às línguas particulares".[18] A forma dessa gramática deve ser a de um mecanismo gerativo que põe em evidência os possíveis, e não um *corpus* a partir do qual se praticaria a indução.

---

16 Harris, *mathematical Structures of Language.*

17 Fuchs; Le Goffic, *Initiation aux problèmes des linguistiques contemporaines*, p.36.

18 Chomsky, *Structures syntaxiques*, p.13.

O formalismo do método e sua rejeição do sentido inscrevem, porém, o gerativismo numa continuidade com o estruturalismo: "Essa concepção da linguagem é extremamente poderosa e geral. Se a adotarmos, consideramos que o locutor é, essencialmente, uma máquina desse tipo (conhecida em matemática sob a designação de processo de Markov com um número finito de estados)".[19] Depois de ter apresentado os pressupostos técnicos da constituição dessa gramática gerativa em 1957, Chomsky dá-lhe um prolongamento filosófico, fundamentando histórica e teoricamente o seu método, em 1965, com a publicação de *Aspects de la théorie syntaxique*, na tradução do inglês publicada em 1971 por Le Seuil. Partindo da constatação de que toda criança aprende sua língua materna com extraordinária rapidez e possui, portanto, em potencial, a faculdade de adquirir qualquer língua, não importa qual, Chomsky deduziu daí não a determinação primeira do meio ambiente contextual, mas, pelo contrário, a de leis universais que regem as línguas – os universais linguísticos. Todo indivíduo possui, portanto, de maneira inata, uma competência linguística que cumpre distinguir do que ele fará com ela, ou seja, o desempenho linguístico singular que constitui o uso de cada língua particular.

O universalismo linguístico chomskiano reúne-se, assim, ao inatismo e apoia-se na noção de natureza humana, fora dos contrastes culturais. Essa ambição universalizante também adere ao programa global do estruturalismo, na sutura da natureza e da cultura. O ponto de partida da análise chomskiana não será, entretanto, a descrição de uma língua particular, mas partirá do conceito, do construto, para chegar ao real: "O objeto primeiro da teoria linguística é um locutor-ouvinte ideal, pertencente a uma comunidade linguística completamente homogênea".[20]

Chomsky radica duplamente a sua abordagem, no plano histórico, ao invocar a tradição linguística europeia que remonta à gramática de Port-Royal. Apoia-se no racionalismo cartesiano do século XVII, retoma o inatismo desse período, o substancialismo cartesiano,[21] e espera dar a esse inatismo uma base científica, graças à genética. Mostra

---

19 Ibidem, p.23.
20 Idem, *Aspects de la théorie syntaxique*, p.12.
21 Idem, *La linguistique cartésienne*.

afinidades com a ambição lévi-straussiana de ter um dia acesso aos mais recônditos circuitos mentais: "Tudo se passa como se o sujeito falante [...] tivesse assimilado à sua própria substância pensante um sistema coerente de regras, um código genético".[22]

Na hora da modernidade tecnológica, essa estrutura primeira poderá ser acessível, segundo Chomsky, graças à contribuição da genética: "Ao subscrever o programa cognitivista, Chomsky e com ele a escola de Cambridge adotaram a seguinte proposição: uma ideia tem a estrutura de uma informação codificada num computador".[23] Chomsky pensa que, no estágio a que chegou com a gramática gerativa, a linguística pode pretender adquirir o *status* de ciência, no sentido galileano do termo. O cientificismo de Chomsky é explícito, e seu modelo situa-se nas ciências da natureza. Com sua estrutura fundamental, a da competência, ele se orienta no sentido de "uma ontologia das estruturas".[24]

A distinção competência/desempenho retoma, numa filiação saussuriana, a distinção língua/fala? Françoise Gadet viu aí, em seus aspectos essenciais, uma continuidade com o programa de Saussure: "Eis um ponto essencial em que as suas concepções corroboram Saussure [...]. A competência é comparável à língua saussuriana".[25] Pode-se, com efeito, assinalar uma analogia muito forte entre esses dois pares conceituais que servem de esteio às referências positivas que Chomsky faz a Jakobson, mesmo se, a partir dos primeiros anos da década de 1960, Saussure é apresentado como portador de uma concepção simplória da linguagem. Entretanto, para Nicolas Ruwet, a ênfase dada ao caráter criador da linguagem em Chomsky implica que, nesse ponto, "a distinção chomskiana da competência e do desempenho opõe-se radicalmente à dicotomia saussuriana da língua e da fala".[26] Enquanto em Saussure a língua é definida como uma simples taxionomia de elementos, e a criação está unicamente localizada na fala, Chomsky desdobra a criatividade em dois tipos, que classifica sucessivamente de criatividade que muda as regras e de criatividade governada pelas regras. O primeiro tipo depende do desempenho, e o segundo, da competência da língua.

---

22 Idem, De quelques constantes de la théorie linguistique, *Diogène*, n.51, 1965, p.14.
23 Milner, *Introduction à une science du langage*, p.145.
24 Benoist, *La révolution structurale*, p.149.
25 Gadet, Le Signe e le sens, *DRLAV: Revue de Linguistique*, n.40, 1989, p.15.
26 Ruwet, *Introduction à la grammaire générative*, p.50.

Nicolas Ruwet assinala nesse ponto nodal uma renovação radical da reflexão sobre a língua graças a essa concepção que postula uma infinidade de frases possíveis a partir das quais o sujeito falante pode compreender ou emitir frases jamais ouvidas antes.

O estruturalismo transforma-se de modo imperceptível em naturalismo estrutural em Chomsky, quando se apoia na velha noção de uma natureza humana desistoricizada, descontextualizada. Reencontra, assim, a estrutura na natureza: "Toda verdadeira ciência social, ou toda teoria revolucionária da mudança social, deve basear-se em certos conceitos da natureza humana".[27] Ele reorienta a perspectiva para uma psicologia cognitiva, da qual a linguística seria apenas um dos elementos, e anuncia assim o paradigma futuro do cognitivismo e do homem neuronal. Por oposição ao behaviorismo, Chomsky insiste no inatismo e seu enraizamento genético: "Tratava-se de considerar os princípios gerais como propriedades de um dado biológico que permite a aquisição da linguagem".[28] Entretanto, o terreno da investigação de Chomsky permanece estritamente linguístico, sintático, e a inspiração que lhe vem das ciências biológicas desempenha tão somente um papel analógico, essencialmente metodológico, já que visa à formação de um dispositivo que constitua uma gramática universal.

Se para Nicolas Ruwet a perspectiva que Chomsky oferece permite-lhe descobrir sua estrada de Damasco e sair da sombra em que o estruturalismo o mantinha, numerosos linguistas não veem uma ruptura significativa considerável entre estruturalismo e gerativismo: "Para mim, Chomsky é profundamente estruturalista. É um herdeiro de Saussure",[29] diz Louis-Jean Calvet, para quem a herança saussuriana situa-se essencialmente no trabalho sobre a língua como objeto científico, cortado do social, das situações concretas, tanto das direções sociológicas quanto das psicológicas. De um ponto de vista heurístico, Calvet reconhece, não obstante, que Chomsky realizou um progresso no nível da ideia de modelo para a sintaxe. Também para Oswald Ducrot, Chomsky prolonga Saussure:

27 Chomsky, *Dialogues avec Mitsou Ronat*, p.87.
28 Ibidem, p.122.
29 Louis-Jean Calvet, entrevista com o autor.

> Nunca percebi Chomsky como oposto ao estruturalismo. O fato de procurar um sistema formal que explique a totalidade dos enunciados, não vejo em que isso seria antiestruturalista. O que ocorre, na verdade, é que ele ameaçava muito, por razões históricas, as pessoas que na França se intitulavam estruturalistas.[30]

Estranho tanto à noção de sujeito quanto à de contexto, e articulando suas posições apoiado no modelo europeu ao referir-se a Descartes, Chomsky parece, com efeito, edificar a sua gramática gerativa a partir da problemática estruturalista europeia, e, desse ponto de vista, a linguística da enunciação coloca as duas correntes em pé de igualdade.

O chomskismo: um antiestruturalismo?

Entretanto, a tensão entre Chomsky, seus discípulos e um certo número de eminentes representantes do estruturalismo tornou-se imediatamente aguda na Europa, com destaque para André Martinet. Este passara, no entanto, uma década nos Estados Unidos, de 1946 a julho de 1955, e dirigia uma das duas grandes revistas de linguística, *Word*, cujas posições estavam em ruptura radical com o bloomfieldismo ambiente e dominante. Portanto, é a André Martinet e à sua revista que Chomsky confia seu primeiro artigo sobre a sintaxe em meados dos anos 1950: "Chomsky enviou-me seu artigo para a *Word*, li-o e disse logo: impossível! Afundamos no melaço com essa orientação. A partir desse instante, fui catalogado como o grande inimigo do chomskismo".[31] A polêmica é violenta desde o começo. E André Martinet não se conforma com o fato de ver-se relegado em vida para a categoria de "antiguidade" por uma nova geração ávida de rupturas e frequentemente ingrata em relação aos pais fundadores. Em reação, tende a recusar com redobrada energia toda ampliação dos métodos estruturais, correndo o risco de achar-se encerrado no seu *bunker*. Mas cuidava, sobretudo, de manter intacta a herança de que se sentia o portador, mostrando-se hostil diante da

30 Oswald Ducrot, entrevista com o autor.

31 André Martinet, entrevista com o autor.

voga chomskista: "Chomsky é o cúmulo da afirmação *a priori* quando diz que todas as línguas são idênticas e que existe, por conseguinte, uma estrutura profunda".[32]

André Martinet vê-se, então, entre a cruz e a espada: por um lado, a tradição humanista que vê nele um perigoso estruturalista que não respeita nada, e, por outro lado, o desenvolvimento do chomskismo, que ele qualifica de linguística de engenheiros em nome, precisamente, de posições humanistas contrárias a uma concepção puramente formal da língua. Como grande herdeiro da fonologia e dos trabalhos do Círculo de Praga, Martinet

> [...] não se via retornando aos bancos da escola para adquirir uma formação em matemática e em informática. Preferiu deixar os Estados Unidos a ter de enveredar por esse caminho que lhe desagradava e no qual se sentia numa situação incômoda. Conservou de tudo isso um certo azedume, uma vez que era duplamente contestado: pelos extensionistas, aqueles que queriam estender o método estrutural, e pelos que queriam formalizá-lo.[33]

Para Claude Hagège, a gramática gerativa representa, de fato, uma ruptura, mas ele a considera negativamente, posto que ela radicaliza o corte com o social para construir seus modelos formais "fora de toda parasitagem social e histórica".[34] Se a dicotomia saussuriana língua/fala também era de natureza antissociológica, nem por isso é menos verdadeiro que Saussure se alimentou do pensamento de Durkheim; e pode-se ler a dicotomia língua/fala como a repetição no plano linguístico da distinção estabelecida por Durkheim entre o sistema definido pela relação social e o sistema que resulta da inventividade do indivíduo. Ora, "Chomsky traiu totalmente essa tradição sociológica que na França e na Alemanha tinha velhos antecedentes".[35]

Com efeito, Chomsky rompe com toda uma tradição, notadamente a do comparatismo, e não consegue convencer nem Georges-André

---

32 Ibidem.

33 Jean-Claude Chevalier, entrevista com o autor.

34 Hagège, *L'Homme de parole*, p.370.

35 Idem, entrevista com o autor.

Haudricourt, para quem o gerativismo tem efeitos essencialmente negativos, nem Tzvetan Todorov, que permanece na estrita filiação de Jakobson e Benveniste:

> Os primeiros estruturalistas eram pessoas que estavam mergulhadas na pluralidade das línguas, capazes de citar exemplos em sânscrito, chinês, persa, alemão ou russo. Ora, Chomsky foi a negação total, radical, de tudo isso, visto que trabalhou sempre com o inglês, ou seja, com a língua natal. Ainda que Chomsky tenha sido um bom especialista no que fazia, sua influência foi desastrosa, acarretando uma esterilização do campo da linguística verdadeiramente impressionante.[36]

Chomsky teorizou, de fato, essa limitação à língua natal e a converteu numa exigência metodológica: somente um locutor nativo da língua estudada está em condições de reconhecer a gramaticalidade ou não de uma frase. Por outro lado, o interesse dispensado à sintaxe foi interpretado ao mesmo tempo como um progresso, como a abertura para um novo campo de análise até então negligenciado, mas também como um fechamento quando esse estudo se permitia a exclusão de outras abordagens possíveis: fonética, semântica etc.

Quanto ao inatismo, à distinção entre estrutura de superfície e estrutura profunda, este também foi percebido por alguns como uma regressão: implicava, com efeito, um retorno, aliás explícito, à lógica de Port-Royal, segundo a qual o pensamento forma-se independentemente da linguagem, que serve apenas para comunicar o pensamento, ou seja, uma concepção essencialmente instrumental da linguagem que foi contestada pelo estruturalismo desde Saussure: "Para mim, está claro: é uma ideologia, aquela que o estruturalismo condenava, a ideia segundo a qual haveria uma natureza humana pensante, uma essência humana, um *a priori*, ideia esta que o estruturalismo tinha rejeitado peremptoriamente".[37] De fato, a base teórica que Chomsky postula com a sua noção de estrutura profunda, de natureza humana, mantinha uma certa distância do estruturalismo em geral, por exemplo, daquele princípio básico formulado por Benveniste segundo o qual

36 Tzvetan Todorov, entrevista com o autor.
37 Serge Martin, entrevista com o autor.

"o linguista considera, por sua parte, que não poderia existir pensamento sem linguagem".[38]

O chomskismo: um segundo alento do estruturalismo?

Sejam quais forem as prevenções dos estruturalistas ou funcionalistas quanto ao gerativismo chomskiano, este terá indubitavelmente representado um segundo alento para a linguística na França no final dos anos 1960. Sua introdução em terra francesa passa pela superioridade concedida à noção de transformação, e o gerativismo foi, aliás, conhecido inicialmente sob a designação de gramática transformativa.

Um dos principais divulgadores do modelo é Jean Dubois, que se dedica à sua aplicação à língua francesa. Ele vinha aplicando desde 1965 certos aspectos do distributivismo de Harris.[39] Desde cedo, Jean Dubois, gramático especializado na língua francesa, experiente na reflexão sobre as línguas mortas das humanidades clássicas, volta-se para os modelos em uso além-Atlântico: "Bloomfield foi a minha leitura preferida. Os americanos também trabalhavam em línguas que não falavam, as línguas ameríndias".[40] A adesão de Jean Dubois passa também por seu trabalho em neurologia com o dr. Henry Hécaen durante vários anos no laboratório de um hospital de Montreal e depois na França. Jean Dubois faz-se, aliás, partidário de uma posição sincrética, que realiza um amálgama entre os métodos do estruturalismo funcionalista, do distributivismo e do gerativismo: "O fato de escrever um dicionário do francês contemporâneo levou-me a utilizar um método que era meio estrutural, meio transformativo".[41] Dubois traduz para o plano teórico sua situação institucional, que o coloca na confluência de diversas correntes, em suas qualidades de universitário em Nanterre, de responsável pela revista *Langages* e por uma coleção de mesmo nome na Larousse,

---

38 Benveniste, *Problèmes de linguistique générale*, v.I, p.25.
39 Dubois, *Grammaire structurale de français*, v.I.
40 Idem, entrevista com o autor.
41 Ibidem.

assim como de elemento ativo entre linguistas do Partido Comunista Francês (PCF) no Centre d'Études et de Recherches Marxistes (Cerm).

Esse interesse de Dubois pelo gerativismo provoca uma desavença definitiva com Martinet, que não suporta as referências cada vez mais numerosas a Chomsky e vê nisso uma operação montada para contestá-lo. Dubois faz recuar o litígio entre eles às relações com a Larousse:

> Martinet fizera encaminhamentos junto à Larousse para criar a sua revista e a sua coleção, depois, de forma desastrada, pois é um homem muito honesto, conduziu negociações paralelas com as PUF sem o dizer, o que não agradou à direção da Larousse, tanto mais que Martinet preferiu as PUF porque inclui *universitaires* no nome. Martinet ficou muito contrariado, pois o projeto foi realizado sem ele na Larousse. Vi-me, de fato, na situação de lançar a revista *Langages* (em 1966) sem me considerar por isso, de maneira nenhuma, à altura de Martinet.[42]

Nessa popularidade do chomskismo, o que chamará sobretudo a atenção é a possível dinamização das estruturas, a possível reconciliação entre gênese e estrutura, mesmo que não fosse essa a intenção de Chomsky. Foi isso o que entendeu toda a jovem geração de linguistas, à qual pertencia Julia Kristeva: "Recebi Chomsky com muito interesse, porque era um modelo mais dinâmico do que a fonologia. Tinha a intuição de que isso poderia corresponder a essa visão da significação em processo que eu vinha considerando".[43] Para acentuar essa dinamização, Julia Kristeva procurará, aliás, no campo da biologia as oposições entre genótipo e fenótipo. Ela as utilizará em linguística no modo de articulação entre genotexto e fenotexto, distinção que permite explicar que o texto é, de fato, um fenótipo que se ordena segundo certos processos quase pulsionais a um genótipo – o que abre o campo da análise para uma perspectiva psicanalítica. O interesse de Julia Kristeva pelo chomskismo não vai, porém, até a adesão às suas teses, pois ela recusa os postulados inatistas, o "já presente desde sempre" das noções da linguagem que lhe parecem recuar quanto a uma certa fenomenologia e em relação ao freudismo: "Fiquei muito decepcionada, nas conversas que tive com

42 Ibidem.

43 Julia Kristeva, entrevista com o autor.

ele, com seu desprezo em relação a tudo o que era estilístico e poético. Todos esses fenômenos não passam para ele de decorações".[44]

Os primeiros passos do cognitivismo

O outro aspecto do gerativismo que foi percebido como um progresso decisivo é a sua capacidade para testar suas hipóteses, para formalizá-las ao ser verificada sua validade, mesmo que depois, com o desenvolvimento dos sistemas *experts* e da informática, tenha-se avançado ainda mais na formalização. Desse ponto de vista, Chomsky é considerado uma etapa importante: "Foi a primeira vez que se foi capaz de definir a estrutura de uma teoria linguística, que se puderam avaliar as diversas possibilidades de explicação que ela propunha".[45] Empenhando a linguística numa formalização cada vez mais apurada, o chomskismo acabou, entretanto, por separar a linguística das outras ciências humanas, quando o primeiro efeito, nos anos 1960, tinha sido, pelo contrário, o de insuflar um dinamismo novo a uma linguística considerada a ciência-piloto das outras ciências sociais. Houve, sem dúvida, um enriquecimento com a gramática gerativa na contribuição de uma exigência de rigor, numa reflexão que privilegia a explicação e uma certa continuidade do impulso saussuriano quanto à compreensão da língua, do seu funcionamento. Mas é lícito indagar se os gerativistas não terão sido seus próprios coveiros quando especialistas da linguística tão experimentados quanto Françoise Gadet confessam que a gramática gerativa "tornou-se hoje algo totalmente ilegível".[46]

O gerativismo deu, não obstante, acesso a um paradigma científico, encontrando-se, nesse aspecto, com o estruturalismo, que teve por impulso inicial a ambição de superar o corte natureza/cultura e adotar por modelo as ciências da natureza, com o paradigma cognitivista. Joëlle Proust descobre o chomskismo em meados dos anos 1960, mas a ruptura dá-se mais tarde, na década de 1970, quando ela se encontra imersa

44 Ibidem.
45 Sylvain Auroux, entrevista com o autor.
46 François Gadet, entrevista com o autor.

em Berkeley nos grandes anos do desenvolvimento das ciências cognitivas. "Dei-me então conta de que numerosas coisas que tinha aprendido deviam ser desaprendidas e reassimiladas de um outro modo."[47] Joëlle Proust adere, então, ao chomskismo com base na investigação da estrutura orgânica, lógica, computacional, subjacente à diversidade observável das culturas. Retoma, portanto, por conta própria, a noção chomskiana de natureza humana, ainda que qualificada de noção ideológica por Louis Althusser, que tinha sido sua primeira grande referência teórica: "Somos obrigados a reconhecer hoje que, cientificamente, existem bases universais na cognição, há coisas que são compartilhadas por todos os membros da nossa espécie e que, aliás, podem ser em princípio duplicadas numa máquina. Não há motivo para pensar que a razão se detém no homem".[48] Essa hipótese de trabalho pressupõe que o caráter racional do homem não pode ser específico da matéria orgânica que nos constitui, e que o que permite a um sistema de memória pensar é o fato de calcular na base de símbolos. A partir daí, só contam as propriedades relacionais de cálculo, o seu aspecto formal, e o aspecto orgânico pode variar da mesma maneira que computadores diferentes podem ser o suporte de um mesmo programa: "É por isso que se diz que talvez exista uma forma de equivalência funcional entre o homem e a mecânica".[49]

Um outro prolongamento do chomskismo que garantirá seu êxito temporário situa-se na antropologia, especialmente com a dupla adesão de Dan Sperber ao estruturalismo lévi-straussiano e depois ao chomskismo. Ele procura obter uma síntese de ambos, examinando o paradigma lévi-straussiano à luz das teses de Chomsky. Em 1968, é Dan Sperber quem redige a contribuição sobre o estruturalismo em antropologia para a obra coletiva dirigida nas Éditions du Seuil por François Wahl, *Qu'est-ce que le structuralisme?*. A partir do restabelecimento dos dois domínios de eleição da análise estrutural, os sistemas de parentesco e a mitologia, ele analisa a teoria estruturalista na mesma perspectiva de Chomsky, quando este contestava a orientação indutiva, descritiva, da linguística estrutural. Sperber parte do princípio de que, ao contrário

47 Joëlle Proust, entrevista com o autor.
48 Ibidem.
49 Ibidem.

do que diz Lévi-Strauss, o estruturalismo oferece-se menos como um método científico do que como uma teoria, e tem de ser testado como tal, à maneira de Popper: "Depois que Chomsky demonstrou que em linguística o estruturalismo seria um método particular – falso, de resto, no seu entender – e não o método da ciência, convém se perguntar se, também na antropologia, não se trata de uma teoria – falsa ou correta".[50]

É a partir dessa problematização chomskiana que Dan Sperber insiste na tensão interna, no discurso lévi-straussiano, entre sua ambição científica de ter acesso aos mais recônditos circuitos mentais e, por outro lado, o saber descritivo do espaço semântico dos mitos. Se Dan Sperber reconhece em Lévi-Strauss o grande mérito de ter retirado o estudo dos mitos das condições de sua comunicação, de os ter abordado como códigos, também lhe censura o fato de não sair totalmente da tradição antropológica, detendo-se a meio caminho diante da necessidade de construir a teoria de seu sistema. Critica o estruturalismo por continuar a considerar os mitos como dependentes de um sistema simbolista. Sem dúvida, Lévi-Strauss rompe com o empirismo quando evoca as limitações internas do espírito humano. Mas não chega a construir, segundo Dan Sperber, um método científico que articule os dois níveis em ação – identificados por Lévi-Strauss em sua abordagem dos mitos –, por um lado, como linguagem engendrada por uma gramática e, por outro, como produzidos por transformação de outros mitos. Dan Sperber reintroduz aqui a distinção chomskiana entre a estrutura do pensamento mítico como competência e seu exercício como desempenho: "Vejo, portanto, que as transformações dos mitos entre eles não definiam uma gramática, ao contrário do que Lévi-Strauss parece pensar".[51] A revolução operada por Lévi-Strauss só pode realizar-se plenamente aduzindo sua obra do lado do cognitivismo e não no sentido de suas ambições semiológicas: "A obra de Claude Lévi-Strauss reconduz a antropologia ao estudo do seu primeiro objeto: a natureza humana".[52]

A chave da construção de uma verdadeira ciência antropológica se situaria, portanto, nos próprios dispositivos do espírito humano. O chomskismo foi, por conseguinte, para Dan Sperber, a ferramenta

---

50 Sperber, *Le structuralisme en anthropologie*, p.18.

51 Idem, entrevista com o autor.

52 Idem, *Le structuralisme en anthropologie*, p.108.

de uma segunda conversão, após aquela que já tinha conduzido Balandier a Lévi-Strauss.

> A gramática gerativa é uma verdadeira revolução científica que remete o modelo estruturalista para um modelo inadequado, muito rudimentar. Ora, a gramática gerativa não tem a menor vocação para estender-se às outras disciplinas. A linguística estrutural tinha, paradoxalmente, essa ambição de fundar uma disciplina mais ampla, quando o seu modelo não funcionava sequer no seu campo de origem: a linguagem. Sua pretensão de funcionar para o resto do universo era francamente duvidosa.[53]

Dan Sperber vê na exigência científica de Chomsky a possível e necessária dissociação no saber do antropólogo entre a etnografia como interpretação do particular, dependente de um gênero literário, e uma antropologia como possível ciência do geral. Desse ponto de vista, Lévi-Strauss não teria rompido de forma bastante radical com a tradição antropológica ao tentar conjugar os dois domínios numa só disciplina.

Após o momento de apogeu do paradigma estruturalista em 1966, o chomskismo que se introduz na França apresenta-se, pois, simultânea e contraditoriamente, a partir de 1967-1968, como o segundo alento do estruturalismo e sua entrada em crise. A configuração do campo semiológico foi subvertida e ocorre uma ruptura que remete para o passado, o momento em que, em 1964, Lacan realiza uma conferência sobre Chomsky no seu seminário, a fim de criticar-lhe os postulados teóricos. Retomava, assim, as críticas formuladas desde 1959 por Jakobson, e censurava Chomsky encerrar o sujeito na estrutura gramatical, esquecendo o ser e sua "refenda". Lacan opunha ao modelo gramatical a sua teoria formal do significante.[54]

Se em 1964 o modelo estruturalista ainda se oferecia como uma possível unificação do campo das investigações sobre a comunicação em todas as suas manifestações, em 1967-1968, com o chomskismo, aparece uma divisão decisiva no próprio cerne do que até então se reputava ser a ciência-piloto: a linguística.

---

53 Idem, entrevista com o autor.

54 Lacan, "Problèmes cruciaux de la psychanalise", sessão de 2 dez. 1964.

2

Derrida ou o ultraestruturalismo

Em 1967, o estruturalismo é interpelado por duas publicações de um mesmo autor, a partir do campo da filosofia: trata-se de duas obras de Jacques Derrida, *De la grammatologie* e *L'écriture et la différence*, que vêm à luz simultaneamente e provocarão um abalo na estrutura. Aquilo que os americanos chamam pós-estruturalismo já está aí, portanto, mesmo antes do refluxo do paradigma estrutural, contemporâneo do seu triunfo, visto que Jacques Derrida retoma nesses dois livros textos que remontam a 1963, como o ensaio sobre Jean Rousset.

Jacques Derrida não deixará de problematizar a defasagem espaço-temporal que ele percebe em relação aos textos da filosofia clássica.

Nascido em 15 de julho de 1930 em El-Biar, num ambiente judeu, sem que por isso tivesse recebido uma verdadeira cultura judaica ("ignoro infelizmente o hebraico. O ambiente de minha infância argelina era colonizado demais, desenraizado demais"),[1] Derrida nunca deixou de sentir e de cultivar uma certa estranheza em relação à tradição do pensamento ocidental. Essa exterioridade não quer dizer, porém, que seja vivenciada a partir de um Outro, de um lugar distinto, mas a partir de uma falta, um lugar de nenhuma parte, abandonado aos 19 anos, um fora do lugar que servirá para desestabilizar todo esboço

1 Jacques Derrida sur les traces de la philosophie, entretien avec Christian Descamps, *Le Monde*, 31 jan. 1982.

de fundação, de alicerçamento: "O gesto que procura reencontrar distancia-se de si mesmo, ainda continua distanciando-se. Deve-se poder formalizar a lei dessa diferença intransponível. É um pouco o que eu sempre faço. A identificação é uma diferença para si, de si e consigo. Portanto, com, sem e apesar de si mesmo".[2] Derrida revive assim, no plano da escritura, a sua experiência pessoal da perda, perda do tempo, da memória, do que resta de cinza após essa experiência da morte: "É a experiência do esquecimento, mas do esquecimento do esquecimento, do esquecimento do qual nada resta".[3] Esse encaminhamento pessoal levou Derrida, como tantos filósofos da sua geração, a seguir as pegadas de Heidegger. E o próprio princípio que impulsionará toda a sua abordagem, o princípio de desconstrução, não é mais do que a tradução, embora um pouco desviante, do termo heideggeriano de *destruktion*.

Derrida fenomenólogo

Mas antes de se arvorar em desconstrutor do pensamento crítico que o estruturalismo representa, Derrida se interessa pela fenomenologia. O primeiro trabalho que publica é uma introdução a *A origem da geometria*, de Husserl.[4] Se a fenomenologia está então em voga, dominando quase exclusivamente o campo da filosofia, ela exprime na França uma preocupação particular com Sartre e Merleau-Ponty, que se interessam sobretudo pelo vivido, pela consciência perceptiva. A originalidade da intervenção de Derrida reside, em primeiro lugar, no fato de não partir dessa orientação: de maneira já defasada, ele se interessa sobretudo pelas questões da objetividade, da ciência, aludindo ao nível da observação interior, situando-se mais na filiação alemã dos discípulos de Husserl. Interrogando o fundamento último da fenomenologia a partir do enigma que lhe apresenta o objeto geométrico, Derrida não deduz daí a morte do sujeito, mas a sua delimitação a uma esfera mais

2 Jacques Derrida – La déconstruction de la philosophie. Entretien avec Michelle Perrot, une histoire de femme. *Magazine Littéraire*, n.286, mar. 1991, p.18.

3 Entretien avec Jacques Derrida. Didier Cahen, *Le Bon plaisir*. France-Culture, 22 mar. 1986. Reproduzida em *Digraphe*, n.42, dez. 1987.

4 Husserl, *L'Origine de la géométrie*.

restrita. Fala de uma retração do princípio de fundamento "necessário ao próprio aparecer".[5] Derrida ataca, a partir do texto de Husserl, o duplo perigo do historicismo e do objetivismo. Em *A origem da geometria*, já assinala a subversão interna da hierarquização em uso que subordina o escrito à voz, tema ulteriormente desenvolvido em toda a obra de desconstrução derridiana. O conceito de "transcendental" seria a certeza absoluta desse avanço em direção à origem que se apreende numa diferença originária, sempre vindoura: "É também nisso que esse escrito detém, como diz Husserl, 'uma significação exemplar'".[6]

Depois Derrida orienta sua reflexão sobre o signo, sobre a linguagem, sempre a partir da axiomática husserliana, a das *Investigações lógicas*,[7] a fim de valorizar a distinção estabelecida por Husserl nos estados de consciência entre uma camada pré-expressiva (signo indicativo) e uma camada expressiva (signo expressivo). Não existiria, portanto, um conceito unitário do signo, mas um desdobramento deste. Portanto, a expressão, para Husserl, é pura exteriorização, e a indicação remete para o lugar do involuntário: "A esfera indicativa que permanece fora da expressividade assim definida delimita o fracasso desse *telos*".[8] Não se pode, pois, remeter para uma verdade ou uma essência do signo, mas a tarefa filosófica consiste em descrever suas possibilidades de aparecimento. Já se encontra em Derrida a temática do indefinido textual, da escritura como abismo, verdadeiro universo crítico de um passado que jamais foi presente: "Pensar como normal pré-originário o que Husserl crê poder isolar como uma experiência particular, acidental, dependente e segunda: a da deriva indefinida dos signos como errância".[9]

Radicalizar o estruturalismo

No momento em que a fenomenologia é contestada pelo estruturalismo na França, Derrida corre o risco de se ver do lado da tradição.

---

5 Ibidem, p.151.

6 Ibidem, p.171.

7 Idem, *Recherches logiques*.

8 Derrida, *La voix et le Phénomène*, p.38-9.

9 Ibidem, p.116.

Realiza então "uma radicalização da fenomenologia, de modo a transpor a objeção estruturalista e a encontrar-se ainda mais longe".[10] Na defensiva, Derrida não tarda a encontrar-se em posição ofensiva e em iniciar um trabalho de desconstrução sistemática de cada obra estruturalista, identificando nelas os vestígios de um logocentrismo que resta ultrapassar. Para esse trabalho crítico, Derrida abandona a perspectiva fenomenológica e coloca-se no interior do pensamento de Heidegger, que lhe serve de verdadeira máquina de guerra crítica do estruturalismo. Ocupa, então, uma posição paradoxal, simultaneamente dentro e fora do paradigma estruturalista. Assim, "Derrida foi o primeiro na França a emitir algumas reservas sobre o estruturalismo, e a desconstrução derridiana foi um movimento que prejudicou o desenvolvimento do estruturalismo tal como poderia ter continuado a se produzir".[11] Mas pode ser também considerado aquele que levou ao extremo a lógica estruturalista, na direção de um questionamento ainda mais radical de toda a substantivação, de toda a essência fundadora, no sentido de um esvaziamento do significado. Por esse ângulo, Derrida coloca-se logo no interior do campo de reflexão estruturalista, mesmo que a posição por ele assumida seja a de uma distância crítica: "Como vivemos da fecundidade estruturalista, é demasiado cedo para fustigar nosso sonho".[12] É verdade que estamos apenas em 1963, na época ainda gloriosa de um programa promissor, e Derrida é então particularmente encomiástico a respeito de um estruturalismo que considera muito mais importante do que um simples método de pensamento novo. O estruturalismo ocupa, nesse momento, o lugar de uma nova "aventura do olhar, de uma conversão na maneira de questionar diante de todo objeto".[13]

É a uma verdadeira revolução epistemológica, horizonte inultrapassável do nosso tempo, que se refere um Derrida que considera ao mesmo tempo que o estruturalismo não pode depender de um simples fenômeno de moda nem expor-se, no futuro, a nenhuma redução histórica como momento do pensamento: "O estruturalismo escapa, assim,

---

10 Vincent Descombes, entrevista com o autor.

11 René Major, entrevista com o autor.

12 Derrida, Force et signification, *Critique*, n.193-194, jun.-jul. 1963, reproduzido em *L'écriture et la différence*, p.11.

13 Ibidem, p.9.

à história clássica das ideias",[14] mesmo que se manifeste em período de deslocamento histórico, quando o fervor imanente na força recai na preocupação da forma. Então, "a consciência estruturalista é a consciência *tout court* como pensamento do passado, quero dizer, da realidade em geral. Reflexão do concluído, do constituído, do construído".[15] Mesmo que Derrida, à semelhança de Foucault, pratique a evitação sistemática em relação a toda forma de pertença a uma "igrejinha" particular, pode-se, entretanto, assinalar nele um manifesto abandono do horizonte fenomenológico em proveito de uma adesão ao que constitui a base do paradigma estruturalista. Muitos semiólogos estruturalistas dos anos 1960 e 1970, aliás, inspirar-se-ão em seus trabalhos: "A desconstrução como método era um outro nome para uma operação de tipo estruturalista, ou seja, transformar um texto complexo, desintricá-lo para reduzi-lo a legibilidades, a oposições, a desfuncionamentos";[16] mesmo que, ao contrário dos estruturalistas clássicos, a atenção de Derrida incida mais, à maneira dos psicanalistas, sobre as falhas, os desfuncionamentos, do que sobre as regularidades ou as invariantes da estrutura. Esse pensamento nos limites, que dá continuidade, aliás, a toda uma literatura do mesmo tipo, radicaliza, portanto, a ideia de estruturalidade da estrutura ao introduzir um descentramento constante, uma deportação para fora do centro de tal modo que deixa de existir ordem extraestrutural, e então "tudo é estrutura e toda a estruturalidade é um jogo infinito de diferenças".[17] A estrutura reduz-se, dessa maneira, ao jogo incessante das diferenças, e o pensamento entra na vertigem abissal de uma escritura que rompe os diques, derruba as fronteiras disciplinares, para chegar à criação pura, a do escritor; ela se realiza principalmente na figura do poeta.

Essa abertura para uma estética que se inspirou no programa mallarmeano desemboca numa alteração confusa das fronteiras que delimitam as áreas da filosofia e da literatura. Esta passa, então, pela problematização filosófica que se instala no terreno dos indecidíveis a partir de uma reflexão sobre a face oculta da história literária: Antonin

14 Ibidem, p.10.
15 Ibidem, p.12.
16 Philippe Hamon, entrevista com o autor.
17 Frank, *Qu'est-ce que le néo-structuralisme?*, p.65.

Artaud, Georges Bataille, Edmond Jabès... Essa proximidade une-se também, ao radicalizá-la, à orientação estruturalista de interrogação sobre a linguagem, além dos desacoplamentos entre gêneros, além das classificações tradicionais e, portanto, o acesso ao texto a partir das leis próprias da textualidade. "O meu primeiro desejo ia, sem dúvida, para o lado em que o acontecimento literário atravessa e ultrapassa até a filosofia".[18]

Se o percurso de Derrida o conduzirá cada vez mais para o interior do continente literário, abandonando as preocupações epistemológicas em troca da criação pura, de que *Glas* é um bom exemplo,[19] nem por isso deixa de ser, desde 1965, um pedagogo, um excelente didata da filosofia, professor na École Normale Supérieure (ENS). É nesse plano o primeiro a transformar – e a fazê-lo de forma radical – a leitura dos textos filosóficos a partir de novos modos de interpretação provenientes da linguística, da psicanálise, da etnologia e de todos os setores de ponta das ciências humanas:

> É fundamentalmente um professor que renovou de forma profunda a leitura dos textos filosóficos, mas que anseia por dar-lhes a sua interpretação. Seu esforço para fundar uma prática tem um aspecto um tanto cego. As suas aulas formulam o problema do que as sustenta.[20]

Pela sua capacidade para instalar-se no interior do texto a desconstruir, a fim de seguir-lhe a trama interna, Derrida terá sido, pois, para uma geração de filósofos, "de uma eficácia extraordinária, incorporando por impregnação, para permitir aos estudantes de filosofia, que devem dominar primeiro a retórica, que tenham o ar entendido que é esperado do professor".[21]

---

18 Jacques Derrida sur les traces de la philosophie, entretien avec Christian Descamps, *Le Monde*, 31 jan. 1982.

19 Derrida, *Glas*.

20 Jacques Rancière, entrevista com o autor.

21 Jacques Hoarau, entrevista com o autor.

A desconstrução

A estratégia que Derrida adota é a da desconstrução em sua dupla acepção destrutiva/construtiva; ela permite reconhecer os traços da metafísica ocidental no pensamento do outro, introduzindo simultaneamente uma nova maneira de escrever. Portanto, privilegia a esfera da escritura como esfera autônoma dependente da textualidade em geral, para além das diferenças genéricas entre filosofia e literatura. Derrida junta-se, portanto, à nova crítica literária estruturalista, mas escapa às suas categorias científicas ao dar-se por horizonte a criação de conceitos novos, de indecidíveis, e erguendo-se assim "à altura de uma atividade criadora".[22] Ele realiza desse modo a grande ambição da maioria dos estruturalistas que adotaram a linguagem das ciências sociais para fazer obra criativa, obra literária. Junta-se, assim, aos formalistas do começo do século, aos trabalhos do Círculo de Praga, que já procuravam realizar uma simbiose entre poética e reflexão filosófica. Encontra-se, portanto, numa filiação inteiramente estruturalista.

A outra fonte de inspiração de Derrida, dessa vez no próprio campo filosófico, é a obra de Heidegger: "Nada do que eu procuro fazer teria sido possível sem a abertura das questões heideggerianas, [...] sem prestar atenção ao que Heidegger chama de diferença entre o ser e o ente, a diferença ôntico-ontológica".[23] Nesse sentido, toda a obra desconstrutora do sentido atribuída ao ente situa-se diretamente na esteira de Heidegger. Cada conceito é aí tratado até os limites da sua pertinência, até seu esgotamento e sua dissipação, que devem simular o próprio desaparecimento da metafísica ocidental. A ação desconstrutora apresenta-se em toda a sua ambiguidade, e seduz muito mais nesse contexto dos anos 1967-1968, já que é percebida "ao mesmo tempo como um gesto estruturalista e antiestruturalista".[24] Nesse duplo sentido, ele obtém a adesão de toda uma geração, da qual *Tel Quel* é a própria ilustração, para a retomada da herança estruturalista, o que acarreta o rompimento do fechamento do sistema e permite a abertura da estrutura. A desconstrução permanece fiel à valorização atribuída à esfera escondida,

22 Habermas, *Le Discours philosophique de la modernité*, p.226.
23 Derrida, *Positions*, p.18.
24 Entretien avec Jacques Derrida. Didier Cahen, *Le Bon plaisir*.

ao inconsciente, mas permite sobretudo a pluralização, a disseminação, uma vez que faz estourar a referência a um centro estrutural, à unicidade de um princípio estruturante qualquer. É uma verdadeira estratégia que Derrida desenvolverá em relação à razão ocidental: "A estratégia da desconstrução é o estratagema que permite falar, no próprio momento em que não existe, no fim das contas, nada mais a dizer".[25]

O êxito dessas teses desconstrutivas está relacionado também, nesses anos de 1967-1968, com o contexto de ruptura com o saber acadêmico da Sorbonne. Da mesma maneira que os linguistas em relação à história clássica, Derrida oferece aos filósofos uma estratégia de combate que visa à demolição radical dos fundamentos da metafísica ensinada na Sorbonne: ele inocula no interior da tradição filosófica uma série de conceitos indecidíveis que têm por finalidade abalar-lhe os alicerces e denunciar-lhe os equívocos. O aspecto subversivo dessa estratégia permite, portanto, minar as bases da instituição vigente e radicalizar o combate conduzido pela corrente estruturalista, ampliar-lhe a base mediante a sutura de toda a reflexão crítica, seja ela lacaniana, foucaultiana, chomskiana ou althusseriana, e recuperá-la, dessa forma, no campo da filosofia.

Nesse plano, Derrida é também aquele que terá levado a sério o desafio das novas ciências sociais para enriquecer o discurso, o tipo de questionamento da filosofia. Essa estratégia anuncia o fim da filosofia e recupera, ao mesmo tempo, as aquisições das ciências humanas em proveito único da filosofia, de alcançar aquilo a que já chama, antes mesmo da publicação do livro de Barthes, de um prazer do texto: "Produz-se um certo trabalho textual que dá um grande prazer".[26] Os diversos pares binários – significante/significado, natureza/cultura, voz/escritura, sensível/inteligível – que constituíram o próprio instrumento de análise do estruturalismo são, um por um, rediscutidos, pluralizados, disseminados num jogo indefinido que desdobra, decompõe, disseca o sentido das palavras, e persegue toda palavra-mestra, toda transcendência. Assim, a linguagem derridiana desestabiliza as oposições tradicionais ao fazer jogar os indecidíveis, verdadeiras unidades de simulacro, organizadores de uma nova ordem, carnavalesca, da razão.

---

25 Descombes, *Le même et l'autre*, p.163.

26 Derrida, *Positions*, p.15.

Derrida buscará os seus conceitos ambivalentes à tradição para lhos devolver em bumerangue, à maneira do coice do asno. Recolhe em Platão o termo *Pharmacon*, que não é remédio nem veneno, nem o bem, nem o mal. Toma de Rousseau o *suplemento*: nem um mais nem um menos. De Mallarmé, o *hímen*, que não é nem a confusão nem a distinção. Todas essas noções, que são outros tantos instrumentos da desconstrução, têm um ponto em comum: "Todas anulam a oposição do dentro e do fora".[27] A escritura parte, portanto, ao assalto do conceito a fim de o substituir por um jato seminal projetando-se para o infinito. Essa desconstrução defronta-se, no campo filosófico, não só com a fenomenologia, ao descentrar o sujeito, mas também com a dialética hegeliana, ao dissolver as noções de unidade e de identidade: "A negação é reduzida ao papel secundário de uma polícia do saber [...]. O conceito é reduzido ao exercício de um mandamento teológico".[28] Derrida preserva o lugar da filosofia como rainha das ciências, lugar no qual se determina a norma de todos os saberes e, ao mesmo tempo, prepara uma possível linha de fuga na criatividade puramente literária, não concebida como evento redentor, à maneira de Heidegger. Esse trabalho de desselagem radicaliza a perspectiva heideggeriana ao esvaziar a ideia de um fundamento a ser reencontrado, ao substituir este por uma simples errância à qual "não se concede sequer a pausa agasalhadora do Ser",[29] e prefere-lhe as margens mallarmeanas. O corte saussuriano já afastara o referente do horizonte linguístico, Lacan, por sua vez, tinha feito o significado deslizar sob o significante, e com Derrida, o significado é que é esvaziado, em proveito de uma cadeia significante indefinida, sem ponto de estofo. Promove, assim, o acesso a uma inversão espetacular, a partir da qual ele procura uma corporalidade da escritura.

27 Kofman, *Lectures de Derrida*, p.39.
28 Ruby, *Les archipels de la différence*, p.30.
29 Jean-Marie Benoist, entrevista com o autor.

Desconstruir Foucault

O empreendimento de Derrida tem por meta desconstruir tudo, e começará por aqueles que se encontram mais perto dele e que considera terem ficado, mesmo a contragosto, prisioneiros do logocentrismo: os estruturalistas. O primeiro alvo dos ataques de Derrida foi um parricídio, pois aquele que será sua vítima expiatória não é outro senão seu antigo professor da rua de Ulm, Michel Foucault. Assistente de Jean Wahl na Sorbonne, é confiada a Derrida uma conferência no Collège de Philosophie; o tema por ele escolhido foi um comentário sobre *Folie et déraison*, de Foucault. A conferência aconteceu em 4 de março de 1963, e Foucault assistiu na sala à exposição do seu antigo aluno, para sofrer, surpreendido, uma verdadeira arremetida contra sua tese. A conferência de Derrida será publicada pouco depois na *Revue de Métaphisique et de Morale*, dirigida por Jean Wahl,[30] e depois reproduzida na coletânea publicada em 1967, *L'écriture et la différence*.

Derrida procede ao seu trabalho desconstrutor limitando sua abordagem à economia interna do texto que estuda. Retira deste, à maneira de um laboratório de análise, uma parte ínfima que ele julga ser reveladora do conjunto e na qual maneja seu bisturi. A enorme soma de trabalho de Foucault, que é a sua tese de estado, só é apreendida, portanto, a partir da leitura que o autor nos propõe da tomada de posição de Descartes a respeito da loucura, ou seja, três páginas num total de 6.731. "A leitura que nos é proposta de Descartes e do *cogito* cartesiano envolve em sua problemática a totalidade dessa *História da loucura*."[31] A contestação da validade dos ensinamentos que Foucault extrai da primeira *Meditação* de Descartes, envolvendo o conjunto da obra, serve para avaliar o radicalismo de uma crítica dirigida, não obstante, a um livro "admirável sob múltiplos aspectos".[32] Mas soou a hora da emancipação e com ela a do homicídio simbólico.

Em primeiro lugar, Derrida, como estruturalista radical, critica Foucault por ter conservado a ideia de sujeito. Mesmo que o sujeito

---

30 Derrida, Cogito et histoire de la folie, *Revue de Métaphysique et de Morale*, n.4, out.-dez. 1963.

31 Ibidem e em *L'écriture et la différence*, p.52.

32 Ibidem, p.51.

escolhido constitua a face oculta da história, o seu avesso, Foucault fez mal em preservar a ideia de um sujeito que atravessa a história: a loucura: "É o que há de mais louco em seu projeto".[33] Foucault será, aliás, sensível a essa crítica, e o seu projeto arqueológico futuro apagará todo ponto de vista que parta de um sujeito qualquer, mesmo que seja recalcado. Derrida remete em seguida para a ordem do ilusório a ideia de poder situar-se fora da razão, a partir de um alhures que seria a loucura, de um lugar de exílio: "A grandeza inultrapassável, insubstituível, imperial da ordem da razão [...] está em que só se pode recorrer a ela contra ela, só nela se pode protestar contra ela".[34] Onde Foucault acredita ter realizado uma revolução, não teria conseguido mais do que uma modesta agitação da superfície. A demonstração de Foucault parte de um *coup de force* inicial, de uma decisão importante apresentada como a própria condição da história, aquela que levou a excluir a loucura do mundo da razão antes de encerrá-la. Esse ato fundador da idade clássica é atribuído a Descartes na primeira das *Meditações*, pela qual ele teria instituído a linha divisória entre dois solilóquios para sempre estranhos um ao outro. Eis o grande ponto de litígio entre Foucault e Derrida, que não vê no texto de Descartes ostracismo algum contra a loucura. Muito pelo contrário: para Descartes, "o dormente, ou o sonhante, é mais louco que o louco".[35] Se a hipótese do gênio malévolo convoca a loucura total, o ato do *cogito* nem por isso pode ser considerado o lugar da separação decisiva entre razão e loucura, uma vez que ele vale "mesmo se o meu pensamento é totalmente louco".[36] Derrida contesta, assim, a validade do par binário razão/loucura (divisão que permite a Foucault exumar a parte maldita da história ocidental), mostrando que o fato de fundar o *cogito* não está submetido em Descartes ao prelimiar da eliminação da loucura.

Derrida considera, portanto, que Foucault cometeu um importante contrassenso na sua leitura de Descartes, mas a sua crítica pretende ir mais longe, pois incrimina todo o método foucaultiano: "O totalitarismo estruturalista operaria aqui um ato de encerramento do *cogito*

33 Ibidem, p.55.
34 Ibidem, p.58.
35 Ibidem, p.79.
36 Ibidem, p.85.

que seria do mesmo tipo que o das violências da Idade Clássica".[37] Eis Foucault colhido na emboscada e acusado de ter perpetrado uma violência análoga à que ele pretendia denunciar. É perfeitamente concebível que ele não tenha apreciado de forma especial a inesperada e certeira crítica do seu "discípulo". Entretanto, não responde de imediato a essa diatribe, nem no próprio momento, visto que permanece atento mas silencioso na sala, nem em 1967, quando o texto é publicado em *L'écriture et la différence*.

Foi necessário esperar até 1971 para que Foucault reagisse num artigo publicado inicialmente na revista *Paideia*[38] e depois incluído na nova edição de *L'histoire de la folie* da Gallimard, em 1972. Embora Foucault qualifique de "notável" a argumentação de Derrida, mantém a sua interpretação do texto de Descartes e considera que a hipótese de Derrida só vale à custa de omissões pelas quais chega a extirpar todas as diferenças do texto a fim de "converter a exclusão cartesiana em inclusão".[39] E Foucault denuncia na leitura que Derrida faz de Descartes não uma ingenuidade qualquer, mas a aplicação deliberada de um sistema tradicional de interpretação que tem por característica apagar tudo que o estorva e do qual Derrida seria o último representante. Dessa vez, Foucault não se limita a uma resposta defensiva, mas aprecia como mestre o trabalho do seu aluno, reduzindo-o a um brilhante exercício de estilo de ordem didática.

> Eu não diria que é uma metafísica, a metafísica ou o seu fechamento que se esconde nessa textualização das práticas discursivas. Irei muito mais longe: direi que é uma pequena pedagogia historicamente bem determinada que, de maneira muito visível, se manifesta. Pedagogia que ensina ao aluno nada existir fora do texto, mas que nele, em suas intenções, nos seus brancos e não ditos, reina a reserva da origem.[40]

37 Ibidem, p.88.

38 Foucault, Mon corps, ce papier, ce feu, *Paideia*, set. 1971.

39 Ibidem e em *L'histoire de la folie*, apêndice II, p.599.

40 Ibidem, p.602.

A gramatologia

Em 1965, na revista *Critique*, Derrida enuncia as bases de uma nova abordagem que participa na efeito-logia da época: a gramatologia. A sua tese atingirá um público mais vasto em 1967 com a publicação pelas Éditions de Minuit da obra *De la grammatologie*. Partindo da constatação de que o problema da linguagem jamais dominara tanto as investigações nos mais diversos domínios, e apoiando-se nessa inflação invasora para responder-lhe como filósofo, Derrida preconiza uma historicização do recalque da escritura pela civilização ocidental em benefício da *phonê*. A gramatologia é essa "ciência" da escritura, contida pela metafísica e que "dá os signos da sua libertação através do mundo graças a esforços decisivos".[41] O exergo remete, assim, para uma ambição científica, mas esta se anula ao apresentar-se, visto que, uma vez superados todos os obstáculos, "uma tal ciência da escritura corre o risco de jamais ver a luz do dia como tal e sob esse nome".[42] A gramatologia não se define, portanto, como uma positividade como qualquer outra, ao lado das outras: "A grafemática ou a gramatologia deveriam deixar de apresentar-se como ciências".[43] Derrida já se inscreve nesse entre-dois, nessa tensão interna entre a escritura e a ciência, no interior desse lugar da ausência, desse branco textual, nesse inacessível espaçamento temporal que assume a figura de um suplemento que escapa para sempre à presença: "A constituição de uma ciência ou de uma filosofia da escritura é uma tarefa necessária e difícil. Mas alcançados esses limites e repetindo-os incessantemente, um pensamento do traço, da diferença ou da reserva deve também apontar para além do campo da episteme".[44]

Na busca incessante do próprio e do próximo, da proximidade, o Ocidente privilegia, desde Platão, a voz, considerada como verdadeira essência, portadora do sentido, do significado, à custa da escritura. Toda a trama histórica do Ocidente não seria mais do que a história desse esvaziamento. A unidade distintiva, o objeto dessa nova ciência capaz de sair do fonologismo seria o grama, o grafema. Derrida utiliza

41 Derrida, *De la grammatologie*, p.13.
42 Ibidem, p.13.
43 Ibidem, p.109.
44 Ibidem, p.142.

a linguística mais formal, a glossemática de Hjelmslev: "Para Derrida, Hjelmslev liberta o significante do significado e permite uma escritura que se substitui ao significante fônico".[45] O significante fônico pode então ser substituído pelo significante gráfico.

Inspirando-se nos *Princípios de gramática geral* de Hjelmslev, Derrida dissocia o princípio fonologista do princípio da diferença, e encontra na glossemática as bases de uma ciência formal da língua. O afastamento do sentido é reforçado pelo do som, e Derrida assenta a sua nova ciência a partir da linguística, numa filiação explicitamente hjelmsleviana: "Hjelmslev critica a ideia de uma linguagem naturalmente ligada à substância de expressão fônica".[46] A ruptura que permitiria conceder o primado à escritura dataria, portanto, da glossemática, a única que permitiria o acesso ao elemento literário de base, o grama.

Mas Derrida não se contenta em reatar a herança da componente mais formal da reflexão linguística; ele visa a um para além do estruturalismo e considera que "a glossemática ainda opera aqui com um conceito corrente da escritura".[47] Ele introduz, então, a temporalidade, a falta de ser, a ausência a partir da qual a escritura é apreendida como traço, não vinculada à ideia de origem. O traço refere-se à apreensão das condições de possibilidade, anterior à existência do signo, é a sua condição de existência, escapando a toda redução a um ente-presente. Derrida tenta, portanto, uma simbiose entre a glossemática e uma abordagem arqueológica, já que seu horizonte não se situa no restabelecimento do conteúdo dos pensamentos, mas no que os torna possíveis. Coloca-se, como filósofo, numa situação de exterioridade, de excentramento em relação ao pensamento ocidental. Essa gramatologia pressupõe uma autonomia máxima da escritura em relação ao contexto da sua gênese e, nesse sentido, participa plenamente do paradigma estruturalista baseado nesse corte com o quadro referencial. A escritura escapa tanto ao locutor quanto ao destinatário, e vale como todo objeto científico pelo caráter reiterável da leitura: "Todo grafema é de essência testamentária".[48]

---

45 Serge Martin, entrevista com o autor.
46 Derrida, *De la grammatologie*, p.84.
47 Ibidem, p.88.
48 Ibidem, p.100.

Considerando que o estruturalismo fonológico atingiu os seus limites, Derrida pratica a evitação da gramática gerativa para substituí-la por uma outra via de ultrapassagem, propriamente filosófica: "Ele esforça-se por radicalizar a intuição fundamental do estruturalismo [...]. Pode tomar o caminho direto que conduz da filosofia da consciência do primeiro Husserl à filosofia da linguagem do último Heidegger".[49] Na perspectiva heideggeriana, Derrida renuncia a toda ontologia. O traço que ele localiza se dissimula sempre por um movimento de contínuo encobrimento que não permite fixar a significância. Utiliza, portanto, as contribuições da linguística a fim de transportá-las para o campo da filosofia, importando para este uma ambição científica estranha a um Heidegger que sempre foi hostil às pretensões das ciências.

A gramatologia se oferece simultaneamente como possível desconstrução heideggeriana das normas científicas em vigor e possível superação do fechamento do campo da cientificidade tradicional, para atingir um novo rigor científico desembaraçado de pressuposições logocentristas e fonológicas. Essa gramatologia permitirá, sobretudo, produzir em sua vertente crítica; em contrapartida, será rapidamente esquecida como prolegômeno de uma nova ciência. O desenvolvimento da racionalidade deve, portanto, ser desestabilizado não por sua face oculta, a da loucura, como acreditou Foucault, mas a partir de um verdadeiro ponto de exterioridade: "Queremos atingir o ponto de uma certa exterioridade em relação à totalidade da época logocêntrica".[50]

Para além do estruturalismo

Essa construção de um para além do estruturalismo passa pela crítica dos seus dois pais fundadores, que são Saussure e Lévi-Strauss. É a essa tarefa que Derrida se aplica em *De la grammatologie*, quando identifica os limites fonológicos e logocêntricos do primeiro estruturalismo. Descortina em Saussure uma postura que permanece fundamentalmente prisioneira do sujeito presente para si mesmo por sua

49 Habermas, *Le discours philosophique de la modernité*, p.197.
50 Derrida, *De la grammatologie*, p.321.

fala. Entretanto, reconhece em Saussure aquele que teve o mérito de romper com a tradição metafísica ao dessubstancializar o conteúdo do significado e sua expressão, mas considera que ele não foi até o fim da inversão, que somente a esboçou ao reintroduzir a noção de signo como fundadora da linguística, quando "a época do signo é essencialmente teológica".[51] A reflexão saussuriana centrada na palavra como unidade de sentido e de som poderia ter dado acesso a uma análise da escritura, mas Saussure teria fechado essa perspectiva colocando-a em situação de exterioridade quase maléfica: "O mal da escrita vem do exterior, já dizia o *Fedro* (275 a)".[52] Platão repeliu a escrita, considerando-a responsável pela ruína da memória, e Saussure, que mostra no *Curso de linguística geral* a importância da conscientização do modo de funcionamento próprio da linguagem, começa pela desvalorização da escrita, apresentando-a como a simples reprodução da fala: "A escrita obscurece a visão da língua; não é um traje, mas um disfarce".[53] Haveria, portanto, um liame de subordinação e de desvalorização da escrita em relação à fala, reforçado ainda em Saussure pela integração do seu projeto semiológico no interior de uma psicologia.

Nada justifica, para Derrida, a discriminação que faz Saussure entre signo linguístico e signo gráfico. Haveria, inclusive, uma contradição interna no discurso saussuriano quando ele expõe a tese do arbitrário do signo e exclui ao mesmo tempo a escrita, colocando-a na exterioridade da linguagem, na sua antecâmara, quando não em seu leprosário: "Deve-se, portanto, rechaçar, no próprio nome do arbitrário do signo, a definição saussuriana da escritura como imagem – como símbolo natural – da língua".[54] Muito pelo contrário, para Derrida, a escritura escapa ao real como traço sempre dissimulado nela própria, é tão estranha quanto a imagem acústica do referente e do sujeito: "Essa desconstrução da presença passa pela da consciência".[55]

Convém a Derrida, portanto, desconstruir essa noção de signo saussuriano situada no âmago da reflexão estruturalista e substituí-la por uma problematização da escritura que a gramatologia preconiza.

51 Ibidem, p.25.
52 Ibidem, p.51.
53 Saussure, *Cours de linguistique générale*, p.51.
54 Derrida, *De la grammatologie*, p.66.
55 Ibidem, p.103.

No contexto da derrubada das fronteiras entre todas as disciplinas que têm o homem por objeto, a gramatologia oferece-se como possível unificador dessas investigações, todas azimutais. A gramatologia propõe-se a ser a realização plenamente assumida e levada ao extremo da sua lógica de uma ambição estruturalista aberta à desconstrução do Um e ao desaparecimento do homem: "A gramatologia [...] não deve ser uma das ciências do homem, porque ela estabelece primeiro, como sua questão própria, a questão do nome do homem".[56] Essa ciência propõe-se, pois, a transceder as ciências humanas, ao não procurar mais uma importação de conceitos oriundos de seus setores regionais, embora capturando seus respectivos programas. Essa intenção hegemônica de Derrida reproduz, de fato, a posição dominante da filosofia no campo da reflexão sobre o homem, e se ele preconiza mais uma ciência do que uma filosofia, não deve ela somar-se às outras ciências existentes; pretende estar emancipada de toda limitação ou delimitação.

Desconstruir Lévi-Strauss

O outro grande mestre do estruturalismo contra o qual investirá a desconstrução derridiana é, evidentemente, Lévi-Strauss, que encontrara no modelo fonológico de Jakobson um modelo científico válido para o conjunto do campo das ciências humanas: "A fonologia não pode deixar de desempenhar, perante as ciências sociais, o mesmo papel renovador que a física nuclear, por exemplo, desempenhou no conjunto das ciências exatas".[57] Nesse sentido, Derrida, que persegue de perto os traços de fonologismo, adota muito naturalmente Lévi-Strauss por alvo, segundo o método já testado a propósito de Foucault: recolhe uma pequena partícula da imensa obra lévi-straussiana, no caso, a "Lição de escrita" de *Tristes tropiques*, para denunciar aí o recalque da escrita. Lévi-Strauss descreve nesse capítulo a chegada da escrita aos nhambiquaras, levando com ela a introdução da exploração, da perfídia e diversas formas de servidão. Essas considerações de Lévi-Strauss são, para

---

56 Ibidem, p.124.

57 Lévi-Strauss, *Anthropologie structurale*, p.39.

Derrida, a prova de que o etnólogo não teve mais êxito do que Saussure em realizar plenamente o seu ato de descentramento do etnocentrismo ocidental. É certo que Lévi-Strauss participa dessa era de suspeição que substitui uma lógica do jogo para escapar aos modelos conscientes, que faz prevalecer não um significado central, mas uma cadeia significante, e tenta sair da dicotomia tradicional natureza/cultura. Por todas essas orientações, o projeto de Derrida "reúne-se manifestamente ao de Lévi-Strauss, mesmo que não se inicie, como este último, por uma abjuração solene do exercício da filosofia".[58] Encontramos em um e outro a mesma busca das diferenças entre os mitos que se pensam entre eles para Lévi-Strauss, ou os textos que se inscrevem na trama da intertextualidade para Derrida. No número 4 dos *Cahiers pour l'Analyse*,[59] Derrida considera que a antropologia social de Lévi-Strauss reativaria, de fato, o pensamento do século XVIII, o de Rosseau, e conteria, portanto, toda uma série de categorias, como as de gênese, natureza, signo, as quais revelam o seu logocentrismo: "O estruturalismo continuaria sendo tributário de uma filosofia da natureza".[60] Esse artigo é reproduzido em *De la grammatologie*; Derrida considera que Lévi-Strauss expia seus pecados de ocidental opondo a natureza inocente, cheia de bondade e beleza, à cultura ocidental que comete arrombamento, irrupção do fora no dentro, em relação a uma realidade ideal apresentada a partir do espelho igualmente deformado do contraetnocentrismo ocidental: "Essa arqueologia é também uma teleologia e uma escatologia; sonho de uma presença plena e imediata fechando a história".[61]

Defensor do território do filósofo que Lévi-Strauss abandonou, Derrida denuncia o empirismo da antropologia. Às críticas formuladas por Lévi-Strauss contra os filósofos da consciência, ele responde que nenhum entre eles, nem Descartes, nem Husserl, teria tido a ingenuidade de um Lévi-Strauss para concluir tão apressadamente sobre a inocência e a bondade original dos nhambiquaras. Para Derrida, o olhar que Lévi-Strauss crê isento de etnocentrismo é, de fato, um etnocentrismo às avessas, sustentado por posições ético-políticas que

58 Delruelle, *Claude Lévi-Strauss et la philosophie*, p.109.

59 Derrida, Lévi-Strauss dans le XVIIIe siècle, *Cahier pour l'Analyse*, n.4, set.-oct. 1966.

60 Ibidem, p.114.

61 Idem, *De la grammatologie*, p.168.

acusam o Ocidente de estar na origem, pela escrita, do assassinato da fala inocente.

Juntava-se assim ao seu mestre, Rousseau, que tinha advertido contra a escrita: "O abuso dos livros mata a ciência. [...] Não é preciso ler, é preciso ver. [...] A leitura é o flagelo da infância".[62] Derrida situa-se, pois, numa perpectiva de ultrapassagem do estruturalismo lévi-straussiano: dele retém para a gramatologia um certo número de orientações que permanecem válidas, na condição de extrair delas o velho fundo rousseauísta contra o qual colidirá a vontade de ruptura de Lévi-Strauss, e que o fazem voltar a recorrer a todas as velhas ferramentas conceituais, as velhas dicotomias metafísicas que ele acreditava ter superado, mas que o tornariam a agarrar em sua fuga.

Derrida analisa esses pressupostos rousseauístas, restabelecendo o lugar, as vicissitudes e a articulação do *Ensaio sobre a origem das línguas*.[63] Assinala no texto de Rousseau a oposição clássica entre a voz e a escritura como reprodução daquela entre presença e ausência, liberdade e servidão. Rousseau conclui o seu *Ensaio* com o seguinte julgamento: "Afirmo ser uma língua escravizada toda aquela com a qual não se consegue ser entendido pelo povo reunido. É impossível que um povo permaneça livre e fale uma tal língua".[64] À suave voz materna opõe-se àquela, implacável, da escrita sem piedade. Essa inclinação da sociabilidade para o mal provém de um momento-catástrofe, simples deslocamento inaugural, quase imperceptível: "Aquele que quis que o homem fosse sociável tocou com um dedo o eixo do globo e inclinou-se sobre o eixo do universo. Com esse ligeiro movimento, vejo mudar a face da Terra e decidir-se a vocação do gênero humano".[65] Esse leve movimento, esse pequeno signo não é outra coisa senão a mão de Deus, o traço divino. É ele que inaugura a idade societal e, com esta, a proibição do incesto. "Antes da festa, não havia incesto, porque não havia proibição do incesto nem sociedade. Depois da festa, não há mais incesto, porque é proibido."[66] Esse interdito é a lei que condiciona as leis, é, como mais

62 Rousseau, *L'Émile* apud Derrida, *De la grammatologie*, p.194.
63 Derrida, *De la grammatologie*, p.235-378.
64 Rousseau, *Essai sur l'origine des langues*, cap. XX, apud Derrida, *De la grammatologie*, p.239.
65 Ibidem, p.362.
66 Derrida, *De la grammatologie*, p.372.

tarde em Lévi-Strauss, a sutura entre natureza e cultura. Rousseau, segundo Derrida, descreve bem esse substituto que é a escrita em relação à expressão, à fala, à presença. Mas, prisioneiro da metafísica, Rousseau não podia pensar essa escrita como endógena à fala e anterior a ela: "O sonho de Rousseau consistiu em introduzir à força o suplemento na metafísica".[67] Ele manteve, portanto, numa correlação de exterioridade, a relação entre a vida e a morte, entre o bem e o mal, entre o significante e o significado, ao passo que Derrida pretende deslocar todas essas linhas-fronteiras.

67 Ibidem, p.444.

3

A HISTORICIZAÇÃO DERRIDIANA E SUA RASURA

Em 1966, Jacques Derrida viaja aos Estados Unidos para o colóquio organizado pela Universidade Johns Hopkins em Baltimore, ao lado de Roland Barthes, Jacques Lacan, Gérard Genette, Jean-Pierre Vernant, Lucien Goldmann, Tzvetan Todorov e Nicolas Ruwet... O pensamento crítico francês agrupado sob a bandeira do estruturalismo está então no auge e fascina os americanos, que se perguntam o que é que se passa nessa velha terra gaulesa. Jacques Derrida faz uma comunicação sintomática da sua dupla posição de estruturalista que procura as vias de ultrapassagem do paradigma, simultaneamente defensor do pensamento crítico e crítico da crítica por considerar que ela não vai suficientemente longe. Situa sua comunicação, "A estrutura, o signo e o jogo no discurso das ciências humanas", no interior da obra de Lévi-Strauss, a fim de realizar a sua desconstrução. Embora reconheça no estruturalismo a inauguração de um importante evento de ruptura, Derrida quer abrir o jogo das diferenças, ao negar toda referência a um centro qualquer que encerraria o jogo dos possíveis. Ora, "uma estrutura privada de todo e qualquer centro representa o próprio impensável".[1] Ele ataca, portanto, o núcleo do pensamento estrutural, e será por isso percebido como pós-estruturalista pelos americanos. Entretanto,

1 Derrida, La Structure, le signe et le jeu dans les discours des sciences humaines. In: *L'écriture et la différence*, p.409.

Derrida reconhece em *Mythologiques*, de Lévi-Strauss, uma tentativa francamente positiva de se desembaraçar de todas as referências a um centro: "O discurso mito-lógico deve ser mito-morfo. Deve ter a forma daquilo de que fala".[2] Portanto, considera-se o percurso do pensamento de Lévi-Strauss como uma abertura que se harmoniza com o trabalho de desconstrução; por outro lado, censura-lhe o estatismo, a neutralização da historicidade própria de sua temática estrutural.

Historicizar as estruturas: a "*différance*"*

Sem dúvida, Lévi-Strauss teve razão em romper com a história como conceito cúmplice da metafísica ocidental, mas correu o risco de aderir a um a-historicismo igualmente clássico, uma vez que retorna à concepção rousseauísta da história. Aí está um aspecto fundamental da crítica derridiana, ligado à necessidade sentida nessa segunda metade da década de 1960 de dinamizar a ordem das estruturas e historicizá-las. É esse o sentido do conceito introduzido por Derrida e sobre o qual pronuncia uma conferência na Sociedade Francesa de Filosofia em 27 de janeiro de 1968: "La différance". A *différance*, com *a*, torna-se o instrumento mais eficaz da desconstrução pelo seu duplo valor de diferir no sentido de protelar, de temporizar: "Essa temporização é também temporalização e espaçamento, devir-tempo do espaço e devir-espaço do tempo",[3] e o outro sentido de diferir, mais comum, que remete para o não idêntico. Derrida realiza a fusão dessas duas definições com o *a* de *différance* a fim de introduzir a noção de temporização, ausente no termo clássico de *différence* (diferença). A noção de *différance*, pelo seu duplo valor, permite a Derrida desempenhar idealmente o papel de indecidível que desvendará de forma sistemática todas as ilusões do pensamento do ser, opondo-lhe o que na presença do presente nunca se apresenta. Essa noção influirá também na reintrodução do movimento

---

2 Ibidem, p.420.

* O *Glossário de Derrida*, organizado por Silviano Santiago (Francisco Alves, 1976, p.22-4), dedica um verbete a esse *neografismo* produzido a partir da substituição pela letra *e* pela letra *a* na escrita da palavra *différence*. [N.T.]

3 Idem, La Différance, *Tel Quel, Théorie d'ensemble*, p.48.

que faltava à estrutura, a dinamizará desde o interior, encadeando-a num novo impulso indefinido. A *différance* oferece, ademais, o exemplo de uma noção cuja novidade não é perceptível ao ouvido, mas tão somente em sua originalidade gráfica em relação à *différence* com *e*, e permite, assim, minorar os postulados fonologistas do estruturalismo: "Contrariamente a um enorme preconceito, não existe escritura fonética".[4]

Esse conceito primacial da desconstrução permite explicar as condições de possibilidade do que se chama o real, e não do próprio real; não pode, portanto, depender de essência ou existência alguma, e abre o campo máximo de possíveis ao jogo desconstrutor do *logos*. O termo *différance*, por outro lado, exprime magnificamente a posição ambígua de Derrida em relação ao estruturalismo: para ele, com efeito, foi um pensamento da diferença que Lévi-Strauss encontrou nas sociedades primitivas, mas, ao mesmo tempo, com o *a* da *différance*, pretende radicalizar esse pensamento não o detendo nas ribanceiras de uma realidade empírica, e esperando assim inflamar toda a metafísica ocidental. O conceito de *différance* ou de traço – como simulacro – da presença exprime também uma escritura literária, mormente a de Maurice Blanchot, que privilegia a figura do oximoro a partir da qual toda identidade contém seu próprio apagamento num mesmo movimento.

Da mesma maneira que o Ser se subtrai sempre ao ente em Heidegger, também a *différance* é a condição da existência das positividades, sem ser jamais suscetível de apreensão nelas. Ao mesmo tempo que Derrida afirma que "o tema da *différance* é incompatível com o motivo estático, sincrônico, taxinômico, a-histórico etc. do conceito de estrutura",[5] ele situa esse conceito, não obstante, em continuidade com a orientação estruturalista: "O conceito de *différance* desenvolve até as mais legítimas exigências de princípio do estruturalismo".[6] Ele parte da reflexão sobre o signo, da distinção significante/significado para valorizar a significância que funciona até no interior do significado. Postula, portanto, a inclusão do significado na esfera do significante, e torna assim impossível toda forma de codificação da linguagem para dar, pelo contrário,

4 Ibidem, p.45.
5 Idem, *Positions*, p.39.
6 Ibidem, p.39.

amplo acesso à esfera da criatividade literária: "Arriscar-se a não-querer--dizer-nada (*ne-rien-vouloir-dire*) é entrar no jogo e, em primeiro lugar, no jogo da *différance*".[7] Dizer que nada mais há a dizer, tal é o horizonte desse suspende/suspenso do sentido do desconstrucionismo.

Se Derrida oferece, pois, uma possível reintrodução da historicidade, do movimento, isso não significa que aceite a noção tradicional de história. Ele se apoia, nesse nível, na denúncia anti-historicista de Althusser, em sua crítica ao hegelianismo. Portanto, a história também deve ser desconstruída, e se a história total é devolvida ao papel ilusório de mito, de engodo, ela é suscetível de ser apreendida como histórias plurais, parciais: "Não existe uma história única, uma história geral, mas histórias diferentes em seus tipos, ritmos, modos de inscrição, histórias defasadas, diferençadas etc.".[8] Multidimensional, essa história permite transcrever um pensamento da escritura, abrir a estrutura para o movimento, mas as dobras do tempo que desenrolam esse saber levam, de fato, ao seu desaparecimento, ao seu progressivo apagamento. É uma história desconstruída que conduz a um devir precluído, nada mais é do que o desenrolar do simulacro de um presente ao mesmo tempo inatingível e estático. Nesse carnaval do tempo, não existe parada terminal e ainda menos vias de passagem de um ponto para outro. Por essa propensão para colocar em evidência movimentos que nunca se detêm, mobilidades infinitas, Derrida reintroduz uma parcela de vitalismo no morfologismo em uso na época, e relativiza o alcance de todos os conceitos filosóficos.

O desconstrucionismo absoluto torna caduca toda leitura hermenêutica, uma vez que esta só é possível quando se fixam limites à interpretação: "Uma postura interpretativa generalizada não é possível, salvo se for concebida numa perspectiva nietzschiana".[9] A partir do momento em que Derrida considera que o conflito das interpretações é interminável, volta a discutir a existência ontológica autônoma do próprio texto. À maneira de Nietzsche, Derrida desloca o texto original e seu conteúdo, que constituem o campo experimental, para o campo imaginativo. Essa *démarche* pressupõe a anulação inicial do texto que, mal

---

7 Ibidem, p.23.

8 Ibidem, p.79.

9 Jacques Hoarau, entrevista com o autor.

saído do limbo, logo se dissolve: "A intertextualidade generalizada, a crítica do fechamento do texto são temas que não fazem outra coisa senão repetir o paradoxo nietzschiano. É um hipercriticismo".[10] Esse decurso indefinido da ordem das coisas torna inútil toda tentativa de apreensão e postula, portanto, a impotência originária. Todas as declarações liminares de Derrida, tanto orais quanto escritas, "exprimem perfeitamente a angústia de Aquiles por não poder alcançar a tartaruga. Uma vez que não se pode deter a água para agarrar o rio caudaloso, ocorre um desabamento do real".[11] Nesse sentido, no debate dos anos 1960 entre hermenêutica e estruturalismo, Derrida situa-se do lado do estruturalismo, cujas posições de eliminação do sujeito e do referente endureceu, sem deixar de lhes dar a mobilidade, a labilidade que lhes faltava.

Desconstruir Freud

As noções derridianas têm uma grande proximidade com a obra de Freud, com a prática analítica, sem que por isso se unam sem restrições à teoria psicanalítica. Assim, o conceito de traço não deixa de fazer pensar nas manifestações involuntárias do inconsciente, embora não remeta a identidade alguma, mesmo recalcada. Há, entretanto, transferência de noções essenciais da psicanálise para a grafemática. Entre a escuta incerta, vaga, do analista e a polissemia dos indecidíveis derridianos, existe um espaço de entendimento, de colaboração e de possível suturação da desconstrução à reconhecida cientificidade do discurso psicanalítico: "O que Freud explica pelo recalque é reinscrito por Derrida na economia geral do texto".[12] A noção de *différance* é concebida nesse contexto como um meio de explicar as forças de facilitação previstas por Freud, de suas modalidades de inscrição em momentos sempre defasados, relevantes do *a posteriori*.

O desconstrucionismo deve, portanto, apoiar-se, senão abrir seu caminho, em terrenos freudianos; Derrida submete Freud à sua leitura

---

10 Ibidem.

11 Ibidem.

12 Kofman, *Lectures de Derrida*, p.89.

desconstrutora por ocasião de uma conferência pronunciada no Instituto de Psicanálise, no seminário dirigido por André Green, e que será publicada na revista *Tel Quel* em 1966.[13] Derrida apoia-se na ruptura freudiana já que ela refuta as divisões tradicionais entre normal e patológico e denuncia as ilusões da consciência. Ele encontra em Freud uma nova concepção da temporalidade que permite fazer prevalecer o seu conceito de *différance*, especialmente pela noção do *a posteriori*, que remete a origem à suplementaridade, para o que vem depois. O inconsciente freudiano escapa a essa presença do presente que persegue Derrida, já está sempre defasado, diferido, tecido de diferenças, e para sempre em situação de alteridade em relação ao consciente.

Presta uma homenagem, portanto, apoiado em Freud: "Esse pensamento é, sem dúvida, o único que não se esgota na metafísica ou na ciência".[14] Reconhece-lhe, em particular, ser o único a não rechaçar a escritura, mas, pelo contrário, a problematizar a cena de seu desenrolar indefinido, por meio desse caminho aberto pelo arrombamento da facilitação, por meio das resistências que lhe são opostas.

Derrida visa, porém, a algo além do freudismo, que ele considera excessivamente tímido na fratura que realizou. Os conceitos freudianos devem, pois, ser revisitados pela desconstrução, porquanto "pertencem todos, sem exceção, à história da metafísica, ou seja, ao sistema de repressão logocêntrica que se organizou para excluir ou diminuir [...] o corpo do traço escrito".[15] Derrida não se detém, portanto, na noção psicanalítica de deslocamento, ele a substitui por uma reinserção mais total de todo o extratexto, toda a extraobra, à margem no próprio interior da trama textual, sem limitá-la a uma interpretação que valorizaria, por deslocamento, certos elementos do traço em detrimento de outros, a fim de recompor um sistema hierárquico de explicação. A psicanálise não tem, portanto, por que se arvorar em ciência englobante, não pode pretender privilégio interpretativo algum. E, no entanto, tendo por objeto principal de análise o sonho, cujo espaço singular não oferece fronteiras tangíveis com o espaço não fonético da escritura, ela é

---

13 Derrida, Freud et la scène de l'écriture, *Tel Quel*, n.26, 1966, reproduzido em idem, *L'écriture et la Différence*.

14 Ibidem, p.314.

15 Ibidem, p.294.

incontornável graças à sua atenção e ao *status* que confere à escritura: "Freud [...] recorre constantemente à escritura, à sinopse espacial do pictograma, do jogo de palavras, do hieróglifo, da escrita não fonética em geral".[16] Esse interesse por Freud permite a Derrida colocar-se em uníssono com toda uma geração fascinada pela psicanálise e, ao mesmo tempo, preservar a filosofia de numerosas conversões potenciais para esse campo portador.

Esse freudismo implícito de Derrida devia conduzi-lo a um interesse por Lacan e a um diálogo com ele que foi, no mínimo, violento, embora sua proximidade teórica pareça *a priori* augurar boas relações. A pouquíssima distância entre ambos foi, sem dúvida, geradora do combate fratricida que travaram: "Sei que Lacan, em dado momento, tinha uma relação um tanto paternal com Derrida. Certa vez disse: 'Estou de olho nele'. O que significava que estava interessado em seu trabalho, mas numa relação paternalista".[17] Se um incidente pessoal, puramente anedótico, parece ter contribuído para fazer explodir a desavença entre os dois homens, esta é, sobretudo, a resultante do confronto de duas ambições hegemônicas. Cada um segue de maneira implícita uma lógica disciplinar que se propõe a combater duplamente o poder instituído, no campo filosófico para Derrida e no campo psicanalítico para Lacan, mas também conquistar mais amplamente uma posição soberana para sua própria disciplina renovada. Por sua ambição imperialista, anexionista, Lacan, que apresenta o discurso analítico como o discurso mestre dos quatro discursos possíveis, mantém Derrida, portanto, sob estreita vigilância, e, reciprocamente, o filósofo não tem a menor intenção de render vassalagem a Lacan.

O confronto não poderia, portanto, deixar de ser brutal, pois Derrida, para quem a obra de desconstrução não se detém às portas do inconsciente, apenas vê em Freud, como em Marx, um dos momentos, certamente privilegiado, da metafísica ocidental. "Havia uma incompatibilidade evidente entre essas duas vontades terríveis. Tanto um quanto outro possuíam uma assustadora vontade de poder".[18]

---

16 Ibidem, p.321.
17 Jacques Bouveresse, entrevista com o autor.
18 Ibidem.

As hostilidades, inicialmente conduzidas em surdina, são deflagradas à vista de todos em 1971, por ocasião de uma entrevista concedida por Derrida a Jean-Louis Houdebine e Guy Scarpetta para a revista *Promesse*.[19] Numa extensa nota, Derrida menciona a ausência de referências a Lacan nas suas obras anteriores, queixa-se das múltiplas agressões e das reapropriações de que é alvo por parte do psicanalista. Por outro lado, faz uma crítica em regra às posições lacanianas, cujos limites teria percebido desde 1965, enquanto escrevia *De la grammatologie*: "Convencido da importância dessa problemática no campo da psicanálise, também identifiquei aí alguns importantes motivos que a retinham aquém das questões críticas que eu estava formulando".[20] Além de reduzir a contribuição de Lacan a um simples continente regional do saber, dirige-lhe um certo número de críticas radicais que têm por objetivo apresentar a leitura lacaniana de Freud como uma falsa interpretação a desconstruir.

Derrida agrupa suas críticas em torno de quatro questões: Lacan teria ficado prisioneiro de um *telos* da palavra plena, identificado com a verdade; ele teria importado sem questionamento teórico toda uma conceitualidade hegeliana e heideggeriana; ter-se-ia apoiado de maneira excessivamente desenvolta na linguística saussuriana, retomando sua fonologia sem tomar certas precauções; enfim, se o retorno a Freud em Lacan é julgado positivamente, este último teria se mantido insensível à questão da escritura apresentada por Freud. Por outro lado, o predomínio concedido ao significante por Lacan é o sinal, segundo Derrida, de uma nova metafísica que não ousa confessar-se. Enfim, o estilo lacaniano é rotulado de "uma arte da esquiva".[21]

Derrida não fica por aí. Seis meses depois, reitera suas críticas por ocasião de uma conferência na Universidade Johns Hopkins, quando destaca da obra lacaniana o "Seminário sobre *A carta roubada*"; o texto dessa conferência será publicado em 1975 na revista *Poétique*.[22] Derrida retoma, nessa ocasião, a leitura que Lacan propôs do conto de Edgar A. Poe e reconhece nesse seminário um importante avanço, graças à

19 Derrida, entrevista com J.-L. Houdebine e G. Scarpetta, *Promesse*, 17 jul. 1971, reproduzido em idem, *Positions*.

20 Ibidem, p.113-4, nota 33.

21 Ibidem, p.114.

22 Idem, Le facteur de vérité, *Poétique*, n.21, 1975, reproduzido em idem, *La carte postale*.

crítica feita por Lacan contra o semantismo. A carta não tem sentido algum em si mesma, seu autor está fora do jogo e somente seu trajeto importa: "Lacan está, portanto, atento à carta, ou seja, à materialidade do significante".[23] Mas se Lacan nos deporta para fora do referente e do sujeito, não vai até o fim do movimento que deflagra, uma vez que nos reconduz "para a verdade que, esta, não se perde. Traz de volta a carta, mostra que ela retorna ao seu lugar próprio, por seu trajeto próprio".[24] Haveria, portanto, um destino subjacente que conduziria a carta ao seu lugar. Lacan, seja o que for que se diga, defenderia, por conseguinte, uma hermenêutica na qual os lugares da feminilidade e da verdade seriam o significado último. Ora, o que estaria sendo visado nessa história da carta roubada, a verdade encoberta dessa circulação da carta que deve chegar ao seu destino, seria nem mais nem menos do que Marie Bonaparte como depositária da obra freudiana, da sua letra, e que teria, como legatária da autoridade de Freud, traído a letra do seu ensino: "A ficção manifesta a verdade: a manifestação que se ilustra ocultando-se".[25]

Quanto ao desvendamento da verdade, mantém-se ligado ao poder da fala, e Lacan permanece, portanto, prisioneiro, para Derrida, do fonologismo denunciado. Subsiste nele "uma cumplicidade estrutural entre o motivo do véu e o da voz, entre a verdade e o fonocentrismo, o falocentrismo e o logocentrismo".[26] Por trás dessas acusações teóricas, Derrida visa de fato à pretensão de Lacan de representar um discurso que coloca um ponto final na filosofia. Nenhuma tentativa de renovação terá escapado, portanto, à desconstrução, e as duas disciplinas mais fecundas da época, a etnologia e a psicanálise, escoradas no modelo linguístico, dependem ambas da crítica desconstrucionista, que permanece assim senhora absoluta do jogo das contas de vidro.

23 Ibidem, p.453.
24 Ibidem, p.464.
25 Ibidem, p.495.
26 Ibidem, p.507.

A dissolução do sujeito

Se a escritura em Derrida não depende de um quadro contextual, ela também escapa à subjetividade. Os traços que ela deixa são puramente anônimos, e nenhuma análise pragmática pode explicá-la. Derrida, à semelhança de Lacan e de Foucault, introduzirá até uma modificação no seu prenome inicial, Jackie, transformado em Jacques ao preço da supressão de algumas conotações procedentes do seu meio de origem, a comunidade judaica da Argélia. Mas para Derrida o (*Je*), o modelo consciente, não tem significância, e esse descentramento radicaliza as posições do estruturalismo nesse domínio. Esse ponto de vista o levará a polemizar com a corrente da filosofia analítica anglo-saxônica.

Em agosto de 1971, em Montreal, no Congresso Internacional das Sociedades de Filosofia de Língua Francesa dedicado à comunicação, Derrida profere uma conferência que intitula "Signature, événement, contexte" [Assinatura, evento, contexto], mais tarde chamada sucintamente SEC, que ele publica em *Marges*. No final desse texto, Derrida inicia um debate com as posições de Austin sobre os performativos (um enunciado só é performativo se descreve uma ação do seu locutor e se a sua enunciação consiste em realizar essa ação). Derrida insiste então sobre os limites de uma teoria da ação linguística que não pode reconstituir os atos falhos, as incompreensões e os não ditos da comunicação. Invoca a ausência do outro na prática da escritura: "Um signo escrito adianta-se na ausência de destinatário".[27] A condição de sua legibilidade não é a presença do outro, nem qualquer comunicação específica, mas a iterabilidade do escrito. Longe de ser a expressão de um contexto, a escritura define-se como ato de ruptura: "Essa força de ruptura está relacionada com o espaçamento que constitui o signo escrito: espaçamento que o separa dos outros elementos da cadeia contextual interna".[28] Derrida interessa-se pela objeção da filosofia analítica e pelo caso do performativo que, segundo Austin, não pode ser, ao contrário do enunciado constatativo, desvinculado do seu referente. Ele replica que o enunciado só pode ser inteligível se responde a um código, se é iterável

---

27 Idem, *Limited Inc*, p.27.

28 Ibidem, p.31.

e, por conseguinte, propõe a sua autonomia em relação ao quadro referencial preciso do discurso ordinário. A transparência do sentido é, pois, um engodo, segundo Derrida, tanto no caso do performativo quanto no do constatativo.

Como toda a iterabilidade tem por característica diferir e diferençar, resulta daí o que Derrida denomina uma "restância não presente",[29] visto que nada prova que a significação de um ato de linguagem seja a mesma num segundo uso, tanto para o leitor quanto para o enunciador, cuja intenção nunca é totalmente adequada ao enunciado. Para o americano John R. Searle, pelo contrário, a flexibilidade dos conceitos depende de suas propriedades intrínsecas, e permite apreender sua mobilidade nas situações singulares da linguagem cotidiana. John R. Searle só toma conhecimento do texto de Derrida em 1977, quando de sua publicação em inglês na revista *Glyph*. Decide então defender os princípios da teoria de Austin, assim como a sua própria teoria do ilocutório:

> [...] defender em particular a pertinência e o interesse da distinção fundamental entre usos "sérios" e "ficcionais" da linguagem, mas estabelecer também o sentido exato e o alcance de conceitos como intencionalidade, repetibilidade, sentido, sucesso ou insucesso de um ato ilocutório etc.[30]

Em sua resposta a Derrida, o autor de *Speech Acts*[31] não contesta que a iterabilidade seja, de fato, uma condição da comunicação, mas nem por isso ela entra forçosamente em conflito com a intencionalidade: pelo contrário, constitui seu pressuposto. Compreende-se o que está em jogo no debate que visa, do ponto de vista de Derrida, jamais deter o jogo da significância numa subjetividade ou intencionalidade qualquer, para deixar desenrolar-se a cadeia indefinida das repetições, na qual "o indivíduo retira-se para dar lugar à universalidade do sistema".[32] A iterabilidade, segundo Derrida, não opera, portanto, num nível observável, o do discurso ordinário; ela escapa ao empírico e situa-se num metanível que constitui a condição de possibilidade do discurso.

---

29 Idem, SEC. In: *Marges*, p.378.
30 Proust, Postface. In: Searle, *Pour réitérer les différences*, p.25.
31 Searle, *Speech Acts*. [Trad. francesa: *Les Actes de langage*.]
32 Frank, *Qu'est-ce que le néo-structuralisme?*, p.299.

Fiel ao seu *habitus* de cortar cabeças, Derrida, que não terá deixado de tentar mostrar a inanidade das demonstrações de Saussure, de Foucault, de Lévi-Strauss, de Lacan, gosta muito pouco que alguém se atreva a contradizer suas teses. Em 1977, replica a resposta de Searle numa polêmica particularmente áspera sobre os atos de linguagem, no transcorrer da qual qualificou seu adversário de Sarl (Sociedade Anônima de Responsabilidade Limitada): "O pobre Searle não se recuperou disso. Sentiu-se muito humilhado com esse apelido de Sarl. Cumpre dizer que essa ironia de Derrida é algo insólito nos debates de ideias nos Estados Unidos".[33] Esse aspecto, que pode parecer anedótico, é de fato sintomático da identificação de Derrida com a disciplina rainha que ele representa e a partir da qual acredita poder permitir-se todos os golpes, mesmo os baixos, sem correr o risco de receber cartão vermelho. Searle, no entanto, formulara algumas objeções a Derrida que teriam merecido discussão. Em sua crítica desenvolvia vários argumentos: a ideia de que a iterabilidade não é um privilégio da escrita, de que o corte que parece ser o próprio da escritura entre a enunciação e o seu destinatário não tem qualquer relação com a citacionalidade e, em terceiro lugar, que a capacidade da escrita para ser cortada do seu autor não exclui, de maneira nenhuma, a ideia de intencionalidade. Joëlle Proust sublinha ser impossível que resultasse desse debate um consenso, uma vez que os pressupostos de um, Searle, favoreciam a confrontação, ao passo que os do outro, Derrida, tendiam a se esquivar sistematicamente dela:

> O segundo tipo de procedimento, característico do enfoque "desconstrucionista", envolve um questionamento da própria natureza do que se procura esclarecer com essa troca de ideias... Se não se preserva a independência da lógica, não se perde o próprio terreno em que um consenso seria possível?[34]

Além da forma, o embasamento dessa polêmica possui raízes históricas. A diferença de perspectiva entre a tradição analítica e a continental remonta às duas fontes divergentes que foram Saussure para um e Frege para o outro. A filosofia analítica é de origem austro-alemã e

33 Joëlle Proust, entrevista com o autor.
34 Idem, *Postface*, p.31.

considera-se geralmente que proveio de Frege. Por um lado, Saussure abandonou o plano da referência para postular a cientificidade da linguística; por outro, Frege popularizou a distinção entre sentido e referência, entre a significação de uma expressão que é uma certa maneira de explicar a referência, e o objeto para o qual a expressão em questão remete. A filosofia analítica, nessa perspectiva fregiana, sempre se preocupou em distinguir esses dois níveis e em não perder de vista a problemática da referência. Pelo contrário, ao apoiar-se nas posições de Saussure, ampliando suas posições para além da linguística, o estruturalismo construiu-se sobre a base do esvaziamento dessa problemática, contestando que a linguagem pudesse referir-se a outra coisa senão ela mesma. A análise fregiana da linguagem situa-se no nível de um pensamento da linguagem, de proposição da linguagem. Postula que somente a partir de uma proposição concreta é que se pode dar um golpe no jogo da linguagem. Nesse sentido, "a visão que Derrida tem da situação por meio de Saussure é pré-fregiana. Nele jamais se trata de outra coisa além de palavras e de suas significações. Ele não tem nenhuma verdadeira teoria da proposição".[35] O saussurismo de Derrida situa-se, portanto, numa filiação que ele pretendia desconstruir, o estruturalismo, mesmo que lhe tenha modificado a perspectiva, em particular quando introduz a temporalidade nas estruturas.

35 Jacques Bouveresse, entrevista com o autor.

4

Benveniste

A EXCEÇÃO FRANCESA

Se é verdade que se desenhou uma crise progressiva do paradigma estruturalista após seu apogeu em 1966, ela está em relação direta com a tomada do seu lugar pelo gerativismo, com o êxito das teses desconstrucionistas de Derrida, mas também com a progressão de uma linguística da enunciação que tinha sido até então rechaçada. Nesse domínio, Benveniste terá desempenhado um papel ao mesmo tempo importante e subterrâneo até 1968. Terá sido um iniciador no seio do próprio campo estruturalista mas, num primeiro tempo, e apesar de sua notoriedade, reconhecida por todos, ele pregará no deserto, uma vez que se atravessa um período em que se pensa a linguagem abstraindo-se do sujeito. Émile Benveniste, judeu sefardita nascido em Alep, Síria, tinha sido colocado por seu pai na escola rabínica de Marselha e destinava-se a uma carreira religiosa quando Sylvain Lévi, indianista conhecido do Collège de France, descobre nele um talento excepcional e o leva a Antoine Meillet, discípulo de Saussure. Benveniste segue então uma formação de linguística na filiação duplamente comparatista e saussuriana de Antoine Meillet. Ingressa, após um percurso sinuoso e à margem das instituições oficiais, no Collège de France em 1937. Com ele, é a linguística estrutural que penetra na cúpula da legitimação científica, e quando Lévi-Strauss recorre ao estruturalismo linguístico para sustentar seu projeto antropológico, vale-se de Benveniste para codirigir a revista *L'Homme* em 1960.

Entretanto, a posição de professor no Collège de France não permite a Benveniste assegurar uma grande divulgação às suas teses. A conjunção da posição marginal do Collège de France no campo da reprodução dos mestres e do caráter técnico do saber linguístico acaba por confinar Benveniste num esplêndido isolamento: "Havia muito pouca gente em seus cursos, uma dúzia de pessoas. Só depois da publicação de *Problèmes de linguistique générale*, em 1966, aumentou um pouco a frequência, cerca de 25 pessoas. Benveniste era muito míope e não exergava ninguém ao entrar na sala. Ia direto para a sua cadeira e falava com grande talento estético, improvisando a partir de notas",[1] conta Tzvetan Todorov, que teve direito às confidências do mestre, de quem se ocupou depois de sua crise de hemiplegia.

Apesar desse isolamento, Benveniste alcançou tal notoriedade que atraiu para suas aulas os maiores linguistas: Oswald Ducrot, Claude Hagège, Jean-Claude Coquet, Marina Yaguello acompanham seus cursos, mas, por temperamento, ele permanece fechado em sua relação com os outros: "Benveniste era um homem de gabinete, comunicava-se muito mal. Frequentei seu curso no Collège de France durante três anos. Ele era excessivamente tímido e distante".[2] André Martinet, que o encontrara em Nova Iorque antes de reencontrá-lo na França, confirma essa impressão: "Veio a minha casa em Nova Iorque e fizemos uma boa camaradagem. Eu era o único linguista francês com quem Benveniste acamaradava como podia, pois era uma pessoa muito tímida".[3]

Um reconhecimento fora do campo linguístico

Além de suas qualidades de especialista do indo-europeu, de comparatista de numerosas línguas antigas e modernas, a importância de Benveniste resulta, sobretudo, do fato de ter reintroduzido o recalcado

1 Tzvetan Todorov, entrevista com o autor.
2 Marina Yaguello, entrevista com o autor.
3 André Martinet, entrevista com o autor.

no âmago da preocupação da linguística: o sujeito, por sua abordagem enunciativa. Traçou um caminho distinto da pragmática anglo-saxônica, entabulando um debate com ela: "Pessoalmente, é sem dúvida o linguista a quem mais devo. Ele foi para mim essencial ao mostrar que o sistema linguístico, sem deixar de constituir um sistema, devia tomar em consideração os fenômenos de enunciação".[4] Essa elaboração é particularmente precoce, já que data do imediato pós-guerra: 1946. Benveniste coloca então em destaque um dado que considera universal, em contraste com certas investigações, como as de Ramstedt sobre o coreano; trata-se do caráter indissociável da noção de pessoas e do verbo, seja qual for a língua: "Não me parece que se conheça uma língua dotada de um verbo em que as distinções de pessoas não sejam assimiladas, de uma maneira ou de outra, nas formas verbais".[5]

Se os domínios do logicismo e da filosofia analítica foram ocultados pelo estruturalismo, Benveniste, pelo contrário, iniciou um diálogo, também precoce, com essa corrente. Assim, dez anos após esse artigo sobre o verbo, Benveniste vincula suas análises ao projeto pragmatista de Charles Morris: "O enunciado que contém (*Je*) pertence a esse nível ou tipo de linguagem a que Charles Morris chama pragmática, a qual inclui, com os signos, aqueles que fazem uso deles".[6] Ora, Charles Morris trabalhou com Carnap e tem como objetivo preencher com a pragmática o elo que falta para completar a ciência geral dos signos, a qual já contava com uma sintaxe em lógica, em semântica, mas faltava-lhe a relação dos signos com os interpretantes: "O problema apresentado por Charles Morris logo após a guerra é muito claro: trata-se da manipulação das multidões pelos signos e, a partir daí, da construção de uma teoria filosófica da ação".[7]

Pelo seu interesse pela questão do sujeito, Benveniste é solicitado por Lacan, preocupado em obter o aval de um grande linguista, para colaborar no primeiro número da revista *La Psychanalyse*, em 1956. Escreveu para esse número um artigo sobre a função da linguagem na

4 Oswald Ducrot, entrevista com o autor.

5 Benveniste, Structure des relations de personne dans le verbe, *Bulletin de la Société de Linguistique*, v.43, n.126(1), 1946, p.1-12, reproduzido em idem, *Problèmes de linguistique générale*, v.I, p.227.

6 Benveniste, La Nature des pronoms. In: Halle (Ed.), *For Roman Jakobson*, p.252.

7 Claudine Normand, entrevista com o autor.

descoberta freudiana, que tem por função, no plano teórico, do ponto de vista de Lacan, corroborar sua tese segundo a qual o inconsciente está estruturado como uma linguagem: "A psicanálise parece distinguir-se de todas as outras disciplinas. Principalmente nisto: o analista trabalha sobre o que o sujeito lhe diz".[8] Sem dúvida, Benveniste critica a maneira como Freud fundamenta uma analogia entre o modo de funcionamento do sonho, insensível à contradição, e aquele donde procederiam as línguas mais antigas, segundo Karl Abel. As especulações etimológicas de Karl Abel não têm fundamento aos olhos de Benveniste, para quem nenhuma língua, sendo sistema, pode funcionar sem esse princípio fundamental da contradição. Mas essa contestação das fontes utilizadas por Freud tem, de fato, o propósito de realçar melhor o interesse da posição a-histórica de Lacan, baseada na preponderância que confere às figuras retóricas, aos tropos: "O inconsciente faz uso de uma verdadeira retórica que, como o estilo, tem suas figuras, e o velho catálogo dos tropos forneceria um inventário apropriado aos dois registros da expressão".[9] É incontestável que o diálogo com a psicanálise oferece a Benveniste um meio de fazer valer as suas posições no tocante a considerar a enunciação e, em 1958, escrever para o *Journal de Psychologie* um artigo em que apoia de novo as teses lacanianas: "É na linguagem que o homem se constitui como sujeito; porque somente a linguagem alicerça na realidade, na sua realidade que é a do ser, o conceito de ego".[10]

Ao uso habitual do sujeito falante, eliminado pelo estruturalismo, Benveniste opõe a distinção entre o sujeito do enunciado e o sujeito da enunciação. Mas essa distinção só tardiamente será acolhida pelos linguistas: "Digamos que a enunciação como conjunto teórico atribuível a Benveniste é desconhecida ou apenas pouco conhecida dos linguistas franceses antes de 1970".[11] Esse encontro entre as teses lacanianas e Benveniste não é fortuito: é uma decorrência, além do interesse mútuo de estabelecer a cientificidade dos respectivos discursos, da vontade comum de subtrair o continente de saber de cada um da

---

8 Benveniste, Remarques sur la fonction du langage dans la découverte freudienne, *La Psychanalyse*, v.I, 1956, reproduzido em idem, *Problèmes de linguistique générale*, v.I, p.75.

9 Ibidem, p.86.

10 Idem, De la subjectivité dans le langage, *Journal de Psychologie*, jul.-set. 1958, reproduzido em idem, *Problèmes de linguistique générale*, v.I, p.259.

11 Normand, Le Sujet dans la langue, *Langages*, n.77, mar. 1985, p.9.

sua dependência da história, quer seja o filogeneticismo freudiano para um ou a filologia histórica para o outro. Quando Benveniste apresenta a história do desenvolvimento da linguística, estabelece uma sucessão entre três idades: a idade filosófica, a da reflexão dos pensadores gregos sobre a língua, a idade histórica a partir do século XIX, com a descoberta do sânscrito, e, finalmente, a idade estruturalista do século XX, a partir da qual "a noção positiva do fato linguístico é substituída pela relação".[12] Esta nova era, contemporânea da complexifixação da sociedade, dá acesso ao vasto campo da cultura que é o fenômeno simbólico tanto para Benveniste quanto para Lacan, cuja trilogia Real-Simbólico-Imaginário (RSI) deve conduzir ao domínio do Simbólico. Benveniste não encontra, porém, o eco desejado de suas teses nos meios da linguística e procura, pois, graças ao reconhecimento de que se beneficia nos meios psicanalíticos e filosóficos, dar a conhecer suas posições sobre as relações entre sujeito e linguagem, multiplicando suas contribuições para diversas revistas.

É levado, portanto, a adotar uma estratégia de transbordamento do seu meio de origem a fim de sair do isolamento a que está confinado. Se Benveniste colaborou no número 1 de *La Psychanalyse*, se é codiretor desde 1960 de *L'Homme*, também escreve no número 1 da revista *Les Études Philosophiques* em 1963, para aí apresentar as teses da filosofia analítica num momento em que estas são cuidadosamente ignoradas, sobretudo pelos linguistas: "As interpretações filosóficas da linguagem suscitam em geral uma certa apreensão no linguista".[13] Essa exposição dá continuidade a um colóquio realizado em Royaumont em 1962 sobre a filosofia analítica, o qual não despertou verdadeiramente o interesse dos linguistas. Benveniste expôs e discutiu as teses de John L. Austin sobre o performativo em sua distinção estabelecida com o constatativo. Apoia as posições da pragmática de Austin, sublinha todo o interesse de que elas se revestem, sem deixar de lembrar que ele próprio enfatizara desde 1958 as formas subjetivas da enunciação linguística, bem

12 Benveniste, *Coup d'oeil sur le développement de la lingustique*, reproduzido em idem, *Problèmes de linguistique générale*, v.I, p.20.

13 Idem, La Philosophie analytique et le langage, *Les Études Philosophiques*, n.1, jan.-mar. 1963, reproduzido em idem, *Problèmes de linguistique générale*, v.I, p.267.

como a distinção que devia resultar entre um ato de linguagem e uma simples informação.[14]

Essa reflexão sobre o sujeito na língua não é, portanto, em Benveniste, um enxerto exterior, e desenvolve-se de acordo com o seu ritmo próprio, cada vez mais no terreno filosófico, por falta de repercussão no campo linguístico. Em 1965, é ainda numa revista de filosofia, *Diogène*, que Benveniste colabora com um artigo sobre as relações entre temporalidade e subjetividade: "Das formas linguísticas reveladoras da experiência subjetiva, nenhuma é mais rica do que as que exprimem o tempo".[15] Benveniste distingue aí duas noções de tempo: o tempo físico, o do mundo, infinito e linear, e o tempo crônico, tecido de eventos. Ora, essas duas temporalidades desdobram-se, por sua vez, numa versão objetiva e numa versão subjetiva. Como o tempo crônico escapa ao vivido, o que acontece ao tempo linguístico? "O que o tempo linguístico tem de singular é que está organicamente ligado ao exercício da fala."[16] Portanto, situa-se ao mesmo tempo num presente que é reinventado a cada vez como um momento novo e como ato individual. Remete necessariamente a uma subjetividade, a do locutor, e a uma intersubjetividade, já que a temporalidade linguística deve responder às condições de inteligibilidade do interlocutor. Portanto, é para uma troca intersubjetiva que remete necessariamente a temporalidade linguística: "O tempo do discurso [...] funciona como um fator de intersubjetividade".[17]

Somente em 1970 Benveniste vê suas posições ganharem a partida entre os linguistas, e a publicação de um artigo sobre a enunciação, dessa vez na grande revista de linguística *Langages*, em 1970, é um sintoma significativo desse avanço.[18] Entretanto, a partida só parcialmente está ganha: o sujeito está de volta por razões que não decorrem verdadeiramente de uma temporalidade própria da disciplina linguística, mas dos efeitos do movimento de Maio de 1968 sobre esta, das novas interrogações que surgiram de súbito nas ciências humanas e que

---

14 Idem, *De la subjectivité dans le langage*, v.I, p.259.

15 Idem, Le Langage et l'expérience humaine, *Diogène*, n.51, jul.-set. 1965, p.3-13, reproduzido em idem, *Problèmes de linguistique générale*, v.II, p.69.

16 Ibidem, p.73.

17 Ibidem, p.77.

18 Idem, L'Appareil formel de l'énonciation, *Langages*, n.17, mar. 1970, p.12-8, reproduzido em idem, *Problèmes de linguistique générale*, v.I.

permitiram especialmente ao sujeito reaparecer pela janela após ter sido expulso pela porta.

O sujeito recalcado

Mas até então, e apesar da publicação pela Gallimard em 1966 dos *Problèmes de linguistique générale*, Benveniste foi cuidadosamente ignorado pelos outros linguistas franceses. Claudine Normand atesta o fenômeno por um estudo comparativo que lhe permite um verdadeiro achado, o das notas tomadas no curso de Paul Ricœur em 1966-1967, que ela compara com as notas tomadas no mesmo ano no curso de Jean Dubois. Ela pode assim medir a parte atribuída a Benveniste, por um lado, no filósofo Paul Ricoeu e, por outro, no linguista Jean Dubois, ambos professores em Nanterre.[19] O paradoxo que resulta desse confronto é que os estudantes de Nanterre eram informados da problemática de Benveniste pelo filósofo Ricœur e não pelo linguista Dubois. Claudine Normand extrai daí a conclusão de que "o filosófo parece equipado para compreender melhor e mais depressa o alcance de certas teorias linguísticas novas do que os próprios linguistas, demasiado ocupados em reconverter suas posturas tradicionais ou recentes para que possam desejar subvertê-las já".[20]

Além desse estudo de caso, Claudine Normand mostra no mesmo número da revista *Langages*[21] que as diversas publicações dos linguistas, ao longo dos anos 1960, silenciam todas as referências a Benveniste como iniciador no domínio da enunciação. Apesar de todo o interesse que Oswald Ducrot manifesta pelo trabalho de Benveniste, não o cita no seu *Qu'est-ce que le structuralisme? Le structuralisme en linguistique*.[22] Se Julia Kristeva (na época, Julia Joyau) cita Benveniste em sua obra publicada em 1969, *Le langage cet inconnu*, o faz tão somente para sustentar as teses estruturalistas, sem qualquer referência à noção

19 Normand, Linguistique et philosophie: un instantané dans l'histoire de leurs relations, *Langages*, n.77, p.33-42, mar. 1985.

20 Ibidem, p.42.

21 Idem, Le Sujet dans la langues, *Langages*, n.77, mars 1985, p.7-19.

22 Ducrot, *Le Structuralisme en linguistique*.

de enunciação, e quando Jean Dubois e Luce Irigaray assinam em conjunto, em 1966, um artigo para o número 3 de *Langages*, "Le verbe et la phrase", no qual abordam o termo de sujeito falante, Benveniste é uma vez mais totalmente ignorado.

Acontece que Benveniste não é ignorado por desconhecimento: foi deliberadamente que a linguística estrutural barrou na época o caminho de acesso ao sujeito. A ruptura com o psicologismo, com a fenomenologia ou a hermenêutica teve de ser realizada por esse preço por todos os defensores do paradigma estrutural. Tanto para Greimas quanto para Dubois, importava normalizar o sujeito, considerado o elemento que veio parasitar o objeto científico a construir, que deveria corresponder "a uma língua objetivada ou língua padronizada, da qual foram eliminados todos os elementos suscetíveis de perturbar a análise".[23] Semelhante análise desinteressa-se precisamente por tudo o que retém a atenção da filosofia analítica, de Benveniste ou de Ricœur, ou seja, todas as formas de diálogo e as diversas modalidades de expressão do sujeito. Com base no modelo de formalização de Hjelmslev, a normalização da língua permite a construção de enunciados canônicos na terceira pessoa e a eliminação do critério temporal em proveito de um "então", termo deliberadamente vago e que remete a um passado tão longínquo quanto indefinível: "O que era exatamente o inverso das posições de Benveniste, para quem o que importava era identificar o campo posicional do sujeito, portanto, a tríade Eu (*Je*)/ Aqui (*Ici*)/ Agora (*Maintenant*) que forma a referência de toda iniciativa de fala".[24] Essa via só se consolidou a partir de 1970, após ter sido por muito tempo obliterada pelo estruturalismo. Nessa negação também interveio o desconhecimento da contribuição de toda a corrente da filosofia analítica, dos grandes filósofos da lógica do início do século: Gottlob Frege, Bertrand Russel, Rudolf Carnap e Ludwig Wittgenstein, ignorados em proveito da valorização na França de uma outra filiação filosófica, esta alemã, nietzschiano-heideggeriana. É verdade que o *Tractatus lógico-philosophicus* de Wittgenstein vem à luz em 1961 na França pela Gallimard, mas sua repercussão é muito tênue, a não ser por uma pequena obra de introdução de Gilles Gaston-Granger

23 Jean-Claude Coquet, entrevista com o autor.
24 Ibidem.

e, sobretudo, mais tarde pelo trabalho de Jacques Bouveresse,[25] que recriminará severamente Louis Althusser por ter fechado a filosofia francesa à influência da filosofia analítica: "Um dia, quando ia almoçar com Althusser, cruzamos com Bouveresse e o primeiro me disse: 'Estás vendo, Bouveresse já nem diz bom-dia porque me censura ter impedido os franceses de conhecerem a filosofia analítica'. É verdade que ela foi ignorada por muito tempo".[26]

Na época, o Círculo de Viena e os que gravitavam em seu redor, a que se dava erradamente o nome de "escola anglo-saxônica", eram chamados de neopositivistas, o que bastava para desqualificar essa corrente. No início do século XX, o interesse pela filosofia da linguagem era deixado para os psicólogos, cujo saber foi rapidamente considerado suplantado, de forma definitiva, pelos defensores do estruturalismo.

Depois, é Paul Ricœur quem se interessa por essa corrente para integrá-la na sua hermenêutica, em plena década de 1960, em meio à efervescência estruturalista. Ele é então marcado como o adversário a derrubar, especialmente pelos althusseriano-lacanianos, que replicam com particular virulência pela pena de Michel Tort em *Les Temps Modernes* à publicação em 1965 da obra de Paul Ricœur sobre Freud.[27] Michel Tort caracteriza o empreendimento de Paul Ricœur como tendo a aparência de um simples fascículo pedagógico, de um manual escolar do pequeno freudiano, mas que, de forma sub-reptícia, aplica a Freud o tratamento implícito de categorias exteriores tomadas à problemática hermenêutica. É essa filosofia que é contestada como contrária à preocupação crítica e epistemológica da época: "A epistemologia fenomenológica de P. Ricœur nada mais é do que a racionalização de um escrúpulo ético-religioso".[28] A hermenêutica é apresentada como uma anticiência, uma frenologia dos símbolos que não teria outro propósito senão uma "denegação ardilosa do freudismo".[29] E Michel Tort recusa toda tentativa de arqueologia do sujeito, que só pode redundar numa espeleologia imaginária que se limite a "explorar o abismo do

25 Bouveresse, *Wittgenstein*: la rime et la raison; idem, *Le mythe de l'intériorité*.

26 Claudine Normand, entrevista com o autor.

27 Ricœur, *De l'interprétation*. Essai sur Freud.

28 Tort, De l'interprétation ou la machine hermenéutique, *Les Temps Modernes*, n.237, fev.-mar. 1966, p.1.470.

29 Ibidem, p.1.479.

seu próprio desconhecimento do sujeito",[30] pois o descentramento do sujeito a que Freud procede tem por consequência a supressão de todo e qualquer centro organizador. Ora, Benveniste encontra-se mais do lado de Ricœur do que dos althusseriano-lacanianos quando concebe a simbólica inconsciente como infra e supralinguística.

Várias outras razões podem ser mencionadas para explicar esse fechamento para os questionamentos da filosofia analítica na França. Temos, em primeiro lugar, o radicalismo da ruptura estruturalista, que fundamentou sua identidade num distanciamento de todas as considerações em uso acerca do sujeito, quer seja no domínio da filosofia com a fenomenologia ou na história da literatura, com o vago psicologismo em voga. Temos, por outro lado, o fascínio pela filosofia alemã, que conhece na França um êxito póstumo. É preciso contar também com o estatuto dos trabalhos de lógica na universidade francesa, sempre muito marginais, e talvez por razões históricas contingentes, posto que, como disse Canguilhem, os lógicos franceses tiveram um destino trágico: Jean Cavaillès morre como resistente durante a guerra, fuzilado pelos alemães, e Jacques Herbrand falece num acidente de montanhismo em 27 de julho de 1931.

Além do desaparecimento dos mestres potenciais de uma escola de lógica francesa, raízes filosóficas podem também explicar o caminho divergente adotado pelos países anglo-saxônicos:

> Isso remonta à posição dos matemáticos ingleses quanto ao estatuto do simbólico. Existe uma configuração que permite compreender por que a filosofia analítica se desenvolveu na Inglaterra. Está ligada a uma tomada de posição sobre a natureza dos objetos matemáticos, sobre a existência desses objetos matemáticos, que é uma posição de natureza quase ontológica.[31]

Seriam, portanto, os pressupostos metafísicos dos matemáticos ingleses que teriam constituído o terreno favorável ao surgimento de uma concepção idealista de um sujeito existente em si, e tendo uma relação de simples utilização com a linguagem, quase instrumental.

---

30 Ibidem, p.1.491.

31 Paul Henry, entrevista com o autor.

Os filósofos franceses, querendo então torcer o pescoço à metafísica ocidental, não estavam dispostos, portanto, a acolher favoravelmente semelhante abordagem.

Os filhos de Benveniste

Em tais condições, Benveniste teve algumas dificuldades para fazer ingressar o sujeito no interior do horizonte teórico dos linguistas. Nem por isso teve menos discípulos, que lhe deram continuidade e foram, num contexto mais favorável, introdutores mais bem-sucedidos da filosofia analítica. É especialmente o caso de Oswald Ducrot, autor da parte linguística da obra coletiva *Qu'est-ce que le structuralisme?*, publicada por Le Seuil em 1968. A maneira como ele toma conhecimento da filosofia analítica é sintomática do estado de ignorância e de desprezo em que era mantido esse setor à época. Filósofo de formação, Oswald Ducrot descobre o estruturalismo por ocasião de um curso de preparação para a École des Hautes Études Commerciales (HEC) que ele deve apresentar e versa sobre essa matéria: "Por outro lado, eu me interessava muito pelas matemáticas e tentava fazer alguma coisa sobre a filosofia das matemáticas. Daí derivei para a parte das matemáticas que é a mais simples para um filósofo: a lógica".[32] Oswald Ducrot concentra então seu interesse nas gramáticas formais, muito utilizadas na gramática chomskiana.

Admitido no Centre National de la Recherche Scientifique (CNRS) em 1963 para fazer uma tese de história da filosofia sobre Descartes, Oswald Ducrot deve realizar um levantamento de inúmeras revistas, como todos os pesquisadores do CNRS, e é nesse trabalho de preparação para a pesquisa, de simples compilação de dados, que ele fará sua descoberta decisiva:

> Os recém-chegados tinham as revistas menos interessantes, as revistas que todos os filósofos franceses recusavam, de modo que me vi sobrecarregado de revistas inglesas de filosofia da linguagem. Ora, eu estava

32 Oswald Ducrot, entrevista com o autor.

> apaixonado por essas revistas, que me orientaram não para o estruturalismo, mas para a filosofia da linguagem.[33]

Ducrot torna-se, então, mas em data mais tardia, no começo dos anos 1970, aquele que introduz a pragmática na França, considerando-se porém que não se trata absolutamente de um abandono, mas de uma dimensão nova dada ao estruturalismo, como testemunha a introdução que escreveu para a edição francesa, em 1972, da obra de John R. Searle, *Les actes de langage*.

Nessa introdução, Ducrot presta homenagem a Saussure por ter dissociado o objeto da linguística da matéria desta última, a qual não é suscetível de um estudo direto, a saber, a língua, oposta simultaneamente à faculdade da linguagem e à fala. Ele se dissocia, porém, de Saussure quando este retira a fala do campo da análise científica. Se o percurso que leva de Saussure a Austin dá acesso a um novo campo, o dos enunciados performativos, ele pode, não obstante, ser percebido numa certa continuidade, permitindo simplesmente acrescentar ao postulado estruturalista de base um setor suplementar delimitado, que ocupa na língua apenas uma situação que é, de qualquer modo, marginal: "O valor das enunciações, se questiona, portanto, a tese saussuriana que identifica a atividade linguística e a iniciativa individual, não impede, porém, que se mantenha uma boa parte dessa tese".[34]

Ducrot permanece, aliás, numa filiação muito saussuriana quando considera a ordem linguística como detentora de um caráter irredutível que impede fundamentá-la num outro nível de realidade, e necessita, portanto, encontrar uma lógica de elucidação *sui generis*. Sua análise mantém-se fundamentalmente estrutural posto que não parte do dado empírico, mas do construído, da unidade semântica a que ele chama significação de enunciado.[35] A ideia do encerramento da língua em si mesma, própria do estruturalismo, é retomada, portanto, por Ducrot, que vê na sedução que sobre ele exerceu a filosofia da linguagem a reativação do platonismo, "ou seja, a ideia de que antes de discutir problemas

33 Ibidem.

34 Idem, De Saussure à la philosophie du langage. In: Searle, *Les actes de langage*, p.13.

35 Idem, Structuralisme, énonciation et sémantique, *Poétique*, n.33, fev. 1978, reproduzido em *Le dire et le dit*, p.82.

filosóficos, trata-se de estabelecer um entendimento sobre o sentido das palavras que se utilizam. Foi isso o que achei apaixonante e verdadeiramente platônico em Austin".[36]

Podem-se, a esse respeito, distinguir duas correntes no interior da filosofia da linguagem. Por um lado, a escola lógica oriunda de Carnap: em *A estrutura lógica do mundo* (1928), Carnap propõe-se a ultrapassar a simples crítica da linguagem para alcançar uma lógica mais perfeita, colocar em evidência um sistema de enunciados protocolares que possam ser divididos para constituir um *corpus* científico fundamental. Tudo o que não está em conformidade com as regras de composição desse sistema de enunciados protocolares é remetido para o sem sentido, como ocorre com o conjunto das proposições metafísicas. A eliminação puramente semântica e formalista da metafísica garantiria, portanto, a possível articulação compositiva e combinatória de elementos que permitem apresentar um quadro satisfatório da realidade. Não foi esse ramo da filosofia da linguagem que influenciou Oswald Ducrot, mas aquele que permaneceu no interior da linguagem: a corrente representada, de outra parte, por Austin e Searle:

> O que depois me distanciou deles foi que o estudo da linguagem propiciava verdadeiramente, para eles, uma solução para os problemas filosóficos. Ora, eu creio cada vez menos nisso. Por outro lado, o estudo do sentido das palavras permitia, segundo eles, encontrar conceitos satisfatórios para descrever a linguagem comum, o que não é, do meu ponto de vista, razoável, pois não vislumbro como a linguagem seria a melhor metalinguagem para a sua própria descrição.[37]

A outra diferença sentida por Oswald Ducrot em relação a Austin e Searle refere-se à concepção da noção de sujeito proposta por eles e que Ducrot considera excessivamente simplista. Para ele, o sujeito é uma entidade plural, muito mais complexa do que julgam os filósofos da linguagem.

Portanto, se ele é, de fato, o melhor introdutor da pragmática na França, Oswald Ducrot oferece-nos dela uma perspectiva particular:

---

36 Idem, entrevista com o autor.

37 Ibidem.

permanece alimentada pelo momento estruturalista e não é, por conseguinte, de maneira alguma, simples importação de uma corrente estrangeira. Inscreve-se mais na esteira de uma filiação francesa que remonta a Benveniste, que terá assim inspirado toda uma corrente da enunciação na qual trabalham cada vez mais investigadores a partir dos anos 1970. É nessa perspectiva que se inscrevem as pesquisas de Katherine Kerbrat-Orecchioni, que se situam na linhagem direta de Benveniste. Ela dedicou especialmente uma obra[38] a todos os indícios de subjetividade na linguagem, para além da dêixis, dos verbos subjetivos, das formas lexicais que a subjetividade adota. Toda uma escola francesa de pragmática nasceu dessa problematização do lugar do sujeito na língua, dos atos do discurso: Francis Jacques, Jean-Claude Parient, François Récanati...[39] Para essa escola, a pragmática propõe-se como objetivo estudar "a utilização da linguagem no discurso, e as marcas específicas que, na língua, atestam a sua vocação discursiva".[40]

Cumpre adicionar a essa corrente Antoine Culioli e sua escola, cuja preocupação é também construir uma teoria da enunciação fundamentada em esquemas em profundidade de vocação universal, os chamados "mecanismos de produção", todo um aparelho formal da enunciação que é uma herança de Benveniste. Professor no departamento de pesquisas linguísticas de Paris-VII, Culioli influencia por si só uma escola inteira, à qual se integra Marina Yaguello, mas os seus trabalhos chegaram a um tal grau de sofisticação que se tornaram ilegíveis para o neófito e dolorosos para o especialista. Essa pesquisa das profundidades, à maneira chomskiana, postula a existência do que Culioli denomina os *lexis*, que resultam na relação predicativa: "Existem operações enunciativas que permitem a passagem dos esquemas de profundidade a esquemas de superfície nas línguas dadas em que as operações enunciativas recebem o que se convencionou chamar uma gramaticalização".[41] Em vez do enfoque gerativista que vai das estruturas de superfície para as de profundidade a partir da intuição do locutor nativo sobre a gramaticalidade ou não das frases, que assim lhe permite delimitar o campo do

---

38 Kerbrat-Orecchioni, *L'Énociation de le subjectivité dans le langage*.

39 Jacques, *Dialogiques*. Recherches logiques sur le dialogue; Pariente, *Le Langage et l'individuel*; Récanati, *La Transparence et l'Énonciation*; idem, *Les Énoncés performatifs*.

40 Diller; Récanati, La Pragmatique, *Langue Française*, n.42, maio 1979, p.3.

41 Marina Yaguello, entrevista com o autor.

possível e do impossível, Antoine Culioli optou por partir de um nível de profundidade totalmente abstrato. Postula um certo número de operações enunciativas (a modalização, o aspecto, a determinação nominal e verbal...) que permitem ao enunciador organizar a relação predicativa e fazê-la desembocar em superfície sobre o que é enunciado:

> Em Culioli, o enunciado não é parte de um *corpus*, é atestação no discurso dessas operações que são postuladas, por outro lado, de maneira abstrata. [...] Há enunciados que podem ter formas muito diferentes, mas remetem para as mesmas operações enunciativas.[42]

Com Antoine Culioli, vamos reencontrar, pois, as ambições iniciais do estruturalismo: a sua tradução formal, a sua busca de regularidades, de universalidade a partir das invariantes, o empenho em superar o particular, simplesmente num campo novo, o da enunciação, abandonado no começo em virtude da definição restritiva que Saussure tinha dado da língua como único objeto científico, com exclusão da fala:

> Não existe enunciado isolado, todo enunciado é um entre outros, fixado pelo enunciador no pacote de enunciados equivalentes possíveis, em suma, todo enunciado faz parte de uma família de transformadas parafrásticas; (por outro lado) não existe enunciado que não seja modulado, isto é, que não constitua um fenômeno único.[43]

Numa perspectiva menos formalizada, mais próxima do espírito de Benveniste, seu sucessor no Collège de France, Claude Hagège, também reabilitou esse homem de palavra condenado ao silêncio no tempo do esplendor estruturalista.

O progressivo sucesso da problematização do sujeito na língua terá contribuído para o declínio do paradigma estrutural ou lhe terá dado um novo alento ao lhe oferecer um campo de investigação suplementar? Segundo Marina Yaguello, é legítimo considerar a pragmática como um domínio anexo ou conexo:

42 Ibidem.
43 Culioli, Sur quelques contradictions en linguistique, *Communications*, n.20, 1973, p.86.

Pode-se considerar que a linguística é una: que existe ao mesmo tempo uma teoria dos atos de linguagem e uma teoria da língua, e que as duas se articulam. Mas pode-se igualmente considerar que é possível ocupar-se dos atos de linguagem, portanto, do valor ilocutório dos enunciados (ou seja, quando a própria enunciação constitui um ato), sem se ocupar ao mesmo tempo em saber como os enunciados são fabricados.[44]

44 Marina Yaguello, entrevista com o autor.

5

Quando Kristeva gerou o segundo Barthes

Recém-chegada a Paris, Julia Kristeva não demorou muito tempo para subverter as perspectivas semiológicas estruturalistas. Na França somente desde o Natal de 1965, como se viu, ela assiste ao seminário de Roland Barthes, em que realiza uma exposição decisiva para a grande mutação do paradigma estruturalista dessa segunda metade dos anos 1960. Julia Kristeva introduz no curso de Barthes uma visão nova, a do pós-formalismo russo, a partir da obra de Mikhail Bakhtin, desconhecido até então na França, e de quem ela se fez a introdutora ao prefaciar para Le Seuil seus textos traduzidos para o francês.[1] A escolha de Bakhtin por Julia Kristeva nesse ano de 1966 não é fortuita; corresponde ao seu desejo de abrir uma brecha na abordagem estruturalista, a fim de introduzir nela uma dinâmica histórica, sair do fechamento do texto, ampliar a inteligibilidade dos textos literários. A intervenção corresponde a um momento particularmente oportuno em que o estruturalismo, então no apogeu, sofrerá um certo número de tentativas de ultrapassagem, de extravasamento, de pluralização a partir de 1967. Ora, a exposição de Julia Kristeva, publicada primeiro em *Critique*, terá maior repercussão quando de sua publicação em *Séméiotiké, recherches pour une sémanalyse*, em 1969, ou seja, num momento em que as teses desconstrutivas de Derrida, a gramática gerativa de Chomsky

1 Bakhtin, *La Poétique de Dostoïevski*.

e a teoria da enunciação de Benveniste começavam a abalar seriamente a ambição inicial do estruturalismo do primeiro período. Essa exposição de Kristeva seduziu especialmente um ouvinte muito atento, que não era outro senão o próprio Roland Barthes. Este se apoiará nessas teses, novas para ele, a fim de operar uma virada radical em sua obra: "A abordagem de Bakhtin era interessante porque ele via o texto literário, fosse de Rabelais ou de Dostoiévski, em primeiro lugar como uma polifonia de vozes no interior do próprio texto".[2]

Mikhail Bakhtin

Mikhail Bakhtin considera essencial o diálogo dos textos literários entre si; em seu entender, eles são penetrados pelos textos anteriores com os quais executam uma polifonia que descentra a sua estrutura inicial. Bakhtin abre assim o estudo crítico para a trama histórica em que eles se situam. Por conseguinte, tal abordagem contesta de imediato o postulado do encerramento do texto sobre si mesmo, seu fechamento que permitiria tão somente explicar sua estrutura. Dessa maneira, a propósito da obra de Rabelais, Mikhail Bakhtin relaciona-a com a cultura popular da Idade Média e da Renascença. Da mesma maneira que Lucien Febvre já tinha contestado a tese da novidade radical de Rabelais, colocando-o em relação com a utensilagem mental de sua época, e mostrando, portanto, que ele não podia ser ateu, Bakhtin decifra o enigma Rabelais ao situar sua obra no interior das fontes populares que foram as dele e, por conseguinte, das categorias que utilizou. Foi essencialmente na expressão carnavalesca que ele captou a inspiração principal do cômico grotesto de Rabelais, a da vida às avessas, da paródia da vida ordinária: "É essa a língua utilizada por Rabelais".[3] Bakhtin denuncia as interpretações errôneas que viram em Rabelais o poeta da carne e do ventre (Victor Hugo) e os que viram nele a expressão do princípio burguês do lucro para o indivíduo econômico. A compreensão do seu estilo só é possível como tradução de uma cultura cômica popular a que

---

2 Julia Kristeva, entrevista com o autor.

3 Bakhtin, *L'Oeuvre de Rabelais*, p.20.

Bakhtin dá o nome de "realismo grotesco".[4] Para além do efeito cômico, é toda uma cosmogonia que está em ação em Rabelais. A ênfase sobre os orifícios, as protuberâncias, as excrescências corresponde às partes do corpo que abrem o indivíduo para o mundo exterior.

Imediatamente consciente da limitação do estruturalismo do lado da história, Julia Kristeva decide, portanto, servir-se de Bakhtin para avançar no sentido de uma "dinamização do estruturalismo".[5] O diálogo entre os textos, que ela percebe como fundamental, poderia dar lugar a uma consideração do segundo grande recalcado do estruturalismo, o sujeito, e permitir, à maneira de Benveniste, a reintrodução de toda uma temática da intersubjetividade. Mas em 1966 ainda não se chegou a esse ponto, e Kristeva pratica a esse respeito uma evitação do sujeito, substituindo-o por uma nova noção que conhecerá um êxito extraordinário, a intertextualidade: "Foi nesse instante que criei um *gadget* a que dei o nome de intertextualidade".[6] Nos Estados Unidos, ainda hoje solicitam a Julia Kristeva que participe em colóquios e escreva artigos para aprofundar e desenvolver essa noção. O que propõe Mikhail Bakhtin é uma translinguística e, para explicar essa trama polifônica, ele apoia-se em Rabelais, Swift e Dostoiévski, aos quais Kristeva, em sua exposição, acrescenta os nomes do romance moderno do século XX considerados propícios a uma abordagem semelhante: Joyce, Proust e Kafka, com a única diferença de que se passou do diálogo representativo e fictício para o diálogo interior.

À perspectiva intertextual aberta por Kristeva soma-se, portanto, uma orientação que desestabilizará em profundidade o estruturalismo, mais do que Kristeva pensa na época: é a dialógica (a crítica como diálogo, encontro de duas vozes), mesmo se é apresentada ainda como imanente na estrutura: "O dialogismo é coextensivo às estruturas profundas do discurso".[7] Seria errôneo, portanto, querer já ver aí o retorno do sujeito clássico, da noção de autor. Kristeva tem o cuidado de dissolver essa noção no interior do próprio sistema da narração e considera, fiel nesse aspecto à perspectiva estruturalista, que o autor "se torna um

---

4 Ibidem, p.28.

5 Kristeva, Le Mot, le dialogue et le roman (1966). In: *Séméiotiké, Recherches pour une sémanalyse*, p.83.

6 Idem, entrevista com o autor.

7 Idem, Le Mot, le dialogue et le roman, p.94.

anonimato, uma ausência, um branco, para permitir à estrutura existir como tal".[8] Por conseguinte, o autor nada mais é do que a expressão do vazio, para deixar lugar ao diálogo intertextual no qual ele se dissolve ao aparecer. Kristeva distingue em sua exposição dois tipos de narrativa: a narrativa monológica, que engloba o modo descritivo, representativo, histórico e científico no qual "o sujeito assume o papel de 1 (Deus) ao qual, pela mesma *démarche*, submete-se",[9] e a narrativa dialógica, que se exprime, por exemplo, sob a forma do carnaval, da menipeia e do romance polifônico moderno. Para fazer entender bem a modernidade da dialógica, Kristeva não só vê nessa noção um novo método de análise, mais rico do que o binarismo, mas também "a base da estrutura intelectual da nossa época".[10] Isso permite uma retomada e uma torção do princípio dialético hegeliano, absorvendo-o num conceito de relação não antinômica em que não está implicada uma ultrapassagem, mas uma harmonia a partir de uma simples fratura que permite operar a transformação: "O dialogismo situa os problemas filosóficos na linguagem e, mais precisamente, na linguagem como uma correlação de textos, como escritura-leitura".[11] Essa noção permite, portanto, ao literato apresentar-se em posição hegemônica, oferecendo-lhe um campo de análise que inclui a filosofia. A abertura do texto para o seu meio ambiente, não referencial, contextual, mas para o universo textual que o cerca, constituído pelos textos que lhe são anteriores, contemporâneos ou vindouros, permite oferecer perspectivas novas de análise, especialmente para o escritor contemporâneo, que pode assim dialetizar de outro modo a sua posição de autor-leitor, ao incluir a sua leitura no próprio interior de sua escritura.

A reviravolta de Roland Barthes

É no interior dessa brecha aberta por Julia Kristeva que se inscreverá instantaneamente a reorientação do trabalho de Roland Barthes,

8 Ibidem, p.95.
9 Ibidem, p.97.
10 Ibidem, p.112.
11 Ibidem, p.111.

fascinado por toda forma de renovação, pela juventude em geral. A chegada dessa jovem búlgara ao seu seminário fará sucumbir as ambições científicas que ele exprimira tanto nos *Elementos de semiologia* quanto em *Crítica e verdade*. É uma verdadeira relação de permuta que ele institui com seus estudantes. Aquilo de que se apossa, sabe também restituir pela intensidade da atenção que dedica ao discurso do outro e aos encorajamentos que lhe prodigaliza: "Roland desempenhou para mim um papel muito importante. É a única pessoa que conheço que é capaz de ler os outros e, para um professor, isso é demais, pois em geral os professores leem-se a si mesmos".[12]

Barthes dá, ao mesmo tempo, um prolongamento pessoal à assimilação do tema da intertextualidade ao publicar em 1970 *S/Z*, que é a síntese do seu seminário de 1968 a 1969 na École Pratique des Hautes Études (Ephe) e cujo impulso veio, de fato, da exposição de Julia Kristeva em 1966. Com *S/Z*, dá-se a grande virada, o momento em que Barthes desconstrói sua própria grade conceitual para dar maior liberdade à sua intuição literária. Barthes surge onde não era esperado.

Após o discurso do método, é a abertura para a escritura, para a expressão da fibra sensível e para o caráter infinito e irrestringível do sentido: "Roland, como Sollers, é em primeiro lugar um literato. Poder-se-ia dizer que ele se servia dos métodos como diz Buda: 'Se queres atravessar o rio, faz uma pilha de pedaços de madeira, faz uma jangada e em seguida volta a jogá-la no rio'".[13] Desde o começo de *S/Z*, Barthes coloca-se a uma certa distância do que ele considera a partir de então ilusório: a redução de todas as narrativas do mundo "a uma única estrutura".[14] Não só essa ambição estruturalista era desmedida como, além disso, estava manchada por uma perspectiva discutível, pois esse trabalho de Sísifo redundava na negação das diferenças entre os textos.

Nessa nova preocupação de fazer da diferença não mais o meio da análise como no binarismo em curso na fonologia, mas uma finalidade, percebe-se a influência sobre Barthes não só de Kristeva mas de todo o grupo *Tel Quel* e, sobretudo, de Derrida. Adere à noção de intertextualidade de Kristeva e declara a Raymond Bellour, mesmo antes da

12 Julia Kristeva, entrevista com o autor.
13 François Wahl, entrevista com o autor.
14 Barthes, *S/Z*, p.9.

publicação de *S/Z*: "No tocante à literatura, não se pode falar mais de intersubjetividade mas de intertextualidade",[15] ou seja, exatamente os mesmos termos empregados por Julia Kristeva. E um pouco mais tarde, em 1970, confidencia ao mesmo Raymond Bellour o nome daqueles a quem chama os seus credores, que deliberadamente não foram mencionados em *S/Z* para melhor indicar que é o conjunto da obra que merece ser citado: "Suprimi o nome dos meus credores (Lacan, Julia Kristeva, Sollers, Derrida, Deleuze, Serres, entre outros)".[16]

A partir de *S/Z*, é toda a problemática desconstrucionista derridiana que está influenciando Barthes em sua preocupação de pluralizar, de exacerbar as diferenças, de as fazer atuar fora do significado num infinito em que elas se dissolvem para dar lugar ao "branco da escritura". Reconhece-se, portanto, toda a trama derridiana no interior do novo discurso barthesiano desse momento culminante. A crítica do signo saussuriano é retomada por Barthes: "É necessário agora levar o combate mais longe, tentar cindir não os signos, significantes de um lado, significados do outro, mas a própria ideia de signo: operação a que poderíamos chamar uma semioclastia".[17] Por trás dessa vontade de cindir o discurso ocidental, de atingi-lo em seus fundamentos, descortina-se sem dúvida a perspectiva desconstrutivista do logocentrismo ocidental de Derrida. Contudo, o horizonte não é o mesmo, pois se em ambos os casos se fala de escritura, com Barthes estamos em pleno campo literário, ao passo que Derrida depende do campo filosófico. Entretanto, quando Barthes diz que "a escritura do escritor está relacionada essencialmente com um critério de indeterminabilidade",[18] não se pode deixar de pensar nos indecidíveis de Derrida, que devem operar a desconstrução da metafísica ocidental. No final dos anos 1960, Barthes reconhece de forma inteiramente explícita que houve uma virada, uma ruptura, nas entrevistas que dá, e cuja frequência se multiplica em 1970-1971, para explicar sua conversão.

---

15 Idem, entrevista com Raymond. Bellour, *Les Lettres Françaises*, 2 mar. 1967, p.13.

16 Idem, entrevista com Raymond Bellour, *Les Lettres Françaises*, 20 maio 1970, reproduzida em idem, *Le grain de la voix*, p.78.

17 Ibidem, p.84.

18 Idem, L'Express va plus loin... avec R. Barthes, *L'Express*, 31 maio 1970, reproduzido em idem, *Le grain de la voix*, p.103.

As razões que dá para essa virada confirmam a extrema sensibilidade de Barthes para tudo o que o cerca: "As causas dessa mutação (pois trata-se mais de mutação do que de evolução) devem ser procuradas na história recente da França – por que não? – e depois também no intertextual, ou seja, nos textos que me cercam, que me acompanham, que me precedem, que me seguem, e com os quais, bem entendido, me comunico".[19] A alusão aos acontecimentos de Maio de 1968 é transparente e, depois, a caução filosófica da desconstrução derridiana permite a Barthes não esconder por mais tempo o seu desejo de escritura literária, de dar enfim livre curso à sua subjetividade, à sua diferença, liberto de códigos e de outros sistemas formais. Ao formular seu desejo para os anos 1970, exprime sua vontade de trabalhar no interior do significante, ou seja, de escrever no que chama "o romanesco sem o romance".[20] É o que Barthes começa a realizar em *S/Z*, obra que considera muito importante no seu itinerário pessoal, graças aos "formuladores", aos pesquisadores que o cercavam e que "me ensinaram as coisas, me abriram os olhos, me persuadiram".[21] A outra razão da virada de Barthes vem do próprio objeto de análise.

Pela primeira vez, com *S/Z*, Barthes pratica uma microanálise ao tomar por objeto uma pequena novela de Balzac, escrita em 1830, *Sarrasine*. A partir desse pequeno texto de base, escreve uma obra na qual faz funcionar cinco códigos para ir o mais longe possível no interior da pluralidade interna da escrita balzaquiana. Barthes muda o seu nível de percepção e, por conseguinte, o próprio objeto da percepção, seguindo o texto passo a passo, num constante cotejo da escritura e da leitura. Aliás, a maior ambição de Barthes com *S/Z* é realizar essa forma nova de escritura/leitura que deve ser a resultante da noção de intertextualidade. A esse respeito, reencontramos, pois, a influência de Julia Kristeva, sua abertura para um novo processo em curso de desenvolvimento, sua substituição da estrutura pela estruturação: "Reencontrar o que Julia Kristeva chama uma produtividade".[22] E esse horizonte produtivo é retomado por Barthes no próprio desenvolvimento, de vocação infinita,

---

19 Idem, depoimento colhido por Stephen Heat, em *Signs of Times*, 1971, reproduzido em idem, *Le grain de la voix*, p.123.
20 Idem, *S/Z*, p.11.
21 Idem, *Le grain de la voix*, p.128.
22 Ibidem, p.73.

aberta para sempre, de escritura/leitura. Esse estrelejamento do texto balzaquiano e sua dissolução nas linguagens e nos códigos atuais exprimem perfeitamente, portanto, essa vontade de escritura sem limites a que Barthes aspira e que nada tem a ver com a busca de um sistema de causalidade única ou plural que daria lugar a uma explicação fechada do texto, à sua interpretação definitiva: "Nunca há parada do texto. Os lansonianos paravam o texto no autor e suas fontes. A intertextualidade anonimiza os autores, concebe o texto ao infinito".[23]

A relação ativo/autor, passivo/leitor deve ser modificada, segundo Barthes, graças a um trabalho de reescritura pelo leitor do texto escrevível, ou seja, de um texto plural que fornece margem para várias vozes/vias possíveis. No caso de *Sarrasine*, Barthes utiliza conjuntamente, portanto, cinco códigos que restituem ao texto sua polifonia. Três deles escapam à restrição temporal: os códigos sêmico, cultural e simbólico; os outros dois implicam a irreversibilidade do tempo: os códigos hermenêutico e proairético. Mesmo se o método parece rigoroso, tomado num sistema estreito de codificação, a ruptura nem por isso é menos radical com as ambições do primeiro período: "Para o texto plural, não pode haver estrutura narrativa, gramática ou lógica da narrativa".[24]

Barthes resignou-se, portanto, a abandonar as ambições expressas no número de *Communications* de 1966 sobre as estruturas narrativas do texto: segundo ele, só existe interpretação no nível da pluralização do sentido, da saída da totalidade do texto, considerada como enclausurante. É o triunfo da intuição sensível sob a rigidez dos códigos, e se estes continuam em uso, estão de fato cuidadosamente hierarquizados segundo um princípio que já não tem pretensões à cientificidade, o do gosto: "Existem os bons e os maus códigos".[25] Do lado da insignificância, Barthes coloca o código proairético, e no lado oposto, o código simbólico, carregado de positividade, engloba tudo o que lhe pareceu intuitivamente interessante. Essa hierarquização dos códigos não é, contudo, explícita, mas, como disse Barthes: "Essa hierarquia se restabelece como que espontaneamente".[26] E isso coloca o simbólico no topo, acima do

23 Idem, *Océaniques*. FR3, nov. 1970/maio 1971; retransmissão 8 fev. 1988.
24 Idem, *S/Z*, p.12.
25 Claude Brémond, entrevista com o autor.
26 Barthes, *Le grain de la voix*, p.75.

significante puro, da não lógica ou do poder de pluralização do texto, aos quais Barthes aspira. A esse código simbólico vê-se, pois, atribuir um lugar a tal ponto predominante na análise do texto balzaquiano que Raymond Bellour vê aí o sinal de uma matriz subjacente de produção que sustentaria o texto em sua estruturação.

Para o caso da novela de Balzac, é o jogo de três simbolismos – sobre o ouro, o sentido e o sexo – que opera a dinâmica do texto e que remete alternativamente a Marx, Aristóteles e Freud. A novela de Balzac situa-se na época da Restauração, e o autor arrasa nela o novo espírito da burguesia, a classe dos novos-ricos recém-chegados ao poder graças ao ouro, cuja origem turva não tem a dignidade da nobreza, por falta de verdadeiro enraizamento, ou seja, de um enraizamento na terra. Num segundo tempo, a narrativa concentra-se num personagem, Zambinella, que é um castrado, e fica-se sabendo que Sarrasine, um escultor, é assassinado por ter amado Zambinella, que ele acredita ser uma mulher. O deslocamento operado por Barthes no nível do código simbólico estabelece um paralelo entre as duas partes da narrativa: a sátira dos arrivistas, possuidores de um ouro saído do nada, e o tema do castrado, que também remete para o nada de uma mulher que não o é.

Essa interpretação também recorre muito, como sua precedente interpretação de Racine, ao discurso psicanalístico e sobretudo lacaniano: "Meu recurso à linguagem psicanalítica, como a todo e qualquer outro idioleto, é de ordem lúdica, citacional".[27] Lacan é, não obstante, com Kristeva e Derrida, um dos grandes inspiradores das análises barthesianas, e o trabalho sobre a letra que se inscreve no espaço do título da obra, *S/Z*, explica-se por todo um jogo de significâncias que se desenrolam na relação impossível entre SarraZine e Zambinella. Barthes observa, em primeiro lugar, que segundo a onomástica francesa se espera Sarrasine, mas o Z passa sorrateiramente: "Z é a letra da mutilação. [...] Ele corta, barra, listra: de um ponto de vista balzaquiano, esse Z (que está no nome de Balzac) é a letra do desvio".[28] Por outro lado, Z é a letra inicial de Zambinella, cujo estado de castração se conhece,

27 Ibidem, p.77.
28 Idem, *S/Z*, p.113.

> [...] de sorte que, por esse erro de ortografia, instalado no coração do seu nome, no centro do seu corpo, Sarrasine recebe o Z zambinelliano segundo a sua verdadeira natureza, que é a ferida da falta. Além disso, S e Z estão numa relação de inversão gráfica: é a mesma letra, vista do outro lado do espelho. Sarrasine contempla em Zambinella sua própria castração.[29]

Compreende-se a satisfação que Barthes pôde experimentar ao construir a sua interpretação, a qual, só na explicação do seu título, *S/Z*, permite ao mesmo tempo levar a sério a importância da instância da letra no inconsciente, tal como ela funciona segundo Lacan, a prevalência da escritura gráfica e seu recalque pelo fonologismo, tal como Derrida o concebe, e, enfim, reintroduzir a barra saussuriana reinterpretada por Lacan, entre S e Z, barra que forma uma tela, verdadeira censura, muro da alucinação.

O signo vazio: o Japão

Nesse mesmo ano de 1970, Barthes publica *L'empire des signes*, que confirma a virada ocorrida em relação ao período anterior. Esse livro, no qual Barthes fala do seu Japão, permite-lhe dar-se uma total liberdade e escolher uma forma particular de escritura que é a do fragmento. *L'empire des signes* é o contraponto pós-teoricista das *Mythologies*, pré-teoricistas. Barthes sai da aventura conceitual e, se tivera um olhar muito cáustico, muito crítico, a propósito dos signos da vida cotidiana ocidental, tem os olhos de Ximena para os do Oriente. O que o fascina acima de tudo, e é aí que se observa uma continuidade entre os dois períodos, é que o Japão que ele descobre, que ele escreve, é um Japão que se desembaraçou de todo sentido pleno.

Barthes experimenta aí o prazer intenso de entrar pela primeira vez, plenamente, no significante, por fim desembaraçado de todo significado, num mundo do signo vazio, esvaziado de sentido, de todas as formas de empezinhamento que o Ocidente conhece, denunciadas em *Mythologies*. Mas isso não o faz perder, em absoluto, a perspectiva

29 Ibidem.

crítica, e ele serve-se, de fato, do Oriente para contestar a fundo os valores ocidentais: "Como muitos entre nós, rechaço profundamente a minha civilização, até a náusea. Este livro exprime a reivindicação absoluta de uma alteridade total que se tornou necessária para mim".[30] Na falta de uma superação possível da realidade ocidental a partir de suas contradições internas, Barthes rejeita em bloco, portanto, tudo o que serve de fundamento ao universo ocidental para opor-lhe um alhures, uma utopia segundo um esquema binário. Reencontramos aqui a temática estruturalista do fechamento da história e do esvaziamento progressivo do referente, depois do significado: "No nosso Ocidente, em nossa cultura, em nossa língua e nossas linguagens, cumpre travar uma luta de morte, uma luta histórica com o significado".[31] A viagem interior ao Japão, para a qual Barthes nos convida em 1970, reproduz, portanto, essa busca da perda de sentido, que o zen chama um *satori*, para dar livre curso ao jogo infinito dos significantes. Tudo é percebido, portanto, nos mínimos detalhes da vida cotidiana, como a ilustração desse recuo diante dos signos. A fala é aí vazia, e a percepção, inteiramente gráfica. O alimento, por exemplo, é aí descentrado: o Japão dedica um verdadeiro culto ao cru, que se reverencia a ponto de se cozinhar diante daquele que comerá para "consagrar pelo espetáculo a morte do que se reverencia".[32] Inteiramente visual, o alimento japonês é desprovido de centro, constituído de múltiplos fragmentos, não tem uma ordem de ingestão, mas deixa a pessoa com toda a liberdade para retirá-lo com seus pauzinhos, ao sabor de sua imaginação.

Tudo no Japão de Barthes é fragmentação, pluralização, ao contrário do Ocidente, onde tudo se ordena, estrutura-se, concentra-se. Assim ocorre com a arte, e Barthes opõe a propensão ocidental para transformar a impressão em descrição a partir de um sujeito pleno ao *haiku*, que jamais descreve, não tem sujeito, simples cadeia de significantes sem propósitos demonstrativos, simples traço do prazer de escrever. O *haiku* não tem qualquer uso, não se presta a comentário algum: "É isso, é assim, diz o *haiku*, é tal... mas o *flash* do *haiku* não esclarece nada, não

30 Idem, entrevista com Raymond Bellour, *Les Lettres Françaises*, 20 maio 1970, reproduzida em idem, *Le grain de la voix*, p.82.

31 Ibidem, p.84.

32 Idem, *L'empire des signes*, p.30.

revela nada".[33] O que fascina Barthes é o que ele durante muito tempo reprimiu e que constitui, entretanto, o seu verdadeiro ser, a liberdade do escritor perante a escritura, a liberdade de se desligar de todo discurso didático, demonstrativo, para dar à intuição a possibilidade de exprimir-se plenamente. Em 1970, Barthes exprime, portanto, um retorno à literatura, após uma incursão pela linguística. Esse percurso é sintomático de toda essa geração de estruturalistas que utilizaram o discurso das ciências sociais, mas não se resignaram a abdicar de uma vocação reprimida de escritores. Essa escolha terá permitido, não obstante, fazer nos anos 1960 de obras "científicas" alguns dos grandes romances contemporâneos.

Os paragramas ou a volta disfarçada do sujeito

Se Julia Kristeva procurou as vias de superação do fechamento estruturalista com a noção de intertextualidade, ela também abriu uma segunda direção nova de pesquisa, a de uma dinâmica subjetiva, não a do sujeito clássico, mas do sujeito tal como o entende Lacan, o sujeito do desejo. Ainda em 1966, Julia Kristeva descobre o que se chamará o segundo Saussure, o dos anagramas dos quais Jean Starobinski acabava de publicar alguns extratos. Ela estabeleceu uma correlação imediata entre essa busca do nome próprio sob o texto aparente de Saussure e a abordagem analítica tal como Lacan a formaliza:

> O que me pareceu é que existe uma espécie de dominação pelo jogo dos fonemas e das sílabas sobre aquele que se encontra em estado de escritura. Essa dominação propicia uma espécie de regularidade consonântica e fônica; repetições e aliterações que podem ser estabilizadas num nome próprio, que seria o nome próprio obsedante a que o indivíduo está inconscientemente ligado por razões sexuais ou mortíferas.[34]

33 Ibidem, p.111.

34 Julia Kirsteva, entrevista com o autor.

Essa busca remete para uma outra dinâmica que não é a da estrutura explícita, mas a da estrutura inconsciente.

Kristeva desenvolve esse novo eixo de pesquisa num texto programático, "Pour une sémiologie des paragrammes", no qual se define o esboço de uma nova ciência, nesse tempo em que elas florescem: a gramatologia em 1965, a paragramática em 1966... Apoiando-se na investigação dos anagramas em Saussure, Kristeva acha que este último se desorientou, contudo, ao procurar de cada vez uma única palavra, um anagrama particular, quando existe toda uma cadeia subjacente de temas que se insinuam sob o texto aparente: "Existe essa insistência de paralógicos de um outro sentido que não o explícito".[35] A partir desse pressuposto, Kristeva propõe uma nova leitura de Mallarmé e de Lautréamont. O paragrama é aí definido como forma de destruição da escritura do outro, de dissolução do sentido estereotipado: "Depois do homem, o paragrama destrói o nome".[36] O esboço desse novo eixo de pesquisa revela o cientificismo reinante na época. Kristeva considera as reminiscências no espaço paragramático na base de uma sólida aliança entre a semântica e as matemáticas: "O esforço de apreender a lógica dos paragramas num nível abstrato é o único meio de superar o psicologismo ou o sociologismo vulgar".[37]

Mas além da máscara cientista, Kristeva desloca judiciosamente a interrogação para o sujeito, obliterado até então: a busca paragramática repete a lógica do inconsciente em tudo o que ele armazena, o que ele "engrama" como significantes. Essa busca remete de volta para uma história pessoal, feita de lembranças, de leituras, de diversas impregnações, que se situa, portanto, num nível diferente do da linguagem da comunicação, uma linguagem que limita e delimita por definição o número de códigos em uso.

É por essa via atravessada entre o campo da linguística e o da psicanálise, que chamará de semanálise, que Kristeva, ainda no terreno específico da literatura, acabará por se engajar na psicanálise. Esse tipo de leitura já oferece a vantagem de sair da neutralidade, dar acesso à

---

35 Ibidem.

36 Idem, Pour une sémiologie des paragrammes (1966). In: *Séméiotikè, recherches pour une sémanalyse*, p.134.

37 Ibidem, p.146.

subjetividade, entrar em ressonância com o inconsciente da crítica literária. Essa nova preponderância da subjetividade abre o caminho para a escritura literária e fornece, portanto, a Barthes a caução científica de que ele precisa para expandir seu desejo criativo. Quanto a Kristeva, mantém-se no domínio científico e encontra na psicanálise a grade conceitual necessária para ir ainda mais longe na busca do sujeito, no desvendamento do seu modo de existência: "Eu me sentia um pouco constrangida para poder adiantar essa subjetividade pessoal, sobretudo porque o francês é, para mim, uma língua estrangeira".[38] Kristeva permanecerá, portanto, por muito mais tempo no interior do discurso teoricista.

Mais tarde, ela proporá, para explicar as duas vias de análise alternativas, a distinção entre semiótica e simbólica. Este último termo refere-se à simples denotação da troca codificada, ao seu sentido simples, ao passo que a semiótica dá acesso ao "continente secreto da linguagem em que os perfumes, as cores e os sons se respondem e remetem para uma experiência infantil e para o inconsciente".[39] A semiótica, assim definida, reata, com efeito, o projeto definido em 1969 com a semanálise, que já se oferecia então como uma crítica da noção de signo, capaz de desobjetivar seu objeto, de pensá-lo a partir de uma fragmentação que oferece à sua conceitualização "um corte vertical e não limitado à origem nem ao fim".[40]

Se a semiótica, segundo Kristeva, apoia-se nas duas grandes renovações em curso, do marxismo por Althusser e de Freud por Lacan, ela buscará suas cartas de nobreza às próprias raízes da cultura ocidental, a partir das quais se pode apurar a sua espessura temporal: "Refiro-me a um texto de Platão, o diálogo de *Timeu*, onde ele fala de uma modalidade da significação que se reporta ao que chamou *chora*, ou seja, a um receptáculo".[41] Platão considera essa modalidade do sentido anterior ao Um, ao nome, e dá-lhe conotações naturais de receptáculo nutriente, móbil. Kristeva apoia-se nesse diálogo para tomar em consideração toda uma pré-linguagem anterior ao signo linguístico, além do mais ligada à relação entre o futuro ser falante e sua mãe: "Tentei

38 Idem, entrevista com o autor.
39 Idem em *Le Bon plaisir*, France-Culture, 10 dez. 1988.
40 Idem, *Séméiotiké, recherches pour une sémanalyse*, p.27.
41 Idem em *Le Bon plaisir*.

propor essa noção de *chora* semiótico que remete para uma modalidade translinguística da significação, mais arcaica".[42] Assim, Kristeva separa-se do desconstrucionismo absoluto de Derrida, apesar de este ter sido decisivo em sua crítica do signo. Sua adesão ao discurso psicanalítico leva-a, pelo contrário, a efetuar um trabalho interpretativo, portanto, a deter-se num sentido revelado pela escuta analítica, numa verdade, mesmo que provisória.

Essa abertura para o campo psicanalítico e para a subjetividade permite a Barthes libertar-se de determinadas restrições, o que reconhece em 1971:

> O grande problema, pelo menos para mim, consiste em frustrar o significado, frustrar a lei, frustrar o pai, frustrar o recalcado. [...] Onde quer que exista a possibilidade de um trabalho paragramático, de um certo delineamento paragramático do meu próprio texto, sinto-me à vontade. Se tivesse verdadeiramente de fazer um dia a crítica do meu próprio trabalho, centraria tudo no "paragramatismo".[43]

Antena sensível do estruturalismo, verdadeiro receptáculo da sensibilidade e das ambições da vanguarda de sua época, Roland Barthes inicia, portanto, um novo voo a partir dessa dupla reorientação do trabalho indicada por Kristeva em 1966, rumo à intertextualidade e aos paragramas. Essa virada não é, evidentemente, redutível à influência exclusiva de Kristeva, e só é inteligível como retomada, no plano literário, dos diversos questionamentos oriundos de Benveniste sobre a enunciação: "Os linguistas que têm um pensamento teórico (Jakobson, Chomsky e Benveniste) são homens que formulam o problema da enunciação e não apenas o problema do enunciado".[44] Desde o instante em que a linguística formula o problema da enunciação, ela se depara com o discurso psicanalítico e, portanto, com o trabalho de Lacan, como já se viu a respeito de Benveniste.

42 Ibidem.

43 Roland Barthes, depoimento colhido por Stephen Heath em *Signs of Times*, 1971, reproduzido em *Le grain de la voix*, p.137.

44 Idem, entrevista com Georges Charbonnier, France-Culture, out. 1967, retransmissão em 25 nov. 1988.

Essa mutação participa plenamente, pois, de um novo clima intelectual que assegura a preponderância da investigação do sujeito do desejo em suas diversas modalidades de expressão. No plano da atualidade literária, pesquisa idêntica se processa a respeito do romance de Phillippe Sollers publicado em 1965, *Drame*; ela se propõe realizar uma reflexão sobre o uso dos pronomes, ou seja, sobre os signos da enunciação. Mas além do contexto favorável ao nascimento de um segundo Barthes, há sobretudo a ressonância interior que provoca nele essa volta da subjetividade. Sua aspiração reprimida pode então expandir-se e deixar cada vez mais a intuição reinar de novo como senhora de uma escritura liberada que esconde cada vez menos o prazer que proporciona.

6

O SEGUNDO ALENTO DOS DURKHEIMIANOS

PIERRE BOURDIEU

Se os durkheimianos, apenas saídos do campo da filosofia, não tinham obtido êxito completo em sua emancipação no começo do século, e fracassado em sua empreitada de realização de uma ciência social unificada pelos sociólogos em torno do conceito de morfologia social, eles puderam, no entanto, beneficiar-se no pós-guerra do impulso das ciências sociais com vistas à institucionalização da sua disciplina, implantando-a cada vez mais solidamente no seio da universidade. Mas esse sucesso institucional não era suficiente para esconder o fracasso no plano da legitimação científica: eles podiam estabelecer seus próprios cursos, que nem por isso deixavam de ser considerados uma disciplina menor, sendo desprezada sobretudo por filósofos e historiadores, mas também por disciplinas mais jovens, como a antropologia, cuja ambição e rigor pareciam relegar a sociologia ao papel secundário de refúgio do empirismo, confinada a objetivos restritos e essencialmente instrumentais.

O desafio aos filósofos

A chegada de Pierre Bourdieu ao campo da sociologia devolverá brilho e ânimo à ambição durkheimiana, por seus desígnios teóricos, sua vontade hegemônica e sua própria problematização da instituição sociológica. Esse segundo alento do durkheimianismo foi possibilitado pela assimilação por Pierre Bourdieu do programa estruturalista – pelo menos num primeiro tempo, visto que, como muitos outros, manterá em seguida uma certa distância em relação ao paradigma estrutural. No decorrer dos anos 1960, Pierre Bourdieu propõe um método estruturalista-durkheimiano que tende, sobretudo, a endurecer as posições durkheimianas para devolver-lhes toda a sua dinâmica e permitir a reunificação de um campo da sociologia em plena atomização, dividido em múltiplas famílias ideológicas: "O seu estruturalismo foi um enriquecimento extraordinário, é a grande obra sociológica contemporânea".[1]

À maneira de Durkheim, Pierre Bourdieu lança um desafio aos filósofos, sem abandonar nunca, na verdade, a problematização filosófica e recusando-se a aceitar o corte entre sociologia e etnologia: "Para escapar por pouco que seja ao relativo, cumpre abdicar de toda e qualquer pretensão ao saber absoluto, depor a coroa do filósofo-rei".[2] Bourdieu não renuncia, no entanto, ao debate filosófico e mantém um diálogo com Kant, Heidegger, Wittgenstein e Austin no interior de uma obra que assim se singulariza no campo sociológico pela ausência de verdadeira ruptura com o discurso filosófico: "Parece-me que ele sempre esteve numa atitude de rompimento amoroso com a filosofia".[3] Bourdieu lança, portanto, um desafio à filosofia no seu próprio terreno, munido de todo o instrumental estatístico do sociólogo, de seus métodos, conceitos, procedimentos de verificação, o que lhe permite acumular as vantagens de uma posição simultaneamente filosófica e científica: "A sociologia saiu há muito tempo [...] da era das grandes teorias da filosofia social. [...] Por conseguinte, por que não dizer que é uma ciência, se ela é uma?".[4]

Com Bourdieu, a análise sociológica interroga a posição do filósofo pela correlação estabelecida entre o conteúdo do discurso e a posição institucional ocupada no campo acadêmico. Há aí todo um trabalho de objetivação do discurso filosófico pelo estudo daquilo que o valida, do que o legitima nas próprias condições de sua enunciação. Pela sua

1 Pierre Ansart, entrevista com o autor.
2 Bourdieu, *Choses dites*, p.45.
3 Jacques Derrida em *Le Bon plaisir* de Pierre Bourdieu, France-Culture, 23 jun. 1990.
4 Bourdieu, *Questions de sociologie*, p.19 e 21.

posição privilegiada para interrogar e avaliar o campo dos possíveis, a sociologia, segundo Bourdieu, ocupa, portanto, um lugar incontornável para o conjunto dos discursos elaborados pela ciências humanas e, desse modo, oferece-se como horizonte libertador: "A sociologia liberta ao libertar da ilusão da liberdade".[5] Permite formular as ambições mais desmedidas para realizar em torno do paradigma estrutural-durkheimiano a unidade do conjunto das ciências humanas, que Durkheim tanto desejava. Para conseguir isso, Bourdieu faz-se o introdutor do estruturalismo no campo da sociologia, introdução delicada de um paradigma que pretende desvendar o que está escondido, oculto, não dito, numa disciplina que valoriza pelo seu próprio objeto de estudo, por seus métodos, o dito, o testemunho, a entrevista, as estatísticas, ou seja, a esfera do visível.

Um miraculado

A relação de Pierre Bourdieu com o seu objeto de estudo aparenta-se com uma relação radical de denegação. Sua vasta sistemática serve para mostrar a força dos esquemas reprodutores, a fraqueza da mobilidade, a futilidade do acontecimento, o caráter dominado do agente em relação a suas raízes. Ora, o itinerário individual de Bourdieu contradiz a onipotência institucional, os determinismos cuja força insopitável ele, no entanto, desvenda. É a negação viva de suas teses, e essa contradição revela, com efeito, uma partida muito pessoal que se joga entre Bourdieu e ele próprio, um confronto quase terapêutico entre o indivíduo Bourdieu no auge da legitimação científica e o homem Bordieu que não renegou suas origens sociais e sente um mal-estar crescente em seu êxito acadêmico e mundano: "Estranhamente, a minha inserção no mundo social, que deveria ser cada vez mais fácil, torna-se cada vez mais difícil".[6]

Miraculoso, Bourdieu se reconhece único, o que lhe vale o qualificativo de "bourdivino", utilizado de maneira polêmica por Edgar Morin.

5 Idem, *Choses dites*, p.26.

6 Idem em *Le Bon plaisir*, France-Culture, 23 jun. 1990.

Toda a sua obra se aclara com essa passagem do religioso (os milagres) ao científico (a sociologia) para tentar racionalizar essa proeza tão espetacular quanto improvável no plano estatístico: "Estou num universo no qual não deveria estar. Não me surpreenderia se tivesse sido eliminado umas quarenta vezes. [...] Aqui, no Collège de France, pessoas da minha categoria deve ter havido talvez 1% em duzentos anos".[7] Não se trata, de maneira alguma, de uma fanfarronice por parte de Bourdieu, oriundo de um meio popular, excentrado, rural, dominado.

Nascido numa pequena aldeia do Béarn, seu pai, modesto funcionário, só tardiamente teria acesso à função pública, em virtude de uma importante nomeação, após ter passado seus trinta primeiros anos como filho de um humilde caseiro: "Minha infância é marcada pela experiência da desigualdade social, da dominação".[8] A primeira singularidade de Bourdieu, além dos seus êxitos escolares, é manter-se fiel à sua primeira revolta, contrariamente ao encaminhamento da maioria desses filhos prodígios das classes populares, cuja tendência é mais para a integração no novo meio, a fim de se livrarem de sua condição de origem, e para o reconhecimento da validade e naturalidade dos critérios que lhes permitiram ser extraídos do seu antigo meio. No ano letivo de 1950-1951, Bourdieu inicia no Liceu Louis-le-Grand o curso preparatório de filosofia para ingressar na École Normale Superieur (ENS); é depois admitido na ENS da rua de Ulm, e se esse percurso de filósofo o coloca no ápice do reconhecimento, esse período não é feliz: "Senti-me paralisado por uma espécie de infâmia. [...] Sentia-me terrivelmente mal".[9] Confessa-se divorciado tanto do seu ambiente de trabalho, de cujas ocupações, que considera fúteis, não compartilha, quanto do seu meio de origem, que acha insuportável e cada vez mais distante, toda vez que retorna a Mont-de-Marsan.

Para exprimir essa alteridade, Bourdieu não escolherá o caminho populista, mas o conceitual: procurará descrever os mecanismos da dominação, o que o levará a escolher seus objetos de estudo na própria sociedade. Ora, na época, para os normalistas do ensino superior, o ideal filosófico era encarnado por Jean-Paul Sartre, figura tutelar do

7 Ibidem.
8 Ibidem.
9 Ibidem.

existencialismo; Sartre impunha-se como modelo por sua capacidade para cobrir todo o campo intelectual graças a uma atividade criadora que se desenvolvia em todos os quadrantes, tão talentosa no domínio literário quanto no da crítica ou do pensamento filosófico. Nesse início da década de 1950, aos olhos dos normalistas de filosofia, entendia-se que para um filósofo digno desse nome era "proibido aviltar-se, prendendo-se a certos objetos; a saber, todos aqueles que dizem respeito aos especialistas das ciências do homem".[10] Diante desse esquema ideal, dessa imagem – qualificada ao mesmo tempo de "fascinante e repelente" –[11] do intelectual total, Bourdieu sente-se em ruptura, não participa da sociedade normalista. Interessa-se desde cedo por uma corrente filosófica mais voltada para uma reflexão epistemológica, para a história da filosofia e das ciências (Martial Guéroult, Jules Vullemin...), que ele via como um recurso possível. Com esses filósofos, sentia-se numa situação de proximidade pela origem popular, provinciana, de todos eles, e por sua posição de dominados no campo intelectual e filosófico da época. Bourdieu pensa então num primeiro trabalho de pesquisa sobre a fenomenologia da vida afetiva, o que lhe teria permitido aplicar a reflexão filosófica a um domínio concreto, científico: a biologia. Mas é finalmente para a etnologia que ele se dirigirá, ao escolher, também nesse caso, portanto, um terreno preciso de investigação e um método que se considerava científico: "O novo prestígio que Lévi-Strauss tinha dado a essa ciência (a etnologia) muito me ajudou, sem dúvida".[12]

Pouco depois da Escola Normal, Bourdieu encontra-se na Argélia em 1957, no centro da tormenta, em plena guerra. É então assistente na Universidade de Argel, e descobre com o povo argelino não só um objeto de estudo mas também uma proximidade existencial que o levará a desdobrar seu trabalho de pesquisa. Por um lado, Bourdieu faz-se sociólogo para analisar a realidade colonial da sociedade argelina, o que é o tema do seu primeiro livro, *Sociologie de l'Algèrie*. Na mesma perspectiva, concentra suas pesquisas na situação dos trabalhadores argelinos.[13] Mas, por outro lado, Bourdieu faz-se etnólogo

10 Idem, *Les enjeux philosophiques des annés 50*, p.18.

11 Ibidem, p.20.

12 Idem, *Choses dites*, p.16.

13 Idem, *Travail et travaillieurs en Algérie*.

na Argélia e interessa-se pela sociedade cabila, pelas realidades matrimoniais, pelas regras de parentesco, pelos sistemas simbólicos... No começo, não existe, portanto, alguma ruptura entre sociologia e etnologia para Bourdieu, que conduz conjuntamente suas pesquisas nesses dois planos: "No tempo de Durkheim, não existia a distinção sociologia/etnologia".[14] O campo de investigação e a metodologia que o acompanha só são considerados, aliás, por Bourdieu, nessa época, um desvio temporário em relação à filosofia, com a qual nunca rompeu verdadeiramente, quando mais não seja no plano institucional: "Só mais tarde vim a admitir que era etnólogo. Pensava fazer etnologia provisoriamente e logo voltar à filosofia".[15]

O estruturalismo de Bourdieu

Até o começo da década de 1970, o horizonte teórico do trabalho de Bourdieu é o estruturalismo. Ele próprio situa com muita precisão a data de 1963 como a de seu último trabalho "de estruturalista feliz",[16] mas isso não significa que a perspectiva estruturalista tenha sido inteiramente abandonada: em 1969, Bourdieu publica um artigo no qual considera as modalidades e condições de extensão do método estruturalista à sociologia.[17] Muito mais tarde, e apesar de se ter distanciado criticamente do paradigma estruturalista, Bourdieu presta homenagem a um método que permitiu introduzir nas ciências sociais o modo de pensamento relacional e romper, assim, positivamente com o modo de pensamento substancialista.[18] Por ocasião da emissão de um programa sobre Lévi-Strauss em 1988, Bourdieu reconhece ainda que numerosos

14 Idem em *Le Bon plaisir*.

15 Ibidem.

16 Idem, *Le sens pratique*, p.22; trata-se de sua contribuição para *Mélanges*, obra coletiva oferecida a Claude Lévi-Strauss por ocasião do seu 60º aniversário: idem, La Maison kabyle ou le monde renversé (1963). In: Pouillon; Maranda (Orgs.), *Échanges et Communications*, p.739-58.

17 Idem, Structuralism and Theory of Sociological Knowledge, *Social Research*, v.XXXV, n.4, inver. 1969, p.681-706.

18 Idem, *Le sens pratique*, p.11.

aspectos de *La distinction*[19] dependem de uma postura estruturalista, a saber, o próprio fundamento de toda análise que tenda a demonstrar que existir simbolicamente é diferir: "Havia em *La distinction* uma intenção tipicamente estruturalista que consistia em dizer que o sentido é a diferença".[20] Portanto, Bourdieu ainda afirma em 1988 ter o mesmo modo de pensar que Lévi-Strauss, e as diferenças perceptíveis entre seus respectivos trabalhos resultam menos, por conseguinte, de um quadro teórico que lhes é comum do que do terreno etnológico para um, sociológico para o outro. Tendo Bourdieu de trabalhar com uma sociedade diferenciada e de levar em conta os diversos planos – simbólico, econômico, social... –, os efeitos do mesmo método estrutural dão resultados diferentes. Desse modo, Bourdieu terá construído por muito tempo a sua obra no interior do paradigma estrutural:

> Precisei de muitíssimo tempo para romper verdadeiramente com alguns dos pressupostos fundamentais do estruturalismo. [...] Foi necessário que saísse da etnologia como mundo social, ao tornar-me sociólogo, para que certos questionamentos impensáveis se tornassem possíveis.[21]

Esses pressupostos contribuíram para o encerramento dos objetos de análises por Bourdieu num sistema de determinações essencialmente estático, em que o evento, a historicidade, são reduzidos à insignificância: "É tipicamente um sistema para o qual não existe o evento".[22] A vontade de fazer prevalecer a opositividade numa situação relacional inscrita num presente instituído leva a valorizar as determinações topológicas, espaciais, à custa de outras considerações. Esse método permite revelar certas lógicas, mas também pode redundar num reducionismo, à força de querer dessubstancializar, esvaziar de seu conteúdo, as confrontações analisadas e sua genealogia.

É numa tal lógica de dessubstancialização que Bourdieu apresenta a disputa Barthes/Picard de 1965 em torno da obra de Racine em *Homo academicus*.[23] Segundo ele, a querela dos antigos e dos modernos

19 Idem, *La distinction*.
20 Idem, *Océaniques*, FR3, 31 out. 1988.
21 Idem, *Choses dites*, p.18.
22 Jacques Rancière, entrevista com o autor.
23 Bourdieu, *Homo academicus*, v.I, p.255-60.

é redutível a uma cumplicidade de fato dos dois protagonistas, a uma circularidade dos argumentos dos adversários, a um simulacro de combate teórico: haveria um simples par epistemológico "entre os oblatas consagrados do grande sacerdócio e os pequenos heresiarcas modernos",[24] reunidos de fato por uma cumplicidade estrutural. Não haveria, portanto, nada a procurar do lado dos argumentos de cada um, no confronto de seus métodos, "no próprio conteúdo das respectivas tomadas de posição",[25] que seriam apenas a reprodução de forma idêntica de posições opostas ocupadas no campo dos estudos literários pela Sorbonne, de um lado, e pelas ciências sociais da École Pratique des Hautes Études (Ephe), de outro. De um lado, Barthes e os marginais da instituição universitária, e defronte deles, os detentores da legitimidade, canonizados, defensores intransigentes da tradição, como Deloffre, em 1968: uns e outros não teriam feito mais do que repetir, dessa vez com um certo aspecto de farsa, a batalha que se travara em fins do século XIX entre a nova Sorbonne de Émile Durkheim, Gustave Lanson e Ernest Lavisse, e a velha Sorbonne dos críticos mundanos. Por trás de Racine, tomado como refém, que é disputado por ambas as partes, manifesta-se simplesmente uma reivindicação de poder; e o sucesso social do estruturalismo só seria explicável como poção mágica para encontrar colocações institucionais para toda uma geração, cada vez mais numerosa, de professores e estudantes engajados em novas disciplinas, "permitindo-lhes o estabelecimento no terreno da 'ciência'".[26]

Essa dimensão, trazida à luz por Bourdieu, não é falsa, e houve sem dúvida nessa querela um lance de ordem institucional. Mas é uma atitude particularmente redutora confinar com tamanha desenvoltura, em nome de uma topologia social, a natureza do confronto ao seu aspecto social, e eliminar do campo de estudo, como insignificantes, os argumentos apresentados pelos protagonistas. Chega-se, então, a um simples jogo estrutural de diferenças de lugares, no qual não pode deixar de se dissolver toda a mudança das regras do jogo, toda veleidade de transformação histórica irreversível. Reencontramos aqui em Bourdieu os traços característicos do estruturalismo, aplicados ao campo

24 Ibidem, p.149.
25 Ibidem, p.151.
26 Ibidem, p.161.

sociológico, inclusive para negar toda pertinência, esvaziar de seu conteúdo os argumentos dos semiologistas dos anos 1960, que queriam efetuar um corte epistemológico decisivo graças ao estruturalismo. Os agentes sociais, segundo Bourdieu, mesmo aqueles que se creem os mais liberados das determinações sociais, são animados por forças que os estimulam à ação, que os reificam, sem que tenham consciência disso. E são, portanto, essas condições objetivas das práticas discursivas que compete ao sociólogo reconstituir, a fim de ganhar acesso a um nível causal do qual os sujeitos estão ausentes ou então só estão presentes por suas ilusões: segundo Raymond Boudon, "há aí um exagero de restrições e a ideia absurda de que as restrições provêm da totalidade social e do desejo que essa totalidade teria de se reproduzir".[27]

Por essa posição, Bourdieu assume o paradoxo da maior parte dos estruturalistas, intelectuais de esquerda que estão abertos para a mudança, que desenvolvem no plano teórico as armas da crítica numa perspectiva progressista e que são, ao mesmo tempo, seduzidos por um paradigma que encerra todas as veleidades de mudança e anuncia, assim, o fim da história, mas que oferece, em contrapartida, garantias de cientificidade, uma possível apreensão do social coisificado com a ambição de captá-lo como totalidade: "Essa etapa é a do desespero. Não é isenta de beleza. Mas esse desespero resulta mais de uma deficiência de otimismo da vontade do que de um verdadeiro pessimismo da razão".[28]

Reencontramos, pois, a temática da ausência do sujeito no primeiro Bourdieu, aquele que introduziu o estruturalismo na sociologia. O sujeito é submetido ao seu destino social, fora do qual ele não faz outra coisa senão iludir-se com palavras para mascarar seus fracassos. A única mecânica inteligível do sistema é a dos interesses materiais positivos, que dependem de um processo de objetivação pelo qual o sujeito se revela numa verdade que não lhe pertence.

27 Raymond Boudon, entrevista com o autor.

28 Caillé, *Critique de Bourdieu*, p.11.

Os esquemas reprodutores

A obra pela qual Bourdieu exercerá imediatamente uma grande influência é de ordem sociológica, embora ele a tenha considerado, enquanto a escrevia, uma obra secundária, a expressão de uma simples necessidade militante, ao passo que suas preocupações mais fundamentais ainda se orientavam para os sistemas de parentesco, os sistemas rituais, ou seja, o terreno etnológico. Mas, desejando reagir a uma ideologia crescente que ele considerava particularmente fantasista, aquela que fazia do meio estudantil uma classe social inteiramente à parte, Bourdieu decide, como sociólogo, apresentar uma visão mais científica e publica, com Jean-Claude Passeron, em 1964, *Les héritiers*. Bourdieu e Passeron atacam o aspecto mistificador do discurso igualitarista de Jules Ferry sobre a escola para todos, que permitiria a cada um realizar seus potenciais, com igualdade de oportunidades. Nesse sentido, esse trabalho, que se inscreve, entretanto, numa perspectiva estrutural ao mostrar a impossibilidade de sair da lógica implacável da reprodução do sistema, servirá de arma essencial da crítica do sistema escolar no cerne do movimento de Maio de 1968. Com efeito, Bourdieu e Passeron colocam em evidência o que a instituição dissimula por trás da sua pseudoneutralidade, a saber, sua função reprodutora das relações sociais existentes e, por conseguinte, seu papel principal de mecanismo de triagem. Ora, essa seleção, que se faz em nome de critérios puramente escolares, recobre, oculta a verdadeira seleção, que é social: "Para as classes mais desfavorecidas, trata-se pura e simplesmente de eliminação".[29] Quanto aos que chegam à etapa da universidade, os autores distinguem dois modos de relação com o saber: o dos herdeiros da cultura, que mantêm uma relação distanciada com o saber escolar, ao passo que os filhos da pequena burguesia "fixam-se mais fortemente aos valores escolares".[30]

É no fato de encontrar a verdade do mundo escolar em sua face oculta, mas também na negação de toda possibilidade de escapar à sua lógica, que o paradigma estruturalista imprime uma certa visão

29 Bourdieu; Passeron, *Les héritiers*, p.12.

30 Ibidem, p.38.

desse mundo. Bourdieu e Passeron reduzem a nada todo esforço ou pensamento pedagógico, que apenas serve para ocultar a função reprodutora do ensinante: "O professor mais rotineiro cumpre, apesar de tudo, sua função objetiva".[31] Não existe, portanto, liberdade alguma, nem possibilidade de agir para os agentes do sistema, e os excluídos não teriam outro recurso senão dirigir-se ao sociólogo como terapeuta, que poderia, senão curá-los, pelo menos lhes explicar o seu caso: "Na ausência de mudança da classificação dos mal classificados, dar-se-lhes-ia 'a possibilidade de assumir seu *habitus* sem culpabilidade nem sofrimento'".[32] Cada um em seu lugar, o ensinante ou o ensinado, qualquer que seja ainda o conteúdo de seus discursos, a singularidade de seu comportamento, a relação de adesão ou de contestação ao saber dominante, é implacavelmente recuperado pela máquina reprodutora, e essa situação impede toda escapatória, visto que as contestações mais radicais reforçam ainda mais a capacidade do sistema classificatório: "Como não ver, com efeito, que a revolta contra o sistema escolar e a evasão nos entusiasmos heterodoxos realizam, por caminhos oblíquos, os fins últimos que a universidade persegue?".[33] Todas as saídas estão, portanto, aferrolhadas.

Esse livro é notável pelo paradoxo que leva ao seu paroxismo e traduz bem a situação global do estruturalismo nos anos 1960: de um lado, permite fazer avançar o pensamento crítico, limpar-lhe as armas, e, de outro, retira destas seu poder de fogo pela negação, em princípio, de toda transformação possível. A revolta contra o constrangimento da regra é, assim, apresentada como um dos caminhos principais de interiorização desta. Em 1964, essa radioscopia estruturalista do mundo escolar e universitário fornece argumentos, portanto, para o futuro movimento de Maio de 1968 e, contudo, nega-lhe de antemão, senão a viabilidade, pelo menos a sua significação e o seu alcance. Reencontra-se a negação do evento, da história, nessa preponderância concedida aos sistemas de classificação em sua estática.

Resta um importante avanço no plano teórico: a séria consideração do campo do simbólico e a abertura que Bourdieu realiza, como

31 Ibidem, p.72.

32 Idem, *Questions de sociologie*, p.42 apud Rancière, *Le philosophe et ses pauvres*, p.259.

33 Idem; Passeron, *Les héritiers*, p.68.

sociólogo do economicismo marxista, da vulgata mecanicista. Nesse sentido, sua contribuição aparenta-se ao trabalho dos althusserianos na nova importância dada às superestruturas: "No começo, irritei-me um pouco com Bourdieu em Lille, recriminando-o por dar importância exagerada ao capital simbólico. Devo reconhecer que ele tinha razão".[34] Mas, à maneira dos althusserianos, para o primeiro Bourdieu, não se vê como se inscreve a ação do sujeito individual ou coletivo nessa rede de regras e determinações implacáveis. Se os althusserianos invocam a autonomia das instâncias do modo de produção, Bourdieu fala, outrossim, da autonomia do campo de produção cultural, no qual cada um dos subconjuntos é regido por suas próprias regras de funcionamento, induzindo as lutas de classificação internas em cada um dos campos. Essa noção permite a Bourdieu escapar ao mecanicismo que consiste em referir toda forma de discurso a uma posição de classe mantida na sociedade global, ao postular uma autonomia do campo simbólico e de sua lógica. Entretanto, essa autonomização é limitada, e se nos althusserianos o econômico continua sendo determinante em última instância, em Bourdieu uma redução ao econômico também se processa, segundo Alain Caillé, analogamente, com a noção de interesse material, verdadeira matriz da sua teoria: "Expõe-se, dessa forma, um economicismo generalizado que não é mais o economicismo substancialista".[35]

Bourdieu rejeita o economicismo causal grosseiro e o substitui pela ideia de um sistema global que supera a dicotomia entre o econômico e o não econômico. Assim, as motivações baseadas em interesses materiais podem ser apreendidas tanto quanto aquelas que servem de fundamento a atividades aparentemente mais gratuitas, mais emancipadas do econômico. Por um raciocínio essencialmente analógico, Bourdieu constrói, portanto, o seu próprio escalonamento de uma "economia política generalizada",[36] baseada no capital econômico, no capital social e no capital simbólico, inscritos, cada um deles, em relações de complementaridade e de autonomia. Bourdieu terá, então, substituído a luta de classes, motor da história em Marx, pela luta de classificações, motor da lógica do espaço social. A dialética histórica dissolve-se na sincronia

34 André Nicolai, entrevista com o autor.
35 Caillé, *Critique de Bourdieu*, p.64.
36 Ibidem, p.24.

e na invariância das estratificações dos diferentes campos e do jogo de colocações que eles permitem, segundo a lógica similar dos interesses materiais: "O mesmo engendra sempre o mesmo".[37]

A preocupação do estilo

Uma outra característica do trabalho de Bourdieu é sua preocupação estilística, o que revela que ele não renunciou à literatura. Se escolheu as ciências humanas para se exprimir, ele também se pensa como escritor, participando plenamente da maneira como os outros estruturalistas se evidenciam: "O que me interessa mais em Bourdieu é o trabalho do texto, como pouco a pouco ele desvenda ao esconder ou esconde ao desvendar [...]. Ele procede, em primeiro lugar, como um romancista".[38] Tal como no caso do escritor, o que fundamenta o pensamento bourdieusiano, o seu operador essencial, é a analogia. À maneira do romancista, seu olhar sobre a sociedade abrange muito mais do que o que é fornecido pela pesquisa sociológica em estado bruto, graças ao seu próprio comentário. Por essa razão, o discurso científico serve-lhe de suporte para descrever-se descrevendo o outro, e sua obra entrega-se então nos seus não ditos, suas margens, suas notas, suas epígrafes.

> Os seus escritos evocam irresistivelmente Balzac. Como não pensar em Rastingnac ou em Luciano de Rubempré ao acompanhar as análises que mostram como a aquisição de um forte capital social e cultural pode oportunamente encobrir as deficiências do capital econômico original?[39]

Bourdieu invoca frequentemente um outro analista subjetivo da sociedade, esse grande escritor cuja imensidade da obra e a sua perfeição tendem a dissuadir toda vocação literária a rivalizar com ela, e obrigam, portanto, a enveredar por caminhos sinuosos e oblíquos: Marcel Proust. Bourdieu coloca também com frequência Flaubert, outro ferrabrás da

---

37 Ibidem, p.5.
38 Pierre Encrevé, *Le Bon plaisir*, France-Culture, 23 jun. 1990.
39 Caillé, *Critique de Bourdieu*, p.7.

pequena burguesia, em epígrafe de seus escritos. Já Pierre Encrevé vê Bourdieu mais próximo de Rousseau por sua situação de filósofo engajado, por sua vontade de libertar as pessoas de seus grilhões.

Escritor, sociólogo que desloca as linhas fronteiriças entre economia, sociologia, etnologia e filosofia, Bourdieu é fruto, sobretudo, desse inclassificável pensamento crítico francês agrupado sob o signo e o método do pensamento estruturalista, mesmo que, como veremos, venha a adotar, no decorrer das décadas de 1970 e 1980, uma distância cada vez mais crítica em face de certas orientações desse modo de pensar.

7

1967-1968

A EFERVESCÊNCIA EDITORIAL

Se o ano de 1966 tinha sido o ano-guia do estruturalismo, imediatamente seguido de uma série de controvérsias e questionamentos, o declínio ainda estava longe de ser perceptível. É mesmo em 1967-1968 que a onda de choque incendeia, dessa vez, a esfera midiática, que oferece a um público ampliado as receitas estruturais como a descoberta da panaceia. O *tout-Paris* torna-se então estruturalista e descobre com avidez um fenômeno que parece identificar-se com o pensamento moderno e reunir numa bela unidade a quase totalidade dos mestres pensadores do momento. Só faltam os cabarés que marcaram a era existencialista em ritmo de *jazz* para dar ao fenômeno a sua dimensão lúdica, pois não se pode dizer que o ie-ie-iê e o *Salut les copains* participam verdadeiramente da festa estruturalista.

Se se conhecera até aí o sucesso de um Lévi-Strauss, de um Foucault, de um Lacan, de um Barthes, de um Althusser, dessa vez, transcendendo a singularidade e o talento de cada uma dessas obras, o estruturalismo se impõe aos olhos de um público de leitores assombrados por não terem estabelecido a ligação entre todos esses autores.

O estruturalismo triunfa, portanto, num momento em que as fundações do edifício mostram as primeiras fissuras, em que as vontades de extravasamento, de superação ou de radicalização do fenômeno já estão bem definidas. Essa defasagem traduz simplesmente temporalidades diferentes entre a investigação, os colóquios, os dossiês de revistas especializadas, por um lado, e a repercussão na imprensa, por outro. Sinal do fim da era heroica e do início de um novo período, o dos rendimentos decrescentes, assiste-se agora à multiplicação de publicações que procuram determinar a situação do fenômeno a fim de tomar-lhe o pulso, de compilações de contribuições para apresentar o que é o estruturalismo, numa preocupação não mais teórica, mas didática, de difusão, de divulgação. Essas obras, é evidente, contribuirão substancialmente para o êxito do estruturalismo, mas, ao mesmo tempo, provocarão nos autores dessa corrente uma desconfiança crescente em face do que corre o perigo de transformar-se em moda passageira. Uns e outros não se cansarão, a partir de então de rechaçar toda e qualquer forma de rotulagem estruturalista, para evitar verem-se vítimas do refluxo da onda, duplamente previsível: em virtude do caráter efêmero desse gênero de entusiasmo coletivo, e porque críticas cada vez mais radicais e numerosas surgem no próprio campo estruturalista.

Alice no país do estruturalismo

Do lado dos editores, a mobilização atinge o auge. Pela Seghers são editadas, em 1967, as *Clefs pour le structuralisme*, de Jean-Marie Auzias, obra que examina os diversos componentes do movimento, texto didático ("Este livro dirige-se aos mestres-escolas")[1] e peremptório ("O estruturalismo não é um imperialismo! Pretende ser científico: ele é científico").[2] Foi uma corrida. Mal tinha saído, a obra esgota-se, apesar de François Châtelet, carrancudo e desconfiado, preferir deixar essas chaves "debaixo do capacho".[3]

Na Privat, é Jean-Baptiste Fagès quem publica *Comprendre le structuralisme* em 1967 e *Le Structuralieme en procès* em 1968. Nas Presses Universitaires de France (PUF), solicita-se ao grande epistemologista e psicólogo Jean Piaget que escreva sobre o estruturalismo para a coleção *Que sais-je?*. Jean Piaget decompõe o fenômeno segundo os quadros

1 Auzias, *Clefs pour le structuralisme*, p.9.
2 Ibidem, p.10.
3 Châtelet, Collectif "Stucturalisme et marxisme", *La Quinzaine Littéraire*, n.42, 1-15 jan. 1968.

disciplinares que engloba e recorda ao mesmo tempo a antiguidade da noção de estrutura e sua utilização em campos tão diversos quanto as matemáticas, a física, a biologia, a linguística, a sociologia... A resenha dos diversos usos da noção de estrutura deixa aparecer uma série de avanços conceituais. Ela é um instrumento manifesto da cientificidade, mas na condição, segundo Piaget, de não excluir outros métodos e de não apagar certas dimensões humanas e históricas. A esse respeito, Piaget mostra-se partidário de um estruturalismo genético, próximo das posições de Lucien Goldmann. Os seus próprios estudos sobre a psicologia da criança são uma das ilustrações possíveis dessa reconciliação entre história e estrutura. Esse opúsculo pedagógico, para uso universitário, tornar-se-á rapidamente a obra de referência sobre o estruturalismo, a tal ponto que muitos identificam ainda hoje essa corrente com Jean Piaget, quando este está mais perto de posições críticas.

É em 1967 que a Payot edita o famoso *Cours de linguistique générale* de Saussure numa edição crítica preparada por Tullio de Mauro e traduzida por Louis-Jean Calvet. Esse espesso volume, razoavelmente árido, será disputado e não apenas pelos linguistas. O retorno a Saussure, o boato da descoberta da pedra filosofal no domínio das ciências humanas garantirão um público extraordinário nos anos de 1967-1968 ao linguista André Martinet na Sorbonne: "No anfiteatro Descartes, havia toda espécie de gente. Era a atração da novidade. Na época, tive entre os meus ouvintes Michèle Cotta, cineastas...".[4]

Mas o grande empreendimento editorial de 1968 vem de um respeitável centro de difusão das ideias estruturalistas, as Éditions du Seuil, e de um filósofo editor, François Wahl. O projeto remonta a esse ano milagroso para o estruturalismo que foi 1966. Nesse momento, François Wahl, editor dos *Écrits* de Lacan, de Barthes e, um pouco mais tarde, de Derrida, preocupado com a coerência editorial e apaixonado pelo que se passava no domínio das ciências humanas, lamentando até "não ter tido a ocasião de publicar Claude Lévi-Strauss",[5] decide dirigir uma obra coletiva para responder à pergunta *O que é o estruturalismo?*, em filosofia e nas ciências humanas afetadas pelo fenômeno de modernização. François Wahl reagrupa, assim, para esse empreendimento, as

4 André Martinet, entrevista com o autor.
5 François Wahl, entrevista com o autor.

colaborações de Oswald Ducrot para a linguística, Dan Sperber para a antropologia, Tzvetan Todorov para a poética, Moustapha Safouan para a psicanálise, e ele próprio redige a parte filosófica. Essa obra obtém tamanho êxito que será reeditada em pequenos livros a partir de 1973 na coleção de bolso Points-Seuil.[6]

A designação do fenômeno estruturalista não depende, pois, como alguns puderam dizer, de um nível puramente midiático ou fantasmático; ela se situa bem no âmago da produção do fenômeno. François Wahl, em sua introdução geral, traduz bem essa visão globalizante: "Sob o nome de estruturalismo, agrupam-se as ciências do signo, dos sistemas de signos".[7] O fenômeno abrange, portanto, um amplo espectro, e permite visar metas ambiciosas, visto que constitui, aos olhos de François Wahl, o modelo dos modelos, o do acesso à cientificidade: "Seja como for, o estruturalismo, ter-se-á compreendido, é coisa séria; por tudo o que deve ao signo, dá direito à ciência".[8] Esse volume traduz bem a euforia do momento, o banho científico que representava essa semiologia dominante. François Wahl reconhece hoje que havia em tudo isso uma certa "ingenuidade epistemológica, da qual se avaliaram progressivamente as dimensões [...]. Houve um certo deslumbramento motivado pela convicção de que se estava prestes a encontrar a chave".[9]

O aquém e o além do estruturalismo

A contribuição de François Wahl para a obra diz respeito ao campo filosófico. Ele discerne um aquém do estruturalismo com Foucault e um além do estruturalismo com Lacan e Derrida, correspondendo o entremeio às posições althusseriano-lacanianas. Por essa escolha, François Wahl cede um pouco à moda, visto que não há uma palavra a respeito do

6 Ducrot, *Le structuralism en linguistique*, 1973, 39 mil exemplares; Safouan, *Le strcturalisme en psychanalyse*, 49 mil exemplares; Sperber, *Le structuralisme en anthropologie*, 25 mil exemplares; Wahl, *Philosophie*, 36 mil exemplares; Todorov, *Poétique*, 21 mil exemplares, até 1990.

7 Wahl, Introduction générale. In: *Qu'est-ce que le struturalisme?*, p.12.

8 Ibidem, p.13.

9 Idem, entrevista com o autor.

trabalho de Martial Guéroult nem do de Victor Goldschmidt, embora considere hoje, no entanto, que suas leituras dos *Diálogos* de Platão e de Descartes, respectivamente, são, "no plano histórico, insuperáveis, disso estou absolutamente certo".[10] Mas, confinados no campo exclusivo da filosofia, fechados para as ciências sociais e desconhecidos do público, a contribuição de ambos para o estruturalismo filosófico não é mencionada no livro de François Wahl, que concede, pelo contrário, um lugar de destaque a Foucault, ao interrogar a sua noção de episteme. Se Wahl enxerga nessa noção um indício de preocupações estruturalistas, julga Foucault muito mais como produto de uma filosofia nominalista. Para ele, porém, Foucault não realizou o corte que proclama com a fenomenologia, da qual teria permanecido prisioneiro. Quando ele investiga o ser do signo, definido como essência por suas propriedades específicas, quando procura reavê-lo em sua presença originária, mantém-se na filiação de Merleau-Ponty: "Procurar como fenomenologista, ou seja, aquém do estruturalismo, o ser da linguagem definido pelo estruturalismo é um projeto contraditório, que só pode atribuir ao ser o estatuto de resto".[11] Sem dúvida, Wahl reconhece que Foucault busca uma organização do ver, mas no nível do ver, como nominalista portador de um projeto impossível que tenta conciliar dois modelos incompatíveis, o fenomenológico e o estruturalista: "Nesse ponto, estamos aquém do signo, aquém do discurso, aquém da estrutura".[12] Foucault teria conduzido o seu leitor até a borda do Rubicão sem cruzá-lo, para pescar à linha: "Será que existe uma episteme do estruturalismo? E como se explica que *Les mots et les choses* hesitem em pronunciar-se a esse respeito?".[13] E Wahl invoca o corte necessário para que essa episteme exista. Ele situa essa cesura decisiva no interior da obra de Althusser, no seu projeto explicitamente científico: "Uma reflexão sobre o estruturalismo é inseparável de uma reflexão sobre a ciência".[14]

Foucault, que mais tarde recusará firmemente o rótulo de estruturalista, situava-se na época nesse movimento de um modo pleno, a ponto de apresentar-se como o filósofo dessas grandes rupturas nos

10 Ibidem.
11 Idem, *Philosophie*, p.37.
12 Ibidem, p.73.
13 Ibidem, p.109.
14 Ibidem, p.109.

pedestais epistêmicos, desde a publicação de seu livro *Les mots et les choses*. Portanto, não apreciou, de forma alguma, esse distanciamento imposto ao seu projeto filosófico em relação ao projeto estruturalista: "Ele ficou deveras encolerizado a esse respeito, e posso mesmo dizer-lhe que estava furioso no momento em que falávamos".[15] Wahl, em sua apresentação do estruturalismo filosófico, prefere privilegiar as construções lacaniano-althusserianas, especialmente as de Alain Badiou e Jacques-Alain Miller.[16]

Por outro lado, reuniu os dois Jacques (Derrida e Lacan) num além do estruturalismo, os dois irmãos inimigos que se detestavam cordialmente nesse ano de 1968, e que Wahl, editor de ambos, para não os confundir, chamava a um Jacques e ao outro Jacquot. Por um lado, Lacan permite a reintrodução de uma reflexão sobre o sujeito que tinha sido até então neutralizada, mas este não recupera mesmo assim a sua plenitude: trata-se de um sujeito submetido, incapaz de retomar o seu lugar como fundamento, sempre defasado em relação a si mesmo. Um duplo movimento bloqueia a volta do sujeito senhor de si mesmo: a subordinação da estruturação do sujeito às estruturas da linguagem, e a da estruturação da linguagem ao interior das estruturas do significante: "A letra precede o sujeito [...] a letra precede o sentido".[17] Quanto a Derrida, o seu além do estruturalismo está vinculado ao extravasamento que realiza do discurso filosófico pelo seu Outro, a sua contestação das noções de limites e de origens, graças à sua noção de traço. Ora, para Wahl o estruturalismo define-se por esse corte, essa mesma delimitação: "O estruturalismo começa quando o sistema dos signos nos remete para outro lugar".[18]

15 Idem, entrevista com o autor.

16 Badiou, Le (re)commencement du materialisme dialectique, *Critique*, n.240, maio 1967; Miller, La suture, *Cahiers pour l'Analyse*, n.1, 1966; idem, Action da la structure, *Cahiers pour l'Analyse*, n.9, 1968.

17 Wahl, *Philosophie*, p.133.

18 Ibidem, p.189.

O um e o múltiplo do estruturalismo

Na meia dúzia de reuniões preparatórias da publicação dessa obra coletiva, não houve verdadeiramente elaboração teórica comum, tanto mais que os pontos de vista eram, com frequência, divergentes. Dan Sperber, que voltava de Los Angeles, onde tinha assistido aos cursos de Chomsky e que se relacionara com François Wahl por intermédio de seu amigo Pierre Smith, a fim de traduzir as obras de Chomsky para Le Seuil, foi encarregado da parte sobre o estruturalismo em antropologia. Durante as reuniões preparatórias, "não houve, assim, tantas discussões, excetuando-se o fato de que insisti com Ducrot para que falasse da gramática gerativa, de que ele não tinha a intenção de tratar".[19] Com efeito, Oswald Ducrot, encarregado da parte linguística, apresenta as grandes linhas do chomskismo ao lado das outras correntes da linguística estrutural, mas sem pretender atribuir uma posição hegemônica ou de ciência-piloto para a sua disciplina, e se a obra começa pela parte linguística, foi uma escolha de François Wahl que traduz muito bem o papel de impulsão desempenhado por esta no desdobramento do paradigma estruturalista: "Lembro-me de ter dito a Wahl que não via razão alguma para que se começasse pela linguística. Para ele, isso era uma evidência, e qualquer outra escolha lhe teria parecido escandalosa".[20]

Dan Sperber, a quem cabe, portanto, apresentar o estruturalismo no domínio antropológico, tem uma tarefa das mais delicadas, pois tem de expor a obra de Lévi-Strauss, com a qual mantém, entretanto, uma relação crítica a partir de suas posições chomskianas. Como vimos, ele oferece uma leitura de Lévi-Strauss em que privilegia tudo o que depende das estruturas do espírito humano, dos recintos mentais, dessas estruturas profundas que remetem para o modelo de competência de Chomsky. Censura Lévi-Strauss por não ter ido suficientemente longe nesse sentido, por ter permanecido numa tensão contraditória entre a sua ambição etnológica de realizar um inventário das variações culturais, por um lado, e a ambição antropológica de determinar as capacidades de aprendizagem específicas da espécie humana que orientam essas variações, por outro:

19 Dan Sperber, entrevista com o autor.
20 Oswald Ducrot, entrevista com o autor.

> Pessoalmente, com a gramática gerativa, eu tinha de início algumas reservas no tocante ao estruturalismo linguístico, e quando me pediram para escrever o capítulo sobre o estruturalismo em antropologia não o concebi como um manifesto pró-estruturalismo, e sim como um capítulo que tinha, em parte, uma intenção crítica.[21]

A parte psicanalítica, confiada a Moustapha Safouan, inscreve-se na estrita filiação lacaniana. Filósofo egípcio convertido à psicanálise graças a Lacan, Safouan recebeu supervisão de Lacan durante mais de dez anos. Esse tradutor de Freud para o árabe retoma na sua contribuição uma série de temas abordados por Lacan em seus seminários de Sainte-Anne entre 1958 e 1963. Destaca-se uma abordagem do inconsciente menos genética, menos histórica do que o habitual, mais espacial e estrutural:

> Ao dizer que o inconsciente é um lugar, nada mais fazemos do que ratificar o fato de que Freud apresenta sua doutrina sobre o assunto como uma doutrina "tópica". Trata-se de uma metáfora, é claro, mas significa que, além de tudo o que constitui a nossa relação com o mundo, existe um Outro Lugar.[22]

A estrutura que a psicanálise descobre não se situa, em qualquer sentido, escondida, enterrada, a revelar-se ao sujeito na sua presença, mas se encontra onde o sujeito não sabia, num corte "que só a Lei preserva contra a (e da) tentação que leva o homem a reencontrar – em vão – seu primeiro fechamento".[23]

Essas quatro contribuições retomam as divisões disciplinares, representando cada uma delas um continente particular do saber reconhecido e implantado institucionalmente. Soma-se a elas uma extensa contribuição que representa um campo novo mas que, ao mesmo tempo, reata com a origem histórica do estruturalismo: trata-se da poética, confiada a Tzvetan Todorov, introdutor na França dos formalistas russos. Tem por objetivo, portanto, mostrar em que o campo literário pode

21 Dan Sperber, entrevista com o autor.
22 Safouan, *Le structuralisme en psychanalyse*, p.19.
23 Ibidem, p.90.

ser renovado em profundidade graças ao método estruturalista. Todorov define o horizonte da poética como uma abordagem simultaneamente abstrata e interna do campo literário, visando à reconstituição das leis gerais subjacentes a cada obra. Tal como Gérard Genette, Tzvetan Todorov não apresenta a poética como uma atividade exclusiva da atitude interpretativa, hermenêutica; ela constitui o seu complemento necessário: "Entre poética e interpretação, a relação é por excelência a de complementaridade",[24] mas somente a poética participa do projeto semiótico que tem o signo por ponto de ancoragem. Ela se diferencia, porém, da análise propriamente linguística, na qual a reconstituição do processo de significação sofre, segundo Todorov, de duas limitações: abandona o caráter lúdico da linguagem, os problemas de conotação, de metaforização, e "dificilmente ultrapassa os limites da frase, unidade linguística fundamental".[25] Nesses dois planos, Todorov não tem em vista somente a linguística como disciplina, mas também o estruturalismo do primeiro período, ao opor-lhe a pluralidade, a polivalência.

Encontramos no búlgaro Tzvetan Todorov a mesma fonte de inspiração da sua compatriota Julia Kristeva: Mikhail Bakhtin, cuja influência será também decisiva para ele, em seu encaminhamento pessoal diante do modelo estruturalista: "Bakhtin foi quem primeiro formulou uma verdadeira teoria da polivalência intertextual".[26] Daí resulta todo um modo de análise operacional baseado na dialógica, noção de origem literária que permite reatar com o impulso inicial de Jakobson, quando declarava em 1919: "O objeto da ciência literária não é a literatura mas a literalidade, ou seja, o que faz de uma obra dada uma obra literária".[27]

Mesmo que cada autor dessa obra coletiva estivesse animado por considerações próprias do seu domínio particular de pesquisa, percebe-se perfeitamente quais são os pontos possíveis, entre eles, que permitem articular um saber global em torno do paradigma estrutural. Existia manifestamente uma ambição teórica que animava o conjunto do projeto e servia de base à admiração exagerada provocada pela chave estruturalista. Ao mesmo tempo, a obra traduz bem a situação

24 Todorov, *Poétique*, p.21.
25 Ibidem, p.33.
26 Ibidem, p.44.
27 Jakobson apud Todorov, *Poétique*, p.106.

de uma semiologia geral que atingiu um momento culminante, atravessada por tentativas as mais diversas de abertura e de ruptura que agirão no interior do paradigma, assegurando a sua própria liquidação. Mas, enquanto isso não acontece, aos olhos do público intelectual nada de anormal se apresenta e, pelo contrário, as contradições internas em ação parecem ser outras tantas razões de esperança na fecundidade desse pensamento novo. Quando, na plataforma de embarque da estação de Bourg-la-Reine, François Wahl ouve um professor de filosofia do liceu Lakanal espantar-se porque um seu aluno finalista lê Freud, e o aluno lhe responder que é para poder entender Lacan: "Aí eu disse para mim mesmo: Eu ganhei!".[28] Sem ter verdadeiramente consciência disso, esse aluno procedia justamente ao retorno a Freud e realizava, por esse gesto, o desejo de Lacan e do seu editor. Como, em tais condições, resistir à euforia coletiva do momento?

Os quatro mosqueteiros

Nesses dois anos, de 1967 a 1968, Lévi-Strauss continua a publicação de suas monumentais *Mythologiques*.[29] Permanece o mestre incontestado, o verdadeiro patrono dessa efervescência, ainda que se mantenha prudentemente à margem em relação a todos os fenômenos de extensão do seu método. Se ele se recusa a assumir uma paternidade qualquer que redundasse incômoda e perigosa, não está ausente, contudo, das múltiplas repercussões midiáticas. Multiplica até as entrevistas à imprensa para apresentar suas obras, mas é para ficar nos estritos limites da sua antropologia estrutural, o que é uma forma de manter-se à margem do estruturalismo especulativo em pleno desenvolvimento. *Le Nouvel Observateur* desempenha então um importante papel de amplificador do eco estrutural junto a um vasto público culto. Em 25 de janeiro de 1967, dedica três páginas a Lévi-Strauss. Por ocasião da entrevista com Guy Dumur, Lévi-Strauss aproveita para dar uma definição do estruturalismo que, implicitamente, recusa certas implicações do paradigma:

28 François Wahl, entrevista com o autor.
29 Lévi-Strauss, *Du miel aux cendres*; idem, *L'origine des manières de table*.

> O estruturalismo não é uma doutrina filosófica mas um método. Coleta os fatos sociais na experiência e os transporta para o laboratório. Aí, esforça-se por representá-los sob a forma de modelos, tomando sempre em consideração não os termos, mas as relações entre os termos.[30]

Compreende-se que, ao limitar cuidadosamente o fenômeno a um método, Lévi-Strauss se atém com firmeza a uma postura que julga ser puramente científica, e que o diferencia de certas utilizações especulativas e ideológicas, pois ele pretende manter sua antropologia próxima das ciências físicas e naturais. Lévi-Strauss está em condições de ganhar a sua aposta de institucionalização dessa antropologia social que sai do nada, sem curso universitário específico. O sucesso é tanto que "somos obrigados a desencorajar as vocações".[31] E mesmo que Lévi-Strauss se queixe de uma falta de créditos, o número de cátedras de antropologia passou em vinte anos de cinco para trinta (incluindo a Ephe), e a conquista das universidades pela etnologia está bem avançada, pois esta é ensinada em cinco faculdades de província: Lyon, Estrasburgo, Grenoble, Bordéus e Aix-en-Provence.

No plano filosófico, nesses anos de 1967-1968, é Michel Foucault quem domina o campo, após o sucesso obtido pela publicação de *Les mots et les choses* em 1966. Se por um lado sofrerá um violento ataque de Sartre, depois dos sartrianos, com a publicação em *Les Temps Modernes* em 1967 de dois artigos muito críticos assinados por Michel Amiot e Sylvie Le Bon, pode contar, por outro lado, com um reforço/reconforto de peso, graças à intervenção de um homem pouco habituado a se lançar na arena e que desfruta da maior notoriedade entre os filósofos: Georges Canguilhem, que toma a defesa de Foucault na revista *Critique*.[32] Ataca com humor o esboço de linha de defesa dos direitos humanos que parece constituir-se para barrar o avanço das teses de Foucault, à sombra da divisa: "Humanistas de todos os partidos, uni-vos!".[33] Canguilhem insiste no importante progresso que Foucault permite, cujo trabalho evita o tão frequente escolho do anacronismo na história das ciências, graças

---

30 Idem, A contre-courant, *Le Nouvel Observateur*, 25 jan. 1967, p.32.

31 Ibidem.

32 Canguilhem, Mort de l'homme ou épuisement du cogito, *Critique*, n. 242, jul. 1967.

33 Ibidem, p.600.

às suas noções de episteme e de arqueologia. Presta homenagem a essa outra história que tem por *corpus* os textos originais do período tratado, e cujos eventos relatados "afetam os conceitos e os homens".[34] Ao colocar Foucault na esteira de Jean Cavaillès, num deslocamento similar do ponto de vista da consciência para o do conceito, Canguilhem vê nele o grande filósofo contemporâneo que talvez realize essa filosofia do conceito que era a ambição maior de Jean Cavaillès.

Em 1967, Foucault, um dos quatro mosqueteiros do desenho de Maurice Henry, no qual se veem Lévi-Strauss, Barthes, Lacan e Foucault conversando sentados e em trajes de índio,[35] é um estruturalista feliz. Ele se reconhece plenamente nessa comunidade de pensamento em que a imprensa o situa, o que explica seu mau-humor quando da publicação da obra de François Wahl, em que este o situava num outro lugar, num aquém, ao passo que ele, na época, definia-se explicitamente como estruturalista. Numa entrevista concedida a um jornal tunisiano em 1967, Foucault divide o estruturalismo em duas formas: um método fecundo que se aplica a diversos domínios particulares do saber e um estruturalismo que

> [...] seria uma atividade pela qual teóricos não especialistas se esforçam por definir as relações atuais que podem existir entre tal ou tal elemento da nossa cultura, tal ou tal ciência, tal domínio prático e tal domínio teórico etc. Por outras palavras, tratar-se-ia de uma espécie de estruturalismo generalizado e não mais limitado a um domínio científico preciso.[36]

34 Ibidem, p.607.

35 Maurice Henry, desenho em *La Quinzaine Littéraire*, 10-15 jul. 1967, p.19.

36 Foucault, *La Presse de Tunis*, 2 abr. 1967.

Essa segunda forma de estruturalismo é, sem dúvida, aquela em que Foucault se reconhece plenamente: com efeito, permite ao filósofo preservar sua especificidade em relação ao conjunto do campo em desenvolvimento das ciências sociais, uma vez que é o único estruturalismo capaz de confirmar ou de invalidar suas conclusões "científicas", graças à sua posição de recuo diante dos diversos terrenos de investigações particulares.

Outro mosqueteiro que se encontra num momento culminante de sua obra com o retorno que realiza na direção da literatura é Roland Barthes. Este se aproxima, então, das noções de subjetividade e de dinâmica histórica, mas nem por isso deixa de proclamar, em 1968, a sua adesão profunda aos princípios básicos do método estruturalista. Por um lado, escreve um texto que provocará grande celeuma e que proclama a "morte do autor", correspondendo no plano literário à "morte do homem" de Foucault no nível filosófico. A noção de autor seria uma noção recente, criada no final da Idade Média pela ideologia capitalista que dignificou a pessoa do autor; e essa figura mítica estaria prestes a se dissolver, pois quando "o autor entra na sua própria morte, a escritura começa".[37]

Esse mito do autor teria começado a ser abalado pelo surrealismo, mas a linguística viria a desferir-lhe o golpe de misericórdia ao fornecer "à destruição do Autor um precioso instrumento analítico, mostrando que a enunciação é integralmente um processo vazio".[38] Ao Autor sucede o "escriturador" (*scripteur*), espécie de ser fora do tempo e fora do espaço, inscrito no infinito do desenvolvimento do significante que torna vã toda e qualquer tentativa de decifração do texto: "Dar um Autor a um texto é impor a este último uma trava, é o poder de um significado último, é fechar a escritura".[39] E Barthes celebra alegremente o nascimento do leitor sobre as cinzas ainda fumegantes do cadáver do Autor.

A outra frente na qual Barthes reitera posições estruturalistas ortodoxas é a da relação com a história: embora assimile a noção de intertextualidade, que lhe permite dinamizar a estrutura, isso não significa, porém, que recaia num historicismo. Seus dois artigos de 1968 sobre "O efeito do real" e "A escritura do evento" significam simultaneamente

---

37 Barthes, La Mort de l'auteur, *Manteia*, n.V, 1968, reproduzido em idem, *Le bruissement de la langue*, p.61.

38 Ibidem, p.63.

39 Ibidem, p.65.

uma aproximação da ideia de transformação, de dinâmica, e essa reiteração do histórico.[40] Barthes evoca a cumplicidade do positivismo literário e do domínio da chamada história objetiva, a sua preocupação comum de autenticar um "real". Ora, o discurso do historiador seria baseado num mito, uma ilusão qualificada de "ilusão referencial", que proviria da transformação do "real" como significado de denotação em significado de conotação.[41] Se a desintegração do signo é uma das tarefas da modernidade e se está operando na escritura realista, ela se situa nesse caso na vertente ruim, a regressiva, que "se faz em nome de uma plenitude referencial".[42]

Quanto ao quarto mosqueteiro do banquete estruturalista desenhado por Maurice Henry, Jacques Lacan surpreende-se por estar em tão boa companhia: "Eu mesmo fui admitido no círculo estruturalista",[43] mas é para lançar em 1968 uma revista baseada no princípio estruturalista da morte do Autor. Lacan invoca, inclusive, o testemunho dos matemáticos do grupo Bourbaki para justificar o princípio da não assinatura dos artigos dessa nova revista, *Scilicet*. Entretanto, o anonimato da escritura científica detém-se diante do Nome-do-Pai, o de Lacan: "O nosso próprio nome, o de Lacan, é inescamoteável no programa".[44] Nome inapagável, somente Lacan poderá assinar os seus artigos na revista, e aqueles que não tivessem participado com uma contribuição para essa obra coletiva "não poderiam ser reconhecidos como meus alunos".[45] A sanção é clara, portanto, para os eventuais recalcitrantes, e o projeto está bem atado: uma visibilidade máxima para o discurso do mestre e o anonimato para o resto, a massa que deve pagar no atoleiro, por um silêncio prolixo, a teorização da morte do autor pelo desaparecimento da assinatura em nome de um superego científico encarnado em Lacan que é, por certo, o Outro de Lacan...

Um empreendimento mais sério foi concretizado em 1967 com a publicação pelas Presses Universitaires de France (PUF) do *Vocabulaire*

40 Idem, L'effet du réel, *Communications*, n.11, 1968, p.84-9; idem, L'écriture de l'événement, *Communications*, n.12, 1968, p.108-12.
41 Idem, L'effet du réel, p.174.
42 Ibidem, p.174.
43 Lacan, [editorial], *Scilicet*, n.1, 1968, p.4.
44 Ibidem, p.7.
45 Ibidem, p.11.

de la psychanalyse, escrito por Jean Laplanche e Jean-Bertrand Pontalis. Essa análise do conjunto do aparelho nocional da psicanálise não é somente um instrumento precioso: ela realiza também esse retorno a Freud operado por Lacan.

A sétima arte

O estruturalismo triunfante acaba até por integrar um novo campo no seu vasto império: a sétima arte. No ano de 1968, publica-se, com efeito, uma obra que fará surgir toda uma nova corrente na semiologia, os *Essais sur la signification au cinéma*, de Christian Metz,[46] que já tinha colaborado no número programático de *Communications* em 1966.[47] Essa obra reúne os escritos de Metz entre 1964 e 1968 e realiza a extensão da aplicação dos conceitos linguísticos ao plano da crítica fílmica: "Em suma, quis pôr a nu a significação da metáfora 'linguagem cinematográfica', tentar ver o que ela escondia".[48]

Desde a sua adolescência, Christian Metz é um cinéfilo apaixonado, mas, durante muito tempo, esse gosto permaneceu sem prolongamentos, a não ser uma atividade de incentivo dos cineclubes. Por outro lado, Metz estuda a linguística, e "a ideia de uma semiologia do cinema acudiu-me em consequência do contato entre essas duas fontes".[49] Com essa conexão, Metz passa da cinefilia a uma nova abordagem do cinema, à qual aplica a grade conceitual que ele aperfeiçoa com a sua "grande sintagmática": "O objeto da minha paixão era a própria máquina linguística".[50]

O primeiro escrito semiológico de Metz em 1964 parte de uma reação contra a crítica cinematográfica que ignora as renovações linguísticas, e que permanece à margem dos progressos semiológicos, ao mesmo tempo que se multiplicam as menções a uma linguagem cinematográfica

---

46 Metz, *Essais sur la signification au cinéma*.

47 Idem, La grande syntagmatique du film narratif, *Communications*, n.8, 1966.

48 Bellour, Entretien sur la sémiologie du cinéma [com Christian Metz], *Semiotica*, v.IV, n.1, 1971, reproduzido em Bellour, *Le livre des autres*, p.240.

49 Vernet; Percheron, Entretien avec Christian metz, *Ça, Cinéma*, maio 1975, p.24.

50 Ibidem, p.26.

particular: "Eu parti, quanto a isso, da noção saussuriana de língua. [...] Parecia-me que o cinema podia ser comparado à linguagem e não à língua".[51] Ocupando-se quase exclusivamente dos filmes de ficção, Metz acreditou ter encontrado na época um modelo aplicável a toda a linguagem cinematográfica. Sua "grande sintagmática" propõe uma divisão dos filmes em segmentos autônomos em torno de grandes tipos sintáticos (identifica seis em 1966, oito em 1968): o plano autônomo (plano único equivalente a uma sequência), o sintagma paralelo (montagem paralela), o sintagma em chave (evocações não datadas), o sintagma descritivo (simultaneidades), o sintagma alternado, a cena propriamente dita (coincidência da consecução única do significante, o que se passa na tela, e consecução única do significado, a temporalidade da ficção), a sequência por episódios (a descontinuidade é aí erigida em princípio de construção) e a sequência ordinária (disposição em ordem dispersa das elipses). Esses oito tipos sequenciais "estão encarregados de exprimir diferentes espécies de relações espaço-temporais",[52] e a validade desse código abrange, de fato, o cinema clássico, ou seja, dos anos 1930 à *nouvelle vage* dos anos 1950.

Essa formalização extrema da linguagem cinematográfica encontra sua fonte linguística essencialmente no interior da obra de Hjelmslev, cuja definição da noção de expressão descreve muito bem, segundo Metz, a unidade de base da "linguagem" fílmica, ao passo que a codificação depende de uma abordagem puramente formal, lógica e relacional: "No sentido em que Hjelmslev o entendia (= forma de conteúdo + forma de expressão), um código é um campo de comutabilidade, de diferencialidades significantes. Por conseguinte, é possível haver vários códigos numa só linguagem".[53]

Nas vésperas de Maio de 1968, a França estruturalista não se entendia: entre as pedras das calçadas parisienses brotava a cada instante uma teoria nova que refazia o mundo a partir de uma tópica, na falta de uma utopia. A efervescência estruturalista parece, com efeito, representar a grande fratura da modernidade até que uma outra fratura, essa histórica, venha minar e abalar as suas certezas.

---

51 Bellour, *Le livre des autres*, p.242.

52 Ibidem, p.256.

53 Ibidem.

8

Estruturalismo e/ou marxismo

O confronto aconteceu nos anos de 1967-1968 entre as duas grandes filosofias que se julgam globais e de vocação universal: o estruturalismo e o marxismo. O declínio do marxismo parece realmente alimentar o êxito do estruturalismo, mas, em contrapartida, o marxismo do final dos anos 1960 não pode encontrar um novo impulso graças ao estruturalismo? Poderá haver conciliação das duas concepções ou, pelo contrário, elas são incompatíveis?

Os marxistas não podem mais continuar praticando o jogo de esquiva: a intervenção de Althusser e sua repercussão não o permitem, e a admiração espetacular pelo estruturalismo torna necessário o debate teórico com as posições estruturalistas. Antes de 1968, Lucien Sebag já iniciara esse debate ao publicar na Payot *Marxisme et structuralisme* (1964). A sua ambição aparenta-se com a de Althusser na mesma época: reconciliar o marxismo e a racionalidade contemporânea, graças às contribuições oferecidas pelas ciências sociais.

Uma tentativa de conciliação: Lucien Sebag

Pesquisador do Centre National de la Recherche Scientifique (CNRS), filósofo de formação, Lucien Sebag é daqueles que passaram, como seus amigos Alfred Adler, Pierre Clastres e Michel Cartry, para a antropologia e, portanto, para as investigações de campo. Aluno de Lévi-Strauss, parte em 1961 por nove meses para a América do Sul, trabalhando junto dos índios Euyaki do Paraguai e Aioréo da Bolívia. Lucien Sebag encontra-se num ponto de confluência de todas as solicitações modernistas do momento. Estruturalista, ele considera, à maneira do seu mestre Lévi-Strauss, a ideia de estrutura como um conceito puramente metodológico e não especulativo. Interessado pela psicanálise, está em análise com Lacan, que mantém relações privilegiadas com esse jovem filósofo que parece estar prestes a lançar as bases de algumas pontes novas para a difusão de suas teses; semiólogo, acompanha o seminário de Greimas, com quem tem um projeto de trabalho para abrir a semântica estrutural ao estudo do inconsciente; marxista, é membro do Partido Comunista Francês (PCF), numa posição cada vez mais crítica a partir de 1956. O rigor das ciências humanas parece-lhe ser um bom contraponto à vulgata difundida pela direção do PCF. Critica especialmente o economicismo do marxismo dominante, o fato de considerar a vida econômica como uma realidade em si e de lhe conferir um papel causal direto.

Sebag reconhece ao marxismo o mérito de ter substituído o idealismo ambiente pela preocupação em estudar a realidade objetiva, principalmente econômica. Mas, apoiando-se na radical guinada linguística e na teses estruturalistas, censura-lhe ter fetichizado, em certa medida, seu objeto privilegiado, e ter subestimado os princípios subjacentes, imanentes e organizadores dessa realidade econômica, principalmente tudo o que permite transcender essas diferenças entre as sociedades, essa "criação da língua que define o próprio ser da cultura".[1] Em relação ao estruturalismo, Sebag defende posições humanistas que o levam a considerá-lo uma antropologia e a desconfiar de certos prolongamentos especulativos: "O homem é o produtor de tudo o que é humano, e essa tautologia exclui que se faça do estruturalismo uma teoria extra-antropológica da origem do sentido".[2] Lucien Sebag suscitou muitas esperanças entre os que viam nele o teórico que seria capaz de modernizar um marxismo transformado por suas relações com todas as formas

1 Sebag, *Marxisme et structuralisme*, p.124.
2 Ibidem, p.129.

de estruturalismo. Mas esse livro anunciador de uma união entre marxismo e estruturalismo pretende ser também aquele que poderá selar uma outra união, entre o seu autor e aquela a quem o livro é dedicado: Judith, a filha de Lacan. Mas sobrevém o drama, tão brutal quanto intolerável, Lucien Sebag suicida-se em janeiro de 1965 com um tiro de revólver no rosto. Se Lacan confia seu desgosto a alguns íntimos, para o editor de Sebag na Payot, Gérard Mendel, o psicanalista fracassou em sua tarefa: "Para Sebag, isso foi trágico porque Lacan misturava tudo: o privado, o público, o divã [...] e aceitava não importa quem em análise, mesmo os maiores deprimidos".[3] Quanto a Nicolas Ruwet, amigo de Lucien Sebag e interessado até então pelas teses de Lacan, afastou-se daquele que não foi capaz de salvar o seu amigo do desespero extremo.[4]

O PCF inicia o diálogo

O projeto de confrontação entre os paradigmas marxista e estruturalista será reatado, com bastante rapidez, pela direção do PCF. Sem adotar as teses althusserianas, por ocasião da sua sessão de março de 1966 em Argenteuil, o Comitê Central não se esquiva, porém, a sublinhar a importância da efervescência em curso nas ciências humanas:

> Não é mais possível deixar envelhecer os nossos instrumentos de expressão diante da multiplicação de novas questões: os debates filosóficos prosseguem nos dias de hoje num terreno que já não é somente o dos princípios, mas também o dos saberes preciosos (economia, psicologia, sociologia, etnologia, linguística).[5]

O PCF, graças ao Centre d'Études et de Recherches Marxistes (Cerm) e a duas de suas revistas (a mensal *La Nouvelle Critique*, e o hebdomadário cultural *Les Lettres Françaises*), iniciará, portanto, uma

3 Gérard Mendel, entrevista com o autor.
4 Posição semelhante à de Greimas, mencionada por Dosse, *História do estruturalismo*, v.I: *O campo do signo*, capítulo 24, p.262.
5 Questions nouvelles... Techniques nouvelles, *La Nouvelle Critique*, jan. 1967.

política de abertura para o debate, a fim de consolidar sua influência sobre os intelectuais, com o propósito de estancar a sangria em curso desde 1956.

Assim, os intelectuais comunistas tomam a iniciativa de dois colóquios acerca dos problemas teóricos que se apresentam à literatura, sucessivamente em abril de 1968 e em abril de 1970 em Cluny. Essas duas iniciativas, que devem selar a união "da literatura e dos professores"[6] e dar origem a um estrutural-marxismo, são organizadas por *La Nouvelle Critique*, o Cerm, o Grupo de Estudos e Pesquisas interdisciplinares de Vaugirard e a revista *Tel Quel*.

O grupo *Tel Quel* figura então como a própria expressão da vanguarda, que muitos intelectuais comunistas descobrem: "Era extraordinário esse colóquio de Cluny, Kristeva fazia o papel de diva, os outros de joelhos; era mesmo intelectualmente penoso ver esse relacionamento".[7] Ao lado de Julia Kristeva, que trata da análise estrutural de textos, Philippe Sollers faz uma exposição sobre "Os níveis semânticos de um texto moderno", na qual situa o ponto de ancoragem materialista do texto no corpo, não aquele que depende da simples descrição "anatomofísica" do autor, mas do corpo retalhado, "de um corpo significante múltiplo".[8] Retomando implicitamente a trilogia althusseriana das três generalidades, Philippe Sollers distingue três níveis de abordagem do texto, uma camada profunda, uma intermediária e uma superficial, formando as três uma matriz transformacional de tripla função: translinguística, gnosiológica e política. Jean-Louis Baudry fala no colóquio acerca da estruturação da escritura, Marcelin Peynet, sobre a estrutura e a significação na obra de Jorge Luís Borges.[9]

O grupo *Tel Quel* é, pois, o ordenador teórico dessa reflexão coletiva, e, dois meses após o colóquio, Philippe Sollers, na euforia que lhe proporciona esse papel vanguardista que pode potencialmente desempenhar em face do partido "da classe operária", cria um grupo de estudos teóricos que se propõe como objetivo edificar uma teoria de conjunto estrutural-marxista, e que se reunirá uma vez por semana na rua de

---

6 Aron, *Les Modernes*, p.287.

7 Verdès-Leroux, *Le Révell des somnanbules*, p.125, entrevista 72.

8 Sollers, Niveau sémantique d'un texte moderne. In: Barthes; Derrida; Baudry et al., *Tel Quel, Théorie d'ensemble*, p.278.

9 Roudinesco, *Histoire de la psychanalyse*, v.2, p.541.

Rennes, com a participação de Barthes, Derrida, Klossowski e muitos outros: "Lacan fez uma aparição".[10]

Essa efervescência que se manifesta nas ciências humanas provoca adesões de que o PCF se beneficiará. É o caso, por exemplo, de Catherine Clément, membro da organização lacaniana École Freudienne de Paris (EFP), que se filia ao PCF no outono de 1968. Em *La Nouvelle Critique*, ela será encarregada de multiplicar os encontros sobre o tema "psicanálise e política".

O estruturalismo no teste do racionalismo

No início de 1968, é por iniciativa de um outro polo do marxismo, a revista *Raison Présente*, dirigida por Victor Leduc, e sob os auspícios da Union Rationaliste que são organizadas as jornadas de estudos sobre o tema "As estruturas e os homens", as quais se realizam na Sorbonne e se beneficiam de uma afluência considerável. O conteúdo desses encontros é publicado pouco depois, sob o título de *Structuralisme et marxisme*.[11] O estruturalismo se apresenta aos olhos dos organizadores como uma ideologia direcionada contra o marxismo e o humanismo, mas os debates reúnem tanto os detratores desse novo modo de pensar quanto seus defensores.[12]

Henri Lefebvre adverte contra as extensões abusivas do modelo linguístico e André Martinet replica que não existe um modelo único mas, pelo contrário, uma pluralidade de modelos linguísticos. François Bresson faz-se o defensor do gerativismo na sua capacidade para aplicar-se a outras atividades além das línguas naturais. Victor Leduc expõe

10 Ibidem, v.2, p.541.

11 Auzias (Ed.), *Structuralisme et marxisme*.

12 22 de fevereiro de 1968: "Ciência da linguagem e ciências humanas", com René Zazzo, François Bresson, Antoine Culioli, Henri Lefebvre e André Martinet; 23 de fevereiro: "Estrutura social e história", com Ernest Labrousse, Lucien Goldmann, André Martinet, Albert Soboul, Pierre Vidal-Naquet, Madeleine Rébérioux; 27 de fevereiro: "Objetividade e historicidade do pensamento científico", com Yves Galifret, Georges Canguilhem, Ernest Kahane, Noël Mouland, Evry Schatzman, Jean-Pierre Vigier, Jacques Roger; 28 de fevereiro: "Sistema e liberdade", com Victor Leduc, Jean-Marie Auzias, François Châtelet, Mikel Dufrenne, Olivier Revault d'Allonnes e Jean-Pierre Vernant.

o problema que os organizadores do colóquio experimentam, apurar se estão às voltas com uma simples moda parisiense ou diante de um novo tipo de racionalidade.

O principal lance do debate situa-se no nível do lugar respectivo da estrutura e da iniciativa humana: "A partir de uma certa teoria da estrutura, que se aplicaria a todos os níveis do real, haverá ainda lugar para a iniciativa histórica dos homens?".[13] François Châtelet arvora-se em defensor do estruturalismo, embora se recuse a usar o substantivo por considerar que somente o epíteto possui fundamento: "O que, creio eu, caracteriza o estruturalismo é muito mais um estado de espírito comum".[14] Ele vê no fenômeno sobretudo uma emancipação possível das ciências sociais, que se podem constituir em sua cientificidade se tiverem êxito na ruptura com a fetichização da noção de sujeito, dominante desde a era clássica. O estruturalista caracteriza-se, pois, antes de tudo, por uma recusa: "A recusa do humanismo",[15] e seu esforço consiste em desembaraçar-se do ideológico para libertar a teoria. Esse corte radical supõe a eliminação do homem: "Para poder abordar essas ciências sociais com essa perspectiva de objetividade, o mais importante de tudo consiste em eliminar radicalmente o conceito de homem".[16] A positividade das ciências sociais deve se afirmar sobre a base do desaparecimento do sujeito, à semelhança da ciência física, que só se constitui a partir do momento em que se rompe com as ilusões da percepção.

Olivier Revault d'Allonnes, o filósofo especialista de estética, aliás grande amigo de François Châtelet, não compartilha do entusiasmo deste pelo estruturalismo. É certo que considera a noção de estrutura essencial às ciências humanas, numa perspectiva durkheimiana que foi a do seu mestre Charles Lalo em 1943-1944, professor de estética na Sorbonne, sobrinho-neto do compositor, cujo curso "Análise estrutural da consciência estética" tinha frequentado na época: "Charles Lalo mostrou-nos que as reações consideradas puramente afetivas, obscuras e espontâneas do sujeito receptor da obra de arte estavam, na realidade, em relações constantes e estruturais com o conjunto da vida psíquica e

13 Leduc. In: Auzias, *Structuralisme et marxisme*, p.270.
14 Châtelet. In: Auzias, *Structuralisme et marxisme*, p.272.
15 Ibidem, p.272.
16 Ibidem, p.275.

da sociedade".[17] Seu trabalho sobre a estética levara, portanto, a reagir muito cedo contra o *páthos* em uso nesse domínio, para fazer prevalecer um estruturalismo *avant la lettre*. Entretanto, essa orientação não deve, segundo ele, desembocar nem em estruturas estáticas, nem em estruturas sem os homens. Tomando o exemplo das estruturas musicais, d'Allonnes mostra que todo sistema nesse domínio compreende zonas de desequilíbrio com as quais os compositores se conciliam, remanejando-as e modificando-as até que o sistema se converta irreversivelmente numa nova estrutura. É na busca dos limites da estrutura que se situam então os possíveis caminhos da liberdade: "O que me apaixona em Bach é Debussy. [...] O que me apaixona em Debussy é Schöenberg, e em Schöenberg, é Xénakis".[18] Por conseguinte, se é indispensável conhecer as estruturas, é para permitir que as capacidades humanas sejam reexpostas a fim de as transformar. A criação tem esse preço. Na ausência de tal esforço, assinaria sua sentença de morte ao conformar-se com estruturas estáticas.

Jean-Pierre Vernant tampouco compartilha do fascínio de François Châtelet pelo estruturalismo, ainda que, como vimos, tenha adaptado o modelo de Lévi-Strauss à história da Grécia antiga. Mas lembra oportunamente que François Châtelet, em sua primeira obra *La naissance de l'histoire*, havia mostrado a relação de complementaridade que se instituíra entre a tomada em mãos do seu destino político por uma coletividade, o *demos*, e o nascimento de uma consciência histórica permitida por essa descoberta de que o homem pode ser um agente ativo da história. Sereno, Jean-Pierre Vernant anuncia com lucidez: "Não estou inquieto quanto ao destino do homem, pois quando o expulsam pela porta, ele retorna pela janela. Basta examinar a evolução contemporânea da linguística para nos apercebermos disso".[19] A outra indagação de Vernant diz respeito ao estatuto da história numa problemática estrutural, em seu entender mais adequada à posição do etnólogo, e que corre o risco de reduzir o evento à contingência irracional, à maneira como Lévi-Strauss explicou o "milagre grego" como um fenômeno puramente fortuito que poderia perfeitamente ter-se produzido em outros lugares.

---

17 Olivier Revault d'Allonnes, entrevista com o autor.
18 Revault d'Allonnes. In: Auzias, *Structuralisme et marxisme*, p.291.
19 Vernant. In: Azuais, *Structuralisme et marxisme*, p.306.

De um modo geral, os historiadores conservam-se à margem do fascínio que a estrutura exerce, mesmo aqueles que, presentes no colóquio, ocupam-se das bases da trama dos acontecimentos. Eles insistem na necessária dialética entre estrutura e dinâmica para fazer uma história definida por Ernest Labrousse como ciência da mudança: "Ciência do movimento, a história é também consciência do movimento".[20] No mesmo espírito, Albert Soboul define a tarefa do historiador como a apreensão do jogo das forças de transformações endógenas da estrutura. Tem, portanto, por objeto privilegiado o estudo das contradições, ao passo que o estruturalista preferirá insistir nos sistemas de complementaridade em ação na reprodução da estrutura, "de sorte que se perde a própria alma da história".[21]

Entretanto, Pierre Vidal-Naquet mostra, a propósito do caso da Esparta arcaica, todo o interesse que pode ter o método estruturalista. A elucidação de pares de oposições, na condição de ser situada num quadro evolutivo, pode permitir melhor compreensão da sociedade antiga: "Na linguagem de Lévi-Strauss, eu direi, portanto, que o hoplita está do lado da cultura, do lado do cozido, e o cripta está do lado da natureza, do lado do cru".[22] Quanto a Madeleine Rébérioux, inscreve no ativo do estruturalismo ter permitido aos historiadores escaparem ao eurocentrismo e transformado, assim, o ensino de história no secundário, o qual inclui doravante o estudo de uma civilização, seja a muçulmana, seja a extremo-oriental. Mas se Madeleine Rébérioux se felicita por esse avanço, nem por isso assume uma visão descontinuísta da história.

As palavras contra as coisas

Se o marxismo parece, portanto, poder acomodar-se com uma pitada de estruturalismo, o trabalho de Michel Foucault, que encarna então a dimensão especulativa do fenômeno, é mais difícil de passar: ele

20 Labrousse. In: Azuais, *Structuralisme et marxisme*, p.153.
21 Soboul. In: Azuais, *Structuralisme et marxisme*, p.172.
22 Vidal-Naquet. In: Azuais, *Structuralisme et marxisme*, p.180.

será o alvo de veementes críticas do lado da corrente marxista, embora com certas nuanças. Para Jacques Milhau, a excomunhão é total: não cometeu Foucault o crime de recambiar Marx para o século XIX? "O preconceito anti-histórico de Michel Foucault só se sustenta se apoiado numa ideologia neonietzschiana que serve muitíssimo bem, quer ele se dê conta disso ou não, às intenções de uma classe cujo interesse está em camuflar os caminhos objetivos do futuro".[23] Jeannette Colombel discerne na obra de Foucault uma alternativa, de aparência enganadora, entre o deserto e a loucura, a "lucidez do desespero, a lucidez do riso. *Made in USA*".[24] Entretanto, ao apresentar as grandes linhas da demonstração foucaultiana, ela insiste também sobre o que faz a sua riqueza e o seu valor. Dois estudos mais extensos suplantam o estatuto de descrição da obra, a fim de formular alguns problemas de método.

Em 1967, a revista *Raison Présente* publica um artigo de Olivier Revault d'Allonnes que será reproduzido por ocasião da publicação de *Structuralisme et marxisme* em 1970: "Michel Foucault. As palavras contra as coisas". Revault d'Allonnes denuncia na obra de Foucault uma máquina de guerra contra o método histórico, a expressão do tecnocratismo gestionário, o gosto imoderado das palavras que permite o recalque das coisas, a preponderância dada aos instantâneos, uma concepção decididamente relativista e a descontinuidade do método:

> O que mais me surpreendeu, quase me deixou estupefato em *Les mots et les choses*, é que Foucault, a quem eu tinha conhecido militante, pretende agora que o sujeito não mais existe, que não passa de uma pequena onda encrespando a superfície da água. [...] Ele nos dá alguns clichês notáveis, mas fixos; tem o cuidado de não se demorar a respeito do que, no interior desses espaços epistêmicos, já os questiona.[25]

A outra crítica de fundo veio do historiador Pierre Vilar e foi publicada em junho de 1967 em *La Nouvelle Critique*.[26] Para Pierre Vilar, Foucault, ao escolher como objeto único da sua análise as formações

23 Milhau, Les mots et les choses, *Cahiers du Communisme*, fev. 1968.
24 Colombel, Les mots de Foucault et les choses, *La Nouvelle Critique*, n.4, maio 1967, p.8-13.
25 Olivier Revault d'Allonnes, entrevista com o autor.
26 Vilar, Pas d'économie politique à l'âge classique, *La Nouvelle Critique*, n.174, jun. 1967.

discursivas, descarta implicitamente o referente, ou seja, pura e simplesmente a realidade histórica que contradiz as conclusões por ele aduzidas. Também aí, é essa subordinação das coisas às palavras que se tem em vista, e que leva Foucault a concluir um pouco apressadamente que não existe economia política no século XVI. Pierre Vilar opõe-lhe que os elementos de uma macroeconomia das contas da nação já cumprem, pelo contrário, o seu papel na Espanha do Século de Ouro, que descobre então a importância da noção de produção. O *contador* de Burgos, Luis Orty (1557), insurge-se até contra a ociosidade mediante decisões políticas concretas, as quais contradizem a construção epistêmica de Foucault, para quem a economia política não se fundou antes do século XIX.

Os intelectuais marxistas não são, porém, maciçamente hostis às teses foucaultianas, que recebem um bom acolhimento em *Les Lettres Françaises*, por exemplo, em que Pierre Daix está prestes a converter-se a um estruturalismo entusiástico que culminará, em 1971, com a publicação de *Structuralisme et révolution culturelle*. No jornal de Pierre Daix, Raymond Bellour realiza em 15 de junho de 1967 uma segunda entrevista com Michel Foucault, ocasião para este explicar-se a respeito de certas críticas.

Ele não procurou cortes absolutos, descontinuidades radicais entre as epistemes, pelo contrário: "Mostrei a própria forma da passagem de um estado ao outro".[27] Em compensação, Foucault defende claramente a autonomia dos discursos, a existência de uma organização formal dos enunciados a reconstituir, tarefa até então negligenciada pelos historiadores. Ele define um horizonte que não se reduz por isso ao formalismo, mas visa estabelecer o relacionamento entre esse nível discursivo e as práticas, as relações sociais e políticas subjacentes: "Esse é o relacionamento que sempre me obcecou".[28] Em resposta às críticas sobre o a-historicismo, Raymon Bellour recorda o último capítulo de *Les mots et les choses*, no qual Foucault concede à história um estatuto privilegiado, o que o autor confirma: "Quis realizar um trabalho de historiador ao mostrar o funcionamento simultâneo desses discursos e as

---

27 Bellour, Deuxième entretien avec Michel Foucault. Sur les façons d'ecrire l'histoire, *Les Letters Françaises*, 15 jun. 1967.

28 Ibidem.

transformações que explicavam suas mudanças visíveis",[29] sem conceder um privilégio excessivo a uma história que se manifestaria como linguagem das linguagens, filosofia das filosofias. E Foucault opõe às resistências suscitadas por *Les mots et les choses* em nome da história o trabalho efetivo dos historiadores profissionais que reconheceram sua obra como plenamente histórica, os da escola dos *Annales*, citando a nova aventura representada pelos "livros de Braudel, de Furet e de Richet, de Le Roy Ladurie".[30]

Estruturalismo e marxismo

A grande revista teórica mensal do PCF também está mobilizada nesse confronto de alto nível: o número de *La Pensée* de outubro de 1967 é dedicado ao tema "Estruturalismo e marxismo". Uma voz mais oficial aí se pronuncia, a do filósofo Lucien Sève, para dar o ponto de vista teórico do partido. Ele remete o método estruturalista a uma epistemologia ultrapassada, cujas raízes se situam no começo do século XX, num momento de crise do evolucionismo, antes que o pensamento dialético penetre verdadeiramente na França. Esse método, que implica uma epistemologia do modelo, uma ontologia da estrutura como infraestrutura inconsciente, um anti-humanismo teórico, a rejeição da concepção de história como progresso da humanidade ao substituí-la pela diversidade dos fatos humanos, é, portanto, um método antigo, de fato: encontra suas fontes teóricas em Saussure (1906-1911), na escola histórico-cultural alemã de etnologia (Gräbner e Bernard Ankermann, 1905), na teoria da *Gestalt* (1880-1900) e na fenomenologia de Husserl (*Recherches logiques*, 1900).

Portanto, não se pode, segundo Lucien Sève, ficar satisfeito com uma divisão entre um método estrutural (científico) e uma ideologia estruturalista (a rejeitar). Os que fazem essa cisão para conciliar dialética e estrutura estão errados, e Lucien Sève visa menos a Althusser, cujas teses foram condenadas pela direção do PCF, do que a Maurice

29 Ibidem.
30 Ibidem.

Godelier: "O objetivo da investigação de M. Godelier [...]: uma ciência estrutural da diacronia".[31] O preço a pagar por semelhante conciliação é a eliminação por Godelier do papel motor, interno à estrutura, da luta de classes na transformação dialética. Para Godelier, "a estrutura é interna, mas o motor do desenvolvimento é externo".[32] Portanto, segundo Lucien Sève, ela passa à margem da própria natureza do pensamento dialético, que é a de expor e analisar a lógica do desenvolvimento, ao adotar o método estrutural. Para Lucien Sève, não pode haver uma construção histórica que sintetize o método estrutural e a dialética. Se reconhece no método estrutural uma contribuição manifesta em certos planos ("Um marxista pode reconhecer a validade do método estrutural a par do método dialético"),[33] ele abre, portanto, o caminho estreito de uma união considerada como um combate.

Mas não pode negar a fecundidade de um paradigma cujos eminentes representantes oferecem sua contribuição para esse dossiê de *La Pensée*. Marcel Cohen apresenta um histórico do uso da noção de estrutura em linguística, tanto na escola europeia quanto nos Estados Unidos. Jean Dubois faz um verdadeiro discurso em defesa do estruturalismo em linguística, mostrando que ele permitiu a libertação das características mais nocivas da metodologia anterior, "o psicologismo, o mentalismo exagerado",[34] e a constituição da linguística como ciência. Se Jean Dubois reconhece que essa orientação esbarrou em dois problemas, a criatividade e a história, ao minimizar as implicações do sujeito, ao considerar o enunciado produzido e não a enunciação, ele pensa também que Chomsky, com seu modelo de competência e de desempenho, "facilita indiretamente essa reintrodução do sujeito",[35] que percebe como necessária. Jean Deschamps faz uma apresentação das teses estruturalistas em psicanálise, ou seja, das teses lacanianas. Ele expõe os papéis respectivos das figuras metonímicas e metafóricas nessa concepção que permite "uma teoria coerente do estatuto do inconsciente".[36] Mas ele continua crítico em relação a uma abordagem que esvazia

31 Sève, Méthode structurale et méthode dialectique, *La Pensée*, n.135, out. 1967, p.69.

32 Ibidem, p.72.

33 Ibidem, reproduzido em idem, *Structuralisme et dialectique*, p.64.

34 Dubois, Structuralisme et lingustique, *La Pensée*, n.135, out. 1967, p.25.

35 Ibidem, p.28.

36 Deschamps, Psychanalyse et structuralisme, *La Pensée*, n.135, out. 1967, p.148.

a dimensão do vivido, relegando-a ao papel de epifenômeno insignificante: abandonaria, assim, a concepção freudiana do recalque como fenômeno dinâmico, separando consciente e inconsciente como duas línguas incompatíveis. Outras contribuições preferiram conduzir um diálogo, crítico, com as teses de Lévi-Strauss. O conjunto mostra a que ponto o PCF leva a sério o desafio lançado pelo estruturalismo ao marxismo e quer responder-lhe.

Da escapada estruturalista à crise do marxismo

Nesses anos de 1967 e 1968, *La Nouvelle Critique* e *Les Lettres Françaises* tirarão proveito de sua posição um pouco afastada da direção do PCF para cobrir o mais amplamente possível o evento estruturalista. Em março de 1968, Christine Buci-Glucksman inicia em *La Nouvelle Critique* um animado debate com Louis Guilbert e Jean Dubois para indagar se não se estaria assistindo à realização de uma "segunda revolução linguística". Para Jean Dubois, Chomsky "parece reintroduzir numa estrutura morta um movimento, uma abordagem dinâmica e não mais estática".[37]

Por seu lado, Antoine Casanova abre as páginas de *La Nouvelle Critique* para os novos métodos da escola histórica francesa dos *Annales*. Essa reflexão sobre as relações entre a história e as ciências sociais permite a intervenção de numerosos historiadores nas colunas da revista, e culminará na publicação de uma obra coletiva, *Aujourd'hui l'histoire*.[38] A escola dos *Annales* apresenta-se aí claramente como uma via mediana entre a adoção do estruturalismo e a sua rejeição, permitindo preservar uma dialética histórica, embora tenha por objetivo principal a busca dos alicerces, das estruturas; portanto, permite o acesso a um horizonte no qual estruturas e movimentos podem se conciliar e combinar.

Mas o estruturalismo terá sobretudo alcançado a adesão de *Les Lettres Françaises*. Pierre Daix e Raymond Bellour sucedem-se aí na tarefa de dar a conhecer os diversos avanços das ciências sociais. Benveniste,

---

37 Dubois, Une deuxième révolution linguistique?, *La Nouvelle Critique*, n.12, mar. 1968.

38 Berque (Ed.), *Aujord'hui l'histoire*.

embora pouco propenso aos depoimentos de caráter midiático, concede uma entrevista a Pierre Daix em 24 de julho de 1968. Surpreende-se com esse fascínio por uma doutrina ao mesmo tempo mal e tardiamente compreendida, porquanto já tem quarenta anos em linguística, um domínio no qual ela "já está, para alguns, um tanto superada".[39] Pierre Daix tornara-se, entretanto, o defensor mais resoluto do estruturalismo: quando Mikel Dufrenne publicou *Pour l'homme*,[40] em que o estruturalismo figurava como acusado, Daix não hesitou em acudir em sua defesa.

Mikel Dufrenne critica nesse livro a eliminação do homem em proveito do sistema. Estabelece uma ligação entre estruturalismo e tecnocratismo, e vê nesse modo de pensamento um ressurgimento do cientificismo do século XIX. Para Foucault, escreve Dufrenne, "o homem é apenas conceito do homem, uma figura evanescente num sistema temporário de conceitos".[41] Pierre Daix replica que esse descentramento não passa, para os estruturalistas, de uma desmistificação. Dufrenne reagrupa todos os componentes do estruturalismo que têm em comum a mesma vontade de dissolução do homem: "Entre a ontologia de Heidegger, o estruturalismo de Lévi-Strauss, a psicanálise de Lacan ou o marxismo de Althusser, existe uma certa temática comum, sem dúvida, que tem por objeto, em resumo, o afastamento do sentido vivenciado e a dissolução do homem".[42] O que Mikel Dufrenne reivindica para o humanismo, segundo Pierre Daix, remete-nos para o que os cientistas reivindicam para Deus no século XIX, e o trabalho do estruturalismo consiste, pelo contrário, em "substituir os privilégios do homem pelo conhecimento da sua condição, no conjunto dos sentidos que a palavra condição possui".[43]

Ao passo que a corrente marxista oficial, a do PCF, tenta constituir uma muralha de resistência ao estruturalismo, as fissuras dessa

39 Daix, Structuralisme et Linguistique. Entretien avec Émile Benveniste, *Les Lettres Françaises*, n.1242, 24-30 jul. 1968, reproduzida em Benveniste, *Problèmes de linguistique générale*, v.II, p.16.

40 Dufrenne, *Pour l'homme*.

41 Ibidem, p.42.

42 Ibidem, p.10.

43 Daix, Du structuralisme. 1. Le divorce avec la philosophie, *Les Lettres Françaises*, n.1226, 27 mar. 1968.

corrente multiplicam-se com aqueles que preferiram encampar a orientação estruturalista para renovar o marxismo, como os althusserianos, e aqueles que aderiram ao estruturalismo para sair do marxismo. Esse confronto, que revelará numerosos pontos comuns entre as duas orientações, também ligará os seus destinos: num primeiro tempo, de 1967-1968, um destino vitorioso, que rapidamente soçobrará num declínio que afetará tanto o estruturalismo quanto o marxismo.

9

Sucesso de mídia, fogo alimentado por críticas

No próprio momento em que o estruturalismo tende a rachar no plano teórico, ele triunfa na mídia sob a forma de um almoço na relva, no mais jovial convívio, entre gentis membros em trajes tradicionais. Os anos de 1967-1968 são o momento de um verdadeiro "contágio estruturalista",[1] quando o almoço estruturalista está terminado. Mas "terá ele realmente ocorrido? Os convivas eximem-se de lá ter estado".[2]

Os dois grandes semanários do período, *L'Express* e *Le Nouvel Observateur*, dão ao fenômeno máxima repercussão, mesmo que esse eco seja percebido de um modo mais crítico em *L'Express*. Jean-François Kahn aí descreve com humor a minuciosa conquista de um estruturalismo que já possui o seu credo com *As estruturas elementares do parentesco*, o seu mago com Lévi-Strauss, a sua linguagem (horrível, como se desejava), o seu alfabeto (o da linguística) e o seu livro de sucesso (*Les mots et les choses*): "O estruturalismo é o estágio supremo do imperialismo do saber".[3]

Se François Châtelet, por seu lado, em *La Quinzaine Littéraire*, alude mais a uma pseudoescola, a uma unidade artificial fundada por adversários sem escrúpulos, nem por isso deixa de escrever um longo

---

1 Clément, *Vies et legends de Jacques Lacan*, p.180.

2 Perriaux, *Le structuralisme en France*: 1958-1968.

3 Kahn, La minutieuse conquête du structuralisme, *L'Express*, 21 ago. 1967.

artigo para responder à pergunta: "Onde está o estruturalismo?", ilustrado pelo famoso desenho de Maurice Henry.[4] Châtelet aí passa em revista os diversos componentes do movimento qualificado de estruturalista para deduzir que dificilmente se pode ver nele um corpo doutrinal homogêneo, "a custo se poderá falar de um método".[5] Ele percebe, entretanto, um traço comum na recusa do empirismo. Diante da crise das ideologias, todos esses autores procuraram o remédio não na substituição do grande "sujeito" desaparecido da história (o proletariado) por pequenos fatos procedentes da sociologia empírica, mas na definição de métodos científicos de investigação para saber "o que é que se pode efetivamente receber como fato".[6] Após ter negado a unidade do estruturalismo, François Châtelet reconhece sua existência para além das diferenças, visto que saúda nele um pensamento "francês" que está prestes a reencontrar, em ordem desigual, "o rigor da vocação teórica".[7]

Por seu lado, *Le Nouvel Observateur* faz-se o apoio midiático particularmente eficaz da aventura estruturalista. Lévi-Strauss responde às questões de Guy Dumur, e quando a ORTF transmitiu em 21 de janeiro de 1968 o programa realizado por Michel Tréguer sobre etnologia, *Le Nouvel Observateur* reproduziu as declarações de Lévi-Strauss, bem como a definição que este deu do estruturalismo. Benveniste concede também uma entrevista a Guy Dumur no final de 1968. Ele exprime aí o seu otimismo, ao constatar o desenvolvimento do conjunto das ciências humanas. Percebe nesse desenvolvimento as primícias de uma grande antropologia, no sentido de uma ciência geral do homem, que está sendo constituída.[8] Quando Foucault analisa em *Le Nouvel Observateur* as obras de Erwin Panofsky,[9] a redação do jornal assim apresenta o seu artigo: "Esta linguagem e estes métodos seduziram o estruturalista Michel Foucault".[10]

---

4 Châtelet, Où est le structuralisme?, *La Quinzaine littéraire*, n.31, 10-15 jul. 1967.

5 Ibidem, p.18.

6 Ibidem, p.19.

7 Ibidem, p.19.

8 Dumur, Ce langage que faire l'histoire. Entretien avec Émile Benveniste, *Le Nouvel Observateur*, 20 nov. 1968, reproduzido em Benveniste, *Problème de linguistique générale*, v.II, p.38.

9 Panofsky, *Essais d'iconographie*; idem, *Architecture gothique et pensée scolastique*.

10 Cabeçalho do artigo de Foucault, Les mots et les images, *Le Nouvel Observateur*, n.154, 25 out. 1967.

Quando *Le Magazine Littéraire* apresenta um grande artigo de Michel Le Bris em 1968 com o título de "Obra-prima. Saussure, o pai do estruturalismo", ele ilustra a exposição sobre as grandes orientações do saussurismo com uma série de fotografias reunindo os quatro mosqueteiros do estruturalismo, apresentados como "os herdeiros de Saussure".

A televisão participa da festa de uma maneira mais discreta, mas foi um grande acontecimento o dia em que Gérard Chouchan e Michel Tréguer reuniram nos estúdios da ORTF François Jacob, Roman Jakobson, Claude Lévi-Strauss e Philippe L'Héritier para um debate sobre o tema "Viver e falar", transmitido em 19 de fevereiro de 1968.

O estruturalismo, "religião dos tecnocratas"?

Mas essa invasão do estruturalismo, essa ronda do triunfo que, desde os laboratórios de pesquisas até às salas de redação, parece reduzir o pensamento à forma exclusiva de expressão estrutural suscitará também um certo número de reticências, senão de exasperações, mistura de rejeições teóricas e de movimentos de humor perante um discurso que, tornando-se dominante, não hesita em passar do teoricismo para um certo terrorismo intelectual, quando considera que todo e qualquer argumento adverso é fruto da simples imbecilidade.

Entre os que exprimirão uma voz discordante nesse concerto de louvores está um filósofo que se tornou cronista de *L'Express* e membro do governo paralelo de François Mitterrand, no posto de cultura: Jean-François Revel. Autor em 1957 de um ensaio polêmico, *Pourquoi des philosophes?*, Jean-François Revel já manifestara críticas radicais em relação à obra de Lévi-Strauss. Refutava o seu formalismo, um sistema excessivamente abstrato que procede por sucessivos deslizamentos de considerações sociológicas num discurso de natureza etnológica, sugerindo, por trás da descrição de comportamentos, a existência de "um sistema mental e sentimental que aí não se encontra".[11] Em 1967, quando comenta a publicação do segundo volume de *Mythologiques (Du miel aux cendres)*, Jean-François Revel qualifica Lévi-Strauss de platônico

---

11 Revel, *Pourquoi des philosophes?*, p.144.

no domínio sociológico. A chave do método lévi-straussiano assenta no postulado de que o que está escondido constitui a realidade, ao passo que o que se entende comumente por realidade constitui a ilusão de que temos de nos desfazer. Contrário à corrente funcionalista, Lévi-Strauss "formaliza, geometriza, algebriza".[12]

Pouco depois, Jean-François Revel analisa a obra do filósofo marxista Henri Lefebvre, que censurara a ideologia estruturalista como expressão da chegada da tecnocracia ao poder.[13] Embora não compartilhe dos pressupostos hegeliano-marxistas da crítica de Henri Lefebvre, Jean-François Revel nem por isso julga menos pertinente a analogia estabelecida entre o pensamento estrutural e a sociedade que prepara a tecnocracia, e dá ao seu artigo o título "A religião dos tecnocratas".[14] A sociedade de consumo passivo e a comunicação sem diálogo da modernidade concentram o poder sobre as leis de funcionamento da sociedade numa máquina que escapa ao poder dos indivíduos e que não tem outra finalidade senão reproduzir-se: "A política não é mais um combate, mas uma constatação".[15] Portanto, o estruturalismo seria o prolongamento no plano teórico dessa sociedade tecnocrática, um verdadeiro ópio das elites. Reencontra-se igualmente com o estruturalismo aquele indivíduo que escapa ao sentido dos seus próprios atos, pois ele é nomeado antes mesmo de ser. A linguística atua aqui como fundamento de toda ciência graças a supressão da função referencial da linguagem que realiza.

Mais tarde, Jean-François Revel deplora "a morte da cultura geral".[16] Saúda o *take-off* realizado pela linguística no começo do século graças a Saussure, verdadeiro "Galileu dessa metamorfose",[17] mas lamenta que a emancipação das ciências humanas dissolva gradativamente a noção de cultura geral e que, para se tornarem ciências, precisem deixar de ser humanas. Navegando na contracorrente em relação aos que veem no estruturalismo o avanço decisivo rumo à cientificidade, Jean-François Revel vê nele, antes, a tendência natural de toda doutrina filosófica, sua capacidade para impregnar todos os campos de atividades de uma

---

12 Idem, Le miel et le tabac, *L'Express*, 13-19 fev. 1967, p.69.
13 Lefebvre, *Position*: contre les technocrates.
14 Revel, Le structuralisme, religion des technocrates?, *L'Express*, 10-16 jul. 1967, p.59.
15 Ibidem, p.59.
16 Idem, La mort de la culture générale, *L'Express*, n.875, 25-31 mar. 1968, p.123.
17 Ibidem, p.123.

época segundo uma certa linguagem que rapidamente se converte em "um esperanto no qual se traduz não importa que disciplina".[18]

Claude Roy, por seu lado, não ataca em *Le Nouvel Observateur* os quatro mosqueteiros do estruturalismo, mas o uso deformado que se faz do seu pensamento, o emprego da "fonte estruturalista ou lógica nas mais estranhas saladas".[19] Investe contra os falsos lévi-straussianos e os filhos desnaturados de Althusser que fazem circular pelas ruas do Quartier Latin uma utilização no mínimo curiosa do estruturalismo, sobretudo nas páginas dos *Cahiers Marxistes-Léninistes*. O que eles teriam retido da lição estrutural é simplesmente o fato de que só interessa a relação entre os termos e não os próprios termos. Limitar o estruturalismo a esse postulado abre a porta a todos os delírios e permite, entre outras coisas, apresentar os processos de Moscou como um simples termo a opor a um outro, o da ditadura do proletariado, sem ser definido como tal:

> Alice no país das maravilhas pede constantemente aos seus interlocutores que definam o sentido dos termos que empregam. Não é hoje a preocupação mais comum, como se pode comprovar suficientemente pelos delírios do pseudoestruturalismo em crítica literária e em teoria política.[20]

Outra voz crítica nesse ano de 1968, mesmo reconhecendo a validade do método estrutural num campo circunscrito, Raymond Boudon, que retoma as teorias de Popper sobre a "falsificabilidade" [*falsifiabilité*] como critério indispensável de cientificidade, passa em revista os diversos usos da noção de estrutura julgando, portanto, a sua validade conforme sua capacidade de ser verificada. Não pode existir, segundo Boudon, um método estruturalista geral, mas tão somente metodologias particulares, com eficácia regional. Assim, opõe aqueles para quem o estruturalismo é simples método operacional (Lévi-Strauss, Chomsky) e aqueles para quem o estruturalismo é um simples fluido, como Barthes. Ele insiste no "caráter polissêmico da própria noção",[21]

18 Idem, Structures à travers les âges, *L'Express*, 29 abr.-5 maio 1968, p.105.
19 Roy, Alice au pays de la logique, *Le Nouvel Observateur*, 22 mar. 1967.
20 Ibidem, p.35.
21 Boudon, *À quoi sert la notion de structure?*, p.12.

que não permite justificar a existência de uma doutrina única. Verdadeira coleção de homônimos, a noção de estrutura é particularmente obscura, segundo Raymond Boudon. O seu uso no caso de construções de sistemas hipotético-dedutivos verificáveis é legítimo, como na teoria fatorial de C. Spearman, mas também na fonologia em Jakobson. De maneira indireta, esta última pode deduzir a ordem de complexidade dos fonemas, mas não "a necessidade da coincidência entre essa ordem e a ordem de aparecimento dos fonemas na criança, por exemplo".[22] Não existe, portanto, verdadeira especificidade de um método estrutural, mas simplesmente objetos diferentes aos quais se aplica um método mais ou menos experimental, verificável. O ângulo de ataque de Raymond Boudon visa a toda a busca de uma essência subjacente na estrutura, de uma revelação qualquer da face oculta do mundo visível. Mas essas críticas que pretendem represar o fenômeno estruturalista, impor-lhe alguns limites, não são verdadeiramente entendidas nesse clima de euforia, no qual são celebradas as ambições indefinidas imputadas aos promotores do pensamento estruturalista.

22 Ibidem, p.98.

PARTE 2

MAIO DE 1968 E O ESTRUTURALISMO, OU O MAL-ENTENDIDO

10

Nanterre – a louca

Pode-se falar de "pensamento 68" a propósito de diversas formas de estruturalismo, introduzindo assim a ideia de uma relação de parentesco entre o pensamento dominante do momento, o estruturalismo, e o movimento de Maio de 1968. É verdade que o estruturalismo se apresenta como um pensamento crítico, e pode-se conceber, portanto, que ele tenha estado em consonância com a contestação universitária e depois social de Maio de 1968. Mas será essa consonância assim tão segura, tão inegável? O paradoxo é, com efeito, flagrante: qual pode ser o vínculo entre um pensamento que faz prevalecer a reprodução das estruturas, o jogo das lógicas formais em sua sincronia e um acontecimento que recorre à solução de continuidade como contestação radical, ruptura total no seio de uma sociedade de consumo em pleno crescimento?

Antes de tentar responder a essa indagação, não será inútil, por certo, evocar o acolhimento dado ao estruturalismo nesse lugar culminante da contestação universitária que foi a Faculdade de Nanterre, nas vésperas de Maio de 1968. As duas personalidades que dominam então a ideologia nanterriana são conhecidas por suas posições de hostilidade ao estruturalismo, embora partindo de bases diferentes.

Touraine e Lefebvre, nos antípodas do estruturalismo

O departamento de sociologia é aquele em que a contestação adquire maior vivacidade, o mal-estar, maior profundidade. É aí que se encontra o líder histórico do movimento, Daniel Cohn-Bendit, e um considerável número de militantes da extrema esquerda mobilizados contra a guerra americana no Vietnã. A essa rejeição cada vez mais decidida dos bombardeios do povo vietnamita acrescenta-se a recusa do papel que esses estudantes são chamados a desempenhar na sociedade como usuários de testes para recrutar e enquadrar os capatazes e operários das empresas. Nesse departamento, simultaneamente pletórico e verdadeiro abcesso de fixação do mal-estar estudantil, domina a figura do professor de sociologia Alain Touraine: "O líder professoral do movimento foi Touraine, que possui um senso inato de multidão e um talento oratório indiscutível".[1]

Ora, Touraine privilegia a ação, as possibilidades de mudança, o papel dos indivíduos como categorias sociais nessas transformações. Estabelece, então, um paralelismo entre o papel dos movimentos estudantis dos anos 1960 e o dos movimentos operários do século XIX, valorizando, assim, a instituição universitária como lugar decisivo da mudança, ao contrário das teses bourdieusianas. Sua sociologia nada tem a ver, portanto, com o estruturalismo, e sua crítica da sociedade francesa em nome da modernização necessária se harmoniza com uma boa parte do movimento estudantil, verdadeiro movimento social ao qual dedicará em 1968 uma obra importante, *Le mouvement de mai ou le communisme utopique*. Esse meio estudantil em sociologia é menos apreciador das *Les structures élémentaires de la parenté*, de Lévi-Strauss, do que de obras como a da internacional situacionista, *De la misère en milieu étudiant*, que realiza uma verdadeira abertura com 10 mil exemplares vendidos, ou ainda *La société du spectacle*, de Guy Debord, e o *Traité de savoir-vivre à l'usage des jeunes générations*, de Raoul Vaneighem.

Quanto à segunda personalidade do *campus* de Nanterre, uma das figuras tutelares do movimento de 1968, trata-se do filósofo Henri Lefebvre, igualmente refratário ao estruturalismo. Ele opõe a dialética,

1 Joseph Sumpf, entrevista com o autor.

o movimento, a esse pensamento estático que considera negador da história em sua busca de invariantes atemporais. Como se viu, estabelece inclusive um vínculo entre esse modo de pensamento e a tecnocracia ascendente, que assim afirmaria, com a sua ascensão ao poder, o fim da história. O ensino de Henri Lefebvre em Nanterre está centrado numa crítica da sociedade sob seus diversos aspectos. Sua contribuição mais importante terá sido a superação do nível exclusivamente economicista para incluir em sua análise os diversos aspectos da vida cotidiana da população: seu plano de vida, o urbanismo, as crenças... "Tudo passava pelo filtro crítico".[2]

Em suas análises, Henri Lefebvre utilizava os conceitos de forma, de função e de estrutura sem privilegiar nenhum dentre eles, e criticava aos estruturalistas o fato de favorecerem a preponderância da noção de estrutura em detrimento dos outros níveis de análise. Primeiro no Centre National de la Recherche Scientifique (CNRS), depois na Faculdade de Estrasburgo de 1958 a 1963, local de nascimento do situacionismo e do opúsculo *De la misère en milieu étudiant*, Henri Lefebvre é nomeado para Nanterre logo que essa universidade foi criada, em 1964. Conta entre os seus alunos com um certo Daniel Cohn-Bendit durante dois anos:

Ele era um pouco mais velho do que os outros, muito inteligente. Os grandes conhecedores de uma sociedade são sempre exteriores a essa sociedade. Ele tinha uma influência extraordinária. Lembro-me de sua primeira intervenção durante uma reunião de todos os estudantes interessados nas ciências sociais, por volta de 10 de novembro de 1967. Eram muito numerosos, Alain Touraine fez um discurso para explicar a eles que lhes ensinaria coisas muito importantes. Cohn-Bendit levantou-se: 'Senhor Touraine, não só pretende fabricar os vagões, mas quer também colocá-los nos trilhos': explosão de gargalhadas de 1.200 estudantes.[3]

Estranho à reflexão em curso a partir da linguística, Henri Lefebvre tampouco se situa no universo das posições do Partido Comunista Francês (PCF), do qual foi excluído em 1956. Mas como marxista crítico, defende o pensamento dialético contra as diversas formas do

2 Henri Lefebvre, entrevista com o autor.
3 Ibidem.

estruturalismo: a de Bourdieu, que ele considera "um sociólogo positivista",[4] a de Foucault, "que elimina do pensamento os aspectos críticos",[5] e a de Althusser, "que tornava o marxismo rígido e roubava à dialética toda sua flexibilidade. [...] Althusser tem com o marxismo a mesma relação dos tomistas com o aristotelismo: uma aclaração, uma sistematização, mas isso deixou de ter qualquer relação com a realidade".[6]

Um fascínio real

O trabalho crítico de Henri Lefebvre era retransmitido em Nanterre por seus dois assistentes: Jean Baudrillard e René Lourau. Este último está em Nanterre desde 1966 e recorda-se de que, quando se falava bem do estruturalismo, era com a intenção de "enterrá-lo alegremente".[7] O estruturalismo lhe parecia antimoderno, tépido, não só do ponto de vista marxista, que era o dele na época, mas também em relação ao modernismo de Crozier ou de Touraine, "que nos parecia mais dinâmico, mesmo que o criticássemos".[8]

René Lourau descobre o estruturalismo em 1964. É então professor de liceu, e Georges Lapassade o leva ao último grande congresso histórico da Union Nationale des Étudiants de France (Unef) em Toulouse. Foi aí que tomou conhecimento do artigo de Althusser sobre os problemas da universidade, publicado em *La Nouvelle Critique*: "Havia algo nele que nos parecia completamente louco, um aspecto patrulhador nessa distinção entre a divisão técnica e a divisão social do trabalho. De fato, ele restabelecia assim a tradicional pedagogia autocrática que se começava então a combater".[9] Dois anos mais tarde, na propriedade de Navarrenx de Henri Lefebvre, reuniu-se o grupo Utopie, que tinha fundado uma revista. Foi durante essa estância de trabalho de uma quinzena de dias que o grupo leu e comentou *Les mots et les choses*,

4 Ibidem.
5 Ibidem.
6 Ibidem.
7 René Lourau, entrevista com o autor.
8 Ibidem.
9 Ibidem.

de Michel Foucault, estupefato por ver Marx relegado para as obscuridades do século XIX: "Tanta desenvoltura em expelir o marxismo como um velho treco de bruxaria fazia-nos soltar urros indignados".[10]

Se as primeiras reações ao estruturalismo foram antes de rejeição no grupo dos adeptos de Henri Lefebvre, a realidade ulterior foi, entretanto, mais complexa. Com efeito, cada um é atraído por este ou aquele aspecto das produções estruturalistas, mesmo que desenvolva, por outro lado, uma crítica global do que é percebido como uma ideologia. Assim, René Lourau fica impressionado pela contribuição linguística de Jakobson, é seduzido pela obra de Barthes, lê com muito interesse os trabalhos de Lévi-Strauss e vai semanalmente com um grupo de estudantes de psicologia da Sorbonne ao seminário de Lacan... Não se pode, portanto, falar de um verdadeiro enfrentamento entre Nanterre e os estruturalistas ("Não era a batalha de Fontenoy")[11] mas, mais exatamente, de uma realidade sincrética feita de convicções contraditórias, por vezes vivenciadas com uma certa dose de remorso: "Discípulo de Lefebvre, eu tinha vagamente a impressão constrangedora de enganá-lo. É uma certa relação com o pai".[12]

Reencontramos esse sincretismo em Jean Baudrillard, assistente de Henri Lefebvre, mas inscrito para apresentação de tese de terceiro ciclo com Pierre Bourdieu em 1966-1967, e cujo trabalho crítico se aproxima muito do de Barthes. Na continuidade do trabalho inacabado de Barthes, o das *Mythologies*, Jean Baudrillard retoma esse descascamento crítico da ideologia da sociedade de consumo, essa perspectiva sociossemiológica, publicando em 1968 *Le système des objets*, e em 1969 um artigo em *Communications*, no qual critica a noção usual de necessidade, de valor de uso, a propósito dos objetos de consumo, substituindo-a pela sua função de signo.[13]

O departamento de filosofia de Nanterre também é dominado por dois adversários do estruturalismo: Paul Ricœur e Emmanuel Lévinas, partidários de uma abordagem fenomenológica. Quanto ao departamento de psicologia, está tão distanciado quanto os de sociologia e

10 Ibidem.
11 Ibidem.
12 Ibidem.
13 Baudrillard, Fonction-signe et logique de classe, *Communications*, n.13, 1969, reimpresso em idem, *Pour une critique de l'économie politique du signe*.

filosofia do paradigma estruturalista. Dois professores dos quatro que aí lecionam, Didier Anzieu e Jean Maisonneuve, são praticantes da psicologia social clínica, e estão cercados de assistentes com experiência em dinâmica de grupo, reportando-se a teóricos essencialmente americanos: Jacob Levy Moreno, Kurt Lewin e Carl Rogers.

Didier Anzieu, que publica então sob o pseudônimo de Épistémon, vê mesmo na crescente contestação na Faculdade de Nanterre uma extensão dessa dinâmica de grupo: "O que o psicólogo social concebia como a dinâmica dos grupos restritos convertia-se bruscamente em dinâmica dos grupos generalizados".[14]

O estruturalismo, sem ganhar a adesão dos departamentos de ciências humanas de Nanterre, nem por isso deixou de exercer, porém, um fascínio real e de marcar pontos decisivos em literatura, com a presença de Jean Dubois e de Bernard Pottier, que constituem à sua volta todo um núcleo de linguística estrutural. Quando da eclosão dos acontecimentos de Maio de 1968, Jean Dubois acabara de publicar pela Larousse a sua gramática transformacional da língua francesa e de animar o primeiro colóquio sobre a gramática gerativa. Entretanto, isso não bastou para assimilar a ideologia ambiente do *campus* nanterriano ao estruturalismo. Pouco depois, as paredes se coalharão, aliás, de pichações: "Althusser não está com nada".

---

14 Épistémon (D. Anzieu), *Ces idées qui ont ébranlé la France*, p.33.

II

A desforra de Jean-Paul Sartre

São cinco horas da manhã. Paris acorda no meio de barricadas, de árvores juncando o asfalto. A contestação é, no dizer do general De Gaulle, incompreensível. Imprevisível, abala o poder. Radical, propaga-se por todo o hexágono para provocar o maior movimento social que a França conhecera: 10 milhões de grevistas. Acreditava-se que a França estava adormecida: que despertar! Enterrava-se alegremente a história, alguns iam procurar-lhe os últimos vestígios na periferia, a dos campos do Terceiro Mundo que deviam sitiar as cidades – e eis que ela ataca no próprio coração da Île de la Cité. Acesso de febre existencial por parte de uma juventude exigente, esse movimento representava para Sartre uma desforra que ele podia saborear tanto melhor porquanto se acreditara poder enterrá-lo dois anos antes, quando em 1966, no apogeu do estruturalismo, Michel Foucault o apresentava como um bom filósofo do século XIX. Nas palavras de Épistémon (Didier Anzieu), "a insurreição estudantil de maio experimentou por conta própria a verdade da fórmula sartriana: 'O grupo é o começo da humanidade'".[1] De fato, a análise sartriana da alienação dos indivíduos presos no prático-inerte e valorizando sua capacidade para impor a liberdade pelo engajamento, constituindo-se em grupos em fusão numa dialética que permite sair da seriação, da atomização, enseja compreender essa irrupção do

1 Épistémon, *Ces idées qui ont ébranlé la France*, p.83.

movimento de Maio de 1968 melhor do que a conceitualização estruturalista, ao valorizar o peso das cadeias estruturais, o sujeito submetido e a sua autorregulação.

O movimento de maio não se deixa enganar, e o único grande intelectual admitido a falar no grande anfiteatro da Sorbonne, no centro dos acontecimentos, é Jean-Paul Sartre, reconciliado com a juventude, explicando pelas ondas do rádio que só resta aos jovens a violência para exprimir-se numa sociedade que recusa o diálogo com aqueles que não querem o modelo adulto que se lhes apresenta. Na véspera de 10 de maio de 1968, pouco antes da famosa noite das barricadas, é publicado em *Le Monde* um manifesto assinado por Jean-Paul Sartre, Maurice Blanchot, André Gorz, Pierre Klossowski, Jacques Lacan, Henri Lefebvre e Maurice Nadeu, que toma claramente o partido do movimento estudantil:

> A solidariedade que afirmamos aqui com o movimento dos estudantes no mundo – esse movimento que vem, subitamente, em horas magníficas, abalar a chamada sociedade do bem-estar, perfeitamente consubstanciada no mundo francês – é em primeiro lugar uma resposta às mentiras pelas quais todas as instituições e as formações políticas (com raras exceções), todos os órgãos de imprensa e de comunicação (quase sem exceção) procuram há meses alterar esse movimento, perverter-lhe o sentido, ou tentam até mesmo apresentá-lo como algo irrisório.[2]

A divina surpresa

Para todos os que tinham sido impotentes para enfrentar a onda estruturalista, foi a divina surpresa! Estão em consonância com a juventude contestadora que faz vibrar as cordas da história e desmente pela ação o estatismo em que se queria encerrá-la. É o caso para todo o antigo grupo da revista *Arguments*. Jean Duvignaud, que leciona então no antigo Instituto de Filosofia de Tours, "sobe" para Paris. A fim de mostrar que se trata, antes tudo, de uma festa, é ele quem, com Georges

2 *Le Monde*, 10 maio 1968.

Lapassade, coloca um piano no pátio da Sorbonne. Percorre a Sorbonne "libertada" com Jean Genet durante uma quinzena de dias e anuncia de imediato, diante de uma plateia assombrada, no grande anfiteatro, "o fim e a morte do estruturalismo".[3] Jean Genet olha-o, então, com uma expressão gaiata: "Não estava ligando a mínima para o que se passava, mas escutava tudo com a maior atenção!".[4] Depois, Jean Duvignaud participa com os escritores da "tomada" do Hotel de Massa: "Nathalie Sarraute apertava-me o braço enquanto me dizia: 'Você acredita, Duvignaud, que isto se pareça com a tomada do instituto Smolny?'".[5] Mais tarde, em Censier, com Michel Leiris, Jean Duvignaud lança um dos *slogans* mais conhecidos de Maio de 1968: "Sejamos realistas, exijamos o impossível".

Quanto a Edgar Morin, ele se sentirá, tanto quanto Jean Duvignaud, como um peixe na água no seio do movimento de Maio de 1968. Escreverá com Claude Lefort e Jean-Marie Coudray (Cornelius Castoriadis) *Mai 68: la brèche*, que faz a apologia dessa comuna juvenil, dessa irrupção da juventude como força político-social, verdadeira revolução sem rosto, porque tem mil rostos, que se transcende numa luta de classes de um novo tipo em sua mobilização contra todos os aparelhos de integração e de manipulação instalados pela tecnocracia ascendente.

A história, à força de ter sido negada, negou a sua própria negação, e Épistémon anuncia que Maio de 1968 "não é somente a insurreição estudantil em Paris, [...] é também o atestado de óbito do estruturalismo".[6] Em novembro, Mikel Dufrenne, esse filósofo que tinha escrito *Pour l'homme*, confirma: "Maio foi a violência da história num tempo que se pretendia 'sem história'".[7] O gelo do tempo que Edgar Morin discernia como triunfante quando liquidou a sua própria revista *Arguments* em 1960 dá lugar à primavera, e nas paredes se multiplicam as pichações que refletem a imaginação, a espontaneidade e a expressividade das diversas formas de desejo. O sopro de respiração coletiva não agita somente a folhagem das árvores do Quartier Latin. Por trás dos veículos revirados, os códigos é que são visados, pulverizados. É o retorno

3 Jean Duvignaud, entrevista com o autor.

4 Ibidem.

5 Ibidem.

6 Épistémon, *Ces idées qui ont ébranlé la France*, p.31.

7 Dufrenne, *Le Monde*, 30 nov. 1968.

barulhento do recalcado: o sujeito, o vivido, e essa fala, eliminada pelo estrutural-epistemismo em proveito da língua, alastra-se então numa onda indefinida.

A confusão dos estruturalistas

O abalo que Maio de 1968 constitui para o novo edifício estruturalista pode também ler-se na confusão que reina entre os seus pais fundadores. Algirdas-Julien Greimas encontra-se no Collège de France, no auge dos acontecimentos, com Lévi-Strauss, que não esconde sua contrariedade: "É o fim! Todos os projetos científicos sofrerão um atraso de vinte anos".[8] Aliás, Lévi-Strauss, em face desse clima deletério, decide *à la* De Gaulle se retirar do Collège de France para aguardar que o chamem de volta ao trabalho: "Quando percebi a chiadeira, retirei-me para casa sob diversos pretextos e os deixei entregues a si mesmos. Houve uns oito dias de agitação interna e depois vieram me procurar".[9] Para o pai do estruturalismo, Maio de 1968 se apresenta como uma descida aos infernos, como a expressão de uma degradação universitária, de um declínio iniciado desde a noite dos tempos, de geração em geração. Ele extraiu do episódio a confirmação de sua concepção pessimista de uma história que nunca fez outra coisa senão avançar, através de um longo processo de constante declínio, para o desaparecimento final.

Quanto a Algirdas-Julien Greimas, grão-mestre da semiótica mais científica, prepara-se então para conhecer um período difícil. Compartilha totalmente da opinião de Lévi-Strauss, segundo a qual o projeto científico ficará paralisado por vinte anos: "De 1968 a 1972, tudo era questionado. Não sei como pude suportar o meu próprio seminário, pois elaborar um projeto científico parecia ridículo diante de gente que exercia um terrorismo da palavra para explicar que tudo é ideológico".[10] Durante três anos, Greimas fica reduzido ao silêncio no seu próprio

8 Comentário de Lévi-Strauss relatado por Algirdas-Julien Greimas, entrevista com o autor.

9 Lévi-Strauss, *De près et de loin*, p.114.

10 Algirdas-Julien Greimas, entrevista com o autor.

seminário sobre as ciências da linguagem e conhece, então, a sua travessia do deserto com a dispersão do grupo que se constituíra à sua volta entre 1964 e 1968. Maio de 1968 sobreveio para ele, portanto, como uma catástrofe.

Lévi-Strauss reconhece essa data de Maio de 1968 como um ponto de mutação quando, na entrega solene do prêmio Érasme que lhe é concedido em 1973, declara em Amsterdã que "o estruturalismo, felizmente, já não está em moda depois de 1968".[11] Felicita-se por isso, visto que para ele o estruturalismo continua sendo um método científico que desfruta de melhores condições na década de 1970 do que no meio da tormenta, e não uma filosofia, uma especulação. Ora, o seu refluxo afetou, sobretudo, essa segunda componente do estruturalismo, com a qual ele jamais sentira uma verdadeira concordância intelectual.

Lévi-Strauss vê, em especial, com olhos reprovadores, toda a evolução no sentido do desconstrucionismo e da pluralização dos códigos, contemporânea de 1968. Ele responde a *S/Z* com um carta a Barthes, cuja argumentação pretende assinalar ao destinatário a existência de uma outra chave de leitura possível do romance de Balzac: o incesto. Barthes leva essa demonstração muito a sério e a qualifica de "brilhante e convincente",[12] quando afinal se tratava, no dizer de Lévi-Strauss, de uma blague: "*S/Z* desagradara-me. Os comentários de Barthes assemelhavam-se imenso aos do professor Libélula em *À la manière de Racine*, de Muller e Reboux. Então enviei-lhe algumas páginas a que fiz uns acréscimos, um pouco por ironia".[13]

As estruturas não descem para a rua

Se existe um "pensamento 68", este não se encontra verdadeiramente entre os defensores do estruturalismo mas, antes, do lado de seus adversários: Jean-Paul Sartre, Edgar Morin, Jean Duvignaud,

11 Lévi-Strauss, *Le Monde*, 10 jun. 1973.

12 Barthes, entrevista com Raymond Bellour, *Les Lettres françaises*, 20 maio 1970, reproduzida em idem, *Le grain de la voix*,. p.106.

13 Lévi-Strauss, *De près et de loin*, p.106.

Claude Lefort, Henri Lefebvre... e, evidentemente, Cornelius Castoriadis. Seu *Socialisme ou barbarie* sempre denunciou no estruturalismo uma ideologia pseudocientífica de legitimação do sistema e defendeu a autoinstituição, a autonomia social que permite modificar a totalidade do sistema herdado, quer seja o capitalismo ou a sociedade burocrática: "O que Maio de 1968 e os outros movimentos dos anos 1960 mostraram foi a persistência e a potência do objetivo da autonomia".[14]

O abalo causado no estruturalismo por Maio de 1968 é de tal ordem que *Le Monde* publica em novembro daquele mesmo ano um caderno especial sobre o tema "O estruturalismo foi morto por Maio de 1968?", no qual colaboram Épistémon (Didier Anzieu), Mikel Dufrenne e Jean Pouillon, este último desempenhando o papel de "capacete azul". Com o título "Réconcilier Sartre et Lévi-Strauss", Pouillon atribui um território específico e bem delimitado a cada um: um método etnológico para um, uma filosofia para o outro, e como não se situam no mesmo plano, não podem opor-se nem entrar em confronto.[15] Maio de 1968 marca, portanto, para alguns, a morte do estruturalismo ou, em todo o caso, a do "estruturalismo triunfante";[16] "Todo 1968 desmente o mundo estrutural, o homem estrutural".[17]

Ninguém é verdadeiramente poupado, e se a contestação atinge a raiz da teoria estrutural, também ataca alguns dos seus representantes, que são vistos como mandarins, mesmo que só tenham conquistado até aí posições meramente periféricas: "Lembro-me de reuniões do Comitê de Ação sobre as ciências da linguagem, nas quais os professores não tinham o direito de falar. Tinham juntado os seminários de Greimas e de Barthes. Eles deviam estar presentes, mas deveriam contentar-se em responder às perguntas que lhes fossem feitas e nada mais".[18] Um dia, Catherine Backès-Clément chega de uma assembleia geral de filosofia e lê uma extensa moção de três páginas que terminava assim: "É evidente que as estruturas não descem para a rua". Essa constatação, que soava como dobre de finados para o estruturalismo, foi escrita no quadro negro, viva e amplamente comentada diante de

14 Castoriadis, Les mouvements des années soixante, *Pouvoirs*, n.39, nov. 1986, p.114.
15 Pouillon, *Le Monde*, 30 nov. 1968.
16 Michel Arrivé, entrevista com o autor.
17 Georges Balandier, entrevista com o autor.
18 Louis-Jean Calvet, entrevista com o autor.

Greimas. Na manhã seguinte, Greimas, que assistira ao nascimento da fórmula, encontra um grande cartaz colado na porta, dizendo: "Barthes afirma: as estruturas não descem para a rua. Nós afirmamos: Barthes já era".[19] Ao atacar Barthes, atribuindo-lhe essas declarações quando ele estava ausente da discussão, o movimento investia contra o estruturalismo em geral, que começava a ser visto como a ciência dos novos mandarins, aqueles dos amanhãs. É, de resto, a análise que Greimas faz do episódio; para ele, nesse caso, "Barthes é apenas um ator metonímico de um 'conjunto atuante de estruturalistas'".[20] Barthes, porém, parece estar fortemente afetado pela contestação de maio de 1968. Optará até por um exílio temporário para se distanciar do teatro de operações parisiense. Quando um universitário marroquino, Zaghloul Morsy, sugere-lhe que vá lecionar em Rabat, "ele aproveita o ensejo sem hesitar".[21]

Quanto a Althusser, sabe-se que uso o movimento faz dele – "Althusser não está como nada" –, pois a explosão de Maio parece ilustrar no mais alto grau as teses do jovem Marx, aquele que denuncia a alienação de que sofre a humanidade. Portanto, é contra a própria orientação do pensamento estruturalista e a preponderância por este concedida às determinações de toda espécie que fundamentariam a estabilidade do sistema que se inscreve um movimento de maio que acredita poder se libertar das estruturas de alienação para realizar o grande salto na liberdade: "Doce ilusão, por certo, mas necessária, pois é preciso que essas mudanças se operem".[22] Mesmo que, no momento, Roger-Pol Droit não tenha vivenciado 1968 como uma contestação das teses estruturalistas, muito pelo contrário, parece-lhe *a posteriori*, no entanto, que 1968 "poderia ser lido na direção de uma espécie de protesto, de compensação, do que era o encerramento conceitual, daquilo a que chamo o gradeamento".[23] É certo que isso estava ausente da consciência dos atores de Maio de 1968, mas o que se passava mobilizava um tipo de afeto inteiramente contrário à desencarnação teoricista do

---

19 Episódio narrado em Calvet, *Roland Barthes*, p.204.

20 Greimas, Sur l'histoire événementielle et l'histoire fondamentale. In: Koselleck; Stempel, *Geschichte, Erignis und Erzählung*.

21 Calvet, *Roland Barthes*, p.208.

22 Serge Martin, entrevista com o autor.

23 Roger-Pol Droit, entrevista com o autor.

estruturalismo, e o declínio inexorável do paradigma teria sido, portanto, a resultante do evento de 1968.

A erupção do evento: uma lição de modéstia

Os efeitos múltiplos de 1968 exumaram o que tinha sido recalcado pelo estruturalismo. Em primeiro lugar, a história é de novo tema de interrogação, inclusive entre os linguistas; o número 15 da revista *Langue Française*, publicado em 1972, preparado por Jean-Claude Chevalier e Pierre Kuentz, é assim consagrado a "Linguistique et Histoire". Essa vontade de dinamizar as estruturas era, sem dúvida, como se viu com as teses de Julia Kristeva desde 1966, anterior ao evento, que não fez mais do que confirmar, acelerar e ampliar essa tendência. Do mesmo modo, os eventos de Maio de 1968 asseguram o êxito, a partir de 1970, das interrogações sobre o sujeito, de uma linguística da enunciação, portanto, das teses de Benveniste. Embora o eu tenha mudado um pouco desde a ruptura psicanalítica, quer-se que esteja clivado, dividido a tal ponto que a fórmula comum passa então a ser o famoso "isto faz sentir-me mal... em alguma parte". Um eu, ainda que metamorfoseado, está de volta como nova religião. Em 1972, Jane Fonda e Yves Montand concluem o filme de Godard *Tout va bien* com uma aurora, a de começar a pensar historicamente, reveladora das novas tendências do período.

O estudo da língua abre-se também amplamente para a sua dimensão social, influenciado pelas teses de Labov: assiste-se ao nascimento e desenvolvimento espetacular de uma "sociolinguística", que permite reintroduzir o referente no campo de estudo do linguista. Em sociologia, afirma-se uma sociologia alternativa, baseada na dinâmica de grupo que o movimento de maio exprime, mais do que numa sociologia estrutural. É nesse sentido que se inscrevem as pesquisas de sociologia institucional de Georges Lapassade, as quais induzem um envolvimento do sociólogo: "método pelo qual um grupo de analistas, a pedido de uma organização social, institui nessa organização um processo coletivo de autoanálise".[24] É toda uma orientação de pedagogia não diretiva que se

24 Lapassade, *Groupes, organisations et institutions*, p.220.

desenvolve então no *slogan* da contestação antimandarinato: "Está abolida a velha relação docente-discente".[25]

O cientificismo reivindicado pelas ciências sociais é submetido a rude prova com esse acontecimento enigmático que é Maio de 1968. Se a sociologia, cujo objeto de estudo se situa justamente na análise do modo de funcionamento da sociedade, não foi capaz de descobrir nenhum sinal precursor do vendaval, recebe uma boa lição de modéstia. No departamento de sociologia da Sorbonne, Francine Le Bret participa como estudante em 1967-1968 numa pesquisa sobre a atuação dos estudantes na vida política. Resultou que, contrariamente à pré-noção durkheimiana segundo a qual os estudantes seriam combativos, engajados, a constatação era de que o meio se mostrava, antes, acomodado: às vésperas de Maio de 1968! "Era evidente que se tratava de uma coisa qualquer, que faltavam os bons índices".[26]

Resulta, portanto, desse tipo de defasagem, uma desqualificação das ciências sociais, de seus métodos de classificação, que se revelaram inadequadas, incapazes de prever o acontecimento. Esse efeito de Maio de 1968 é, porém, contraditório, dado que, se afeta as ciências sociais cujo progresso permitira o do estruturalismo, este, por sua vez, já tinha afirmado de longa data uma posição crítica diante dos métodos em uso nas ciências sociais. Daí, aliás, a recuperação/crítica das ciências sociais por um paradigma estruturalista que combatia o empirismo que as caracterizava e que deslocava a interrogação para a questão de saber em que condições se pode construir um objeto científico no domínio das ciências humanas.

A sátira

Uma outra dimensão de Maio de 1968 é a da zombaria, do riso. O estruturalismo não foi poupado quando um filósofo, Clément Rosset, publicou em 1969, com o pseudônimo de Roger Crémant, *Les matinées structuralistes*. É uma sátira que despertará grande celeuma nos meios

25 Ibidem, p.206.

26 Francine Le Bret, entrevista com o autor.

universitários quando de sua publicação. O estilo ou tom estruturalista é apresentado aí como um fogo de artifício no qual se podem dissociar dois tempos: o do estralejar fulgurante e o do gradual apagamento. É esboçada uma tipologia das diversos formas de estruturalismo: o estruturalismo *emergente*: Michel Foucault; o estruturalismo precioso: Roland Barthes, Jacques Lacan; o estruturalismo rústico: Michel Serres; o estruturalismo neopositivista: a École Normale Supérieure (ENS), Louis Althusser.

Os avanços conceituais do estruturalismo em todas essas variantes estão reduzidos a alguns truísmos. Assim, a grande descoberta de Louis Althusser seria a da defasagem: "Seria falso afirmar pura e simplesmente que a *Sétima Sinfonia* de Beethoven reproduz a estrutura econômica da Alemanha no começo do século XIX. É certo que a reproduz; mas não completamente".[27] Essa variante neopositivista do estruturalismo que se limitou a propor uma série de banalidades teria, entretanto, o mérito de não causar dores de cabeça. É o que acontece, segundo o autor, com a leitura repousante da obra de Pierre Macherey, que nos explica em trezentas páginas que a ideia de literatura é um produto, como as cenouras, mas um produto um tanto peculiar.

Semelhante legibilidade não se encontra em Derrida, cujo procedimento é assim descrito: "Eu escrevo uma primeira frase mas, no fundo, não deveria tê-la escrito, desculpem-me, apago tudo e recomeço, escrevo uma segunda frase, mas, refletindo bem, tampouco a deveria ter escrito...".[28] Esse discurso regressivo não deixa de fazer pensar no *sketch* de Fernand Raynaud sobre a venda de laranjas baratas que acaba em venda de peixe, porque isso deixa cheiro...

O autor prossegue com uma cena digna das *Précieuses ridicules* na qual teatraliza uma reunião dos *Cahiers pour l'Analyse* na ENS em torno de Louis Althusser, encarnado por Louise, repetidora-chefe, febrilmente cercada por seus fiéis discípulos, de nomes ligeiramente transformados, e cujos protagonistas são Jacques-Alain Minet (J.-A. Miller) e Jean-Claude Miney (J.-C. Milner), totalmente intercambiáveis e queridinhos de Louise. Ora, um dos discípulos, Michel Poutreux, atreve-se a apresentar uma exposição que é acolhida com piadas grosseiras

27 Crémant, *Les matinées structuralistes*, p.27.
28 Ibidem, p.32.

e risadas: é tratado de mentiroso, farsante, plagiador... Pelo contrário, quando os Miney/Minet leem sua contribuição, esta é aplaudida e objeto de elogios gerais. Entretanto, verifica-se que o texto de Poutreux e o dos Miney/Minet é estritamente o mesmo. Reação de Louise: "É muito possível que se trate de um mero acaso: o encontro inesperado de um insignificado significante com um significado insignificante. Já me assinalaram a ocorrência de tais encontros curiosos".[29] A linguagem codificada, uma certa gíria, o espírito de igrejinhas são, pois, fixados com humor nessa pequena obra que reencontra a causticidade do espírito de 1968.

O descrédito

Maio de 1968 suscitou com bastante rapidez certas reorientações por parte dos estruturalistas, apanhados de surpresa por essa irrupção inopinada do evento histórico. Althusser é o alvo preferido de seus discípulos emancipados, os maoistas da esquerda proletária. No final de 1968, eles multiplicam as manifestações de uma ruptura irreversível: "Althusser não está com nada!", "Althusser não é o povo!", "Se Althusser mergulhou no sono, o movimento de massa, este vai muito bem!"... Os althusserianos passam, então, por um mau quarto de hora, são objeto de opróbio. Recrimina-se-lhes simultaneamente seu teoricismo e o fato de permanecerem no PCF, portanto, de avalizarem o revisionismo inimigo dos grupos maoistas que acreditam encarnar o povo em marcha. Maio de 1968 é, de fato, sentido imediatamente como um momento difícil para os autores de *Lire Le capital*: "1968 é o momento em que começaram a proliferar os escritos contra Althusser. Lembro-me das vitrinas de livrarias inteiramente consagradas às obras e revistas hostis a Althusser. Esse período foi muito duro, exatamente o inverso do período precedente".[30] Pierre Macherey, nomeado para a Sorbonne em 1966 na esteira do sucesso das teses althusserianas, prossegue com suas aulas mas em condições difíceis. Quanto a Étienne Balibar, que irá para

29 Ibidem, p.88.

30 Pierre Macherey, entrevista com o autor.

Vincennes (Paris-VIII) em 1969, aí ficará apenas alguns meses, não podendo resistir por muito tempo aos repetidos ataques dos maoistas, liderados por André Glucksmann, que multiplicavam as expedições de "comandos" para perturbar suas aulas gritando: "Cala-te, Balibar!", um desejo que não tarda a ser satisfeito.

Se humanamente o período pós-1968 é, portanto, difícil de viver para os althusserianos, estes devem também, no plano teórico, reajustar o tiro: "O que 1968 nos deu foi a ideia de que há outra coisa a fazer, que a filosofia não é somente uma série de textos a estudar. Tentou-se fazer coisas menos abstratas, mais concretas".[31] O aspecto ambivalente do althusserianismo se desprende e se fragmenta contra o rochedo do evento-68 em sua componente teoricista, cientista, que permaneceu na dependência do PCF, e a tendência que privilegiava a noção de ruptura, a atenção ao evento, alimentada de lacanismo: essa componente se dissolveu no movimento, engajando-se num ativismo político desenfreado que assume a forma do maoismo. Somente um dos autores de *Lire Le capital* se reconheceu nessa segunda componente, não obstante permanecer à margem do lacanismo: é Jacques Rancière, para quem "havia, *grosso modo*, aqueles que o consideravam uma teoria do saber e os que o viam como uma teoria da verdade".[32] Os althusserianos têm, portanto, alguns problemas do lado da práxis e dos sujeitos do processo histórico.

Foucault fora da tormenta

Michel Foucault, por sua vez, encontra-se na Tunísia, em Sidi-Bou-Said, quando Maio de 1968 eclode. Está escrevendo ali *L'archéologie du savoir*. Defasado em relação ao evento, só regressa a Paris alguns dias antes do final de maio e comenta com o diretor de *Le Nouvel Observateur*, Jean Daniel, ao ver uma passeata estudantil: "Eles não fazem a revolução, eles são a revolução".[33]

---

31 Ibidem.

32 Jacques Rancière, entrevista com o autor.

33 M. Foucault, conversa relatada por Éribon, *Michel Foucault*, p.204.

Na primavera de 1968, alguns de seus alunos da Universidade de Túnis são detidos e torturados pelo regime. Foucault intervém firmemente para defendê-los junto às autoridades, apoia ativamente a mobilização para a libertação dos presos e coloca o seu jardim à disposição dos militantes a fim de que possam imprimir seus panfletos. Chega mesmo a ser hostilizado pela polícia e agredido na estrada para Sidi-Bou-Said por agentes à paisana. Michel Foucault também terá, portanto, vivenciado a efervescência estudantil, totalmente envolvido na ação contra a repressão. Para esse filósofo mais reformador do que revolucionário até então, desde o seu rompimento já antigo com o PCF, foi a mutação decisiva: "Lá, na Tunísia, fui levado a fornecer uma ajuda concreta aos estudantes. [...] Tive, de qualquer modo, de entrar no debate político".[34]

Nessa primavera de 1968 nasce, portanto, um novo Michel Foucault, que encarnará as esperanças e os combates de uma geração estudantil, a de Maio de 1968. Esses acontecimentos incitam Foucault a reintroduzir a prática num horizonte até então puramente discursivo. Estará doravante presente em todos os combates, em todas as resistências contra as diversas formas de exercício disciplinar. Lançará assim, em 8 de fevereiro de 1971, uma nova organização, o Grupo de Informação sobre as Prisões (GIP), cujo manifesto é assinado também por Jean-Marie Domenach e Pierre Vidal-Naquet. Envolver-se-á totalmente (até transformar o seu próprio apartamento em local para sediar essa organização) nesse combate contra as condições de detenção nas prisões francesas, recebendo as famílias dos presos para tornar pública, visível, essa face oculta do sistema democrático. Como não ocupava lugar algum de poder na França em Maio de 1968, Foucault terá escapado à contestação antimandarinato, favorecendo a feliz osmose que viverá com o movimento a partir do outono de 1968, com o seu regresso a Paris. Mas ele é a exceção no âmago de um período que parece manifestar, em face do conjunto dos estruturalistas, uma só e mesma reação de rejeição.

34 Ibidem, p.207.

12

Lacan

"Foram as estruturas que saíram às ruas"

Verdadeiro turbilhão com efeitos contraditórios, Maio de 1968 também terá assegurado, paradoxalmente, o êxito do estruturalismo. O alvo do movimento concentra-se na Sorbonne, feudo dos mandarins, do academismo e da tradição desacreditada. Existe portanto, nesse plano, correspondência total com a crítica estruturalista das humanidades clássicas.

Na querela dos antigos e dos modernos, o movimento de contestação se encontra, muito naturalmente, do lado dos modernos e assegura assim a vitória desses últimos. Os pretendentes ao poder sairão do anonimato, da periferia, para ocupar o lugar que uma Sorbonne destroçada deixou vazio. A universidade se modernizou e o estruturalismo ganhou a partida a favor de uma aceleração da história em Maio de 1968: paradoxo supremo de um paradigma negador da história que triunfa graças a ela! Essa situação contraditória provoca violentas altercações ao estilo surrealista, como a de 22 de fevereiro de 1969, que viu Lucien Goldmann apostrofar Jacques Lacan, por ocasião de uma conferência de Michel Foucault na Sociedade Francesa de Filosofia: "Você viu, em 1968, as suas estruturas. [...] Era gente o que estava nas ruas!". E Lacan retorquiu: "Se há algo que os acontecimentos de maio demonstram é precisamente a saída para a rua das estruturas!".[1] Na sala, encontrava-se

1 Lacan por ocasião da conferência de Foucault, Qu'est-ce qu'un auteur?, 22 fev. 1969, reproduzida em *Littoral*, n.9, 1983, p.31.

René Lourau: "Todos ficaram aterrorizados com a audácia da fórmula. Acompanhei Lucien Goldmann à casa de automóvel. Ele estava como um pugilista zonzo".[2]

Se as estruturas não descem às ruas, pelo menos ocupam as cátedras criadas em massa numa situação universitária em que a necessidade de renovação passava também pela multiplicação dos trabalhos dirigidos, pela redução do lugar atribuído aos cursos magistrais. Essa conjunção de Maio de 1968 e do estruturalismo numa mesma contestação do lugar concedido às humanidades clássicas, às disciplinas tradicionais como a filosofia, a história, as letras, a psicologia, tornava um tanto precipitadas as proclamações de morte do estruturalismo: "Enganei-me ao anunciar a morte do estruturalismo. Ele nunca esteve tão forte quanto depois de Maio de 1968".[3]

A contestação de uma hierarquização das disciplinas, correspondente da batalha antiautoritária, atingiu em cheio a disciplina que se fazia passar por rainha das ciências, a filosofia, que é então aposentada como velharia, como coisa obsoleta. Ela deve ceder o seu lugar para trabalhos mais sérios de antropologia, de psicanálise, de linguística...

> Lembro-me de Tresmontant, filósofo do teilhardismo, atravessando os jardins do Luxemburgo ao sair de uma reunião de filósofos na Sorbonne, em maio; na ordem do dia, a questão de saber se era lícito apresentar a questão seguinte: existem ou não problemas filosóficos?...[4]

O que está em jogo, portanto, é essa emancipação das ciências humanas que não chegava a concretizar-se plenamente, ao esbarrar no imobilismo de um estado bonapartista, centralista, e de uma Sorbonne fechada em sua concha de tradição. "Uma revolução tagarela ataca o palavrório dos filósofos e se legitima afetando as virtudes do conceito".[5]

As linhas de clivagem não são, porém, tão nítidas, dado que o trabalho dos filósofos estruturalistas tinha consistido em preparar-se para esse advento das ciências sociais alimentando-se de sua contribuição

2 René Lourau, entrevista com o autor.
3 Jean Duvignaud, entrevista com o autor.
4 Perrot, Mai 68 et les sciences sociales, *Cahiers IHTP*, n.11, abr. 1989, p.62.
5 Mongin, Mai 68 et les sciences sociales, *Cahiers IHTP*, n.11, abr. 1989.

conceitual, não para alinhar-se com os seus modos de classificação, mas para renovar e enriquecer o território do filósofo. Assim, "aposta-se na razão epistemológica, valorizam-se as armas da razão e inicia-se paralelamente o processo da modernidade e da dialética da razão que a exprime".[6] O ponto de vista do filósofo é finalmente preservado, numa tensão contraditória a partir da qual ele procede à denegação de seus objetivos. Os novos objetivos enunciam-se, então, em termos de rigor, de teoria, de base epistêmica, condições para que a tarefa filosófica possa participar no *New Deal* em curso, na redistribuição dos saberes instituídos no seio da universidade: nessa reorganização, o filósofo deve ligar-se a um terreno de investigação específico, delimitar seu campo de análise de maneira rigorosa, à semelhança do linguista, do antropólogo. Tal configuração da divisão intelectual do trabalho torna definitivamente arcaica a imagem sartriana do literato filósofo, e a aparente desforra de Sartre em 1968 não subverte, pois, fundamentalmente a situação do campo filosófico constituído no decorrer dos anos 1960, favorável ao estruturalismo.

Entre os aprendizes filósofos do período, Maio de 1968 não significa, em absoluto, a extinção do pensamento estrutural, muito pelo contrário. Roger-Pol Droit, então estagiário no Liceu Louis-le-Grand em 1968-1969, "tinha aprendido a pensar – pelo menos, assim julgava – lendo Marx versão Althusser. E aprendi a empregar Freud versão Lacan".[7] Fora do althusseriano-lacanismo maoista, não há salvação para um filósofo "ligado" em 1969. O reino do estruturalismo é então um reino unido, e não pertencer a esse feudo é condenar-se a não ser nada. O teoricismo se conjugava com o terrorismo verbal, em sua versão francesa:

> As grades conceituais ocupavam o proscênio. Ele instalou-se aí como se tudo que o tinha precedido já apodrecesse nas lixeiras da história. Não ser althusseriano-lacaniano era revelar-se *Untermensch* [subumano]. Não ser lacaniano era se expor a não ser mais do que uma coisa insignificante.[8]

---

6 Ibidem, p.23.

7 Droit, Curriculum vitae e cogitatorum, *La Liberté de l'Esprit*, n.7, inverno 1988, p.18.

8 Ibidem.

Os fundadores da discursividade

Ainda que Maio de 1968 tenha reintroduzido uma problematização do sujeito, o movimento confirma a contestação da noção de autor levada a efeito a partir de um dado momento pelos estruturalistas, quando aquele adotou por alvo os mandarins universitários e seu *páthos* psicológico, que depende, segundo os contestadores de maio, da esfera ideológica, portanto, da pior das infâmias. Assim, pode haver correspondência também nesse plano entre o estruturalismo e o espírito de maio, o que Michel Foucault entendeu muito bem, uma vez que a temática do desaparecimento do nome do autor atravessa toda a sua obra. Ele formula a pergunta "O que é um autor?" na conferência que proferiu perante a Sociedade Francesa de Filosofia em 22 de fevereiro de 1969,[9] já citada antes. A posição de Foucault se situa na estrita ortodoxia estruturalista e faz-se, inclusive, autocrítica acerca do uso em *Les mots et les choses* de nomes de autor: "trata-se da abertura de um espaço em que o sujeito escritor não cessa de desaparecer".[10] Reencontra-se a temática de uma intertextualidade que não deve deter-se num significado final que um nome próprio representaria. Numa admirável inversão retórica, Foucault revisita a fórmula secular segundo a qual a escrita seria o meio de ter acesso à imortalidade para transformá-la em ato sacrificial pelo poder que tem de matar seu autor: "A marca do escritor nada mais é do que a singularidade de sua ausência; cumpre-lhe desempenhar o papel do morto no jogo da escritura".[11]

Michel Foucault relativiza a fetichização ocidental do nome do autor literário. Antes do século XVII, o discurso literário circulava sem que fosse valorizada essa noção, ao passo que, por seu lado, as descobertas científicas traziam o selo de seus autores; a partir daí, "o anonimato literário deixou de ser suportável".[12] Foucault distingue, porém, a existência não de autores, mas de fundadores de discursividade: Marx e Freud "estabeleceram uma possibilidade indefinida de discursos".[13]

9 Foucault, Qu'est-ce qu'un auteur?, *Littoral*, n.9, 1983, p.31.
10 Ibidem, p.7.
11 Ibidem, p.7.
12 Ibidem, p.14.
13 Ibidem, p.18.

Essas fundações discursivas implicam a legitimidade de um movimento de "retorno a...", e abrem a porta para uma postura mais historiadora do que nunca em face das formações discursivas, a fim de discernir as próprias modalidades de sua existência. Foucault anuncia, de uma certa maneira, uma apreensão do sujeito, não do sujeito originário, mas a dos seus pontos de inserção, de sua dependência e das condições de sua aparição. Compreende-se em que essa tomada de posição de Foucault permite ecoar os famosos "retornos" do estruturalismo: o retorno a Saussure dos linguistas, o retorno a Marx de Althusser, o retorno a Freud de Lacan. Aliás, este último está na sala, e essa conferência desempenhará um papel importante para ele.

Lacan encontra, com efeito, na exposição de Foucault, o que contribuirá para fundamentar a sua teoria dos quatro discursos. Ele participa na discussão e responde: "Esse retorno a Freud é algo que tomei como uma espécie de bandeira, num certo campo, e nesse ponto não posso deixar de agradecer-lhe, você correspondeu inteiramente à minha expectativa".[14] É a primeira vez que Lacan vê confirmar do ponto de vista filosófico a exatidão de sua postura de retorno a Freud. Ele se apoiará na posição de Foucault a propósito da funcionalização da noção de autor e retomar a ofensiva no âmbito de uma redefinição da divisão dos saberes em relação à filosofia.

Jean Allouch assinala a concordância cronológica entre a conferência de Foucault e a construção lacaniana dos quatro discursos. No seminário que se segue imediatamente à conferência de Foucault, Lacan repete, dessa vez diante do seu próprio público, que se sentiu convocado pela importância atribuída a esse "retorno a...".[15] Um outro evento contribuirá também para acelerar essa evolução de Lacan no sentido da discursividade. Ele torna pública, em 26 de junho de 1969, a carta de exclusão que recebera em março do diretor da École Normale Supérieure (ENS): Roberto Flacelière. Este retira-lhe a Sala Dussane, na qual se realizava o famoso seminário no qual se acotovelava o *tout-Paris*. Lacan é de novo tratado como proscrito; é banido uma vez mais de uma instituição, universitária, nesse caso, e de um público privilegiado: o dos

---

14 Lacan em Foucault, Qu'est-ce qu'un auteur?, p.31.

15 Idem, seminário "D'un à l'autre", fev. 1969 apud Allouch, Les Trois petits points du retour à..., *Littoral*, n.9, jun. 1983, p.35.

filósofos. Ele responde em primeiro lugar pela causticidade nessa última sessão do seu seminário, em 26 de julho de 1969 (*De um ao Outro*), qualificando Flacelière de "Flatulencière", "Cordelière", "não fale mal demais da *flacelière*". Os ouvintes do seminário decidem ocupar o gabinete do diretor: entre os "invasores" estão Jean-Jacques Lebel, Antoinette Fouque, Laurence Bataille, Philippe Sollers, Julia Kristeva...,[16] que acabam sendo retirados pelas forças da ordem ao fim de duas horas. Finalmente, Lacan poderá encontrar refúgio num local próximo, a fim de dar prosseguimento ao seu ensino, perto do Panthéon, num anfiteatro da Faculdade de Direito.

Se o público pode ser muito mais numeroso, o local é menos prestigioso, e o isolamento que Lacan sentiu, agravado pela impressão de que Derrida e Althusser não se empenharam verdadeiramente para fazer Flacelière retroceder na sua decisão, consolida nele a ideia de que é necessário um novo ataque, ainda uma vez teórico, contra o discurso universitário e contra as pretensões da filosofia. Encontra-se, pois, nesse plano, em correspondência com os filhos de Maio de 1968. Na primeira sessão do seu seminário na Faculdade de Direito, em 26 de novembro de 1969, Lacan faz uma primeira menção do "discurso" no sentido do que será a sua doutrina dos quatro discursos. Define a existência de um discurso universitário que se aproxima da posição do "discurso do mestre e do histérico".[17] Ao lado desses três discursos – o universitário, o do mestre e o do histérico – só o discurso analítico sai do universo neurótico e permite o acesso a alguma verdade, o que legitima o seu primado. A construção teórica de Lacan inscreve-se numa lógica de hegemonismo do discurso psicanalítico, e a enormidade dessa ambição traduz bem as dificuldades da psicanálise lacaniana para instituir-se e se institucionalizar. Mas Lacan ganha, por um lado, em audiência e, por outro, perde em posição de poder. Essa contestação traduzia fielmente o estado de espírito dos estudantes de 1968: "Para mim, era um movimento contra a universidade. Os professores considerados débeis eram desancados em nome de um outro saber".[18]

---

16 Roudinesco, *Histoire de la psychanalyse*, v.2, p.543.
17 Allouch, Les Trois petits points du retour à..., p.59.
18 Élisabeth Roudinesco, entrevista com o autor.

A moda althusseriano-lacaniana

Foucault, por sua vez, empenha-se em suturar, no vendaval de 1968, as suas posições com as do althusseriano-lacanismo, em moda nesse período de contestação e de ruptura com a tradição. Embora legitime os "retornos a...", sintomáticos da postura estrutural, ele dá a primazia do trabalho que conclui nesse verão de 1968 para os *Cahiers pour l'Analyse*. A sua "Resposta ao círculo epistemológico" é uma prefiguração da obra que está prestes a ser publicada: *L'archéologie du savoir*.[19] Foucault, por suas posições, reata por conta própria o desafio dos acontecimentos de Maio de 1968 a fim de deslocar a problemática das grandes bases epistêmicas para a articulação da esfera discursiva com as práticas que a sustentam. Ele oferece, desse modo, aos althusserianos um vasto campo de investigações para que saiam de seu teoricismo e desloquem o trabalho filosófico para o político, para o estudo dos pontos de inscrição do poder.

Essa articulação teoria/prática proporcionará, por vezes, resultados surpreendentes. Assim, Alain Badiou, antigo existencialista, adepto desde 1967 das posições althusserianas, considera em 1969 que a luta de classes na teoria passa pela contestação do concurso para professor de filosofia, e tentará persuadir os candidatos a não se submeterem às provas. "É um caso, o espírito sem dúvida mais brilhante que conheci, extraordinariamente dotado, um conhecimento real da lógica, das matemáticas, e, ao mesmo tempo, um discurso pervertido, que descarrila em algum ponto",[20] segundo Jacques Bouveresse, que vê mais amplamente em certas teses defendidas nesse período a expressão do que Wittgenstein tinha analisado em termos patológicos. Só mais tarde alguns se perguntarão: "Como se pôde ser tão tolo? Ser estruturalista e ser favorável à revolução cultural proletária".[21] Mas essas tensões internas não são vivenciadas como contraditórias de momento; muito pelo contrário, permitem um progresso sem precedente do estrutural-althusserianismo no pós-maio.

---

19 Foucault, Réponse au Circle d'épistémologie, *Cahiers pour l'Analyse*, v.9, n.2, verão 1968, p.9-40.

20 Jacques Bouveresse, entrevista com o autor.

21 Bernard Sichère, entrevista com o autor.

Da mesma maneira, o movimento vive uma enorme contradição ao investir contra os ídolos e a noção de autor, unanimemente rejeitada pelos estruturalistas de todas as tendências, quando até os teóricos desse enterro se comportam e se percebem como heróis. Compensando, assim, sua falta de base institucional, os estruturalistas tiveram de multiplicar suas intervenções diante de um público que os percebe cada vez mais como mestres pensadores, modelos de existência, gurus. Toda uma fetichização cerca esses personagens em detrimento de autores, personagens convertidos em verdadeiras vedetes, fazendo-se eco das inquietações intelectuais do período; são seus porta-vozes, ao passo que o discurso dos mandarins é veementemente contestado. Dos mandarins aos samurais, o culto da personalidade e o halo de magia que os cercam não recuaram, na verdade; revestem-se simplesmente de uma dimensão trágica que a geração existencialista não tinha.

Esse trágico está relacionado com o esgotamento do modelo de intelectual nascido no século XVII com Voltaire, e reanimado quando do caso Dreyfus no século XIX, fundamentado na coincidência entre a intervenção do intelectual e a necessidade histórica contra as forças da irracionalidade, do poder e do dinheiro. Essa adequação, para a geração estruturalista, dissolveu-se com a experiência stalinista. Esse desaparecimento esclarece o pessimismo radical que se encontra na base do pensamento estruturalista, inclusive na sua componente mais militante. A resultante é uma curiosa mistura de hedonismo, de libertação das forças do desejo que se conciliam com a mais pessimista corrente de pensamento europeu do início do século XX: "Isso deveria ter sido como a água e o fogo".[22]

Essa tensão se manifestará na maioria das vezes por uma postura de abjuração, favorecendo o desenvolvimento estruturalista. Muitos colocavam sua fé passada no sujeito-Stálin, suas ilusões na construção do modelo dos modelos. Esperam romper então com a sua própria posição de dadores de lições ao tomar um banho de estruturas e, concomitantemente, aumentar seu peso. Encontravam uma escapatória do lado da ciência: "Há nessa atitude todo um lado masoquista de autopunição, um lado: caí na armadilha, o meu dever intelectual é, portanto,

---

22 Marcel Gauchet, entrevista com o autor.

denunciar essa armadilha e denunciar-me a mim próprio".[23] Essa evolução é sintomática no itinerário de um Pierre Daix, que se converteu, como vimos, ao estruturalismo depois de 1968 e publicou uma obra à glória do advento da ciência estrutural em 1971: "Para a investigação estrutural, existe um movimento das sociedades humanas que nos engloba, nos supera e cujo sentido deve ser investigado fora das nossas representações e das nossas experiências imediatas".[24]

A sede de ciência

Uma das vertentes essenciais da continuidade que liga 1968 e o estruturalismo se situará, portanto, na exigência científica dos filhos de maio. Muitos deixaram que se acreditasse numa revolução de estudantes madraços, gazeteiros e baderneiros, mas, muito pelo contrário, os líderes do movimento se encontram nos mais altos lugares da cultura, insatisfeitos com o saber transmitido, aspiram a uma radical mudança tanto do conteúdo quanto dos métodos pelos quais é ensinado. A conversão ao paradigma estrutural, com o seu cientificismo, é, portanto, nesse plano plenamente realizada, ainda que alguns a ele tenham se associado em nome da ciência a fim de perturbar os cursos de professores estruturalistas considerados ainda excessivamente impregnados de ideologia e confinados na reprodução de uma relação magistral com o saber. A par do hedonismo do movimento, existe, portanto, toda a dimensão do desejo de rigor científico que garantirá ao estruturalismo um porvir feliz depois de 1968.

Numa escala mais ampla do que os conflitos internos do mundo universitário, o que está em jogo é a reação dos intelectuais da rua de Ulm e dos universitários literários diante de um processo de tecnocratização que tende a relegá-los a um plano secundário, bem atrás dos *énarques* [diplomados pela École Normale Supérieure] e engenheiros. Há então na sede científica dos homens de letras algo da energia do desespero para recusar a sua substituição por tecnocratas: "Fiquei

23 Alain Touraine, entrevista com o autor.

24 Daix, *Structuralisme et révolution culturelle*.

impressionado, nos dias que se seguiram a Maio de 1968, com a onda de racionalismo que fazia os estudantes acorrerem em massa aos cursos de lógica".[25] A essa altura, só se fala de epistemologia, de teoria das ciências, que conhece um êxito ainda mais surpreendente por se tratar de um domínio particularmente hermético. Por seu lado, a linguística é maciçamente reconhecida como disciplina operacional, científica, e permite substituir "o título simbolicamente pouco valorizado de gramático pelo título de... linguista",[26] graças ao movimento de Maio de 1968 e ao sucesso concomitante de um estruturalismo generalizado.

O pós-1968 imediato é um período em que a febre científica atingiu seu grau paroxístico. O ramo mais formal da linguística, a semiótica, é um dos seus vetores essenciais. É em 1969 que se cria a revista internacional *Semiotica*, animada por Thomas A. Sebeok e pela Universidade de Bloomington, sendo o seu secretariado em Paris colocado sob a responsabilidade de Josette Rey-Debove e Julia Kristeva. A linguística prossegue em sua carreira como elemento de união das ciências humanas, ciência-piloto fornecedora de modelos para as outras disciplinas, o que justifica, mesmo não sendo essa a intenção dos autores, a publicação pela editora Le Seuil de um *Dictionnaire des sciences du langage* em 1972, realizado por Oswald Ducrot e Tzvetan Todorov. Essa necessidade geral de rigor corrobora o número e a força das pontes que ligam as diversas disciplinas, e assegura o êxito da interdisciplinaridade em torno de um modelo, garantindo a este um poder máximo de atração.

Assim, Jean-David Nasio, analista argentino de tendência kleiniana, converte-se em 1969 ao lacanismo. Trabalha na tradução dos *Écrits* para o espanhol e, nessa ocasião, encontra-se frequentemente com Lacan, cujas teses adota a partir de posições althusserianas: "Eu era marxista-leninista, militante político, e foi lendo Althusser que quis criticar Melanie Klein a partir de Althusser".[27] A socialização ou democratização do ensino das ciências humanas, sua implantação maciça e seu poder ideológico asseguram então conjuntamente o êxito do paradigma estruturalista. Este fornece, com efeito, a garantia de uma

25 Le Bras em Baynac; Le Bras; Weber, L'Aventure des idées. Le Mystère 68, *Le Débat*, maio--ago. 1988, p.63.

26 Chevalier; Encrevé, La Création de revues dans les années 60: matériaux pour l'histoire récente de la linguistique en France, *Langue Française*, n.63, set. 1984.

27 Jean-David Nasio, entrevista com o autor.

cientificidade necessária para se impor no campo universitário, em que as posições têm de ser conquistadas a fim de transformar em implantação institucional os sucessivos êxitos nas revistas científicas, na mídia e no público intelectual.

A nova arquitetura dos saberes pressupõe, portanto, essa paixão coletiva pela ciência. Essa necessidade de rigor é fortemente sentida pela jovem geração que termina o liceu e ingressa nos cursos preparatórios de admissão à universidade, logo após 1968. Marc Abélès, que se tornará antropólogo, formado na escola de Lévi-Strauss, encontra então em Maurice Godelier a elaboração de uma postura científica que satisfaz sua necessidade de rigor, não sem relação com as considerações políticas que resultam de uma decepção a respeito dos homens e das forças políticas existentes: "Dizia-se: são nulidades, e nesses trabalhos teóricos procurava-se, talvez, por trás de seu rigor, reagir contra a atonia da politicagem, partindo de uma sólida base teórica".[28]

Há também os que sentem a necessidade de abandonar os canteiros muito bem traçados dos jardins à francesa do saber tradicional, mesmo remodelados, para tentar a aventura científica em novos campos. É o caso de Marc Vernet, estudante de letras modernas que integra a École Normale Supérieure de l'Enseignement Technique (Enset) em 1968-1969: "Gosto muito de cinema e começo a ler Christian Metz. Opto pela cientificidade e digo-me que a semiologia é que explicará tudo: entrego-me a ela de alma e de coração".[29] Marc Abélès não terminará o seu curso na Enset, apesar dos excelentes professores que, preparando para o concurso, integravam as aquisições da linguística: Pierre Kuentz, Antoine Cuilioli... "Eu pensava comigo mesmo: as letras, bem, é um negócio completamente superado. [...] Tinha a impressão de estar sobre uma onda que submergiria tudo o que estivesse pela frente".[30] Transfere-se, portanto, para a École Pratique des Hautes Études (Ephe) com o propósito de defender tese com Christian Metz. O tema escolhido é "Os fenômenos de suspensão de sentido nos filmes policiais americanos dos anos 1940", portanto, o *suspense*. Essa escolha o leva a descobrir todo o campo das investigações estruturalistas nas diversas disciplinas.

---

28 Marc Abélès, entrevista com o autor.
29 Marc Vernet, entrevista com o autor.
30 Ibidem.

Quando Marc Vernet decide consagrar-se à semiologia do cinema, não conhece ainda a obra de Lévi-Strauss. Um amigo, Daniel Percheron, aconselha-o a ler a obra do antropólogo, que ele descobre com paixão mas que, num primeiro tempo, não tem qualquer repercussão sobre seu próprio trabalho, até o momento em que decide indagar o que é uma personagem, que habitualmente se opõe ao narrador do ponto de vista estrutural. Marc Vernet descobre o desligamento no ensaio de Lévi-Strauss "La structure e la forme", em que ele critica Vladimir Propp ao propor um tratamento das personagens a partir de seus atributos e não de suas funções: "O que me fascina é a capacidade de Lévi-Strauss para reduzir às estruturas conjuntos de textos que são plurais".[31] Tal método pode permitir que se chegue cientificamente à impressão puramente intuitiva de que todos os filmes concebidos nos Estados Unidos nos anos 1940 se assemelham. É evidente que o trabalho dos linguistas entra no horizonte teórico de Marc Vernet: a partir de sua problematização da posição da personagem na narrativa cinematográfica, ele descobre a reflexão já realizada por Philippe Hamon sobre a personagem em literatura.[32] Na caixa de ferramentas da semiologia do cinema, é preciso também contar com Lacan, tanto mais que, nos anos 1970, o mestre, Christian Metz, conhece uma inflexão de seu trabalho no sentido das relações cinema/psicanálise. Marc Vernet lê, portanto, todo o Lacan, e se interessa, sobretudo, por "Du regard comme objet *a*",[33] "porque se trata de visão, de fetichismo e de voyeurismo".[34] Toda uma pesquisa estimulada pela preocupação do rigor científico serve de base, portanto, para o êxito do estruturalismo no pós-1968.

---

31 Ibidem.

32 Hamon, Pour un statut sémiologique du personage, *Litterature*, n.6, maio 1972, p.86-110.

33 Lacan, Du Regard comme objet a. In: *Le Séminaire*, livre XI. A expressão "objet a", em Lacan, é ao mesmo tempo objeto parcial e objeto causa do desejo; um objeto perdido, eternamente ausente, que inscreve a presença de um vazio que poderá ser ocupado por qualquer objeto.

34 Marc Vernet, entrevista com o autor.

Curar as feridas do fracasso

Há também uma outra dimensão que permite compreender a paixão pelo discurso analítico, a forma de "psicanalismo" – como a qualificou de maneira crítica Robert Castel – em voga nesse período posterior a 1968, e que assegura uma audiência crescente para Lacan. É certo que este será também vaiado pelo movimento de maio, principalmente quando fizer sua aparição no *campus* de Vincennes. Mas se se contesta aquele que, à maneira de De Gaulle, encarna o pai, cujo aburguesamento se denuncia, ele é também o pai-recurso, o pai-socorro no período de refluxo do movimento. Quando a mobilização retorna à estiagem, quando o curso do tempo recupera seu leito após a cheia, Lacan é aquele que pode curar as feridas do fracasso, das ilusões perdidas de uma ruptura total desejada com o mundo antigo. Na impossibilidade de mudar o mundo, ainda é possível a cada um mudar-se a si mesmo. E são numerosos aqueles que, como Roland Castro, veterano do movimento de 22 de março, passam pelo divã de Lacan para compreender as dificuldades inerentes à transgressão da lei e as ilusões próprias à ideia de revolução (retornar ao mesmo ponto, em seu sentido etimológico): "As pessoas que depois de 1968 acudiram à análise viveram-na como um estepe num momento em que o maoismo estava declinando: Roland Castro, Catherine Clément, Jacques-Alain Miller...".[35]

A estrutura triunfa, então, sobre o evento quando este reflui e se vê retomado pelo antigo. O fracasso é sentido como a expressão da força inexpugnável da estrutura, e a opção estruturalista se vê, portanto, duplamente alimentada pela explosão de maio e por seu "fracasso", pelo menos como ruptura global e radical. Lacan encarna, nesse momento, o recurso, anuncia a hora da revolução impossível. E em maio de 1970 pode opor uma resistência obstinada às suas ovelhas da esquerda proletária quando, tendo necessidade de reabastecer suas caixas, das quais se ocupa Roland Castro, elas despacham uma delegação que argumenta sem sucesso durante quatro horas no gabinete de Lacan para ouvi-lo finalmente replicar: "Por que haveria eu de lhes dar o meu dinheiro? A revolução sou eu".[36]

35 Jean Clavreul, entrevista com o autor.
36 Lacan apud Hamon; Rotman, *Génération II*, p.182.

Triunfo do ultraestruturalismo

O efeito de Maio de 1968 sobre o estruturalismo é, portanto, contraditório: antigo e novo se misturam, racionalismo científico e antirracionalismo estão ligados, inclusive no pensamento dos próprios autores. Em todo caso, o evento-68 não terá sido sem efeitos no plano teórico; se não foi o deflagrador nem de uma extinção do estruturalismo nem do seu triunfo, Maio de 1968 terá deslocado, de fato, as linhas, acelerado as evoluções em curso desde 1966-1967.

O que maio favorecerá, sobretudo, é o êxito do que se convencionou denominar ultraestruturalismo: este retoma o essencial das orientações estruturalistas a fim de abri-las para a pluralização, para os conceitos indeterminados, "nômades", que passam a ser as categorias de pensamento dominantes do pós-maio. Tudo o que importunava interiormente o estruturalismo antes de 1968 para lhe assegurar o desenvolvimento, seja o gerativismo, as teorias da enunciação, a intertextualidade, a crítica do logocentrismo: é o triunfo de tudo isso que Maio de 1968 assegura, ao acelerar o processo de extravasamento a que Manfred Frank denominou "neoestruturalismo".

Todas as categorias globalizantes são submetidas, então, a uma crítica desconstrutora e pluralizada sistematicamente. Questiona-se a ideia de causalidade, substituindo-a pela de periferia e de esquemas relacionais com múltiplas ramificações, sem um centro organizador. O estruturalismo do primeiro período já atacara a noção de causalidade, já privilegiara um pensamento do relacional; o ultraestruturalismo acentua ainda mais essa ruptura, dá prosseguimento a ela e modifica-lhe a direção, colocando-a cada vez mais do lado do desejo contra a norma, do lado múltiplo contra o um, do significante contra o significado, do outro contra o mesmo, das diferenças contra o universal.

Maio de 1968 fez explodir, sobretudo, a noção de fechamento da estrutura. Salta o ferrolho e o ponto se transforma então em nó: "A estrutura dos neoestruturalistas já não reconhece a existência de limites, é aberta, suscetível de infinitas transformações".[37] Essa abertura/pluralização, o estruturalismo pós-1968 a encontrará, sobretudo, do lado de uma historicização, não na acepção de um regresso a um qualquer

37 Frank, *Qu'est-ce que le néo-structuralisme*, p.28.

sentido da história, a uma filosofia da história, mas na acepção da sua desconstrução nietzschiano-heideggeriana: o estruturalismo, atingido pela história, reencontra-a para desconstruí-la.

Em mais longo prazo, todos os germes que agem no interior do estruturalismo e cuja eclosão foi possibilitada em 1968 representarão outras tantas forças desestabilizadoras do próprio paradigma estrutural, assegurarão o seu declínio inexorável no decorrer dos anos 1970. O gerativismo, o acolhimento dado à enunciação, a intertextualidade, o desconstrucionismo asseguram ao mesmo tempo a adaptação necessária do estruturalismo e a sua dissolução, o seu próprio apagamento.

Um outro fator, mais... estrutural, agirá paradoxalmente no mesmo sentido: é o triunfo institucional dos estruturalistas, que se apoderam da universidade a partir de 1968.

13

A institucionalização

A conquista da universidade

Os estruturuturalistas eram, em sua maior parte, marginais até 1968. A contestação estudantil de maio, a modernização da universidade, a implosão da Sorbonne lhes permitirão realizar a desejada penetração num mundo universitário, no qual fazem sua entrada maciça. É, enfim, a conquista da capital e a implantação espetacular, pelo número de cadeiras criadas para os jovens docentes da nova geração, assim como pela criação de numerosos departamentos de ensino consagrados a um saber estruturalizado.

Se existe ambiguidade sobre as consequências do evento-68 no plano teórico, não é esse o caso no plano institucional: o estruturalismo é o grande beneficiário do movimento de contestação. O desenvolvimento das teses estruturalistas por círculos concêntricos terá eliminado, portanto, em favor de uma "revolução", a barreira de resistência da Sorbonne, na impossibilidade de poder transformá-la por reformas progressivas. O fenômeno mais espetacular é, evidentemente, a criação nas universidades de departamentos de linguística Geral que não existiam até então. É certo que já havia linguistas lecionando, mas confinados nos departamentos de línguas, não tendo por isso existência autônoma. Pouco numerosos, eles serviam de auxiliares na aquisição de línguas estrangeiras ou da gramática francesa.

No ministério, logo depois de Maio de 1968, é criada uma comissão para redefinir os novos cursos e as matérias deles constantes para a obtenção da licenciatura em Letras, tudo em 48 horas. Reúne-se uma dezena de professores, entre eles Jean Dubois, André Martinet, Algirdas-Julien Greimas. André Martinet queria o estabelecimento de unidades de valor de linguística geral, e Jean Dubois era mais partidário de unidades de valor de linguística francesa: "Eu estava sentado ao lado da secretária que redigia a ata da reunião que transcorria bastante confusa. As proposições eram colocadas no quadro. [...] A secretária perguntou-me o que era aquilo. Eu lhe disse: 'Linguística francesa'. Foi para o ministério desse jeito e o decreto foi promulgado".[1] Na Sorbonne, André Martinet recebe, na onda de 1968, o reforço de jovens assistentes que, como Louis-Jean Calvet, são nomeados a partir de 1969.

A tomada do poder em Nanterre

Em Nanterre, onde já se encontram Jean Dubois e Bernard Pottier, a criação de um departamento de linguística é feita à força: "Em 1968, em Nanterre, com os assistentes que estavam comigo, separamo-nos do pessoal do departamento de letras, *manu militari*. Expulsamô-lo da secretaria e ele bateu em retirada".[2] O movimento de maio permite a jovens professores a realização de uma carreira que queima todas as etapas. A necessidade de recrutamento de pessoal provoca um rejuvenescimento espetacular do corpo docente e abre as mais audaciosas perspectivas de modernização. A linguista Claudine Normand, professora de liceu em 1968, é contatada depois de maio por Louis Guilbert, que lhe propõe o cargo de assistente na Universidade de Rouen e só lhe dá um prazo de 48 horas de reflexão para aceitar: "Um ano depois, vi-me de novo em Nanterre, a partir de outubro de 1969".[3] O departamento de linguística é aí animado por membros do partido Comunista Francês (PCF), embora esteja aberto para todas as correntes da linguística, segundo o desejo de Jean Dubois, que nunca foi sectário e, portanto, não restringiu o recrutamento apenas a comunistas. O que

1 Jean Dubois, entrevista com o autor.
2 Ibidem.
3 Claudine Normand, entrevista com o autor.

caracteriza, sobretudo, esse departamento de linguística de Nanterre é sua enorme dimensão: em 1969, já possui 22 titulares (contará mais tarde com 27).

O trabalho dos nanterrianos é orientado principalmente para uma sociolinguística fundamentada na análise do discurso, na lexicologia. As pesquisas de Jean Dubois, Jean-Baptiste Marcellesi, Denise Maldidier e François Gadet permitiram, assim, estabelecer os referenciais para as pesquisas interdisciplinares e realizar trabalhos em comum com alguns historiadores de Nanterre, como Régine Robin ou Antoine Prost. Essa orientação lexicológica não deixava de dar continuidade a uma orientação crítica da ideologia dominante, e o seu horizonte era, pois, simultaneamente teórico e político. Na filiação do estruturalismo, esses linguistas buscavam, não obstante, uma conexão entre a linguagem e o social, ausente no saussurismo clássico, uma vez que estabeleceram relações de causa e efeito entre esses dois níveis. Esse trabalho crítico se aplica à ideologia presente no discurso histórico e político; inspira-se essencialmente no método distribucional de Z. S. Harris, mas também numa tradição mais francesa, a lexicologia. É a tese de Jean-Baptiste Marcellesi sobre *Le Congrès de Tours*[4] que servirá de modelo a numerosos estudos de casos. Nessa obra, Marcellesi tinha colocado em confronto o discurso dos majoritários favoráveis à adesão às 21 condições da Internacional Comunista, e o dos minoritários que desejavam, com Leon Blum, conservar a velha casa. E conclui que em 1920 ainda não havia uma clivagem sociolinguística perceptível entre as duas correntes, exceto no nível do conteúdo.

Pouco tempo antes do movimento de maio, em abril de 1968, houve um colóquio de lexicologia política em Saint-Cloud, durante o qual Annie Kriegel tinha analisado o vocabulário "unitário" dos comunistas por ocasião da Frente Popular. Denise Maldidier efetuara o estudo, a partir de seis jornais diários, do vocabulário político durante a guerra da Argélia. Antoine Prost confrontou o vocabulário das famílias políticas na França, em finais do século XIX, quando das eleições de 1881. Toda essa atividade lexicológica se desenvolverá em torno de Nanterre depois de Maio de 1968 e permitirá a publicação em 1971 de um número da revista

4 Marcellesi, *Le congrès de Tours*.

Langue Française dedicado à linguística e sociedade[5] e outro de *Langages* consagrado exclusivamente ao estudo do discurso político.[6]

Essa perspectiva permite levar em conta a distinção entre enunciado (o conteúdo do discurso) e enunciação (os elementos pertencentes ao código da língua e dos quais depende o sentido), definida por Jean Dubois e Uriel Weinreich a partir de quatro conceitos: *distância* do sujeito em relação ao seu enunciado, *modalização* (o valor que o sujeito dá ao seu enunciado), *tensão* (que define a relação entre o sujeito e o seu interlocutor) e, enfim, *transparência/opacidade* do discurso. Nessa base, Lucile Courdesse procede à análise comparada dos discursos de Leon Blum e de Maurice Thorez em maio de 1936.[7] A autora discerne uma oposição marcada entre um discurso didático, distanciado, no qual a enunciação quase não é enfatizada (o de Maurice Thorez, que se exprime em nome de um grupo homogêneo, o dos comunistas, no qual os estados de alma individuais não existem), e o de Leon Blum, que faz referência aos atuantes e contém uma tensão máxima no sentido de um objetivo político concreto. A respeito de um outro período, o da Revolução Francesa, a historiadora Régine Robin e o linguista Denis Slakta tomam por objeto de estudo os cadernos de queixas de 1789:[8] de um lado, a história social, a da tese de Régine Robin sobre o bailiado de Semur-en-Auxois, é chamada a colaborar com a linguística, e, do outro, a pragmática penetra no trabalho linguístico, visto que Denis Slakta se interroga acerca da potencialidade ilocucionária[9] do ato de solicitar. Françoise Gadet, por seu turno, interroga-se sobre as variações sociais da língua.[10]

---

5 *Langue Française*, n.9 (Linguistique et société), fev. 1971.

6 *Langages*, n.23 (Le discours politique), set. 1971.

7 Courdesses, Blum et Thorez en mai 1936: analyses d'énoncés, *Langue Française*, n.9, fev. 1971, p.22-33.

8 Robin; Slakta, Idéal social et vocabulaire des statuts ("Le Couronnement de Louis"), *Langue Française*, n.9, fev. 1971, p.110-8.

9 Distinção introduzida por J.-L. Austin em sua definição dos atos de fala que são triplamente constituídos do ato locutório (combinação de sons), do ato ilocutório (ou seja, o ato que representa a enunciação da frase) e o ato perlocutório (os fins mais longínquos da enunciação).

10 Gadet, Recherches récentes sur les variations sociales de la langue, *Langue Française*, n.9, fev. 1971, p.74-81.

Essas análises de discurso não se detêm nos estudos quantitativos lexicais sobre a frequência do uso das palavras; procuram estabelecer uma relação entre os comportamentos e suas manifestações verbais. É o que nos mostra a análise do discurso político da guerra da Argélia realizada por Denise Maldidier.[11] Essa perspectiva permite adaptar o método estruturalista ao elevado grau de consciência política dos anos 1970 e, por vezes, logra obter resultados, como quando Antoine Prost analisa as declarações de candidatura às eleições dos anos 1880 para deduzir que os candidatos de esquerda falavam como os candidatos de direita no interior de circunscrições de direita mas também, por vezes, no interior das circunscrições de esquerda.[12] Mas, com muita frequência, as conclusões aduzidas desses estudos lexicológicos são decepcionantes e, ao fim e ao cabo de longos exames qualitativos e quantitativos, apenas corroboram as intuições iniciais do pesquisador.

A fragmentação da Sorbonne

A linguística estrutural faz também sua entrada triunfal na universidade nova, produto de Maio de 1968, que é Paris-VII (Jussieu), criada em 1970 com vocação científica e interdisciplinar. A maior parte dos professores de Letras que haviam brigado com os mandarins da Sorbonne e não participaram da experiência de Vincennes lecionará, então, em Paris-VII com o objetivo de substituir a crítica lansoniana pela estruturalista. São, sobretudo, os jovens assistentes de 30 e poucos anos, mas também especialistas mais reputados, como Antoine Culioli, que escolhem essa universidade aberta para as ciências exatas, a fim de criar aí um departamento de linguística.

A vocação pluridisciplinar de Paris-VII encontra-se também no departamento intitulado "História, Geografia, Ciência da Sociedade": "Era isso um fruto do estruturalismo? Sim, porque o que seduzia muito no estruturalismo e na obra de Lévi-Strauss era justamente essa

11 Maldidier, Le Discours politique de la guerre d'Algérie: approche synchronique et diachronique, *Langages*, n.23, set. 1971, p.57-86.

12 Prost, *Vocabulaire des proclamations électorales de 1881, 1885 e 1889*.

possibilidade fantástica de ir de Bambara a Chomsky, às matemáticas, à etnologia...".[13] Havia o desejo de rever as fronteiras disciplinares para que se juntassem num mesmo projeto de ensino especialistas de diferentes áreas, principalmente sociólogos como Pierre Ansart ou Henri Moniot e historiadores como Michelle Perrot ou Jean Chesneaux. O estado de espírito dessa equipe não é, porém, o da adoção das orientações teóricas do estruturalismo, a não ser no que este provocou como vontade de superar as tradicionais clivagens entre disciplinas.

Maio de 1968 permite igualmente, se bem que de maneira ainda puramente parisiense, e apenas em alguns lugares limitados, a penetração da psicanálise na universidade, em ligação com outras ciências sociais. Além da querela de escolas, é o ponto culminante da participação ativa da corrente lacaniana no estruturalismo dos anos 1960, a par dos linguistas, antropólogos e filósofos. Até então, a psicanálise ensinava-se nos departamentos de letras, sob responsabilidade do ensino de psicologia, no caminho traçado por Daniel Lagache, para quem havia sido criada em 1955 a cadeira de psicologia na Sorbonne.[14] Eram apontados alguns franco-atiradores, como Didier Anzieu em Nanterre, ou Juliette Favez-Boutonier em Censier, onde tinha instalado em 1966 o seu laboratório de psicologia clínica; mas a situação desta última continuava muito precária, não assegurando nenhum curso autônomo: "Ou a clínica é psicológica e deve desaparecer, ou é médica e deve, nesse caso, ser ligada à medicina".[15] Nesse meio tempo, Juliette Favez-Boutonier tinha conseguido, entretanto, criar um enclave, agrupando à sua volta quatro assistentes: Claude Prévost, Jacques Gagey, Pierre Fédida e Anne-Marie Rocheblave. Ela havia começado a aceitar as matrículas de estudantes, apesar da ausência de garantia concedida a essa formação de psicologia clínica. Graças à contestação de maio, constitui-se, a partir desse núcleo e de um outro grupo, uma Unité d'Enseignement et de Recherche (UER) de ciências humanas clínicas, que se vincula a Paris-VII.

Existem outros projetos, como o de uma "universidade experimental" centrada nas matemáticas e ciências humanas, por iniciativa do linguista Antoine Culioli e do psicanalista Jean Laplanche: "A ideia era de

---

13 Pierre Ansart, entrevista com o autor.

14 Roudinesco, *Histoire de la psychanalyse*, v.2, p.552.

15 Ibidem, p.553.

um retorno às ciências fundamentais. [...] Em vez de descobrir alvos na eterna psicologia, procurava-se numa faculdade experimental".[16] Esse projeto não se concretizará, e Jean Laplanche participará então da UER de ciências humanas clínicas, a qual contará rapidamente com várias centenas de estudantes. Ele cria um pouco mais tarde, em 1969-1970, um laboratório de psicanálise e psicopatologia, dessa vez exclusivamente orientado para o comentário da obra de Freud.

Essa infiltração no centro de uma universidade de Letras, em Censier, só foi possível graças ao deslocamento da posição da psicanálise realizado por Lacan, graças à sua desmedicalização e aos pontos de sutura encontrados do lado da linguística. O movimento de maio terá permitido em seguida a realização institucional desse deslocamento, o que será ilustrado de modo espetacular pela criação do departamento de psicanálise da Universidade de Vincennes, que analisaremos mais demoradamente no capítulo seguinte.

À conquista do Collège de France... E da América

O outro sinal da institucionalização do estruturalismo é a vitória obtida por Michel Foucault contra Paul Ricœur num duelo que os opôs para o ingresso no Collège de France, em fins de 1969. O projeto de uma candidatura na disputa de Foucault remonta ao êxito de *Les mots et les choses*, e foi ativamente promovido por Jean Hyppolite, que começou reunindo os adeptos de Foucault: Georges Dumézil, Jules Vuillemin, Fernand Braudel. Mas o falecimento de Jean Hyppolite em 27 de outubro de 1968 faz adiar o projeto, retomado por Jules Vuillemin, porque é necessário agora preencher uma cadeira vacante.[17] Para a cadeira de filosofia apresentam-se três candidatos: Paul Ricœur, Yvon Belaval e Michel Foucault. Este propôs intitular a cadeira que poderia ocupar de "História dos sistemas de pensamento", e apresenta, assim, o respectivo programa: "Entre as ciências já constituídas (das quais se fez a história) e os fenômenos de opinião (que os historiadores sabem tratar), seria necessário

16 Jean Laplanche, entrevista com o autor.
17 Informações extraídas de Éribon, *Michel Foucault*, p.227-31.

empreender a história dos sistemas de pensamento" para "reinterrogar o conhecimento, suas condições e o estatuto do sujeito que conhece".[18]

Além desse projeto, os professores do Collège de France têm a possibilidade de escolher uma cadeira de filosofia da ação destinada a Paul Ricœur, ou uma cadeira de história do pensamento racional destinada a Yvon Belaval. De um total de 46 votantes, o projeto de Foucault vence no segundo turno por 25 votos contra dez para o de Ricœur e nove para o de Belaval.[19] A entrada de Foucault em 2 de dezembro de 1970 no seio dessa instituição canônica de ritual intangível, um Foucault herético que ainda cheira ao enxofre das granadas de gás lacrimogêneo recebidas no *campus* de Vincennes, só é pensável se se ressituar seu trabalho no interior do movimento estruturalista: este lhe permite juntar-se a Georges Dumézil e Claude Lévi-Strauss na legitimação e consagração do pensamento estrutural.

O banquete dos quatro mosqueteiros poderia, aliás, acontecer alguns anos mais tarde no Collège de France, com exceção de Jacques Lacan. Em 1975, Roland Barthes junta-se a Foucault – e graças a ele – na consagração suprema, quando de sua eleição para a venerável instituição. É Foucault quem defenderá a sua candidatura, que provoca certas reticências a respeito do caráter demasiado mundano do postulante: "Essas vozes, esse punhado de vozes que se escutam atualmente um pouco além da universidade, acreditam porventura que elas não fazem parte da nossa história hodierna, e que não têm por que fazer parte das nossas?".[20] Michel Foucault leva a melhor, e Roland Barthes passa então a pertencer à mesma instituição que ele, Claude Lévi-Strauss, George Dumézil, Émile Benveniste e em breve Pierre Bourdieu. O Collège de France consagra, assim, o estruturalismo como intenso e fecundo momento do pensamento francês.

Esses êxitos obtidos pelos estruturalistas no final dos anos 1960 são tais que fascinam além-Atlântico. Um professor de Berkeley, Bertrand Augst, muito francófilo, quer que os americanos se beneficiem dessa efervescência intelectual; cria no coração de Paris, no Odéon, um centro de formação para estudantes norte-americanos recrutados para passar

18 Foucault, *Titre et Travaux*, p.9.
19 Éribon, *Michel Foucault*, p.232.
20 Foucault, texto inédito citado por Éribon, *Michel Foucault*, p.104.

seu ano universitário em Paris. A partir do começo dos anos 1970, esse centro permite a uma trintena de estudantes americanos da Califórnia, depois de todos os Estados Unidos, familiarizarem-se com a semiologia estrutural. Especializado no início em semiologia do cinema, o centro do Odéon diversificará suas atividades abrindo-se para o conjunto das ciências sociais; Michel Marie servia de agente de ligação em Paris para que esses estudantes americanos se tornassem os embaixadores dos novos métodos em seu regresso aos Estados Unidos.

No continente americano, a obra de Foucault conhece uma grande difusão, em particular na costa oeste, na Califórnia. Quanto a Derrida, já tinha conquistado os americanos com a sua intervenção, em 1966, por ocasião do simpósio organizado pela Universidade Johns Hopkins, de Baltimore, "Structure, sign and play in the discourse of the human sciences". Sua obra difunde-se, então, a tal ponto que ele anima anualmente, a partir de 1973, um seminário na Universidade de Yale, perante uma assistência excepcionalmente numerosa.

Os efeitos perversos do sucesso

O estruturalismo que se instala nas instituições prossegue também sua conquista da mídia. Também alcança nesse domínio a consagração quando Roger-Pol Droit passa a ser o responsável pela rubrica "Ciências Humanas" em *Monde des Livres*, em 1972. Althusseriano-lacaniano, faz-se eco dos diversos avanços de um estruturalismo cada vez mais fragmentado nessa década de 1970, mas que continua sendo o pensamento forte da ocasião: "Cheguei num momento em que o reino estruturalista estava na plenitude de sua força".[21] Ele abandonará em 1977 essa responsabilidade, numa época em que a onda estruturalista reflui por toda parte, antes de retomar essa função no final dos anos 1980. "Tudo isso termina por volta de 1975 no clericato e na caricatura de um mundo extenuado."[22]

A força institucional do estruturalismo depois de 1968 tem, com efeito, por desagradável consequência, segundo Alain Touraine,

21 Roger-Pol Droit, entrevista com o autor.
22 Alain Touraine, entrevista com o autor.

esvaziar 1968 do seu conteúdo, de sua vivência, ao acentuar o corte entre o mundo universitário e o mundo social: "O discurso-68 apodera-se da universidade, ao passo que a vivência-68, expulsa da universidade, reencontra-se nas mulheres, nos trabalhadores imigrados, nos homossexuais, que mudam a sociedade".[23]

Esse fechamento e esse esvaziamento da vivência correspondem, aliás, aos princípios estruturalistas, os quais convidam a um corte epistemológico, teórico e científico com o objeto de estudo, e permitem, assim, a teorização do que está em processo de desenvolvimento. Daí o grande fechamento do mundo universitário sobre si mesmo, após o fracasso de suas tentativas de conexão com o mundo social.

Há, entretanto, conquistas sociais a lançar no ativo do estruturalismo, principalmente em sua versão psicanalítica, conforme sublinha o psicanalista (freudiano) Gérard Mendel: "O sucesso de Lacan correspondeu a um momento em que existia todo um proletariado intelectual (trabalhadores sociais, educadores etc.) para o qual a via nobre da psicanálise tinha sido fechada".[24] A orientação seguida por Lacan permite abrir amplamente a profissão de analista fora do curso médico clássico, e novas camadas sociais podem entrar precipitadamente pela brecha, graças, sobretudo, à multiplicação dos institutos médico-pedagógicos. Essa extensão permite uma socialização mais ampla da psicanálise, e essa democratização foi indiscutivelmente acelerada por 1968.

Mas ao mesmo tempo que o estruturalismo conquista o poder, institucionaliza-se graças à contestação de 1968, também se banaliza e perde grande parte de sua força crítica corrosiva. Portanto, pode-se também entrever por trás desse triunfo o sinal da desintegração vindoura, no decorrer da qual cada um, em sua disciplina, delineará uma lógica específica, uma vez que já não existe mais um combate comum a travar, nenhum adversário designado, nenhum alvo visível. A fase militante se encerra com o triunfo institucional. Inaugura-se o período da desintegração e da dissolução, que analisaremos detalhadamente em seguida.

Dessa evolução, não existe melhor testemunho do que a história rutilante da Universidade de Vincennes.

23 Ibidem.

24 Gérard Mendel, entrevista com o autor.

14
Vincennes – a estruturalista

Em pleno bosque de Vincennes, ao lado de um campo de tiro, o ministério de Defesa cede, por um tempo limitado, à Prefeitura de Paris, um terreno para aí construir às pressas uma universidade experimental, aberta desde o reinício das aulas para o ano letivo universitário de 1968-1969. Essa nova universidade, Paris-VIII, deve ser a anti-Sorbonne, um verdadeiro concentrado de modernidade; sua vocação é abrir perspectivas originais de pesquisas, sair dos caminhos trilhados. A Universidade de Vincennes faz da pluridisciplinaridade a sua religião, recusa de início os programas tradicionais de preparação para concursos nacionais a fim de permitir a expansão de suas capacidades de pesquisa. O curso magistral é, com raras exceções, proscrito, e a palavra deve circular nos pequenos grupos de "unidades de valor" que trabalham em pequenas salas de aula. O academismo e a tradição sorbonnense devem parar na porta dessa universidade que pretende ser decididamente contemporânea, moderna, aberta para as tecnologias mais sofisticadas e aos métodos mais científicos das ciências do homem, a fim de garantir a renovação das antigas humanidades.

Uma vez que a modernização está identificada com o estruturalismo, Vincennes será estruturalista. Simboliza, inclusive, o triunfo institucional dessa corrente de pensamento até então marginal, que faz sua entrada triunfal numa universidade parisiense. A organização interna da universidade é fabulosa, é uma verdadeira joia da coroa de um regime gaulista desgastado que se presenteia com esse brinquedo, essa vitrina: cada pequena sala de aula está atapetada e equipada com seu televisor ligado em circuito interno, a decoração é assinada por Knoll, tudo isso em meio a uma paisagem verdejante, sem os ruídos da cidade, num ambiente apenas perturbado pelas detonações longínquas do treinamento de recrutas no polígono de tiro.

Os maiores contestadores do movimento de maio encontram refúgio em Vincennes. Aí se encontram muitos maoistas, não poucos guardas vermelhos, propensos a considerar esse microcosmo o centro do mundo ou a limitar o mundo ao território da universidade. As forças vivas da contestação de 1968 aí se reuniram, encurraladas nesse universo confinado, atapetado, no qual a agitação pode se expandir sem ameaçar a sociedade, com plena liberdade, pois o eco de seus fragores chega enfraquecido aos seus destinatários, demasiado felizes por se ter circunscrito o mal ao coração de uma floresta que constitui seu cordão sanitário. Uma geração passará por Vincennes, para adquirir aí as armas da crítica, e o poder acabará por exorcizar o perigo desse braseiro, arrasando tudo a golpes de *bulldozers* para reinstalar Paris-VIII na planície de Saint-Denis. Aliás, o projeto de modernização e de faculdade-vitrina se verá rapidamente deserdado, deixando os poderes públicos que Vincennes seja asfixiada pela penúria e sobreviva nos limites da mendicância. Privada de verbas e recursos materiais suficientes, objeto de deteriorações cotidianas, a braços com um afluxo de matrículas que excedia largamente a sua capacidade de recepção,[1] o Centro de Vincennes, cujos tetos foram destroçados por estudantes procurando se a polícia não teria aí instalado microfones de escuta, não tardará em se converter num terreno baldio. Mas será sempre animado pelo desejo de todos os seus membros de dar prosseguimento à experiência, todos ciosamente empenhados em preservar as liberdades conquistadas, a qualidade do intercâmbio, e essa fala liberada que é uma aquisição fundamental de Maio de 1968. Por trás da vitrina, por trás da agitação dos militantes irrequietos, de um lado, e do hedonismo ostensivo, do outro, estão os trabalhos e os dias, o labor subterrâneo que se proclama o mais moderno, o mais científico de todas as universidades de Letras

1 Criado para 7.500 estudantes com uma superfície prevista de 30 mil m², o Centro acolhe 8.200 a partir de 1969-1970, em 16 mil m² (ou seja, dois m² por estudante).

do hexágono, e o de maior irradiação internacional. Se Paris não é a França, Vincennes bem poderia ser o mundo.

Harvard em Paris?

Expressão da modernidade, do pensamento epistemológico ou estruturalista, três calvos passeiam e conversam juntos pelo *campus* de Vincennes, sentindo um prazer perverso em caminhar os três ao redor do tanque central, sob o olhar espantado dos estudantes: o filósofo Michel Foucault, o linguista Jean-Claude Chevalier e o filósofo Pierre Kuentz, que têm em comum crânios lisos e polidos como bolas de bilhar. Eles encarnavam além disso, com outros, o êxito do estruturalismo, o desfecho de um prolongado combate que, graças às barricadas, culminava na realização de um sonho impossível, uma universidade de Letras reconciliada com a ciência, na qual o pensamento estrutural ocupa lugar de destaque.

O professor contatado pelo ministro da Educação Nacional Edgar Faure para ser o reitor de Vincennes não é outro senão Jean Dubois, incentivador em Nanterre e na editora Larousse do programa estruturalista em linguística e membro do Partido Comunista Francês (PCF), conhecido por sua ausência de sectarismo. Se aceita ocupar-se da criação de um departamento de linguística, Jean Dubois recusa, porém, assumir outras responsabilidades: "Hesitei durante oito dias: missão impossível. Eu era, antes de tudo, um homem que gostava de ordem [...] Visitei as instalações, que eram esplêndidas, mas logo nos primeiros dias já tinham removido vários caminhões cheios de cadeiras, levadas não sei para onde...".[2] É o sub-reitor da Sorbonne, o anglicista Raymond Las Vergnas, quem se ocupa, portanto, da instalação dessa nova universidade. Em outubro de 1968, uma comissão de orientação de uma vintena de personalidades se reúne sob a presidência, entre as quais estão Roland Barthes, Jacques Derrida, Jean-Pierre Vernant, Georges Canguilhem, Emmanuel Le Roy Ladurie... Uma dúzia de pessoas é rapidamente designada para formar o núcleo cooptante que deverá se

2 Jean Dubois, entrevista com o autor.

encarregar da nomeação do conjunto do quadro docente, professores, professores-adjuntos e assistentes de faculdade.

Uma certa coerência nas nomeações será respeitada na medida do possível, privilegiando a corrente estruturalista. Em sociologia, os dois membros do núcleo cooptante são Jean-Claude Passeron e Robert Castel, ou seja, os dois ramos do estruturalismo sociológico: bourdieusiano com Passeron e foucaultiano com Castel. Quando o sociólogo Georges Lapassade se encontra com Robert Castel, por ocasião de uma assembleia geral na Sorbonne em novembro de 1968, participa-lhe seu desejo de lecionar em Vincennes, mas tem como resposta que os sociólogos formam uma equipe que tem necessidade de manter sua coerência epistemológica: "Mais tarde, Jean-Marie Vincent e Serge Mallet, ambos sociólogos, esbarraram igualmente numa espécie de 'veto' do mesmo departamento".[3]

No departamento de filosofia, é Michel Foucault quem se ocupa das nomeações; para a cadeira de literatura francesa, é Jean-Pierre Richard; para linguística, Jean Dubois, Jean-Claude Chevalier e Maurice Gross. E, grande novidade, a universidade conta com um departamento de psicanálise, do qual deve ocupar-se o segundo nome da organização lacaniana: Serge Leclaire.

O grande projeto é fazer de Vincennes um pequeno MIT, uma universidade à americana, um modelo de modernidade, um enclave de irradiação internacional cuja ambição explícita é a interdisciplinaridade. De fato, a realização está longe de se equiparar ao modelo, por falta de recursos materiais, sem dúvida, mas sobretudo porque o investimento dos professores no interior da universidade é totalmente diferente na França e nos Estados Unidos: "Nas universidades americanas, os professores estão sempre presentes; eles trabalham com os seus estudantes, há contatos constantes entre eles, programas de pesquisa planejados e realizados em comum, enquadrados administrativamente".[4] Nada disso se verifica em Vincennes, mesmo que os professores passem aí mais tempo do que em qualquer outro lugar, pois a "reunionite" foi a doença infantil dessa universidade. Mas é sobretudo nas assembleias gerais, nos comitês de ação, que os professores mais ativos estão presentes,

3 Lapassade. In: *L'université ouverte*: les dossiers de Vincennes, p.219.

4 Bernard Laks, entrevista com o autor.

e finalmente os contatos transversais entre disciplinas serão bastante escassos, apesar de algumas tentativas. Quanto ao intercâmbio com os estudantes, certamente ouvidos nas unidades de valor, o que já é excepcional, é sobretudo nos cafés que ele ocorre: "O que foi que restou, em pouco tempo, do modelo americano em Vincennes? O aspecto mundano, a multiplicação dos ouvintes livres, de pessoas que perambulavam ociosamente pelas unidades de valor, pouquíssimos vínculos. Não se aplicou verdadeiramente o modelo americano".[5]

Esse aspecto diletante se afere pelo número de estudantes que chegaram a Vincennes após abandonarem suas universidades de origem, insatisfeitos com o saber que lhes era ensinado. Eles chegam com um apetite insaciável a esse universo de sonho, em que podem passar de um departamento para outro sem ter de cruzar barreiras:

> Depois de 1968, inscrevi-me em Vincennes. A vantagem era acompanhar os cursos que se quisesse. Assisti às aulas de Ruwet durante três meses e saí. Passei então a frequentar as aulas de Deleuze, de Todorov. [...] Permaneci em Letras, ali havia professores excelentes como Pierre Kuentz, marcados pela aventura estruturalista. Era uma lufada de ar fresco. O curso de Deleuze era paradisíaco, eu ia também ao departamento de psicanálise. Era a aurora![6]

Para os estudantes assalariados, os não bacharelados de Vincennes, tratava-se da possibilidade de frequentar um curso noturno, pois a faculdade funciona até às 22 horas para permitir-lhes que assistam às aulas após o horário do trabalho. Para eles, é a noite. Eles serão a lenda e o orgulho dessa universidade fora do comum, como esse motorista-entregador que aproveita suas paradas na faculdade a fim de realizar entregas para matricular-se no departamento de história, acompanhar o programa de estudos e ser aprovado para professor.[7]

Se o modelo de Vincennes é americano, sua ala mais militante pensa sobretudo em Pequim e nos guardas vermelhos da "revolução cultural". Os maoistas dominam a tal ponto a ideologia ambiente que a célula dos

---

5 Ibidem.
6 Élisabeth Roudinesco, entrevista com o autor.
7 Caso relatado ao autor por Jean Bouvier.

trotskistas da Liga Comunista, em que se encontravam alguns dos grandes representantes nacionais (como Henri Weber ou Michel Récanati), adotou o nome de "célula Mao Tse-Tung" por zombaria.

A universidade do gerativismo

A americanização é sobretudo sensível na ciência-piloto que é a linguística. Nesse novo departamento, realiza-se a aliança entre francesistas como Jean Dubois e Jean-Claude Chevalier e a influência americana: Nicolas Ruwet, firme adepto da gramática gerativa de Chomsky, e Maurice Gross regressam dos Estados Unidos, do MIT, onde Maurice Gross, politécnico que pretendia se tornar engenheiro de armamento, opta definitivamente pela linguística, graças às possibilidades oferecidas pela informática.

O que dominará a orientação do departamento de linguística de Vincennes é o gerativismo, ainda que Maurice Gross esteja mais afinado com as ideias de Zelig Harris do que com as de Noam Chomsky. É esse o modelo que acaba de ser descoberto, sobretudo graças a Nicolas Ruwet, que é um dos nomes previstos para fazer parte da equipe docente. No momento em que Vincennes está sendo instalada, Nicolas Ruwet regressa do MIT. Sua volta ocorre no outono de 1968 quando é promovido na Fundação Nacional de Pesquisa Científica da Bélgica saindo, portanto, da situação precária em que se encontrava até aí. Prepara-se para trocar definitivamente Paris, à qual nada mais o ligava, pela Bélgica, quando numa manhã de setembro visitará Todorov. Também este se queixava da crise, pois regressava de Yale e sobrevivia de bolsas de estudo, de maneira precária. Soa o telefone: é Derrida quem chama, um dos membros do núcleo fundador de Vincennes. Pergunta a Todorov se aceita lecionar nessa nova universidade, da qual traça um quadro idílico. Todorov responde que está interessado e Derrida o convida a contatar outras pessoas competentes e avisá-las de que haverá uma reunião nessa tarde em casa de Hélène Cixous, perto da Contrescarpe. Todorov e Ruwet se encontram aí com Maurice Gross, que também tinha uma posição institucional precária. Politécnico tardiamente reconvertido, não seguira o curso de Letras e era apenas mestre de conferências associado à Universidade de Aix, um posto anualmente renovável; como, por outro lado, estava em conflito com André Martinet, a carreira linguística estava fechada para ele na França, e preparava-se para mudar com armas e bagagens para o Texas. Na residência de Hélène Cixous também estava Gérard Genette, representado por sua mulher. Jacques Derrida era o senhor-bons-ofícios e Hélène Cixous apresentou o projeto de Vincennes durante uma boa hora:

> Todos pensaram: "estamos numa casa de gente doida!". Tudo ali era muito estranho em relação ao que se sabe de uma organização universitária em geral. Alguém pergunta se um departamento de linguística é possível em Vincennes. Respondem ser mais do que evidente que a linguística é o motor de tudo...[8]

É Jean Dubois quem toma então as rédeas para instalar esse departamento de linguística, o que permite a Nicolas Ruwet se tornar professor de primeira classe associado. A linguística vê-se de imediato dotada de onze vagas em Vincennes: "O que era quase triste, pois não havia onze linguistas na França entre aqueles que se teria querido convidar".[9] No ano seguinte, o departamento obtém uma vaga suplementar, e Nicolas Ruwet solicita a contratação de um jovem pesquisador de 24 anos que tinha conhecido no MIT. A liberdade de organizar o programa de ensino era total: "Fazia-se sobretudo gramática gerativa, versão Gross ou versão Chomsky; e com Chevalier havia também a história da gramática".[10]

A irradiação da linguística está então no seu auge, e os professores têm numerosos estudantes para um saber particularmente difícil e técnico: "No início, eu dava as aulas para uma centena de estudantes".[11] Estes se mostravam ávidos de modernidade, e o gerativismo se apresenta como a última palavra em inovação científica. É essa cientificidade que orienta a escolha da nova geração 1968. Bernard Laks está terminando o seu estágio no liceu Lamartine em 1968-1969; seu professor de

8 Nicolas Ruwet, entrevista com o autor.
9 Ibidem.
10 Ibidem.
11 Ibidem.

filosofia, Jean-Toussaint Desanti, logo o sensibiliza para a epistemologia, para as ciências matemáticas. Em Letras, Lucette Finas oferece um ensino que rompe com a instituição, desinteressa-se da preparação para o concurso a fim de estudar Todorov, Barthes, Foucault e Bataille. Após as férias de fevereiro de 1969, Lucette Finas se dirige aos seus estagiários: "O mundo mudou e eu vou-me embora. Parto para o único lugar que pode ser interessante nos dias de hoje: Vincennes. Quem gostar de mim que me siga. O espírito não sopra aqui, vou para onde o espírito sopra".[12] Bernard Laks acompanha Lucette Finas e chega, portanto, em pleno ano letivo universitário ao *campus* de Vincennes, onde inicia uma tríplice licenciatura em Letras, Linguística e Informática: "Após um ano, optei por concentrar-me na linguística, pois era aí que estava a ciência".[13]

Esse fascínio pela postura científica, pelo axiomático, conjugava-se então muito bem com um engajamento marxista, pois o marxismo era vivenciado como a ciência da ação política. Uma das orientações que caracterizarão esse departamento é a sociolinguística, que conhece um desenvolvimento espetacular no pós-1968. O especialista nesse domínio é Pierre Encrevé, recrutado por Maurice Gross para ensinar fonologia e sociolinguística. Assistente de Martinet, Pierre Encrevé confidencia a Gross que se indispôs com aquele, critério suficiente para ser admitido: "Gross lhe diz: 'Não preciso saber se é um bom fonólogo ou não, está contratado'. Porque Vincennes será uma máquina de guerra contra a Sorbonne, Censier e Martinet".[14]

O modelo dessa sociolinguística é também americano, tendo por base os trabalhos de Labov. Para Pierre Encrevé, não se trata de um subdomínio da linguística que teria um campo delimitado como o do estudo dos dialetos e das covariações sociais, mas de uma linguística em seu todo, que tem por objeto o conjunto da língua e por paradigma de estudo um gerativismo variacionista. É, pois, uma orientação diferente da de Nanterre e da linguística social de Marcellesi, e de muitos outros ramos de uma disciplina então em pleno desenvolvimento, visto que, só no ano de 1968, foram produzidos mais trabalhos nesse domínio do

12 Lucette Finas, declaração relatada por Bernard Laks, em entrevista com o autor.
13 Bernard Laks, entrevista com o autor.
14 Ibidem.

que no transcurso dos sete anos precedentes; Bernard Laks, aliás, não distingue menos de quinze polos diferentes nesse ramo.[15]

O departamento de literatura, em princípio menos "científico", vê-se de imediato desvalorizado aos olhos dos linguistas, mas participa plenamente, mesmo assim, da modernidade estruturalista. Animado pelos partidários da nova crítica, considera o estudo da literatura a partir do paradigma estrutural e das técnicas linguísticas. Aí se encontram aqueles que participaram em meados da década de 1960 dos grandes encontros de Estrasburgo, de Besançon... A interdisciplinaridade e a modernidade são os dois polos desse novo departamento, animado por Henri Mitterand, Jean-Pierre Richard, Claude Duchet, Jean Levaillant, Pierre Kuentz, Jean Bellemin-Noël e Lucette Finas. Preocupados em não se limitarem ao campo tradicional da literatura, os responsáveis pelo departamento literário de Vincennes abrem-se amplamente para uma abordagem interdisciplinar, em especial na direção dos psicanalistas e dos historiadores, segundo os modelos de análise freudiano e marxista, reinterpretados pelo estruturalismo, aos quais adere a maioria dos professores do departamento: "O campo desses estudos não está limitado, por princípio, à literatura francesa, nem mesmo à expressão 'literária'".[16]

Foucault cria um dispositivo althusseriano-lacaniano

A notícia mais espetacular é, incontestavelmente, a nomeação para a direção do departamento de filosofia de uma das estrelas do estruturalismo: Michel Foucault. Responsável pelas nomeações, ele solicita primeiro seu amigo Gilles Deleuze que, muito doente, só ingressará em Vincennes dois anos mais tarde. Michel Serres, porém, aceita prontamente seguir Foucault na aventura de Vincennes. No outono de 1968, Foucault se dirige a Ulm por intermédio dos *Cahiers pour l'Analyse* com a finalidade de recrutar entre os althusseriano-lacanianos o maior

15 Idem, Le Champ de la sociolinguistique française de 1968 a 1983, *Langue Française*, n.63, set. 1984, p.103-28.

16 *L'université ouverte*, p.116.

número possível de nomes representativos dessa corrente. Foi assim que conseguiu convencer a filha de Lacan, Judith Miller, Alain Badiou, Jacques Rancière, François Régnault, Jean-François Lyotard... A tonalidade dominante será, portanto, estrutural-maoista, se bem que algumas outras nomeações permitam não estar exclusivamente sob o domínio dos "maos": a de Henri Weber da Liga Comunista, a de Étienne Balibar, althusseriano, mas membro do PCF. Para permitir ao conjunto funcionar sem choques, Foucault solicita um homem da concórdia: François Châtelet, recentemente convertido à causa estruturalista.

A intervenção de Foucault na instalação do centro experimental não se limita apenas ao departamento de filosofia. Deseja, sobretudo, afastar os psicólogos em proveito exclusivo dos psicanalistas, que poderiam assim fundar um departamento próprio, dispondo de créditos e nomeações competentes: "Ele não pôde evitar que o PCF impusesse um departamento de psicologia, de modo que, sendo o número de vagas reduzido, houve repartição de vagas num departamento de filosofia/psicanálise".[17] A ideia de tal departamento, instalado por Foucault, partiu de fato de Jacques Derrida. A direção será confiada a Serge Leclaire, com o aval de Lacan. Mas a briga já eclodira entre este e Derrida, que impedirá a outra estrela do estruturalismo, Lacan, de encontrar enfim uma sólida colocação institucional ingressando no Centro de Vincennes: "Enquanto Foucault assumia o departamento de filosofia, o normal seria que Lacan dirigisse o departamento de psicanálise, o que Derrida não queria".[18]

Se Lacan não está em Vincennes, o lacanismo aí se introduziu maciçamente e, com ele, a psicanálise faz sua entrada oficial numa universidade de Letras: todo o corpo docente é constituído por membros da École Freudienne de Paris (EFP), que anima nada menos que dezesseis seminários. Aí se encontram Serge Leclaire, Michèle Montrelay, François Baudry, René Tostain, Jacques Nassif, Jean Clavreul, Claude Rabant, Luce Irigaray, Claude Dumézil, Michel de Certeau e o genro de Lacan, Jacques-Alain Miller. Esse departamento é o pulmão da Universidade de Vincennes e não apenas porque constitui a inovação mais marcante desse período. A esquerda proletária domina, com efeito, o

17 Serge Leclaire, entrevista com o autor.
18 Ibidem.

campus, e é a família Miller quem assegura a direção local: Jacques--Alain, sua esposa Judith, que leciona filosofia, e seu irmão Gérard, que se ocupa da organização política. Gérard Miller enfrenta a concorrência encarniçada de um outro movimento maoista, apelidado pela Liga Comunista de mao-spontex: o Comitê de Base para a Abolição do Assalariado e a Destituição da Universidade, animado por Jean-Marc Salmon, um orador ímpar, capaz de monopolizar a palavra durante horas a fio captando a atenção e a adesão de todo o anfiteatro 1, e por André Glucksmann, que multiplica as intervenções aterrorizantes para expulsar os "revisionistas" e assimilados...

A irradiação desse departamento de psicanálise é tamanha que ele sedia um fórum permanente. Inscritos ou não, inúmeros são aqueles que o visitarão pelo brilho e a beleza do espetáculo, pois todos os dias se passa algo de novo:

> Houve sessões memoráveis. Lembro-me de uma aula (se é que se pode chamar a isso uma aula) de uma violência bastante simpática, num anfiteatro onde havia pelo menos oitocentas pessoas. Ouviam-se gritos vindos de todos os cantos do anfiteatro, e recordo-me de uma intervenção muito virulenta de Badiou.[19]
>
> Tínhamos seminários que horrorizavam Jacques-Alain Miller e Gérard Miller, que vinham e não pensavam que aquilo fosse suficientemente sério. Eram permitidas as discussões interrompidas e reatadas por diversas vezes, diante de um público muito interessante que não era composto de analistas, mas muito politizado e que vinha empanturrar-se de analistas. Isso nos divertia e nos estimulava.[20]

O auge do espetáculo será atingido quando Lacan, a convite do departamento de filosofia, vai a Vincennes, no dia 3 de dezembro de 1969, para realizar aí uma sessão do seu seminário no anfiteatro 1, onde se comprimem os mais contestadores do *campus*, encantados de antemão por poderem estar frente a frente com "o" Lacan. A confrontação é surrealista, digna de Dalí:

19 Ibidem.
20 Claude Dumézil, entrevista com o autor.

> J. Lacan (*um cachorro passa pelo estrado que ele ocupa*): – Vou falar de minha egéria, que é desse tipo. É a única pessoa que conheço que sabe o que fala – não digo que saiba o que diz... não é que ela não diga nada – não o diz em palavras. Diz alguma coisa quando sente angústia – isso acontece –, coloca a sua cabeça sobre meus joelhos. Ela sabe que eu vou morrer, o que um certo número de pessoas também sabe. Chama-se Justine... – *intervenção*: – Eh, mas o que é que está acontecendo? Ele está falando do seu cachorro! – J. Lacan: – É a minha cachorra e é muito bonita – Vocês teriam de escutá-la falar. [...] A única coisa que lhe falta em comparação com este que está passeando aqui é não ter ido à universidade...[21]

O mestre já não está agora sozinho, com efeito, no estrado: um contestador subiu nele e começa a despir-se. Lacan encoraja-o a que vá até o fim: "Escute aqui, meu velho, já vi isso ontem à noite, eu estava no Open Theater, e havia lá um sujeito que fazia isso, só que ele era um pouco mais descarado que você e ficava completamente pelado. Vamos, continue, merda!".[22]

A assistência exige do mestre uma crítica da psicanálise, do discurso universitário, e uma autocrítica em regra, *à la* Mao. Mas Lacan responde aos contestadores que a operação revolucionária só pode culminar no discurso do mestre: "É ao que vocês aspiram como revolucionários, a um mestre. Vocês o terão. [...] Vocês desempenham a função de hilotas desse regime. Também não sabem o que isso quer dizer? O regime o mostra para vocês. Ele diz: 'Vejam como gozam'... Bem. Por hoje é tudo. *Bye-bye*. Acabou".[23]

Aliás, a hora do mestre não tardará a soar, pois ele suporta cada vez menos a autonomia e o poder que Serge Leclaire ganhou em Vincennes, donde se sente excluído. Serge Leclaire, que desejava fazer do departamento de psicanálise um departamento independente, livre da tutela dos filósofos, e assegurando a autonomia de suas unidades de valor, é

---

21 Seminário de J. Lacan, 3 de dezembro de 1989, Vincennes, excertos de um relato feito por Bernard Marigot em *L'université ouverte*, p.267. [N.T.: o texto na íntegra dessa sessão figura como Anexo A, "Analyticon", p.187 et seq., no livro 17, O avesso da psicanálise de O *Seminário*, de J. Lacan, Jorge Zahar Editor.]

22 Seminário de J. Lacan, 3 de dezembro de 1969, Vincennes, excertos de um relato feito por Bernard Marigot, em *L'université ouverte*, p.271.

23 Ibidem.

então atacado de todos os lados: questionado por Alain Badiou, que o acusa de ser um agente da contrarrevolução, é refutado pela EFP, cujos membros desembarcam no *campus* para denunciar a heresia. Lacan, por seu lado, atiça o fogo, encorajando os que queriam abandonar Serge Leclaire: "Estávamos sendo manipulados por Lacan na sombra? Essa hipótese não está excluída. Em todo o caso, declaramos a rejeição a Leclaire e durante três anos funcionamos sem diretor".[24] Jean Clavreul sucede a Serge Leclaire à frente do departamento, mas contenta-se em dar expediente aos assuntos correntes, deixando o campo livre a cada um.

Passam-se alguns anos e vem o segundo ato, o da normalização, da entrada na linha do departamento sob a férula da direção da EFP, portanto, de Lacan, por intermédio de seu genro. Em 1974, com efeito, é confiada a Jacques-Alain Miller a direção dos docentes de psicanálise em Vincennes: "A chegada de Miller à chefia do departamento repõe tudo nos trilhos. Lacan nos intimou a que nos dobrássemos à sua vontade. Retiramo-nos em boa ordem".[25]

Roger-Pol Droit divulga o caso dessa tomada de poder em *Le Monde*:

> Desempenhei um pequeno papel quando assinei um artigo para informar sobre a preparação de um *putsch*. Ora, eles precisavam, como em todo *putsch*, que isso não fosse muito propalado. Essa publicação, oito dias antes, provocou a convocação de uma assembleia geral, a distribuição de folhetos...".[26]

Roger-Pol Droit qualifica o golpe de depuração e denuncia o espírito de Vichy da operação.[27] O *putsch* provoca efetivamente algumas vagas e pode-se ajuizar o seu conteúdo por um panfleto assinado por Gilles Deleuze e Jean-François Lyotard que denuncia uma "operação stalinista", verdadeira estreia em matéria universitária, pois a tradição proíbe a pessoas privadas intervir diretamente na universidade para aí proceder a destituições e nomeações: "Todo o terrorismo é acompanhado de lavagem: a lavagem do inconsciente não parece menos terrível

24 Claude Dumézil, entrevista com o autor.
25 Ibidem.
26 Roger-Pol Droit, entrevista com o autor.
27 Idem, *Le Monde*, 15 nov. 1974.

e autoritária do que a lavagem cerebral".[28] Normalizado daí em diante pelo Husák local, Jacques-Alain Miller, o departamento de psicanálise de Vincennes funciona para Lacan na mais estrita ortodoxia. Em 1969, Lacan tinha previsto: "Vocês encontrarão um mestre"; os estudantes acreditavam ingenuamente que ele pensava em Pompidou, mas era dele mesmo que se tratava. A psicanálise de Vincennes volta a ser então uma estrutura de ordem que na agitação encontrará boas razões para restaurar a hierarquia.

A interdisciplinaridade

Os conflitos de poder são menos agudos nos outros departamentos de Vincennes, o que não exclui a ocorrência de confrontações, como é de se esperar, na pluridisciplinaridade. É o objetivo proclamado do departamento de história, que visa destruir a ilusão segundo a qual existiria uma ciência histórica adquirida, e pretende, portanto, interrogar-se sobre o próprio objeto dessa disciplina, principalmente ao confrontar seus métodos com os das outras disciplinas das ciências sociais.

Essa pluridisciplinaridade está igualmente na base de um novo departamento, o de economia política. O projeto foi preparado por André Nicolai que, entretanto, não lecionará em Vincennes, porque o departamento, em última instância, apenas assegura os dois primeiros anos e não vai, portanto, até à licenciatura: "Era o pessoal da literatura pura quem dominava e o que ele queria era encontrar, com o ensino de economia, um álibi de cientificidade".[29] No momento em que triunfa a econometria, a matematização da linguagem econômica, esse departamento de economia política é uma exceção. Está amplamente aberto a uma reflexão de ordem histórica, sociológica, filosófica e antropológica, a partir do postulado segundo o qual não existe economia pura. Michel Beaud, que dirigirá esse departamento, pensa reatar, assim, com

28 G. Deleuze e J.-F. Lyotard, panfleto difundido em dezembro de 1974, reimpresso em *L'université ouverte*: les dossiers de Vincennes. Présenté par Michel Debeauvais, 1976. p.272.

29 André Nicolaï, entrevista com o autor.

a tradição da economia política do século XVIII: "Acredito estar com a razão e que estamos adiantados em relação aos outros".[30] Conserva a lembrança de um momento de rica efervescência de pensamento, graças aos estudantes que foram recolher um pouco do saber econômico, apesar de estarem inscritos para licenciatura em outros departamentos: "Eles formulavam objeções baseadas em Deleuze, Foucault, Poulantzas ou outros, e isso nos obrigava a ler e a refletir".[31]

A outra grande inovação de sucesso em Vincennes é a criação de um departamento de cinema, que conhece uma afluência espetacular: 1.200 estudantes, dos quais mais de quinhentos têm o curso como sua matéria dominante. Se assegura uma aprendizagem técnica à maneira do Institut des Hautes Études Cinématographiques (Idhec), esse departamento adota essencialmente uma perspectiva crítica e permite o desenvolvimento da nascente semiologia do cinema. A obra de Christian Metz se torna a fonte de inspiração essencial do trabalho teórico de Paris-VIII. Michel Marie aplicou, por exemplo, ao filme de Resnais, *Muriel*, o método de corte em unidades distintas, o mais finas possível: a análise textual permitia a pesquisa das unidades pertinentes, mínimas, da linguagem cinematográfica. Para Marc Vernet, essa vontade ou fantasia de domínio total do filme a partir de sua numeração em fases-sequências parecia uma "ideia historicamente válida na época, porque não se tinha os filmes, portanto, era preciso fotografar o máximo de coisas e ter um corte preciso. Não se tinha na época nem as cópias nem os videocassetes".[32]

Vincennes-a-louca

O discurso científico do lado coroa, o discurso delirante do lado cara, por vezes apresentados sucessivamente por eles mesmos: é a dupla realidade de Vincennes, que ilustra bem o delírio particular atingido nos anos 1970 com o grupo *Foudre*, patrocinado por Alain Badiou e

30 Michel Beaud, entrevista com o autor.
31 Ibidem.
32 Marc Vernet, entrevista com o autor.

animado por Bernard Sichère. Esse grupo maoista pretende ser um núcleo de intervenção cultural e não hesita em agir de maneira terrorista: inscreve em seu ativo, por exemplo, a interdição da projeção no *campus* do filme de Liliana Cavani, *Portier de nuit*. Mas seu alvo privilegiado é uma professora, apesar de grande admiradora da China, Maria-Antonietta Macciocchi.

Macciocchi dirige então um trabalho coletivo sobre o fascismo: vê-se acusada de fascista, de querer transformar a sua unidade de valor em mera oficina de propaganda, mormente por ter projetado *Le Juif Suss*. O auge do delírio é atingido em março de 1976, quando o grupo *Foudre* divulga um panfleto intitulado "Bolas que rolam não enfraquecem massas":

> Ai de nós! Não veremos mais a ilustre Pitonisa do mundo ocidental, aquela que tanto nos fazia rir! [...] Um certo dia, ela acreditou ter encontrado a solução – por que buscar na realidade quando ela possuía uma bola de cristal? Excelente quiromante, segundo voltava a bola para o Oriente ou para o Ocidente, ela via aparecerem bigodes sem saber muito bem se eram de Stalin ou de Hitler, mas que terminavam todos no formato de cauda daqueles peixes que cruzam, dizia ela, no arquipélago Gulag. Um dia, ela julgou ver passar em sonho um Navio Fantasma e sentiu os galões do comandante Sollers empurrarem-lhe a cabeça, ela contemplou-se seriamente no espelho e achou-se bela. Foi o fim! Ficou gagá e passou a confundir tudo, o marxismo e a psicanálise, os assassinos e os estudantes, a paranoia e a paranoia, a tinta e o esperma, as barricadas e o divã do sr. Dadoun, o marquês de Sade e os campos de concentração, o fascismo e os grupos marxistas-leninistas.[33]

Vincennes-a-louca? Mais do que o folclore e a volta delirante de um desejo recalcado e impotente de encarar um povo ausente, ela foi, sobretudo, Vincennes-a-estruturalista...

---

33 Panfleto divulgado em março de 1976 e assinado: PCC, Jacques Prévert, Groupe Foudre d'intervention culturelle, 4 mar. 1976, em *L'université ouverte*: les dossiers de Vincennes, p.275-6.

15

O revistismo continua próspero

O evento-68 também teve por efeito favorecer a constituição de grupos de trabalho realinhados em novas revistas e dinamizar as já existentes. Essa atividade, cuja importância assinalamos na fase ascendente do paradigma estrutural, prossegue e alimenta a efervescência teórica do final dos anos 1960 e início da década de 1970.

A vanguarda: literatos e linguistas

A grande aventura semiológica se caracteriza sempre por uma intensa atividade linguística e de crítica literária. Ela se internacionaliza com a revista *Semiotica*, fundada, como já vimos, em 1969, dirigida por Thomas A. Sebeok e dotada de duas redatoras-adjuntas em Paris: Josette Rey-Debove e Julia Kristeva. Seu comitê de redação é composto de personalidades muito conhecidas que cobrem sete países.[1] *Semiotica* torna-se o órgão da Associação Internacional de Semiótica, presidida por Émile Benveniste, com um secretariado-geral dirigido por Julia Kristeva. Tem por objetivo difundir os resultados das pesquisas

1 Comitê de redação de *Semiotica*: R. Barthes (França), U. Eco (Itália), J.-M. Lotman (URSS), J. Pelc (Polônia), N. Ruwet (Bélgica), M. Schapiro (Estados Unidos) e H. Sailu (RFA).

semióticas nos mais diversos domínios, onde quer que a noção de signo seja reconhecida e discutida.

Filiados à revista *Langages* e com o mesmo editor, Larousse, os linguistas francesistas, sob a direção de Jean-Claude Chevalier, lançam uma nova revista, *Langue Française*, cujo primeiro número é publicado em fevereiro de 1969 com uma tiragem de 5 mil exemplares.[2] A criação de *Langue Française* é iniciativa conjunta da equipe da Société d'Études de la Langue Française (Self) e do departamento de linguística geral de Vincennes: "Segundo o jargão da época, queríamos juntar teoria e prática. [...] Os quatro primeiros números (sintaxe, léxico, semântica e estilística) marcavam o desejo de instruir".[3]

Em 1968, Todorov tinha definido a poética como um dos componentes do estruturalismo em sua contribuição para a obra coletiva *Qu'est-ce que le structuralisme?*. Essa via será sistematicamente explorada por uma revista fundada em 1970 na editora Le Seuil por Gérard Genette, Tzvetan Todorov e Hélène Cixous, a revista de teoria e de análise literárias *Poétique*. Seus pressupostos teóricos se situam na estrita filiação estruturalista e formalista. A revista deve servir de máquina de guerra contra a teoria psicologizante e é animada por críticos literários que romperam com as técnicas linguísticas, mais próximos de Barthes, mas separados momentaneamente dele no começo dos anos 1970, em virtude da aproximação de Barthes do grupo *Tel Quel* e da ideologia textualista que daí resultou: "Barthes participou dessa ideia de um Texto com T maiúsculo, na qual estava mais ou menos implícita uma metafísica do Texto, ao passo que Genette e eu éramos espíritos muito mais empíricos".[4] A orientação de *Poétique* era, por outro lado, estritamente literária, não se tratava de submeter a reflexão a qualquer modelo proveniente do marxismo ou do freudismo. Os pressupostos formalistas envolvem um estudo autônomo da linguagem literária em relação

---

2 *Langue Française*, n.1, fev. 1969. Larousse: secretário-geral, J.-C. Chevalier; conselho de direção: M. Arrivé, J.-C. Chevalier, J. Dubois, L. Guilbert, P. Kuentz, R. Lagane, A. Lerond, H. Meschonnic, H. Mitterand, C. Muller, J. Peytard, J. Pinchon e A. Rey, a que se juntaram a partir do segundo número M. Gross e N. Ruwet.

3 Chevalier; Encrevé, La Création de revues dans les années 60: matériaux pour l'histoire récente de la linguistique en France, *Langue Française*, n.63, set. 1984, p.98.

4 Tzvetan Todorov, entrevista com o autor.

ao referente, quer seja social ou subjetivo. Portanto, permanece-se fiel, nesse caso, à orientação dos formalistas russos do início do século.

A perspectiva pretende ser científica, e quando Philippe Hamon aborda o problema do personagem em literatura, percebe-o como um conjunto de signos numa página: "Era abordado nesse sentido. Foi um dos meus artigos mais terroristas".[5] Paralelamente a essa revista, Le Seuil lança, sob a responsabilidade conjunta de Gérard Genette e Tzvetan Todorov, uma coleção "Poétique", que publicará obras importantes.[6] As relações entre linguística e literatura estão, a essa altura, no centro de numerosos debates e estudos.[7]

Em Vincennes, nasce em 1971, oriunda do departamento de literatura, a revista *Littérature*, publicada pela Larousse pouco depois de *Poétique*.[8] É a tentativa de exploração de um caminho diferente do formalismo que caracteriza a *Poétique*. A equipe dos *francisants* não é verdadeiramente homogênea e decidiu justapor os diversos pontos de vista possíveis para enriquecer a análise literária: "O núcleo comum era vagamente marxista, sociologizante, [...] com pessoas, ao mesmo tempo, poeticistas apaixonadas pelo estudo das formas e pela ideologia. Os dois mestres eram, de um lado, Benveniste e, do outro, Althusser".[9] A revista exprime bem as novas inflexões do paradigma estrutural que se procura então ligar ao sujeito, à história, o que, aliás, será a matéria de um número dedicado a esse esboço de reconciliação.[10] A revista deve exprimir a interdisciplinaridade militante que é a do departamento de literatura de Vincennes, não tanto pelo estabelecimento de verdadeiros programas de pesquisas comuns quanto pela variedade dos centros de

---

5 Philippe Hamon, entrevista com o autor.

6 Coleção "Poétique": *Formes simples*, de A. Jolles; *Questions de poétique*, de R. Jakobson; *Introduction à la littérature fantastique*, de T. Todorov.

7 *Langue Française*, n.3 ("La Stylistique"), 1969; *Langue Française*, n.3 ("La Description linguistique des textes littéraires"), set. 1970; *Langages*, n.12 ("Linguistique et littérature"), artigos de R. Barthes, G. Genette, N. Ruwet, T. Todorov, J. Kristeva, 1969; *Langages*, n.13 ("Linguistique du discours"), 1969.

8 Comitê de redação: K. Bellemin-Noël, C. Duchet, P. Kuentz, J. Levaillant, H. Mitterand; secretário-geral: J. Levaillant.

9 Henri Mitterand, entrevista com o autor.

10 *Littérature*, n.13 ("Histoire/Sujet"), fev. 1974, com artigos de D. Sallenave, A. Roche e G. Delfau, É. Balibar e P. Macherey, F. Sfez, J. Jaffré, G. Benrekassa, M. Marini, P. Albouy e J. Levaillant.

interesse de cada um dos participantes da revista. Alguns, como Henri Mitterand e Pierre Kuentz, eram mais favoráveis à contribuição da linguística estrutural; outros, como Claude Duchet, estavam mais voltados para a sociocrítica. Jean Bellemin-Noël abriu o trabalho crítico para um enfoque analítico, não no sentido da investigação do inconsciente do autor, mas do reflexo das fantasias que surgem ao leitor na leitura do texto, o que ele qualifica de inconsciente do texto que remete para o inconsciente do leitor. Há, portanto, todo um jogo de produção/recepção que Jean Bellemin-Noël qualifica de textos-análises, e que proporciona ao estudo literário o acesso ao campo freudiano, sobre o qual se pode dizer que constitui um dos principais eixos de *Littérature*, conjugado com uma perspectiva marxista-althusseriana.

A escritura e a revolução

A reorientação ou refundição do estruturalismo em curso a partir de 1967, acentuada e consolidada pela contestação de 1968, encontra na revista vanguardista *Tel Quel* um lugar privilegiado de expressão. É nela que as teses derridianas de desconstrução atingem o máximo de público. Amigo de Derrida, Philippe Sollers retoma as diversas expressões do estruturalismo nos mais diferentes domínios para esboçar o que ele designa como um "Programa" no outono de 1967 e que Élisabeth Roudinesco qualificará mais tarde de "cintilante manifesto de terrorismo intelectual".[11] Esse programa define a via revolucionária e considera a subversão da escritura como condição prévia para a realização da revolução. Vanguarda literária, *Tel Quel* se apresenta como a vanguarda da revolução proletária vindoura e, à maneira leninista, a revista se obriga a ter um programa; "científico", é claro. Visando fazer com que as massas se agitem, esse coquetel Molotov destinado a explodir é uma sábia mistura de teses derridianas, foucaultianas, lacanianas e althusserianas.

Tel Quel sente-se portadora de toda a conquista modernista das ciências humanas renovadas pelo paradigma estruturalista, e suficientemente

11 Roudinesco, *Histoire de la psychanalyse*, v.2, p.533.

forte para apresentar em 1968 à Seuil, na sua coleção, uma *Théorie d'ensemble*.[12] Esta se coloca uma perspectiva científica: "Pensamos que aquilo a que se chamou 'literatura' pertence a uma época encerrada, deixando o lugar para uma ciência nascente, a da escritura".[13] Ao materialismo histórico, Philippe Sollers acrescenta um materialismo semântico que mobiliza as noções de arquitraços em Jacques Derrida, de cortes epistêmicos em Michel Foucault, de cortes epistemológicos em Louis Althusser e de sujeito dividido em Jacques Lacan.

Tel Quel realiza no plano simbólico a posição de unificadora da modernização em curso nas ciências sociais, de tal forma que a revista conseguiu se tornar a parceria privilegiada dos intelectuais do Partido Comunista Francês (PCF), de *La Nouvelle Critique*. A teoria de conjunto tem por vocação, portanto, segundo os seus autores, abranger o conjunto da sociedade francesa. A perspectiva de *Tel Quel* continua sendo, porém, antes de tudo literária. Em 1968, ano da publicação de *Logiques*, de Philipe Sollers, o que se questiona são os textos-limite que permitem subverter a linearidade histórica, a própria noção de verdade, de sujeito. É nesse espírito que Sollers problematiza as obras de Dante, Sade, Mallarmé e Bataille como outras tantas rupturas textuais revolucionárias, não voltadas verdadeiramente para uma superação dialética, mas para a sua própria eliminação, segundo um processo de dissolução já em ação em *Números* e *Drama*. O texto "arde em todos os níveis, só aparece para se apagar",[14] segundo a figura retórica de suspensão do sentido e da história: a do oximoro.

Tel Quel considera-se, então, o veículo de uma "Frente vermelha da arte", para a qual literatura e revolução "fazem causa comum".[15] Essa frente, que ergue bem alto a bandeira do significante finalmente liberto do significado, encontra um ponto de apoio concreto, estruturado, em suas relações com o PCF. No plano teórico, é o órgão do desconstrutivismo derridiano. Respondendo às críticas de Bernard Pingaud, Philippe Sollers lembra que um texto esclarece e modifica radicalmente o pensamento desses últimos anos, *De la grammatologie*, de Derrida:

---

12 Barthes; Derrida; Baudry et al., *Tel Quel, Théorie d'ensemble*.

13 Sollers, Écriture et révolution. In: Barthes; Derrida; Baudry et al., *Tel Quel, Théorie d'ensemble*, p.72.

14 Sollers, Écriture et révolution, p.75.

15 Ibidem, p.81.

"Nenhum pensamento pode doravante deixar de situar-se em relação a esse evento".[16]

Pingaud perguntava-se: "Para onde vai *Tel Quel?*".[17] É a oportunidade para Sollers ressituar um certo número de inflexões que balizam o sinuoso percurso da revista desde o seu nascimento. A fundação em 1960 é considerada em 1968 por Sollers como fundamentalmente ambígua no plano estético, mas correta pela prioridade concedida a uma prática imanente do texto. Mas essa posição ainda está excessivamente vinculada a uma metafísica que percebe o texto como expressão, e demasiado propensa a levar a sério o positivismo do *nouveau roman* que é a forma de escritura sustentada pela revista até 1962. Nessa data, começa, graças à contribuição da linguística, uma revisão do estatuto da escritura: "Nesse momento, com efeito, a linguística é para nós de uma poderosa ajuda".[18]

Em 1964, *Tel Quel* define-se como revista de vanguarda e exalta uma escritura de ruptura, a de Bataille, de Artaud, de Sade, escritura de escansão, não metafórica. São questionadas as categorias de obras, de autores, e a interrogação incide cada vez mais sobre a própria noção de escritura a partir das teses de Derrida e de Althusser: voltar a discutir a noção de signo, ter em conta a literatura como produção.

Ao mesmo tempo que Sollers está definindo a orientação da revista, esta se encontra às vésperas de uma virada radical que a fará passar de um marxismo de tendência russa para um marxismo de tendência chinesa. Efeito de Maio de 1968 e dos êxitos da esquerda proletária, a mudança é consumada em tempo recorde. Ainda em setembro de 1968, *Tel Quel* dedica o seu 350 número à semiologia contemporânea na União Soviética, apresentada por Julia Kristeva. No início de 1969, *Tel Quel* toma o rumo do oriente vermelho do "grande timoneiro" e de um marxismo-leninismo stalinista purificado pelo presidente Mao, se bem que, após vivas escaramuças, a revista decida participar ainda num colóquio com *La Nouvelle Critique*, em 1970 em Cluny, sobre o tema "Literatura e ideologia". Quando é fundado o "Movimento de junho de

---

16 Idem, Le Réflexe de réduction. In: Barthes; Derrida; Baudry et al., *Tel Quel, Théorie d'ensemble*, p.303.

17 Pingaud, Où va *Tel Quel?*, *La Quinzaine Littéraire*, jan. 1968.

18 Sollers, Le Réflexe de réduction, p.298.

1971" no *Tel Quel*, já não há mais possibilidades de conciliação: as pontes estão definitivamente cortadas com aqueles que são qualificados de "revisionistas", de "novos czares".

Tel Quel torna-se então a expressão do fascínio que a China exerce sobre os intelectuais, e uma equipe da revista recebe os agradecimentos por isso quando Marcelin Pleynet, Philippe Sollers, Julia Kristeva e Roland Barthes são convidados para visitar a China:

> Somos os primeiros escritores a ir à China, com uma revista cuja tiragem é de 5 mil exemplares (o número sobre a China alcançou 25 mil exemplares). Somos convidados por um povo de cerca de um bilhão de indivíduos, graças a esse pequeno aparelho que é *Tel Quel*. Quando regressamos, toda a imprensa está a par das nossas posições. É simplesmente muito eficaz.[19]

Essa viagem à China em 1974 se baseou na ideia de um possível avanço, graças à "revolução cultural", quando esta, afinal, estava terminada desde 1969 e o PC chinês exercia de novo plenamente o seu poder sobre a sociedade chinesa. Existe, pois, uma grande distância entre a China imaginária dos participantes da viagem e a realidade stalinista da China de então. Aliás, Julia Kristeva confessará... mas em 1988: "A China contemporânea decepcionou-me. Não se viu a libertação que se esperava, mas inúmeras restrições, que iam até às sevícias, aos assassinatos dos espíritos mais ou menos livres".[20]

A revista está, de fato, encerrada na linguagem inexpressiva e rígida do PC chinês, e exerce um terrorismo intelectual decuplicado pelo fato de se apresentar como órgão desse horizonte oriental mal conhecido, e representando uma parcela tão importante da humanidade. *Tel Quel* deseja encarnar a subversão não mais da sociedade francesa apenas, mas da humanidade inteira que avançará de forma irrefreável dos campos sobre as cidades. Junta-se então à revista uma nova geração maoista. Bernard Sichère adere assim, ao mesmo tempo, ao maoismo e a *Tel Quel* em 1971, após um rompimento com a instituição escolar significativa do período: "Cheguei à revista a partir de um conflito provocado

---

19 Marcelin Pleynet, entrevista com o autor.
20 Julia Kristeva em *Le Bon plaisir*, France-Culture, 10 dez. 1988.

com certos pais de alunos do liceu em que eu lecionava e no qual introduzira textos de Sade nas minhas aulas, portanto, a respeito de uma história simultaneamente política e literária".[21] O encontro se dá nessa ocasião com *Tel Quel*, que se apresentava como o próprio lugar da contestação mais radical em todos os níveis, político, teórico e literário: "Na época, havia um total excesso da prática sobre a teoria que traduzia um excesso das forças subjetivas sobre a vontade de teorização, e que produziu terrorismo intelectual no campo analítico, no *Tel Quel*, nos grupos políticos".[22]

Esse excesso pode ser analisado no microcosmo "telqueliano" como o de uma literatura que não chega a se encontrar; recorre a atalhos sinuosos para fazer valer uma estética que não pode confessar seu nome, nesse período de crise do romance e de intensa atividade da crítica ideológica. Esse excesso de subjetividade provoca dissensões e rupturas, ainda mais violentas porquanto estão impregnadas de paixão e de afetividade por trás do discurso teórico que as reveste. Cada reviravolta da revista suscita, portanto, uma renovação dos homens em torno do núcleo fundador de *Tel Quel*, mas também dos proscritos entre os companheiros de infortúnio.

Em 1967, já se desencadeara uma luta fratricida entre *Tel Quel* e Jean-Pierre Faye: "Num dia de confidências, mencionei duas ou três coisas sobre a posição muito direitista de *Tel Quel* no momento da guerra da Argélia, e isso fez muito barulho, uma verdadeira explosão de furor".[23] A tendência maoista de *Tel Quel* só contribuirá para agravar uma polêmica virulenta entre as duas partes, até que Jean-Pierre Faye deixa *Tel Quel* para ir fundar uma nova revista, *Change*, na mesma editora, Le Seuil; o núcleo dessa nova revista se constitui no outono de 1967 e o primeiro número sai em 1968.[24] O título evoca a vacilação, a perplexidade, essa valsa hesitante entre ciência e literatura, teoria formal e crítica ideológica. A equipe tem por projeto trabalhar na montagem da narrativa para melhor discernir seus efeitos no jogo das formas: "É aí, nesse intervalo – entre a montagem e a desmontagem

---

21 Bernard Sichère, entrevista com o autor.
22 Ibidem.
23 Jean-Pierre Faye, entrevista com o autor.
24 Coletivo: J.-P. Faye, J.-Cl. Montel, J. Paris, L. Robel, M. Roche, J. Roubaud, J.-N. Vuarnet.

– que transita a crítica".[25] Tendo a escritura por objeto, *Change* situa-se de imediato como concorrente direta de *Tel Quel*.

A revista de Jean-Pierre Faye se inscreve na filiação do Círculo de Praga, ao qual, aliás, é dedicado um número inteiro, e procura reintroduzir a historicidade, a dinâmica, no modelo estrutural, apoiando-se na gramática gerativa de Chomsky, mesmo não sendo esse o sentido do pensamento chomskiano. Em todo o caso, é assim que ela é percebida e utilizada por Jean-Pierre Faye, que destaca a noção de transformação sintática permitindo a passagem entre estrutura profunda (modelo de competência) e de superfície (modelo de desempenho). O título da revista evoca, aliás, a noção de deslocamento das estruturas: originou-se num poema de Jean-Pierre Faye, "escrito nos Açores, num arquipélago que se encontra no meio do Atlântico, quase a meio caminho entre Lisboa e o Brasil. [...] Essa espécie de placa giratória que o arquipélago representa era para mim o sinal da mudança de formas".[26] Essa ideia de "mudança de formas" será encontrada em seguida por Jean-Pierre Faye em Marx, num texto censurado por seu autor para esclarecer a exposição que fazia aos leitores franceses, mas no qual se tratava do objeto mercantil que entra no processo de troca e muda assim de forma, ao mudar de mão; torna-se valor: "É essa mudança de forma que condiciona e mediatiza a mudança de valor, fórmula extraordinária que inverte completamente a vulgata, com suas infraestruturas em concreto".[27] Depois, Faye reencontra a mesma ideia em Hölderlin, num longo escrito de três páginas que se reduz a uma só e mesma frase, em que ele estabelece a mesma relação entre mudança de forma e mudança de matéria.

Ao grupo inicial, juntar-se-á Mitsou Ronat, cujo trabalho sobre o *rule changing* da língua poética corrobora a orientação da revista. Ele se dedica a localizar na prosa de Mallarmé as regras sintáticas como regras de desvio, de dissidência, em relação à gramática transformacional francesa, embora dispondo de seu rigor próprio: "Era uma necessidade de mudança de língua".[28] Um terceiro tempo na história da revista privilegia nessa relação com a mudança a ligação com o que é relativo,

---

25 Liminaire, *Change*, n.1, 1968.
26 Jean-Pierre Faye, entrevista com o autor.
27 Ibidem.
28 Idem, entrevista com o autor.

o próprio ato de relatar uma mensagem, o que permite integrar uma reflexão sobre a história e sobre a enunciação que Jean-Pierre Faye leva a cabo, por outro lado, na sua tese publicada em 1972.[29] "O que me pareceu o momento crucial da análise da linguagem, ponto de vista comum ao filósofo e ao historiador, foi esse modo como a linguagem retorna ao seu real fazendo-o outro."[30]

Altos lugares de confrontações

Focos de pesquisas, lugares de consensos regionais e de dissensões portadoras de rupturas, as revistas são sempre, nesse período, o meio privilegiado das confrontações teóricas. A revista *Esprit*, que já mantivera em 1963 um diálogo com Lévi-Strauss, dirige-se em 1968 a Michel Foucault, que responde a uma pergunta formulada pela equipe da revista: "Um pensamento que introduz a coerção do sistema e a descontinuidade na história do espírito não subtrai todo o fundamento a uma intervenção política progressista?".[31] A resposta de Foucault passará no momento quase despercebida, pois é divulgada em pleno mês de Maio de 1968; contudo, é de uma candente atualidade. Foucault volta a essa noção de episteme, que é decididamente problemática, para desalojar a definição, que parecia estabelecida em *Les mots et les choses*, de uma grande teoria subjacente, e substituí-la pela de um espaço de dispersão que torna possível uma pluralidade de análises sempre diferenciadas. Parece, de fato, que a noção derridiana de *différance* teria tido grande influência nas posições de Foucault, para quem "a episteme não é um estágio geral da razão, mas uma relação complexa de sucessivos deslocamentos".[32] Assim responde Foucault à acusação de predomínio concedido às coerções no seu sistema filosófico. Esforçou-se também por pluralizar, por substituir as relações causais que reúnem todos os

29 Idem, *Langages totalitaires*.
30 Idem, entrevista com o autor.
31 *Esprit*, n.6-7, maio 1968, p.850-74.
32 Foucault, Réponse à une question, *Esprit*, n.6-7, maio 1968, p.854.

fenômenos para referi-los a uma causa única pelo "feixe polimorfo das correlações".[33]

O trabalho arquivístico que ele define e que é um prelúdio para a obra em preparação, *L'archéologie du savoir*, não tem por objetivo coligir textos, mas delimitar suas regras de aparecimento, suas condições de legibilidade e suas transformações. Não é o conteúdo em suas leis internas de construção o que a interessa a Foucault, diferentemente da linguística estrutural, mas as condições de existência dos enunciados. E a esse respeito, coloca-se a certa distância do rótulo de estruturalista: "Será necessário sublinhar uma vez mais que não sou o que se chama um 'estruturalista'?".[34] Quanto às relações entre o seu pensamento e a prática política, ou seja, a questão do progressismo, Foucault responde sobre o caráter crítico do seu trabalho: "Uma política progressista é uma política que reconhece as condições históricas e as regras específicas de uma prática".[35]

La Nouvelle Critique prossegue, depois de 1968, em sua política de abertura, de difusão das teses estruturalistas e de relações privilegiadas com a equipe de *Tel Quel*, até 1970. Em abril de 1970, como vimos, realiza-se em Cluny um colóquio por iniciativa dos dois grupos, consagrado às relações entre literatura e ideologia, e cujas atas serão publicadas em *La Nouvelle Critique*. Mas o colóquio se desenrola numa atmosfera de crise, pois o Oriente está cada vez mais vermelho e, visto de Pequim, o PCF parece rosa pálido aos olhos dos telquelianos.

Em outubro de 1970, Catherine Backès-Clément faz publicar em *La Nouvelle Critique* um dossiê sobre "Marxismo e psicanálise", com as colaborações de Antoine Casanova, André Green, Serge Leclaire, Bernard Müldworf e Lucien Sève; o objetivo era encontrar uma articulação entre as duas "ciências". Julia Kristeva, que fascinara os intelectuais do PCF quando do primeiro colóquio em comum organizado com *La Nouvelle Critique*, vê escancararem-se-lhe as colunas do jornal e conversa em 1970 com Christine Buci-Glucksmann e Jean Peytard sobre as teses de seu livro, *Recherches pour une sémanalyse*.[36]

---

33 Ibidem, p.858.
34 Ibidem, p.860.
35 Ibidem, p.871.
36 *La Nouvelle Critique*, n.38 (Littérature, sémiotique, marxisme), 1970.

La Nouvelle Critique também repercute e analisa a obra de Lévi--Strauss. É Catherine Backès-Clément quem, tendo efetuado já uma reflexão sobre *Les Mythologiques* em 1969, o entrevista em 1973 nas colunas do jornal. Lévi-Strauss faz declarações tranquilizadoras para a corrente marxista: "Estou profundamente convencido de que a infraestrutura comanda as superestruturas",[37] e anuncia os combates futuros, essencialmente ecológicos. É mais do que tempo, a seus olhos, de remeter para um nível inferior a noção de progresso industrial a fim de preservar o meio ambiente, cuja poluição se torna um problema que tem prioridade sobre o das relações entre os grupos humanos.

No campo da psicanálise, a criação já mencionada de *Scilicet* no outono de 1968 é a resposta, dogmática, de Lacan à criação por Piera Aulagnier, Conrad Stein e Jean Clavreul da revista *L'inconscient*, que teve oito números: "Lacan censurou-nos muito por ter aceito a colaboração de Stein, quando este mandara sua própria filha ser analisada por ele. Fizemos, então, essa revista, que pôs Lacan fora de si".[38] Jean Clavreul deverá reentrar na linha, e em 1973 é René Major quem reage, diante da copartimentação entre escolas, organizando primeiro um seminário que logo se converterá em revista, com o nome significativo de *Confrontation*. Trata-se, para René Major, de permitir o reatamento do diálogo teórico entre os quatro grupos existentes: "Tentei derrubar tabiques, procurando estabelecer um confronto das teorias entre si".[39] Serge Leclaire dá o aval da corrente lacaniana para essa iniciativa lançada por um membro do instituto: "Logo a multidão se comprime, os ferrolhos saltam, as ortodoxias são contestadas de todos os lados".[40] O público amplia-se para escritores, filósofos, e relações de grande proximidade são contraídas entre René Major e Jacques Derrida, que de seu lado vê com bons olhos o efeito *Confrontation* na desconstrução da escola lacaniana e na redução do poder absoluto que nela exerce Lacan. Este reage, aliás, com rapidez: o diretor da escola, Denis Vasse, é demitido de suas funções por ter assistido a uma reunião do seminário *Confrontation*. Simples medida de manutenção da ordem, pois Lacan

37 Backès-Clément, Entretien avec Claude Lévi-Strauss, *La Nouvelle Critique*, n.61, fev. 1973, p.27-36.
38 Jean Clavreul, entrevista com o autor.
39 René Major, entrevista com o autor.
40 Roudinesco, *Histoire de la psychanalyse*, v.2, p.607.

telefona a Major para declarar-lhe: "Major, não se preocupe, é somente uma questão política interna".[41]

As revistas favorecem essas confrontações entre disciplinas, entre especialistas de diversas origens, e permitem a eclosão de uma reflexão comum sobre a escritura. Centradas num primeiro tempo, antes de 1967, em torno da noção de estrutura, elas procuram mais a pluralização e a dinamização daquela nesse segundo tempo do momento estruturalista.

41 Palavras relatadas ao autor por René Major.

16

Impõe-se a grade althusseriana

O movimento de maio abalou as teses althusserianas e provocou um mutismo dessa corrente no imediato pós-maio. Entretanto, a contestação de 1968 recorre a um discurso marxista para se exprimir, e encontra no althusserianismo o meio de reconciliar a sua adesão ao marxismo e o seu desejo de rigor estrutural. Toda uma geração, a de 1968, utilizará, portanto, as categorias do althusserianismo em todos os domínios do saber, e com frequência sem conhecer bem as obras decisivas de 1965, *Pour Marx* e *Lire Le capital*. Contudo, em 1968, as Éditions Maspero publicam em sua coleção de bolso, a Petite Collection Maspero (PCM), *Lire Le capital*, que conhecerá uma repercussão espetacular com 78 mil exemplares vendidos (em PCM, de 1968 a 1990). Fazia-se, então, althusserianismo sem o saber, porque ele participava do espírito do tempo. Toda uma geração descobre paradoxalmente na sua prática política um Marx reinterpretado por Althusser, o qual funda, porém, o famoso corte epistemológico o mais longe possível da ação, da práxis, unicamente no nível teórico.

O retorno a... Althusser

Efeito de Maio de 1968, o aprendiz de filósofo André Comte--Sponville, então jovem secundarista de 18 anos, perde a fé, abandona a Jeunesse Etudiante Chétienne (JEC) e une-se ao "partido da classe operária". Antes de ingressar nos preparatórios para a École Normale Supérieure, lê Althusser durante o período de férias, o que subverterá, "e por muito tempo, a minha relação com a filosofia": "Esses dois livros (*Pour Marx* e *Lire Le capital*) [...] tiveram em mim o efeito de uma revelação fulgurante, que me abria como que um novo mundo".[1] André Comte-Sponville se torna, pois, como tantos de sua geração, marxista de tendência althusseriana, e é sobretudo o rigor de Althusser na sua dimensão trágica, quase jansenista, o que retém a adesão do jovem filósofo: "Ele era o meu mestre e continua sendo".[2]

Enquanto a juventude estudantil se alimenta das teses althusserianas, Althusser e os seus mantêm-se, porém, discretos, e será necessário aguardar os anos de 1972-1973 para os ver retornar à cena editorial, ou seja, no momento em que a esquerda clássica se recompõe em torno do Programa Comum e o esquerdismo político reflui para as margens. Essa volta vigorosa se efetua com a publicação em datas vizinhas da *Réponse à John Lewis*, em 1972 (Maspero), *Philosophie et philosophie spontanée des savants*, em 1973 (Maspero), e *Éléments d'autocritique*, em 1973 (Hachette). O fenômeno editorial é marcante a ponto de o filósofo iconoclasta ver-se, enfim, oficialmente reconhecido em 1976 no seio do seu próprio partido, o Partido Comunista Francês (PCF), quando *Positions* é publicado nas Éditions Sociales. Essa última obra reúne vários artigos publicados por Althusser entre 1964 e 1975. Essa consagração no interior do PCF tem continuidade no seio da universidade, que recebeu o novo professor Althusser, que acabara de defender em junho de 1975 a sua tese de Estado em Amiens, sobre trabalho, já que foi impossível levar a bom termo seu primeiro projeto, apresentado em 1949-1950 a Jankélévitch e Hyppolite, de uma tese sobre "Política e filosofia no século XVIII". Althusser continuará, entretanto, frequentando até

1 Comte-Sponville, Une éducation philosophique, *La Liberté de l'Esprit*, n.17 (La Manufacture), 1988, p.174.

2 Ibidem, p.177.

o fim o curso da École Normale Supérieure (ENS) de Ulm, apesar de sua consagração universitária tardia.

O segundo alento do marxismo entre os intelectuais no pós-1968 provoca um novo surto de interesse pelas teses althusserianas. À coleção "Théorie", da Maspero, junta-se em 1973 uma nova coleção, "Analyse", dessa vez na Hachette, igualmente dirigida por Althusser. Após ter lido e relido Marx a partir das categorias althusserianas, todo o mundo se dispõe a ler Althusser a partir do livro que lhe dedica Saul Karsz em 1974,[3] o qual é, ao mesmo tempo, uma introdução à leitura do mestre, uma defesa e uma ilustração de suas teses, cuja coerência interna o autor demonstra, inocentando-o de antemão das críticas de que já é alvo. Em 1976, a revista *Dialectiques* dedica a Althusser um de seus números, no qual Régine Robin e Jacques Guilhaumou exprimem sua dívida afetiva e intelectual: "Era para mim o momento da respiração. [...] Para nós dois, muito simplesmente a possibilidade de fazer história. [...] Althusser nos obrigava a reler os textos".[4] Ele representa para esses historiadores a brecha que permite remover o lixo stalinista, derrubar os tabus da vulgata marxista mecanicista, um possível desbloqueio discursivo.

A irradiação das teses althusserianas ultrapassa amplamente o estrito quadro hexagonal. O althusserianismo encontrou, até por largo tempo, uma terra de eleição na América Latina, onde a contestação dos Partidos Comunistas (PCs) oficiais ligados a Moscou foi feita, na grande maioria dos casos, em seu nome, em particular na Argentina. A *Réponse a John Lewis*, publicada em 1972, foi uma reflexão em que usou como pretexto uma polêmica com as posições do filósofo marxista inglês John Lewis, expressas na revista do PC britânico *Marxism Today* na primavera de 1972. Essa resposta suscitou um vivo interesse nos meios marxistas da Inglaterra, a tal ponto que o grupo de filósofos do PC inglês decidiu consagrar uma conferência de dois dias aos textos de Althusser. Pouco antes e fora da esfera oficial do PC, nascia uma nova revista de filosofia na Inglaterra, em 1971, *Theorical Practice*, inspirada nas posições althusserianas.

3 Karsz, *Théorie et politique*: Louis Althusser.
4 Robin; Guilhaumou, L'Identité retrouvée, *Dialectiques*, n.15-16, 1976, p.38.

Os Aparelhos Ideológicos de Estado (AIE)

Esse althusserianismo triunfante dos anos 1970 não é, porém, o mesmo que o das obras de meados dos anos 1960. Ecoa o evento-68 e seu desafio ("Althusser não está com nada"), deslocando-se da teoria para a análise, como indica o próprio nome da nova coleção criada na Hachette. Althusser mostra com esse deslocamento a passagem de um ponto de vista puramente teórico, especulativo, para uma valorização da "análise concreta de uma situação concreta", sem limitar-se ao empirismo, a partir de categorias conceituais. A conjuntura, o terreno preciso de investigação, devem ser doravante estudados a partir da teoria marxista, e os althusserianos saem, portanto, de sua torre de marfim, da simples exegese dos textos de Marx para um confronto com o real.

É nessa perspectiva que, em 1970, Althusser define um vasto programa de pesquisa com o seu famoso artigo sobre os aparelhos ideológicos de Estado (AIE), "Idéologie et appareils idéologiques d'État".[5] Diferencia os aparelhos repressivos do Estado, que se apoiam na violência para garantir a dominação, dos AIE que funcionam por meio da ideologia. É graças a esses últimos, que incluem a família, os partidos, os sindicatos, a informação, a cultura, as instituições escolares ou as igrejas, que se perpetua a sujeição à ideologia dominante, a submissão à ordem estabelecida. Althusser atribui à escola uma posição estratégica central na instalação do dispositivo hegemônico da sociedade capitalista moderna, como já sugerira Gramsci: "É o aparelho escolar que, de fato, substitui nas suas funções o antigo aparelho ideológico de Estado dominante, a saber, a Igreja".[6]

Althusser incita, assim, a que se ocupem do privilegiado campo de investigação que constitui o universo escolar. Portanto, desloca o estudo da ideologia como simples discurso para a ideologia como prática, o que aproxima suas posições das defendidas por Michel Foucault em 1969, quando este último invoca a necessária abertura do discursivo para as práticas não discursivas, e sua articulação recíproca. A ideologia possui,

5 Althusser, Idéologie et appareils idéologiques d'État, *La Pensée*, n.151, jun. 1970, reimpresso em idem, *Positions*, p.67-125.

6 Ibidem, p.93.

portanto, para um e outro, uma existência material. Ela se encarna em lugares institucionais, numa prática.

Althusser fundamenta, inclusive, a sua postura numa ontologização da ideologia, considerada como categoria a-histórica: "A ideologia não tem história".[7] Invertendo as posições da vulgata marxista, que via na ideologia uma simples excrescência deformadora do real, Althusser a considera estrutura essencial, verdadeira essência que exprime a relação dos homens com o seu mundo: "Retomarei palavra por palavra a expressão de Freud e escreverei: a ideologia é eterna, tal como o inconsciente".[8]

Althusser abre um vasto campo à corrente que ele representa. A partir de 1971, Christian Baudelot e Roger Establet analisam o modo de seleção usado na instituição escolar na obra *L'École capitaliste en France* (Maspero). Roger Establet, um dos autores de *Lire Le capital*, não tardou, ao contrário do grupo de filósofos ulmianos, a voltar-se para a sociologia, estudando a estatística no plano profissional. Seguindo o duplo impulso dado por Althusser e por Bourdieu (com *Les Héritiers*), Roger Establet testa, em colaboração com Christian Baudelot, a hipótese dos aparelhos ideológicos de Estado a fim de medir-lhe a validade estatística no universo escolar. Os autores diferenciam muito claramente dois ciclos, um curto e um longo, que permitem a reprodução da divisão do trabalho no interior do modo de produção capitalista: "O que se fez com esse trabalho foi, ao mesmo tempo que se aplicou esse modelo dos AIE à realidade estatística, tentar apurar o que era verdadeiro, verificável, desse modelo no sistema escolar".[9]

Um projeto mais vasto englobava esse estudo num conjunto que devia reconstituir uma história das ideias pedagógicas. É nesse contexto que a mãe de Étinne Balibar, Renée Balibar e Dominique Laporte publicam, em 1973, *Le Français national* (Hachete), e Renée Balibar, sozinha, *Les Français fictifs* (Hachette); esses livros apresentam a tese segundo a qual a escola burguesa aperfeiçoou um sistema de ensino de língua inteiramente específico, o qual recobre sua própria historicidade desde a Revolução Francesa. Com a sua definição dos aparelhos

7 Ibidem, p.98.
8 Ibidem, p.101.
9 Roger Establet, entrevista com o autor.

ideológicos de Estado, Althusser permitia, portanto, o estabelecimento de áreas de investigação mais precisas, abertas para uma elucidação do social. É certo que esse conceito deu lugar a numerosas aplicações mecanicistas; mas na concepção de Althusser, os AIE não são, de maneira alguma, apesar da designação de aparelho, a expressão de um lugar, de um instrumento qualquer: "Althusser tentou fazer referência a um certo número de processos em interação".[10] Existe, portanto, uma inflexão da obra althusseriana no sentido do estudo das práticas institucionais, vontade de passar do teórico à práxis.

A antropologia estrutural-althusseriana

A grade althusseriana gerará, sobretudo, uma tentativa de conciliação entre marxismo e estruturalismo do lado da antropologia. Antes de Maio de 1968, já existia uma corrente ativa de antropólogos marxistas: Claude Meillassoux, Maurice Godelier, Emmanuel Terray, Pierre-Philippe Rey... Para a maioria deles, Althusser representará o quadro teórico em que é possível inserir os estudos de campo. Num primeiro tempo, antes de 1968, multiplicam-se os confrontos conceituais que dominam discussões, debates e colóquios. Mas bem depressa, e principalmente no pós-Maio de 1968, a inflexão no sentido dos estudos de campo, no sentido da práxis, revela-se uma necessidade para ir adiante: "Sobreveio então o sentimento de que, se continuássemos a discutir numa base tão estrita, não avançaríamos quase nada, e de uma certa maneira decidimos todos partir para o campo e ampliar a nossa experiência".[11]

Emmanuel Terray, que, como o leitor se lembrará, tinha descoberto em 1957, com deslumbramento, *Structures élémentaire de la parenté*, de Lévi-Strauss, deseja conjugar esse rigor científico com seu engajamento político e com sua adesão ao marxismo, fora da vulgata oficial, nos anos 1960. Essa tentativa de conciliação é da ordem do possível, segundo Terray, que assinala três limites que o pensamento estruturalista não logra

10 Georges-Élia Sarfati, entrevista com o autor.
11 Emmanuel Terray, entrevista com o autor.

ultrapassar, mas que seria possível superar graças ao marxismo.[12] Por um lado, o estruturalismo não permite fazer economia de uma filosofia, e aquela em que o trabalho de Lévi-Strauss está inserido, um kantismo sem sujeito transcendental que refere as oposições binárias assinaladas às estruturas do cérebro humano, é um kantismo que "dificilmente me seduzia".[13] Em segundo lugar, o modelo fonológico funcionava muito bem em Lévi-Strauss porque ele estabelecia, segundo Terray, um sinal de equivalência entre a sociedade e o que diz respeito à representação, à linguagem: "Por isso pude escrever que ele deveria ter intitulado o seu livro, em 1949, 'As estruturas elementares do discurso sobre o parentesco'".[14] Por conseguinte, o estruturalismo lévi-straussiano está impedido de pensar a ação, a práxis. Em terceiro lugar, Lévi-Strauss, ao definir a sociedade como troca de palavras, de bens e de mulheres, descarta de sua perspectiva dois domínios que se mantiveram como os pontos cegos de seu método estrutural: a produção (reduzida unicamente ao estudo da troca) e o conjunto dos fenômenos de poder. "Ora, esses são dois pontos a partir dos quais a mudança se opera, segundo Marx, o que me traz de volta, portanto, ao marxismo. Daí a ideia de organizar uma coexistência pacífica, uma cooperação-colaboração".[15]

Emmanuel Terray quer reconciliar o marxismo com a racionalidade contemporânea utilizando o método estrutural e, inversamente, "dinamizar e não dinamitar o aparelho estruturalista pelo marxismo".[16] Com esse propósito, retoma o estudo de campo de Claude Meillassoux, *Antropologie économique des gouro de Côte d'Ivoire* (Mouton, 1964), para reexaminá-lo a partir das categorias althusserianas e principalmente dos conceitos fundamentais do materialismo histórico, tal como foram definidos por Balibar em *Lire Le capital*. O livro de Claude Meillassoux é apresentado por Terray como "um ponto culminante na história da antropologia".[17] Meillassoux consignara-se um duplo projeto em sua obra: descrever o modo de produção de autossubsistência

12 Emmanuel Terray, *Séminaire de Michel Izard*, Laboratoire d'anthropologie sociale, jan. 1989.
13 Ibidem.
14 Ibidem.
15 Ibidem.
16 Ibidem.
17 Idem, *Le Marxisme devant les sociétés primitives*, p.95.

das sociedades de linguagens e segmentares da sociedade gouro e, num segundo tempo, estudar a passagem para a agricultura comercial. A partir da análise dos instrumentos de trabalho, das técnicas de produção, da força de trabalho utilizada, Meillassoux reconstituiu o processo de trabalho e as relações de produção nas quais esse trabalho era executado. Ele pôde então definir, segundo Terray, duas formas de cooperação: aquela que resulta da caça de tocaia com rede, o que determina uma cooperação complexa e, por outro lado, uma cooperação simples baseada na agricultura. À primeira relação corresponde o sistema tribal-aldeão, e à segunda, o sistema de linhagem.

Em termos althusserianos, Terray distingue, portanto, na formação socioeconômica estudada por Meillassoux, dois modos de produção em estreita combinação. De um lado, a cooperação complexa, que se realiza no sistema tribal-aldeão, baseado na propriedade coletiva dos meios de produção, nas regras de distribuição igualitárias, e num poder jurídico-político fraco, alternado, ocasional. De outro lado, a cooperação simples se realiza no sistema de linhagem; a propriedade também aí é coletiva, mas um indivíduo pode ser o depositário do grupo, a repartição da produção se faz a partir de uma redistribuição dessa última, e o poder é aí mais sólido, mais duradouro, os seus detentores são os primogênitos. Contra a ideia de uma preponderância absoluta em todos os lugares das relações de parentesco nas sociedades primitivas, Terray considera, portanto, que sua eventual posição dominante depende do seu papel no tocante às relações de produção: "Assinalamos simplesmente que a supremacia das relações de parentesco no conjunto da organização social não é, em absoluto, um traço comum a todas as formações socioeconômicas primitivas: ela está vinculada à presença de certos e determinados modos de produção".[18]

Terray reencontra, assim, em Meillassoux uma ilustração da tese althusseriana da autonomia das instâncias, e das defasagens possíveis entre o domínio de uma instância e a determinação em última instância do econômico. Essa abordagem permite também dirigir as atenções para os dois horizontes cegos do estruturalismo: a produção e a política.

Claude Meillassoux, entretanto, não tinha estudado o campo a partir das categorias althusserianas; seu primeiro artigo teórico sobre a

18 Ibidem, p.135.

interpretação dos fenômenos econômicos nas sociedades tradicionais é, aliás, de 1960, portanto muito anterior às primeiras publicações althusserianas. Recebe bem, evidentemente, a leitura que Terray fez de sua obra, mas sua satisfação não está isenta de certa reserva: "É claro que fiquei contente por ver que Terray dá tanta importância ao meu trabalho, mas fez dele uma leitura althusseriana que, até certo ponto, oblitera uma parte do que eu tinha procurado mostrar, em especial a parte histórica e a parte dialética".[19] Ele reconhece, não obstante, que Terray colocou em evidência um ponto central da sua abordagem: a dissociação a realizar entre a organização social dita de parentesco e o esquema consanguíneo, assim como a recomposição do sistema de parentesco conforme as exigências da organização do trabalho e da produção.

Tendo partido também para as costas africanas, a fim de trabalhar junto aos aladianos da Costa do Marfim em 1965, Marc Augé inscreve-se igualmente na corrente althusseriana. Coteja sua grade de análise no campo, esperando conciliar o estruturalismo lévi-straussiano, a sua formação de africanista adquirida com Georges Balandier e a sua adesão ao marxismo althusseriano. Ele dinamizará da mesma forma as estruturas, prevenindo-se contra toda obliteração da dimensão histórica. Contra a atração excessiva pelo exotismo que representa então a imagem do Outro, chaga das ilusões perdidas, Marc Augé recorda que "o discurso antropológico é ainda menos inocente posto que está na história, na história dos outros, é claro".[20] O althusserianismo de Marc Augé é, sem dúvida, fortemente suavizado por sua formação literária, e a confrontação das categorias conceituais com a realidade do campo é remetida para as notas de rodapé. A antropologia que Marc Augé defende é a da reconciliação das noções, até então opostas, de sentido e de função, de símbolo e de história: "A revisão antropológica só nos parece poder se efetuar a partir dos dois pontos fortes da mais recente antropologia francesa: o estruturalismo e o marxismo".[21]

Por seu lado, Maurice Godelier caminha numa perspectiva de pesquisa próxima da dos antropólogos althusserianos, embora não participe do grupo de Althusser; aliás, ele iniciou, tal como Claude

19 Claude Meillassoux, entrevista com o autor.
20 Augé, *Symbole, fonction, histoire*, p.18.
21 Ibidem, p.206.

Meillassoux, uma leitura marxista da racionalidade econômica antes de *Lire Le capital*. Mais do que nos outros antropólogos marxistas, encontra-se em Godelier a preocupação de realizar uma simbiose entre marxismo e estruturalismo: "Retomamos por nossa conta o método estrutural quando se fez necessário avançar em domínios que Lévi-Strauss não abordou".[22] Tal como para os althusserianos, a releitura de Marx está na base do trabalho de Godelier, só que com esta diferença: ele o relê à luz de Lévi-Strauss. Encontra-se nele o mesmo anti-hegelianismo que em Althusser, as mesmas referências à noção de corte adotada por Bachelard, necessária para ultrapassar o empirismo a fim de se ter acesso à lógica oculta do social. Esse corte é igualmente assinalado no interior da obra de Marx: "A ciência econômica separa-se radicalmente de toda e qualquer ideologia, e Marx não tem mais nada a ver com o jovem Marx".[23] A edição em 1973 pela Maspero de uma volumosa coletânea de artigos de Godelier publicados desde 1966, sob o título de *Horizon: trajets marxistes en anthropologie*, é testemunho da vitalidade dessa corrente marxista em antropologia: o livro vendeu 4.950 exemplares, antes de passar para edição de bolso, na PCM, em 1977, com uma tiragem de 10 mil exemplares. Godelier assume, aliás, a responsabilidade de dirigir na Maspero uma coleção, "Bibliothèque d'anthropologie", ao lado da coleção "Théorie" que Louis Althusser dirige.

Godelier é levado a contestar as posições oficiais do PCF, em especial contra Lucien Sève, que em 1967 opõe o método estrutural ao pensamento dialético. Em 1970, Godelier responde na mesma revista, *La Pensée*, a essas críticas. Por outro lado, sua perspectiva de conciliação das abordagens estrutural e dialética não o impede de criticar, se achar necessário, as teses estruturalistas: "A análise estrutural – embora não negue a história – não pode unir-se a ela porque, desde o começo, separou a análise da 'forma' das relações de parentesco da análise de suas 'funções'".[24]

A grande questão que o trabalho teórico de Godelier formula, e que se junta à dos althusserianos, é o fundamento da causalidade estrutural,

22 Godelier, *L'Idéal et le matériel*, p.35.

23 Idem, Système, structure et contradiction dans "Le Capital", *Les Temps Modernes*, n.246, nov. 1966, reimpresso em idem, *Horizon*: trajets marxistes en anthropologie, v.2, p.97.

24 Idem, *Horizon*, v.1, p.111.

a saber, a compreensão do papel dominante do parentesco no seio das sociedades tradicionais, combinada com a determinação última da instância econômica. Nesse plano, Godelier desloca a visão habitual da articulação infra/superestrutura, e considera que não existe exterioridade nas sociedades primitivas entre as relações econômicas e as de parentesco. O que especifica, pelo contrário, essas sociedades é o fato de que "as relações de parentesco funcionam como relações de produção, relação política, esquema ideológico. O parentesco é, nesse caso, portanto, infraestrutura e, simultaneamente, superestrutura".[25] Godelier expõe essa tese a partir do exemplo dos caçadores pigmeus da floresta congolesa, os mbuti. Assinala nesse grupo que pratica a caça e a coleta a existência de três imposições internas ao seu modo de produção: a dispersão dos grupos, a necessária cooperação dos indivíduos e uma certa fluidez entre os bandos constituídos para assegurar uma repartição harmoniosa de homens e recursos. O modo de produção dos mbuti determina, portanto, todo um sistema de imposições, cujas articulações formam "a estrutura geral da sociedade".[26]

Godelier defende posições muito próximas das de Althusser, ainda que se dissocie de certas orientações do althusserianismo: "Muitos discípulos de Althusser interpretam a sua teoria das instâncias como uma hierarquia de instituições [e não de funções] e recaem no erro positivista que pretendem ter superado teoricamente para sempre".[27] A combinação realizada entre o marxismo e o estruturalismo leva Godelier a distinguir em Marx o uso de duas formas de contradição, de natureza diferente: uma, intrínseca à própria estrutura das relações de produção, é concebida como contradição original; a outra é a que opõe dois tipos de estruturas, as relações de produção e as forças produtivas. Essa distinção lhe permite ajustar a postura marxista ao estudo das sociedades tradicionais e elucidar os processos de transição em seu seio: "A análise da natureza das contradições induzida pela da causalidade estrutural deve se prolongar numa verdadeira teoria do lugar de deslocamento das contradições no decorrer das transformações de um modo

25 Ibidem, v.2, p.51.
26 Ibidem, v.1, p.120.
27 Ibidem, v.1, p.160, nota 30.

de produção".[28] Nesse sentido, Godelier dissocia-se de Lévi-Strauss, cuja redução da historicidade à simples contingência é contestada por ele, como se viu em um debate com Lévi-Satrauss e Marc Augé organizado pela revista *L'Homme* em 1975: "Eu critico, de fato, a homenagem que você prestou em *Du miel aux cendres* à história como contingência irredutível; penso que era uma homenagem em definitivo negativa, uma homenagem que se voltava contra a história".[29]

A sociologia althusseriana

Também entre os sociólogos, as teses althusserianas conhecem, depois de Maio de 1968, um extraordinário sucesso. Uma renovação do pensamento sobre a política, sobre as representações no campo político, apoiar-se-á na noção de aparelhos ideológicos de Estado: "Esse artigo foi a minha cruz durante muito tempo", recorda Pierre Ansart. "Havia por toda parte esses famosos AIEs! Ainda não consigo entender como essas ideias puderam ter um tal poder de sedução".[30] Pierre Ansart, abismado, tenta em vão resistir à asfixia praticando uma crítica sistemática do artigo de Althusser em Paris-VII; mas isso desagradava abertamente a um público estudantil que suspeitava de não ser ele marxista. Pierre Ansart contestava o esquema de reprodução que desce de maneira funcional do Estado até as unidades mais restritas, como a família, e insistia, pelo contrário, nas noções de contradição, de oposição no fenômeno de recepção da ideologia, sobre a sua diversidade: "O esquema de Althusser torpedeava o que eu queria fazer. Tinha, portanto, todas as razões para o atacar, mas pregava no deserto".[31]

A influência althusseriana em sociologia política passa, sobretudo, pela obra de Nicos Poulantzas, que em 1968 publica *Pouvoir politique et classes sociales* (Maspero). Professor de sociologia em Paris-VIII (Vincennes) depois de 1968, Poulantzas propõe um enfoque muito

28 Bonte, Maurice Godelier: itinéraires marxistes en anthropologie, *La Pensée*, n.187, jun. 1976, p.85.
29 Godelier, Anthropologie-Histoire-Idéologie, *L'Homme*, jul.-dez. 1975, p.180.
30 Pierre Ansart, entrevista com o autor.
31 Ibidem.

conceitual da sociologia para livrá-la das rotinas empíricas e convertê--la em teoria científica: "O modo de produção constitui um objeto abstrato-formal que, na realidade, não existe num sentido pleno".[32] Numa estrita ortodoxia althusseriana, com alguns laivos de gramscianismo em sua definição do Estado como portador de uma função global, Poulantzas volta as costas a duas leituras deformadoras de Marx: a historicista e a economicista.

O historicismo exprime-se, segundo ele, sob duas formas: uma corrente hegeliana, que coloca a classe social na posição de sujeito da história, representada por Georg Lukács, Lucien Goldmann e Herbert Marcuse; e uma segunda corrente que se apoiaria numa interpretação funcionalista de Marx e teria por representante na França Pierre Bourdieu. Essa concepção teria por efeito perverso dissociar, em teoria, a noção de classe-em-si, definida pelo seu lugar no modo de produção, e a de classe-para-si, consciente de seus interesses de classe. Poulantzas opõe a essa orientação historicista o mesmo argumento que Althusser diante do humanismo, ao considerar os agentes da produção como simples "suportes ou portadores de um conjunto de estruturas".[33]

A outra leitura deformadora de Marx, segundo Poulantzas, é o economicismo, que reduz a existência das classes sociais à sua realidade no interior das relações de produção exclusivamente. É a vulgata oficial que é aí visada, e a sua teoria do reflexo: "Os poderes político ou ideológico não são a mera expressão do poder econômico".[34] Poulantzas opõe-lhe o conceito de hegemonia, tomado de Gramsci, para reconstituir a complexidade do aparelho jurídico-político do Estado e sua autonomia relativa. Tal como em Althusser, a instância ideológica desempenha em Poulantzas um papel importante, que não se reduz a mascarar a dominação econômica; ela tem por função construir um discurso positivo coerente em relação à vivência dos agentes, e ocultar não somente o econômico, mas sobretudo a instância que se encontra em situação de dominância.

Poulantzas terá tido o mérito de abrir espaço para uma nova reflexão sobre o poder, concebido de maneira muito mais complexa do que a habitual referência a um Estado instrumento de classe. O poder é

---

32 Poulantzas, *Pouvoir politique et classes sociales*, p.11.

33 Ibidem, p.63.

34 Ibidem, p.121.

analisado por ele como vasto campo estratégico englobante, numa abordagem bastante próxima da de Michel Foucault, sem que isso signifique, porém, um questionamento da noção de centro no funcionamento do poder. O trabalho de Poulantzas conhece nesse início dos anos 1970 uma enorme repercussão no domínio da sociopolítica, a tal ponto que ele é o sociólogo mais destacado na obra editada em 1971 pela Seghers, *Clés pour la sociologie*, escrita por René Lourau e Georges Lapassade: "Fomos criticados nos quatro cantos do mundo por ter dado um lugar gigantesco a Poulantzas nessa obra, mas, para nós, isso parecia perfeitamente natural na época".[35] As tiragens de *Pouvoir politique et classes sociales* atestam a apreciação de René Lourau, pois a obra obterá uma tiragem de 8,2 mil exemplares, antes de alcançar uma tiragem acumulada de 40 mil exemplares em edição de bolso.

Uma epistemologia althusseriana

O materialismo histórico, em sua versão althusseriana, não se limitou ao campo das ciências humanas. Em sua ambição de se reconciliar com a racionalidade contemporânea, ele desenvolveu toda uma reflexão sobre as chamadas ciências duras. O quadro essencial terá sido ainda a ENS de Ulm, na qual se realizava um "curso de filosofia para cientistas". Os cursos de 1967-1968 ocasionarão uma publicação que se tornará o breviário dos althusserianos engajados na pesquisa científica: *Sur l'histoire des sciences*.[36] Michel Pêcheux, a quem já vimos definir a análise do discurso a partir dos conceitos althuserianos, interroga-se nessa obra sobre essa tão famosa noção de corte. Tomando como modelo a distinção estabelecida na obra de Marx por Althusser em torno do decantado corte epistemológico, Pêcheux estuda os efeitos do corte galileano em física e em biologia. Ele pretende estabelecer a divisão entre o ideológico e o científico a fim de mostrar que as concepções de mundo (o ideológico) têm de ser simplesmente postas de lado "para cada ramo da física,

35 René Lourau, entrevista com o autor.
36 Fichant; Pêcheux, *Sur l'histoire des sciences*.

no nível específico do corte".[37] Quanto a Michel Fichant, ele problematiza a própria ideia de uma história das ciências: "A história das ciências não é algo de uma evidência incontestável".[38] Retoma uma questão muito foucaultiana, procurando situar o lugar do discurso teórico sustentado, o público ao qual ele é destinado, o lugar reconhecido por esse discurso. Fichant dedica boa parte da obra a uma crítica dos obstáculos que se opõem à construção do conceito de história das ciências e que são fruto da ideologia: o fato de considerar a ciência como unicidade, o de perceber o seu dever numa teleologia contínua e o empirismo induzido por essas concepções. Ao contrário desses pressupostos, Fichant preconiza uma "epistemologia da recorrência".[39] Essa noção de recorrência deve constituir a principal ruptura com a relação tradicional mantida pelo cientista com a sua prática científica. Mas segundo os pressupostos althusserianos, essa recorrência não é uma simples análise regressiva, teológica, pressupondo uma continuidade histórica; ela deve distinguir entre as propriedades do real e as do conhecimento.

Nessa perspectiva, aberta pela escola francesa de epistemologia – Cavaillès, Bachelard, Canguilhem... –, os althusserianos franqueiam-se o campo da reflexão epistemológica. É nesse quadro que Dominique Lecourt publica em 1972 *Pour une critique de l'épistémologie*. Essa obra apresenta, porém, o cunho característico do pós-1968 e reintroduz, por ocasião de uma delimitação do alcance da intervenção foucaultiana, o primado da noção de prática. Por certo, Foucault enfatiza a pertinência de práticas discursivas em *L'archéologie du savoir*, mas, segundo Dominique Lecourt, ele não vai muito longe. As práticas experimentais próprias da atividade científica não podem se reduzir ao estudo das práticas do discurso. Por outro lado, o estudo das condições de possibilidade de um discurso não permite que se dispense um estudo sistemático das condições de produção desse discurso. Essa proximidade e esse diálogo, por vezes conflitante, entre a obra foucaultiana e a althusseriana, são sempre de suma importância, como veremos, na inflexão epistemológica de uns e outros.

37 Ibidem, p.30.
38 Ibidem, p.54.
39 Ibidem, p.101.

Pierre Raymond, althusseriano e matemático, publica por seu lado uma série de obras de reflexão sobre as condições de possibilidade de uma história das ciências em meados da década de 1970.[40] Ele interroga também a relação que a filosofia mantém com a produção científica. Situa essa relação no plano da forma de seu funcionamento, forma essa que deve ser distinguida e ligada à "distribuição social das forças científicas".[41] Vamos encontrar em Pierre Raymond a mesma tentativa já enunciada por Michel Fichant em 1969, ou seja, a da construção de uma história das ciências que formule a questão prévia da produção científica: "O problema de uma história das ciências consiste precisamente em conceber a distribuição social das forças produtivas científicas e as relações (filosóficas) de produção".[42] À maneira althusseriana, Pierre Raymond divide seu objeto matemático em dois. Distingue um nível que desempenha o papel de teoria, o matemático, e aquele que representa a realidade, o matematizado, cujas fronteiras estão em constante deslocamento, sendo esta uma distinção puramente funcional. Essa repartição deve permitir a renovação da abordagem histórica do matematizado e de seu acesso ao continente matemático. Todo um horizonte teórico baseado na eficácia da ruptura terá, assim, gerado uma rica reflexão epistemológica na perspectiva aberta por Althusser.

Um desejo de totalização

É todo o campo das ciências humanas que parece, portanto, adotar o discurso althusseriano nesse início dos anos 1970. Ele se apresenta como o meio de realizar essa federação de todas as disciplinas, de todos os saberes regionais, em torno de uma ambição teórica que propicie uma possível totalização conceitual, um quadro de análise capaz de explicar a diversidade do real para além dos compartimentos habituais.

---

40 Raymond, *Le Passage au matérialisme*; idem, *De la combinatoire aux probabilités*; idem, *L'Histoire et les sciences*; idem, *Materialisme dialectique et logique*. Por outro lado, ele dirigirá a coleção "Algorithme" na editora François Maspero, que incluirá, entre outras obras, *La Théorie des jeux: une politique imaginaire*, de Michel Plon.

41 Idem, *L'Histoire et les sciences*, p.11.

42 Ibidem, p.53.

Essa adoção dos conceitos althusserianos como grade de análise do real é manifesta na revista *Tel Quel*, que, em fins de 1968, tem justamente por ambição, como já vimos, construir uma "teoria de conjunto". À separação arbitrária entre dois gêneros, "romance" e "poesia", Marcelin Pleynet opõe uma nova abordagem do percurso textual que se inspira diretamente nas três "generalidades" expostas por Althusser: "Generalidade 1 (generalidade abstrata, trabalhada), a língua; generalidade 2 (generalidade que trabalha, teoria), arquiescritura; generalidade 3 (produto do trabalho), o texto".[43] A dialetização da teoria e da prática realizada pelos telquelianos não se refere à redução de um dos termos ao outro, mas à definição que Althusser dá da teoria como forma específica da prática, abordagem que permite prognosticar uma ciência nova: a escritura. "O texto é simultaneamente um processo de transformação sobredeterminado pela economia escritural e, segundo a fórmula de Althusser, uma 'estrutura com múltiplas e desiguais contradições'".[44]

Sempre no campo literário, a revista *Littérature* é fortemente marcada pelas posições althusserianas e, quando se trata de refletir os dois ângulos mortos do estruturalismo em 1974 num número dedicado a "Histoire/Sujet", Danièle Sallenave define regras de intervenção (ou intervenções) que se apoiam essencialmente nas teses de Lacan e de Althusser. Ao examinar o funcionamento da tríade conceitual que serve para a análise literária (formalismo/marxismo/psicanálise), Sallenave concebe a literatura como um objeto ideológico e considera indispensável, portanto, uma integração dessas três abordagens para se ter acesso à cientificidade: "A entrada do materialismo histórico (MH) e da análise das formações do inconsciente (AFI) na teoria das formas literárias permitiria aceitar a incumbência teórica da questão do real, [...] da questão do sujeito".[45] Danièle Sallenave vê no materialismo dialético e histórico a própria base da construção de uma teoria geral como teoria da produção do simbólico. É nessa condição que se poderão inscrever as práticas artísticas no interior da questão do "modo de simbolizar".[46] Retomando os próprios termos de Althusser, a autora apoia-se na sua definição de

43 Pleynet. In: Barthes; Derrida; Baudry et al., *Tel Quel, Théorie d'ensemble*, p.102.

44 Sollers, Écriture et révolution. In: Barthes; Derrida; Baudry et al., *Tel Quel, Théorie d'ensemble*, p.78.

45 Sallenave, Règles d'intervention(s), *Littérature*, n.13, fev. 1974, p.7.

46 Ibidem, p.12.

um conceito marxista de tempo histórico, anterior ao sujeito, ou seja, de um processo sem sujeito, anterior a uma orientação materialista.

A ideia de totalização também obterá a adesão de certos historiadores, ainda que em menor número. Régine Robin, historiadora aberta para o diálogo interdisciplinar com a linguística, lembra com que entusiasmo descobriu os artigos de Althusser, em meados dos anos 1960. Ela era então jovem professora no liceu de Dijon: "Tive a sensação de que algo de novo estava acontecendo e que não só se podia levar o marxismo a sério, mas também que havia nele uma conceitualização pensável".[47] Mas foram raros os historiadores a enveredar assim por esse caminho perigoso, em que por formação se sentiam pouco à vontade diante do historicismo e do elevado grau de abstração em uso entre os althusserianos. Nesse campo por definição complexo e híbrido, o quadro conceitual althusseriano só podia, com efeito, aplicar-se ao preço da eliminação de parcelas inteiras da realidade, sacrificadas para expor a validade da teoria: "Nós, os historiadores, éramos percebidos como sujeitos perversos, pois sempre se voltava à natureza incompleta dos conceitos".[48] É certo que Pierre Vilar, professor na ENS de Ulm, tinha um relacionamento de proximidade profissional e amigável com Althusser, compartilhando com ele, além disso, a mesma adesão a um marxismo rigoroso; aliás, é convidado a falar como historiador no seminário de Althusser. Mas essas relações não irão muito longe, a não ser por um diálogo crítico com certas teses althusserianas que Pierre Vilar conduz na colaboração que deu a Pierre Nora para a publicação do volume coletivo *Faire de l'histoire*.[49] Trata-se sobretudo de dois pontos de vista incomensuráveis entre si: o do historiador e o do filósofo.

O desejo de totalização se manifesta também no grupo que cria em 1973 a revista *Dialectiques*.[50] O núcleo fundador dessa revista se situa na dupla filiação de Jean-Toussaint Desanti, por seu desejo de explorar concretamente os diversos campos de cientificidade, e de Althusser,

47 R. Robin, entrevista para *EspacesTemps*, "Fabrique des sciences sociales", n.47/48, 1991.

48 Ibidem.

49 Vilar, Histoire marxiste, histoire en construction. In: Le Goff; Nora (Dirs.), *Faire de l'histoire*, v.I, p.169-209.

50 *Dialectiques*, n.1/2, 1973, diretor de publicação: D. Kaisergruber; colaboradores: B. Avakian-Ryng, M. Abélès, D. Kaisergruber, J.-Cl. Chaumette, Y. Mancel, S. Ouvrard, Ch.-A. Ryng, J. L. Piel.

por sua vontade de totalização, de articulação dos diversos níveis do saber. A originalidade de *Dialectiques* resulta do seu alto nível de conceitualização, de sua independência militante e de sua recusa de toda e qualquer enfeudação. A revista conhecerá um vivo sucesso e, sem apoio editorial, construirá uma eficaz rede de distribuição, o que lhe permitirá ultrapassar, por vezes, os dez mil exemplares. O projeto nasceu no imediato pós-1968 em Saint-Cloud, onde se reunia um pequeno grupo de membros da ENS: Pierre Jacob, David Kaisergruber e Marc Abélès, todos os três membros, na época, do PCF. Terão imediatamente, aliás, dissabores com a direção do partido, que os convoca a comparecer em sua mais alta instância, o *bureau* político, para que expliquem a linha adotada pela revista: "Simplesmente porque se tinha publicado um artigo de Desanti sobre as matemáticas em Hegel. O artigo nada tinha a ver, nem de perto nem de longe, com a política, mas como Desanti tinha sido o ideólogo do partido, isso inquietou".[51] Entre os colaboradores ocasionais da revista se encontra a linguista Claudine Normand, que descobriu Althusser em 1969-1970: todo o seu trabalho sobre o corte saussuriano se situa na perspectiva de uma verificação da hipótese althusseriana do corte aplicada ao campo linguístico. Régine Robin intervirá também com certa frequência como historiadora/linguista em *Dialectiques*, adotando posições althusserianas.

Toda uma efervescência teórica parece, portanto, situar o althusserianismo como o unificador das ciências humanas, sólido dique de cientificidade por sua capacidade para conjugar estruturalismo e marxismo. Mas esse tempo de triunfo será tão fugaz quanto espetacular, pois a pluralização da contradição e a substituição por complexa combinatória de instâncias do jogo binário da dialética em breve relativizarão e minorarão o poder do esquema de explicação marxista, mesmo enriquecido por Althusser.

51 Marc Abélès, entrevista com o autor.

17

Implode a grade althusseriana

Efeito contraditório de Maio de 1968, o althusserianismo passa bem, mas os althusserianos vão mal. Têm plena consciência de que o evento vem colidir com o seu esquema explicativo e de que devem reorientar a perspectiva de suas pesquisas para a práxis, para o campo, a fim de testar-lhes a fecundidade. Althusser inicia, então, um longo processo de retificação, de autocrítica.

As autocríticas

A partir de 1968, por ocasião de uma nova edição de *Lire Le capital* na Petite Collection Maspero, Althusser se coloca a uma certa distância crítica em relação ao que qualifica de "indubitável tendência teoricista" que foi a dele em seu relacionamento com a filosofia.[1] Esse teoricismo se manifestou, em seu entender, por uma aproximação exagerada entre o marxismo, revisitado em torno da noção de corte, e o estruturalismo, fonte de confusão: "A terminologia que empregamos era, sob diversos

1 L. Althusser já iniciara esse processo de autocrítica no prefácio para a edição italiana de *Lire Le capital*, publicada em 1967.

aspectos, vizinha demais da terminologia 'estruturalista' para não dar lugar a um equívoco".[2]

O que ainda é apenas, discretamente, um certo distanciamento em relação ao estruturalismo, do qual todo o mundo ainda ontem se considerava adepto, converter-se-á rapidamente no mais importante aspecto de uma autocrítica em regra, como se revela pelo próprio título da obra de Althusser publicada em 1974: *Éléments d'autocritique* (Hachette). Trata-se, pois, de um verdadeiro desvio e não mais de um simples erro pontual; sabe-se o que o termo desviacionismo implica, na corrente marxista, a ideia de um pecado irremissível, que torna necessária a autoflagelação. O desvio teoricista teve por efeito apresentar o famoso corte sob as formas de uma oposição que se daria "entre A ciência e A ideologia".[3] Uma tal cenografia desloca o que está em jogo para o plano estrito do racionalismo, ao opor a ideologia, à qual é atribuído o lugar do erro, e a ciência marxista, que ocupa o da verdade. Essa posição subentendia pensar a problematização filosófica e política ao modo da história das ciências, e o recurso a Bachelard funciona, nesse caso, não mais somente no plano metafórico, mas também no heurístico. Esse erro de perspectiva e esse teoricismo se encarnavam em três figuras: uma teoria da diferença entre a ciência e a ideologia como termos gerais, o conceito de prática teórica e, enfim, a tese segundo a qual a filosofia é o lugar da teoria da prática teórica. Althusser retorna à leitura de *O capital* empreendida em 1965 ao denunciar: "O nosso 'flerte' com a terminologia estruturalista passou certamente da medida permitida".[4]

À medida que Althusser incrimina simplesmente a linguagem empregada em meados da década de 1960, fica evidente que ele deprecia o que, de fato, vinculava-se muito mais a uma estratégia inteiramente consciente de sutura entre diversos saberes em torno de um objetivo comum, tanto institucional quanto teórico. Em 1974, vê o estruturalismo como uma especialidade claramente francesa e uma ideologia filosófica de cientistas: a tendência geral do estruturalismo define essa corrente de pensamento como "racionalista, mecanicista, mas acima de

2 Althusser (Dir.), *Lire Le capital*, v.1, p.5.
3 Idem, *Éléments d'autocritique*, p.41.
4 Ibidem, p.57.

tudo formalista".[5] E não percebe relação alguma entre o esvaziamento das realidades concretas, que supõe a ideia/ideal estruturalista de uma produção do real que resultaria de uma combinatória de elementos quaisquer, e o marxismo, cujos conceitos, ainda que se definindo como abstrações, visam elucidar a realidade social em seus lances mais concretos. Marx "não é um estruturalista porque não é um formalista".[6]

Sabe-se, não obstante, que tal apreciação não tem fundamento, pois o estruturalismo nunca se definiu, pelo menos em sua acepção lévi-straussiana, como um formalismo. A crítica a Vladimir Propp por Lévi-Strauss atesta, aliás, a distinção necessária entre essas duas correntes, deliberadamente confundidas por Althusser. A definição que este último dá do estruturalismo, simultaneamente simplificadora e à margem da natureza da corrente de pensamento em questão, tem sobretudo um propósito estratégico, de depreciação de um paradigma que perdeu sua vitalidade unificadora, e permite, além disso, justificar-se por nunca ter sido estruturalista: "Se não fomos estruturalistas, [...] fomos culpados de uma paixão quiçá mais forte e comprometedora: fomos spinozistas".[7]

Um ano antes dessa autocrítica, em 1973, Althusser já reconhecera, por ocasião da polêmica que o opôs ao marxista inglês John Lewis, o desvio de teoricismo. Mantivera-se então, porém, solidamente instalado em suas posições hostis ao chamado humanismo burguês, ao qual opunha o anti-humanismo teórico do Marx da maturidade: "A história é um processo, e um processo sem sujeito",[8] concepção já enunciada em 1968.[9] Althusser reconhecia ter a não menor obrigação de fazer autocrítica sobre um ponto essencial, o do corte epistemológico na obra de Marx, segundo o qual as categorias filosóficas hegelianas de alienação, de negação da negação, teriam desaparecido totalmente após o corte em proveito de categorias propriamente científicas: "J. Lewis me responde

5 Ibidem, p.61.
6 Ibidem, p.63.
7 Ibidem, p.65.
8 Idem, *Réponse à John Lewis*, p.31.
9 Idem, Marx et Lénine devant Hegel (1968). In: *Lénine et la philosophie* (a tiragem desse livro atingirá 25 mil exemplares, aos quais cumpre adicionar 13 mil da coleção Petite Collection Maspero – PCM a partir de 1972).

que isso não é verdade. E ele tem razão".[10] Essa cegueira se explicaria pelo desvio teoricista no qual Althusser reconhecia ter-se extraviado quando assimilou a revolução filosófica de Marx ao modo de revolução em uso nas ciências, que se traduz por um real corte epistemológico: "Portanto, pensei a filosofia de acordo com o modelo *da* ciência".[11]

Além desse aspecto autocrítico, a *Résponse à John Lewis* é considerada um importante evento político e como tal foi celebrada por Emmanuel Terray. Este percebe nesse trabalho a aplicação prática da tese de todos os grandes filósofos, segundo a qual fazer filosofia é fazer política na teoria. O livro responde incontestavelmente a uma expectativa, como é atestado pela tiragem, excepcional para esse gênero de obra, de 25 mil exemplares. A filosofia seria, por essência, política, teria por fundamento essencial prosseguir a obra política por outros meios. Althusser "fala sem rebuços de política, e sua intervenção trata de um problema cuja solução é, sob muitos aspectos, decisiva para o futuro do movimento operário francês e internacional: como proceder a uma análise marxista do período stalinista?".[12] Althusser contesta a breve explicação oficial dos erros do stalinismo dada na tribuna do XX Congresso do Partido Comunista da União Soviética por Khruschev, segundo a qual a derrapagem teria resultado simplesmente do culto da personalidade. Essa explicação puramente jurídica e humanista corresponderia ao economicismo em uso na União Soviética durante e depois de Stalin.

Althusser vê no stalinismo e no desvio que este representa "uma forma da desforra póstuma da II Internacional: como que um ressurgimento da sua tendência principal",[13] que se encarna na dupla figura complementar, segundo Althusser, do humanismo e do economicismo. Opõe a isso a categoria de "processo sem sujeito nem fim", que também pode adotar a forma de "processo sem sujeito nem objeto",[14] considerando que a categoria de sujeito provém simplesmente da filosofia burguesa e foi inventada para fins estratégicos precisos de dominação ideológica. Notar-se-á nessa posição de negação do sujeito, mais do que

10 Idem, *Réponse à John Lewis*, p.51.
11 Ibidem, p.55.
12 Terray, Un événement politique, *Le Monde*, 17 ago. 1973.
13 Althusser, *Réponse à John Lewis*, p.93.
14 Ibidem, p.72.

uma afinidade terminológica com o estruturalismo, uma grande proximidade paradigmática.

Mas o processo de autocrítica apenas começou. Pouco depois, em 1976, Étienne Balibar toma conhecimento de um texto inédito que Althusser lhe comunica. É nessa data que ele toma consciência de que Althusser está animado por uma força inexprimível que o conduz a desfazer, a destruir tudo o que tinha construído até então, até condenar-se ao silêncio em que se encerrou em seguida esse homem enterrado vivo (e que confidenciará a Balibar em agosto de 1980: "Não me suicidarei, farei pior do que isso. Destruirei tudo o que fiz, tudo o que sou para os outros e para mim..."). [15] Étienne Balibar emite várias hipóteses para explicar esse mecanismo de destruição, cada vez mais convincente em Althusser, de suas posições anteriores; essas tentativas explicativas são, aliás, acumuláveis. Há as razões de ordem psicológica: sabe-se que Althusser tinha uma saúde psicológica frágil, que ele não passava um ano ensinando em Ulm sem uma estada prolongada no hospital psiquiátrico. Acrescenta-se a isso uma série de razões de ordem política, envolvendo as crises conjugadas do marxismo, do mundo comunista e do PC francês, que Althusser teria tentado em vão estancar, sem poder fornecer um remédio satisfatório. Resta uma outra explicação, muito interessante, desenvolvida por Balibar: é a explicação de ordem filosófica, invocando a temática derridiana da desconstrução; Balibar mostra em que medida Althusser desconstrói seu próprio sistema filosófico, dada a própria natureza dos conceitos que expressa.

> O que Althusser tinha a dizer só o podia ser sob a forma de uma denegação, de um discurso condizente *a posteriori* com a sua anulação. Em suma, tinha de pôr em prática o que Heidegger e Derrida descreveram teoricamente: a unidade contraditória, no tempo, das palavras e de sua eliminação. [16]

Balibar sublinha o caráter já autocrítico dos conceitos propostos por Althusser, que contêm a própria negação em sua tensão interna,

---

15 Balibar, Tais-toi encore, Althusser!, *Les Temps Modernes*, dez. 1988, p.3, reimpresso em idem, *Écrits pour Althusser*.

16 Ibidem, p.9.

como é o caso, por exemplo, do conceito de anti-humanismo teórico. O projeto essencial de Althusser, de construir uma ciência que escape à ideologia, implica o retorno sempre possível do recalcado ideológico ao próprio campo da ciência. Não existe, portanto, repouso possível nessa batalha incessante, nesse conflito interno no interior de uma ciência que é preciso promover, mas da qual se sabe que contém em si a não ciência, a sua própria dissipação, a sua própria eliminação.

A lição de Althusser

Essa autocrítica de Althusser não basta para um dos autores de *Lire Le capital*, Jacques Rancière, que publica em 1974 na Gallimard uma obra na qual repudia radicalmente o ensino do mestre, *La Leçon d'Althusser*. Sua contribuição de 1965 para *Lire Le capital* tinha sido suprimida, assim como a de Roger Establet e de Pierre Macherey, na reedição reduzida de 1968 na Petite Collection Maspero. Diante do êxito do livro, as Edições Maspero decidiram reeditar na íntegra, em 1973, a edição original de 1965, com todas as suas contribuições. Assim, Jacques Rancière é avisado e convidado a rever o seu texto, "Le concept de critique et la critique de l'économie politique. Des maniscrits de 1844 au *Capital*", para o caso de desejar proceder a eventuais correções. Mas Jacques Rancière não podia e não queria se contentar com o retoque de detalhes: o movimento de 1968 o tornara, de fato, muito crítico a propósito das posições althusserianas. A ruptura está consumada desde 1968-1969, no momento da criação de Vincennes, onde Rancière leciona no departamento de filosofia. Faz, então, uma crítica ácida dos compromissos do passado, em nome da sua adesão ao movimento maoista, opondo a dinâmica da "revolução cultural" à restauração de um academismo epistemológico, ainda que fosse althusseriano.

Tendo a impressão de ser solicitado em 1973 a dar a ilusão de uma permanência das posições do grupo de trabalho de 1965, Rancière propõe apresentar sua contribuição precedida agora de um longo prefácio explicativo para ressituar ao mesmo tempo suas posições de 1965 em seu contexto e sua distância crítica em 1973: "Eu tinha a impressão de que algo era reposto em marcha como se nada tivesse acontecido e de que era imprescindível assinalar uma certa diferença em relação a essa reapresentação do discurso althusseriano. Mas esse texto foi censurado".[17] O editor decidiu finalmente reeditar em 1975 *Lire Le capital* sem nenhuma modificação, segundo os termos do contrato assinado em 1965.[18]

Jacques Rancière reage duplamente a essa situação: publica em novembro de 1973, em *Les Temps Modernes*,[19] o prefácio que lhe fora recusado pela Maspero e faz sair pela Gallimard, em 1974, *La Leçon d'Althusser*. O balanço que efetua do althusserianismo é sumamente negativo, e a originalidade reside no fato de que provém de um althusseriano da primeira hora e do primeiro círculo:

> Como instrumento de interpretação das sociedades e dos movimentos históricos, o althusserianismo nada produziu de interessante. [...] Foi mais um tapa-miséria do que um enriquecimento, deixando cair uma verdadeira tampa sobre o que pôde existir desde o começo do século no pensamento marxista na Alemanha, Itália, Inglaterra, Estados Unidos. Tudo isso se dissipara e só restavam os grandes autores, o Partido Comunista Francês (PCF) e nós, ou seja, uma concepção radicalmente provinciana.[20]

Quando Rancière escreve *La Leçon d'Althusser*, a autocrítica de Althusser ainda não fora publicada; mas não satisfará Rancière, que a considerará uma parada destinada a responder às críticas que se multiplicam, a fim de tornar ainda possível o desenvolvimento de um neoalthusserianismo recentemente iniciado.

A crítica de Rancière é, pelo contrário, radical, procede mediante rupturas e rejeições: "O althusserianismo morreu nas barricadas de maio, com muitas outras ideias do passado".[21] É certo que Rancière admite que o althusserianismo teve um efeito positivo no plano subjetivo para uma geração inteira, como fenômeno de circulação e de

---

17 Jacques Rancière, entrevista com o autor.

18 Althusser (Dir.), *Lire Le capital*, v.1: L. Althusser, É. Balibar; v.2: L. Althusser, É. Balibar; v.3: J. Rancière; v.4: R. Establet, P. Macherey.

19 Rancière, Mode d'emploi pour une réédition de "Lire Le capital", *Les Temps Modernes*, n.328, nov. 1973, p.788-807.

20 Idem, entrevista com o autor.

21 Idem, *La Leçon d'Althusser*, p.10.

comunicação de certos saberes: com efeito, foi em torno de Althusser que se constituiu a tentativa de síntese de um movimento crítico em relação aos saberes instituídos, assim como um novo relacionamento com a política. Mas é muito crítico a propósito da negação de todo pensamento do sujeito, apresentado pelo althusserianismo como espantalho para pardais: "Já faz um certo tempo que nos entretêm com a descida do sujeito aos infernos".[22] Rancière recorda que, em 1973, é a universidade em peso quem proclama, em alto e bom som, a liquidação do sujeito: "Quanto ao homem, não há hoje um normalista que não fique ruborizado ao mencioná-lo em suas dissertações".[23] O outro ângulo de ataque, dessa vez amparado em suas posições maoistas do momento, consiste em recordar o fundamento da dialética: um divide-se em dois. E censura Althusser pelo que considera uma adesão/traição à sociologia durkheimiana quando ele apresenta a ideologia como um fenômeno em si, um dado imutável, a-histórico, uma invariante, enquanto para Rancière toda ideologia está inelutavelmente ligada aos conflitos entre classes e só pode, portanto, ser apreendida como ideologia de classe.

O nó da oposição encontra-se, por conseguinte, na teoria althusseriana da ideologia, mais do que nas acusações de recuperação ou de ofensiva antiesquerdista para defender o aparelho do PCF e o saber acadêmico: "A ideologia poderia muito bem ocupar em Althusser o estatuto que confere ao Estado a reflexão metafísica clássica. [...] Assim, a ideologia não será apresentada como o lugar de uma divisão, mas como uma tonalidade unificada por sua relação com o seu referente (o todo social)".[24] Althusser teria assim reunido dois em um e feito desaparecer por um passe de mágica o conceito de contradição, o que aos olhos de Rancière, na época, não é outra coisa senão a postura clássica do revisionismo. Do mesmo modo, assiste-se a uma ontologização da noção essencial de relações de produção, que "se apresentam relegados para além da estrutura".[25]

22 Ibidem, p.43.
23 Ibidem, p.159.
24 Ibidem, p.237-8.
25 Ibidem, p.235.

A ruptura entre Rancière e Althusser é, portanto, radical. E quando Terray elogiou em *Le Monde* o mérito da *Résponse à Jonh Lewis*, percebida como uma verdadeira bomba política, Rancière respondeu no mesmo jornal que Althusser enuncia, de fato, os limites da nova ortodoxia, conciliável no aparelho do PCF.[26] Ele recusa o que considera ser "um esforço de reconciliação, superficial e efêmero, de assimilação do que se passou nesse meio tempo, de semiconfissões que permitem continuar a deixar crer que se diz a mesma coisa".[27] Esse ato de ruptura terá uma grande repercussão na mídia, porquanto representa um sintoma decisivo da crise que o althusserianismo conhece desde 1968, apesar da excitação que suscita, por outro lado. É evidente que será muito mal acolhido não só por Althusser como pelos seus próximos, que reconhecem, porém, o caráter "brilhante" do livro de Rancière.[28]

Para Étienne Balibar, essa obra aparece hoje como a expressão de um contexto, o dos maoístas que explicavam em seu jornal, *La Cause du Peuple*, que a burguesia estava à beira do desmoronamento, que o poder estava devoluto, ao alcance de quem primeiro o tomasse, e que o único baluarte que ainda a mantinha no poder era o PCF. Como os trabalhadores não podiam deixar de amar Mao, segundo aqueles que se chamavam os marxistas-leninistas, era preciso que no interior do PCF houvesse alguém que se inspirasse em Mao, para burlar a vigilância da classe operária, e este só podia ser Althusser, apresentado como o porta-voz e o grande manipulador: "Ora, Rancière sabia que interpretava de modo inverso as fórmulas de Althusser, como a de 'prática teórica', que é uma forma de explicar que a teoria é, ela própria, prática, sem por isso conferir um privilégio absoluto à teoria, contrariamente ao que diz Rancière".[29] Pierre Macherey foi ainda mais atingido no plano afetivo pelo que considera ser uma "renegação no sentido do Evangelho, um ato religioso, solicitando perdão para as suas faltas. [...] O princípio da coisa era para mim profundamente repulsivo".[30]

26 Idem, *Le Monde*, 12 set. 1973.
27 Idem, entrevista com o autor.
28 Qualificativo usado por Pierre Macherey e por Étienne Balibar em suas entrevistas com o autor.
29 Étienne Balibar, entrevista com o autor.
30 Pierre Macherey, entrevista com o autor.

Um tiro de barragem contra Althusser

Nesses meados dos anos 1970, é um verdadeiro bombardeio concentrado que se desencadeia contra a retomada dos althusserianos. Os críticos vêm de todos os horizontes políticos e teóricos. Antigo colaborador de *Arguments*, sociólogo marxista, Pierre Fougeyrollas publica em 1976 uma obra francamente polêmica, *Contre Lévi-Strauss, Lacan et Althusser* (Savelli). Tendo passado dez anos fora da França, na Universidade de Dacar, entre 1961 e 1971, Pierre Fougeyrollas encontra-se um pouco à margem da efervescência que reina em Paris, embora se mantenha ao corrente do que está sendo publicado. Quando retorna, é solicitado por Luis-Vincent Thomas para participar das bancas examinadoras de teses em Paris-V: "O primeiro choque foi o althusserianismo. Todos os candidatos me falavam das três instâncias, da leitura sintomal. [...] Entre o que eles diziam e o que eu pensava do marxismo havia um hiato enorme! Tive, portanto, uma primeira reação contra o althusserianismo".[31] Para Fougeyrollas, o althuserianismo é um resultado direto do XX Congresso do Partido Comunista da União Soviética (PCUS), inscrevendo-se nos limites estritamente estabelecidos e estreitos de uma crítica do dogmatismo sem subversão do aparelho, postura essa que induz a um regresso às fontes, aos pais fundadores: Lenin e Marx. Num tal contexto, o althusserianismo desempenha o papel "de um euforizante ideológico ou de um leniente especulativo".[32] Fougeyrollas contesta o idealismo althusseriano que desloca o marxismo do campo da práxis para a teoria, e que transforma, assim, a perspectiva marxista de mudança do mundo em transformação da filosofia. Por outro lado, assinala as contribuições recebidas pelo althusserianismo das diversas ciências humanas, em especial da psicanálise, que levam a fazer do marxismo uma variante do estruturalismo, com a substituição da dialética por "um tipo de tópica estrutural".[33] O jogo das instâncias que substitui a dialética histórica requer a adoção de um outro conceito psicanalítico, o de sobredeterminação, e a prática encarada como teórica a leva a se fechar na esfera do discursivo e de sua leitura sintomal.

31 Pierre Fougeyrollas, entrevista com o autor.

32 Idem, *Contre Lévi-Strauss, Lacan et Althusser*, p.141.

33 Ibidem, p.155.

Por ocasião da publicação da *Résponse à John Lewis*, Daniel Bensaïd, dirigente da Liga Comunista que acabava de ser dissolvida pelo governo, em 1973, faz uma crítica vitriólica de Althusser. Rechaça, sobretudo, a noção de "desvio" stalinista definido de maneira excessivamente tímida por Althusser: "De fato, Althusser tem todas as artimanhas de um charlatão, desde o abracadabra mágico até os artifícios de cientistas. Faz os trejeitos de quem sobrevoa a história, quando na verdade lamentavelmente se pendura a seu reboque",[34] e Daniel Bensaïd conclui que remeter o fundamento do "desvio" stalinista para uma origem puramente teórica, ou seja, para a influência do economicismo da II Internacional, permite ocultar facilmente quarenta anos de história do movimento operário. Não passando o inimigo, portanto, de um tigre de papel, de uma simples figura retórica (o par economicismo-humanismo), bastaria uma simples correção do "desvio" da linha stalinista para reencontrar o bom caminho.

Sempre no seio da corrente marxista revolucionária, trotskista, são abundantes as críticas, mesmo quando em 1976 o PCF parece entronizar Althusser, publicando-o nas Éditions Sociales. Já em 1970, Ernest Mandel, economista marxista e membro da seção belga da IV Internacional, realizara um extenso estudo sobre a maneira como "Althusser corrige Marx",[35] por ocasião da publicação em 1969 pela Garnier-Flammarion do Livro I de *O capital*, de Marx, precedido de uma "Advertência" escrita por Althusser. Além de alguns conselhos pedagógicos que Mandel julga úteis, o resto é fruto, em seu entender, de uma análise errônea das intenções e dos conceitos propostos por Marx.

Por seu lado, Michael Löwy responde a Althusser no plano filosófico defendendo o humanismo de Marx: "Que o humanismo antes de Marx tenha sido abstrato, burguês etc. não significa, em absoluto, que se deva renunciar a todo humanismo".[36] Se Löwy julga infundado o postulado anti-humanista na leitura do Marx maduro, o de *A ideologia alemã* ou do *18 Brumário*, o mesmo pode ser dito a respeito do Marx de *O capital*, não obstante ter sido guindado por Althusser ao *status* de paraíso científico. Os três membros do humanismo marxista desenvolvem-se em *O*

34 Bensaïd, "Althusser, Terray: une déviation stalinienne?", *Rouge*, 31 ago. 1973, sobre artigo de Terray publicado no *Le Monde*, 17 ago. 1973.

35 Mandel, Althusser corrige Marx, *La Quatrième Internationale*, jan. 1970.

36 Löwy, L'Humanisme historiciste de Marx ou relire "Le Capital", *L'Homme et la Société*, n.17, jul. 1970, p.112.

capital, segundo Michael Löwy, no modo de revelação das relações entre os homens subentendidas nas categorias retificadas da economia capitalista, na crítica da inumanidade do capitalismo e, enfim, na perspectiva de uma sociedade socialista como sociedade de um possível domínio racional das forças de produção pelos homens. Na sua definição dos dois conceitos básicos que são as forças produtivas e as relações de produção, Marx ainda faz intervir o conceito de homem. As relações de produção são analisadas como "relações sociais determinadas entre os próprios homens, que assumem, para eles, a forma fantasmagórica de uma relação entre as coisas".[37] Em segundo lugar, Michael Löwy se recusa a separar Marx de considerações éticas, de uma ambição moral na sua crítica do capitalismo. Com efeito, distingue dois riscos: aquele que consiste em ver em *O capital* apenas um "grito ético contra o capitalismo (tendência representada por M. Rubel)",[38] e o simétrico, que nega toda e qualquer dimensão moral para ver tão somente em *O capital* um obra científica. "A questão que se apresenta é esta: em nome de que valores morais Marx critica o capitalismo?"[39] Quanto ao socialismo vindouro, não se trata de perpetuar a ideia de um homem eterno, de uma essência trans-histórica, mas de justificar um homem novo: nesse sentido, o marxismo aparenta-se efetivamente com um humanismo, ainda que se diferencie do humanismo clássico.

De um outro horizonte do pensamento, o da revista *Esprit*, a cujo respeito vimos que foi constante o interesse por um debate com o pensamento estrutural, e suscitou sempre uma argumentação teórica de alto nível, Jean-Marie Domenach responde à resposta de Althusser a John Lewis em 1974, sob o título evocador de "Un marxisme sous vide".[40] Ele vê Althusser como o defensor de uma escolástica que, por falta de correspondência com o real, encontra uma escapatória com a teoria abstrata, a noção de corte, a ausência de sujeito, a fim de evitar eventuais desmentidos que poderiam representar as simples observações da realidade empírica.

Jean-Marie Domenach vê na leitura de Althusser uma reinterpretação estruturalista de Marx, e não apenas algumas adoções de vocabulário:

---

37 Marx, Das Kapital. In: *Werke 23*, p.181 e 186.

38 Löwy, L'Humanisme historiciste de Marx ou relire "Le Capital", p.117.

39 Ibidem.

40 Domenach, Un marxisme sous vide, *Esprit*, jan. 1974, p.111-25.

"Na realidade, o que conta aqui já não é Marx, é a ideia que Althusser faz de Marx por meio de um certo estruturalismo".[41] Domenach contesta a visão de um anti-humanismo teórico em Marx: "Foi do homem que Marx partiu e é para uma ideia do homem que se dirige. Não se trata, por certo, da essência abstrata da humanidade, tal como é destilada por alguns pensadores liberais, mas de um homem 'genérico' apreendido em suas condições de existência".[42] Em tal abordagem determinista, fechada sobre si mesma, Domenach se pergunta no que é que as massas se convertem, apanhadas na armadilha de inexoráveis engrenagens da enorme máquina estrutural. Elas parecem confinadas a um simples papel de figuração, e a crítica que ele faz a Althusser soma-se àquela mais global, que tinha feito em 1963 a Lévi-Strauss e depois a Foucault em 1968, invocando o lugar e o estatuto da liberdade no campo constrangedor da necessidade. Sem dúvida, Althusser terá conseguido salvaguardar por algum tempo a doutrina, à medida que ela "se conserva no vácuo, mas o que vem a ser da práxis?".[43]

À força de complexificação da obra de Marx, ao preço da construção de um sistema de pensamento rigoroso, sintético, de vocação totalizante, Althusser terá retardado o momento do declínio do marxismo. Centelha no horizonte de um século no qual o marxismo se perderá em seu destino funesto, na tragédia do totalitarismo. O esforço de Althusser nesse contexto não podia deixar de ser arrebatado pela vaga de fundo do refluxo do marxismo, que ia, qual bumerangue, retornar à teoria antes mesmo de ter esgotado seu poder de reduzir ao abandono as sociedades que se queixavam de seus princípios.

A tentativa althusseriana terá sido a mais globalizante e a mais ambiciosa do estruturalismo especulativo. Sua implosão ainda não afeta o prosseguimento das pesquisas de acordo com a grade estrutural em outros campos, mais específicos, do saber, principalmente no domínio das ciências do texto. Por outro lado, no plano filosófico, a implosão do althusserianismo prepara o caminho para um estruturalismo historicizado, encarnado, entre outros, por Michel Foucault.

---

41 Ibidem, p.112.

42 Ibidem, p.118.

43 Ibidem, p.124.

PARTE 3

O ESTRUTURALISMO ENTRE CIENTIFICISMO, ESTÉTICA E HISTÓRIA

18

A miragem da formalização

A contestação ou o transbordamento do paradigma estrutural provocará um movimento de recuo em relação ao qualificativo de estruturalista. Cada um nega com veemência ter, alguma vez, participado do banquete estruturalista, e apresenta sua obra sendo mais singular na mesma proporção que, ainda ontem, procurava por todos os meios situar seus trabalhos no interior da corrente coletiva de renovação estruturalista. Alguns enveredarão pelo caminho de uma formalização ainda mais apurada a fim de ter acesso à própria essência da estrutura, enquanto outros preferem dedicar-se à desconstrução dessa última, para dar livre curso a uma inspiração cada vez mais literária, que se distancia progressivamente das primeiras ambições de codificação.

A escola de Paris

A primeira resposta, a da formalização, é perceptível no campo da linguística com a fundação da Escola de Paris. Ela faz pensar em sua ancestral, a Escola de Praga, e situa-se, aliás, nessa filiação histórica: "Escola de Paris e não Escola Francesa de semiótica, porque Paris é um lugar de reunião de numerosos investigadores estrangeiros que se reconhecem devido a um certo número de pontos comuns".[1] A Escola de Paris é fruto da Associação Internacional de Semiótica, cuja ideia cabe a Jakobson e Benveniste. Apoiando-se na tradição dos formalistas russos, nos trabalhos das escolas de Praga, Copenhague e Genebra, a Associação procede essencialmente de uma linguística europeia, apesar do envolvimento do patrono da semiótica americana, Thomas A. Sebeock.

Uma das ambições da Associação é permitir aos pesquisadores do Leste europeu que abandonem a vulgata marxista em uso do outro lado da Cortina de Ferro e recriem a efervescência intelectual dos anos 1930 na Europa Central e Oriental. O próprio local escolhido para o segundo simpósio da Associação é, a esse respeito, simbólico, pois realiza-se em Varsóvia e os poloneses desempenharam nele um papel decisivo. Essa reunião soa, entretanto, como um desafio impossível, pois aconteceu no verão de 1968, no exato momento em que os blindados soviéticos invadem a Tchecoslováquia, momento pouco propício ao estabelecimento de ligações fecundas entre o Leste e o Oeste. O linguista norte-americano Sebeock, de origem húngara, considerará, aliás, a situação suficientemente perigosa para não fazer a viagem.

É no ano seguinte, em 1969, que se forma o Círculo Semiótico de Paris:

> Discutiu-se em casa de Lévi-Strauss quem poderia constituir o núcleo da Associação Francesa de Semiótica, que foi finalmente formado por Benveniste, Barthes, Lévi-Strauss e eu. Quanto a Lacan, não era pessoa suficientemente séria no conceito de Lévi-Strauss, e Foucault "parecia um fantasista".[2]

Infelizmente, Benveniste, nomeado presidente do Círculo, não terá ocasião de influir na orientação das pesquisas porque foi vitimado pouco depois por uma crise de hemiplegia. O desaparecimento intelectual de Benveniste e o crescente desinteresse que Barthes manifestava pela semiótica, optando cada vez mais claramente pela literatura, farão as atividades desse Círculo de Paris depender exclusivamente do seminário de Greimas, que se encontrava instalado no laboratório de

1 Jean-Claude Coquet, entrevista com o autor.
2 Algirdas-Julien Greimas, entrevista com o autor.

antropologia social do Collège de France, alojado por Lévi-Strauss: "Se Benveniste tivesse vivido intelectualmente por mais tempo, os equilíbrios teriam sido diferentes".[3] Portanto, é a abordagem formalista, hjelmsleviana, que predominará em Paris. Recorde-se, enfim, que no mesmo ano a Associação se dota de uma nova revista, *Semiotica*, na qual Julia Kristeva exerce as funções de secretária, com Josette Rey-Debove: "Benveniste e Jakobson tinham necessidade de alguém jovem e dinâmico, e solicitaram-me que assumisse as tarefas do secretariado-geral".[4]

No primeiro número da revista, Benveniste recorda a origem histórica do conceito de semiótica tomado de Locke e, sobretudo, do filósofo americano Charles Sanders Peirce (1839-1914), que tivera por objetivo construir uma "álgebra universal das relações".[5] Mas Benveniste não adota a concepção de Peirce, ao contrário, diferencia-se dessa concepção excessivamente débil, segundo a qual a língua está ao mesmo tempo por toda a parte e em lugar nenhum, o que ameaça, segundo Benveniste, abolir toda a pesquisa de significância nos abismos do infinito, e opõe-lhe a herança saussuriana: "É necessário que alguma parte do universo admita uma diferença entre o signo e o significado, portanto, é preciso que todo signo seja inserido e compreendido num sistema de signos. Aí está a condição da significância".[6] A Escola de Paris recorre, pois, ao conceito de semiótica de Peirce, mas permanecendo fiel à herança metodológica saussuriana. Simplesmente, a diferenciação operada entre um nível de interpretação semântica e um nível semiótico visa ampliar o campo de análise da vida dos signos ao conjunto da vida social. Trata-se de sistematizar a via saussuriana de tal forma que, a partir da linguagem, estudem-se os outros sistemas de signos. "É a língua que contém a sociedade. Assim, a relação de interpretância, que é semiótica, caminha em sentido inverso da relação de encaixe, que é sociológica".[7] Será a língua, portanto, que exercerá a função de intérprete da sociedade, segundo dois princípios que permitem relacionar sistemas semióticos

3 Jean-Claude Coquet, entrevista com o autor.

4 Julia Kristeva, entrevista com o autor.

5 Peirce, *Selected Writings*, p.389.

6 Benveniste, Sémiologie de la langue, *Semiotica*, n.1/2, 1969, reproduzido em idem, *Problèmes de linguistique générale*, v.2, p.45.

7 Ibidem, p.61.

diferentes: o princípio de não redundância entre sistemas e o fato de que "não existem signos trans-sistemáticos".[8]

Essa orientação semiótica não abrange ainda totalmente a significação que lhe dará Julia Kristeva ao distinguir um nível simbólico, o da língua na acepção dos linguistas como estrutura homogênea e articulada, e um nível semiótico entendido como o de um processo pulsional inconsciente a apreender nos interstícios da linguagem como outras tantas marcas do indizível, do heterogêneo.

O Círculo Semiótico de Paris se apresenta inicialmente como a reunião privilegiada da antropologia estrutural e da semiologia herdada de Saussure. Lévi-Strauss é parte diretamente envolvida e abriga em seu próprio laboratório de antropologia social os seus parceiros da semiótica. Mas não tardará a despedi-los, e "Greimas foi obrigado a deixar o gabinete que tinha no laboratório do Collège de France".[9] Lévi-Strauss certamente não tolerou que Greimas tivesse a intenção de realizar melhor do que ele a simbiose entre a herança linguística e o estudo semiótico dos mitos: "Essa dominação da linguística que era aceita por muitos, inclusive pelos antropólogos, na medida em que permanecesse discreta e fornecesse instrumentos conceituais, tornava-se insuportável uma vez que redundava num empreendimento semiótico com a pretensão de cobrir campos múltiplos".[10]

Esse novo rompimento acentuará ainda mais a importância de Greimas nessa escola, que se fechará numa formalização cada vez mais rigorosa, mais hermética, cujo modelo é, mais do que nunca, o das ciências exatas, das matemáticas. Desde a publicação de *Sémantique structurale*, Greimas está convencido de poder ter acesso ao sentido total, à significação integral da estrutura. Numa tal configuração, o signo passa então a ser "o lugar transcendental da condição de possibilidade do sentido, da significação e da referência".[11]

Segundo Greimas, esse lugar pode ser reconstituído graças ao quadrado semiótico, verdadeiro sésamo de todo sistema de signos. Esse sonho de formalização faz seu o emblema do estruturalismo, o cristal

8 Ibidem, p.53.
9 Jean-Claude Coquet, entrevista com o autor.
10 Ibidem.
11 Frank, *Qu'est-ce que le néo-structuralisme?*, p.168-9.

cuja baixa temperatura impede a dispersão das moléculas, e que permite esperar, assim, que, ao reduzir-se a humanidade a um grau zero, será alcançada a chave transcendental de suas condições de possibilidade: "O sonho estruturalista seria a morte por congelamento".[12] Essa escola produzirá numerosos estudos semióticos sobre o objeto literário, como o de Algirdas-Julien Greimas sobre Maupassant,[13] de Jacques Geninasca sobre Gérard de Nerval,[14] de Michel Arrivé sobre Alfred Jarry,[15] ou de finalidades genéricas com Jean-Claude Coquet.[16] Mas, para o semiótico, a literatura não é outra coisa senão uma prática significante, à semelhança de qualquer outra prática, sem valor particular: "A literatura como discurso autônomo que comporta em si mesmo as suas próprias leis e a sua especificidade intrínseca é quase unanimemente contestada";[17] "para a semiótica, a literatura não existe".[18]

Nessa perspectiva, Philippe Hamon interroga-se sobre o estatuto do personagem romanesco, pulverizando-o a partir de um ponto de vista semiológico. Para esse efeito, elabora uma grade de análise crítica em relação ao que considera ser o traço manifesto da ideologia humanista. A sua dissolução da noção de protagonista passa pela aplicação de um certo número de conceitos que permitem fundar uma teoria geral que especifica uma semiologia do personagem e "distingui-la da abordagem histórica, psicológica, psicanalítica ou sociológica".[19] Philippe Hamon define o personagem como uma espécie de morfema, duplamente articulado por um significante descontínuo (Eu/me/meu... ele/ Julien Sorel/o jovem/nosso herói/...) e um significado, também descontínuo (alomorfos, amálgama, descontinuidade, redundância...). Quanto à significação do personagem, só se apresenta diferencialmente, por sua relação com os outros personagens do enunciado, e não por simples acumulação de traços. O estudo deverá, assim, definir os eixos semânticos pertinentes e tentar sua hierarquização: "Ver-se-á serem, assim,

12 Ibidem, p.49.
13 Greimas, *Maupassant*.
14 Geninasca, *Les chimères de Nerval, discours critique e discours poétique*.
15 Arrivé, *Les langages de Jarry*. Essai de sémiotique littéraire.
16 Coquet, *Sémiotique littéraire*.
17 Greimas, *Essais de sémiotique poétique*, p.6.
18 Kristeva, *Séméiotiké, Recherches pour une sémanalyse*, p.41.
19 Hamon, Pour un statut sémiologique du personage, *Litterature*, n.6, maio 1972, p.110.

formadas classes de personagens-tipos, definidas pelo mesmo número de eixos semânticos".[20] Esse vasto canteiro de estudo pressupõe uma abordagem imanente do texto literário, concebido como um construto e não como um dado. Estudam-se, então, as narrativas literárias em sua literalidade, separando-as das determinações exógenas, confinando-as em sua lógica interna, e apoiando a análise num certo número de categorias semânticas, como a de isotopia: "Entendemos por isotopia um conjunto redundante de categorias semânticas que possibilita a leitura uniforme da narrativa".[21]

A evolução que se percebe no plano das análises de semiótica literária entre os anos 1960 e os anos 1970 está ligada, segundo Philippe Hamon, à evolução da linguística no mesmo período, quando se passa de uma "linguística dos estados para uma linguística das operações".[22] Esse deslocamento permitiu passar de uma concepção fechada, que se dedicava a assinalar a especificidade dos sistemas acabados, para uma postura mais aberta de identificação das limitações próprias de cada situação de comunicação. Como se pôde ver, essa evolução induz a que se leve em conta a enunciação, as diversas situações interlocutivas. Mas o outro aspecto característico do período é a ampliação do campo de análise da semiótica, que transborda do terreno literário para se apropriar de textos de todas as naturezas: jurídicos, bíblicos, políticos, musicais, publicitários.[23]

A semiótica exerceu, por exemplo, uma influência particularmente forte na exegese bíblica, e a fecundidade dos trabalhos nesse domínio permitiu, sem dúvida, resistir ao refluxo generalizado do estruturalismo no final dos anos 1970. Um dos domínios privilegiados de aplicação do método semiótico é também a linguagem musical: "A música, por si só,

20 Ibidem, p.100.

21 Greimas, *Du sens*. Essais sémiotiques, p.188.

22 Hamon, Littérature. In: Pottier (Ed.), *Les Sciences du langage en France au XXe siècle*, p.302.

23 Greimas (Dir.), *Analyse sémiotique d'un discours juridique*; Rastier, *Idéologie et théorie des signes*; Ruwet, *Langage, musique, poésie*; Barthes, *Système de la mode*; Metz, *Langage et cinéma*; *Langages*, n.22 (Sémiotique narrative, récits bibliques), 1971; Marin, *Sémiotique de la passion*; idem, *Analyse structurale et exégèse biblique*; *Revue de Science Religieuse*, número especial: "Analyses liguistiques em théologie", jan.-mar. 1973; *Esprit*, número especial: "Lire l'écriture", 1973.

poderia justificar a hipótese do trabalho estruturalista".[24] Roland Barthes, por exemplo, escreveu um artigo sobre a *Kreisleriana*, de Robert Schumann,[25] no qual efetua uma distinção entre uma semiologia primeira que corresponde ao nível puramente formal e uma semiologia segunda que se situa no plano mais afetivo da significância; esta, segundo Barthes, revela-se no relacionamento dos sons imediatos entre si: consonâncias, dissonâncias...

Numa abordagem mais hjelmsleviana, Serge Martin, autor de um livro sobre a semiótica musical,[26] considera, diferentemente de Barthes, que a produção da significância deve ser investigada no próprio sistema, confrontando a gradação de tom entre o maior e o menor, e não no nível da forma externa, a da gama e de seus intervalos:

> Para mim, o sistema representa o que se poderia chamar, numa referência heideggeriana, o ser-no-mundo, é um esquematismo que possui raízes afetivas muito profundas. [...] O que Heidegger diz do esquematismo kantiano corresponde inteiramente ao sistema musical, ou seja, o sistema é uma estrutura no sentido lógico. Mas, no fundo, essa estrutura remete para uma relação afetiva profunda com o mundo, e é essa a razão pela qual a música constitui a sua expressão.[27]

Portanto, é essa estrutura ausente, simultaneamente essencial e que escapa a todo desvendamento no *étant* (o ser como fenômeno para Lacan), que a semiótica espera reconstruir em sua significância. A ênfase dada à preeminência da estrutura pode até ser situada com grande precisão a partir da ruptura que constitui a Escola Vienense, na qual já não se encontra polarização tonal alguma: "Contrariamente ao que significa a música tonal, é portanto a linguagem musical que se dá aqui como primeira, com suas regras formais de transformação".[28] Esse esboço de teoria da linguagem musical transporta para o campo musical os três axiomas essenciais da semiótica de Hjelmslev.

---

24 Serge Martin, entrevista com o autor.

25 Barthes, Rash. In: Kristeva; Milner; Ruwet, *Langue, discours, société*. Pour Émile Benveniste.

26 Martin, *Le langage musical*. Sémiotique des systèmes.

27 Idem, entrevista com o autor.

28 Idem, *Le langage musical*, p.26.

O matema

É em 1970 que o termo semiótica suplanta o de semiologia ou de estruturalismo. É também no começo dos anos 1970 que Lacan se dissocia da linguística estrutural para se orientar no sentido de uma formalização mais rigorosa do seu pensamento, com as figuras topológicas e o matema:

> Penso que a imputação de estruturalismo entendido como compreensão do mundo é uma fantochada a mais sob a qual nos é representada a história literária, é disso que se trata. Mas apesar da antipatia que ela me provocou, sob a mais agradável das formas, porque eu estava em ótima companhia, talvez seja isso que me dê boas razões para estar satisfeito.[29]

À maneira dos outros convivas do banquete estrutural, que ele reconhece pertencerem à boa sociedade, Lacan, que não deseja sentir-se tolhido, distancia-se de uma etiqueta contestada e procura na matemática vias de acesso superiores à linguística saussuriana, que se revela um suporte frágil. Lacan realiza, então, a simbiose entre o conceito de mitema lévi-straussiano, a palavra grega *mathèma* (que significa conhecimento) e a raiz da noção de matema, que remete às matemáticas. Lacan espera sair em definitivo do caráter ainda excessivamente descritivo do que qualificará daí em diante de *linguisterie*, e ter acesso pela formalização total a esse significante puro, a essa abertura inicial a partir da qual vêm a se formar os nós qualificados, a partir de 1972, de borromeanos. É a escapada para as ciências exatas, após ter suturado temporariamente o destino da psicanálise ao das ciências sociais: "Só restava, único alimento do eremita no deserto, a matemática".[30]

Ele multiplica, então, nos seus seminários as figuras topológicas, os grafos, os toros, e manipula no estrado rodinhas de barbante, tiras de papel que corta e recorta para mostrar que não há nem exterioridade nem interioridade nesses nós borromeanos. O mundo é fantasia para Lacan, ele se encontra fora da realidade intramundana, e sua unidade só é acessível a partir do que falta no discurso. "Só a matematização atinge

---

29 Lacan, L'Étourdit, *Scilicet*, n.4, 1973, p.40, nota 1.
30 Clément, *Viés et legends de Lacan*, p.35.

um real – e é nisto que ela é compatível com o nosso discurso analítico –, um real que nada tem a ver com o que o conhecimento tradicional suportou e que não é o que ele crê, não é realidade, mas sim fantasia".[31] Ao tentar pensar a totalidade e a interioridade da falta no que é, Lacan pensa no interior de um espaço que elimina as categorias de dentro e de fora, de interior e de exterior, e de toda topologia esférica. Ele procurará, pelo contrário, o seu modelo no esquema da torsão, do nó que quebra toda tentativa de centração. Mergulhado num universo de pura lógica que se desenvolve a partir do predomínio atribuído a um simbólico vazio, "Lacan pretende escapar à substantificação pelo recurso à topologia".[32] Com a busca do matema, o sistema de regras, a combinatória própria num sistema de lógica pura, permite, ainda mais do que com a linguística, manter à distância o referente, o afeto, o vivido.

Alguns só enxergam, pelo contrário, nesse recurso às figuras topológicas por parte de Lacan, uma preocupação pedagógica, a procura de um meio de transmitir a psicanálise: "O matema dizia respeito à ideia da transmissão, e não se tratava de fazer da psicanálise uma física".[33] Mas além do possível interesse didático dessa fase topológica que, no entanto, desencorajou mais de um, pode-se pensar que, chegado a um impasse com o suporte que para ele era a linguística, Lacan tenha se recusado a disseminar totalmente, à maneira de Derrida, a sua leitura do inconsciente: isso teria arrastado a psicanálise para um indefinido interpretativo no qual ela se perderia. Lacan preferiu propor uma outra direção, com a do matema e dos nós borromeanos, que deveria metaforizar, pelo contrário, o recurso a uma estrutura fundamental a descobrir: "A interpretação não é aberta a todos os sentidos".[34] Ao aproximar-se da noção de estrutura tal como a entendem os matemáticos, Lacan dá mais um passo no sentido da abstração, no sentido de objeto livre, desimpedido, vinculado a uma operação de ideação particular, por meio da qual é possível deduzir as propriedades gerais de um conjunto de operações, e definir o domínio no qual os enunciados demonstráveis engendram as propriedades dessas operações.

31 Lacan, *Le Séminaire*. Livre XX: *Encore (1973-1974)*, p.118.
32 Roustang, *Lacan*, p.92.
33 Paul Henry, entrevista com o autor.
34 Lacan, *Le Séminaire*, Livre XI: *Les Quatre concepts fondamentaux de la psychanalyse (1963-1964)*, p.226.

A modelização

O recurso às matemáticas, à modelização, decorre da simples metáfora ou, pelo contrário, de um recurso à vocação heurística e operacional? André Régnier se interroga sobre a passagem da teoria dos grupos em *La pensée sauvage*.[35] Analisa o uso que Lévi-Stauss faz das noções de simetria, inversão, equivalência, homologia e isomorfismo em *Les mythologiques*. Essas noções provêm da esfera lógico-matemática do saber, e se o uso de tais metáforas não envolve perigo algum, o mesmo não ocorre quando tais noções, como a do grupo de transformação, ocupam um lugar central no dispositivo a descobrir em Lévi-Strauss: "O totemismo estabelece uma equivalência lógica entre uma sociedade de espécies naturais e um universo de grupos sociais".[36]

Além do fato de Lévi-Strauss partir de uma acepção ampla de classe de transformação, ele a manipula com múltiplas liberdades e vê-se levado a privilegiar ora uma tal relação na cadeia sintagmática, ora uma outra ao sabor de um certo arbitrário da demonstração. Lévi-Strauss reclama, assim, "o direito de escolher os nossos mitos em qualquer lugar, elucidar um mito do Chaco por uma variante guianense, um mito gê por seu análogo colombiano".[37] André Régnier contesta, portanto, o caráter científico da demonstração que necessitaria adotar códigos não arbitrários e justificar as correspondências observadas: "Compreender por que, se um ser é um signo, esse signo tem um certo sentido e não um outro. [...] Finalmente, as 'lógicas' em questão têm algo evanescente em sua existência: são regras impostas às ligações, mas não se as conhece".[38] Haveria, portanto, na formalização em ciências humanas, uma ilusão cientificista de que Lévi-Strauss também participaria.

Gilles Gaston-Granger reconhece, porém, um êxito parcial desse uso da formalização quando Lévi-Strauss analisa as relações de parentesco. Seu modelo funciona de maneira pertinente e nos permite, então, conhecer o modo de estruturação das alianças, das prescrições e

35 Régnier, De la théorie des groupes à la *Pensée sauvage*, *L'Homme et la Société*, n.7, mar. 1968, p.201-13.

36 Lévi-Strauss, *La pensée sauvage*, p.138.

37 Idem, *Le cru et le cuit*, p.16.

38 Régnier, De la théorie des groupes à la *Pensée sauvage*, p.212-3.

proscrições. Mas "o que censurarei a Lévi-Strauss é tentar nos mostrar que as transformações do pensamento mítico estabelecem uma relação do mesmo tipo que na acepção dos algebristas. Nisso eu não acredito".[39] A modelização continuará sendo, entretanto, ardorosamente defendida por Lévi-Strauss. Da matemática do parentesco ao tratamento lógico-matemático das unidades constitutivas dos mitos, ele reitera sua confiança – por ocasião do último volume de *Mythologiques: L'homme nu* – no "estruturalismo [que] propõe às ciências humanas um modelo epistemológico de uma potência incomparável com aquela de que elas dispunham anteriormente".[40]

Essa modelização encontrará no campo de investigação das relações de parentesco um segundo alento com a tese de Françoise Héritier, discípula de Lévi-Strauss: "Minha sorte foi ter encontrado Claude Lévi-Strauss, diretor do laboratório de antropologia social".[41] Ela pôde explorar todo um material recolhido sobre os fatos de parentesco no Alto Volta, e reconstituiu as genealogias dos habitantes de três aldeias na região do Samo. A modelização e a informática permitiram-lhe formular generalizações teóricas a partir do material etnográfico: "O computador tornou-se o meio indispensável para atingir as realidades do funcionamento matrimonial das sociedades".[42] Com ajuda da informática, Françoise Héritier pôde reconstruir como funciona uma sociedade dotada de estruturas semicomplexas de parentesco e de aliança, o chamado sistema *crow-omaha*:

> Confirmando a intuição de Lévi-Strauss, verifica-se que um sistema semicomplexo, do tipo *omaha*, funciona de modo endógamo como um supersistema aranda, que decorre de estruturas elementares da aliança. A escolha dos parceiros faz-se de maneira privilegiada na quarta geração que se segue àquela em que está situado o ancestral comum a duas linhas de descendência no conjunto de consanguíneos.[43]

---

39 Gilles Gaston-Granger, entrevista com o autor.
40 Lévi-Strauss, *L'homme nu*, p.614.
41 Héritier-Augé, *L'exercice de la parenté*, p.8.
42 Ibidem, p.9.
43 Ibidem, p.122.

Com essa tese e os avanços que ela permite ao passar do estudo das estruturas elementares para as semicomplexas de parentesco, Françoise Héritier demonstra a fecundidade do paradigma estruturalista num campo delimitado das ciências humanas, e prova assim que, além das variações dos modos intelectuais, ocorre efetivamente com o estruturalismo um avanço conceitual, mesmo que este se ornasse, com frequência, com a miragem da mais pura formalização – a da linguagem matemática.

19

Do luto magnífico da literatura ao prazer do texto

Por um lado, o estruturalismo foi buscar sua fonte de inspiração nos modelos mais formalizados das ciências exatas, mas, por outro, acompanhou uma nova sensibilidade literária num momento culminante, no transcurso do qual a narrativa romancesca tradicional conhece uma crise espetacular. A crise do gênero romanesco como modo de expressão intangível dará lugar a uma aproximação entre a teoria literária e a literatura, especialmente em torno da noção de *nouveau roman*. À nova crítica corresponderá rapidamente uma vanguarda literária que se converte no critério da modernidade. As fronteiras entre a atividade crítica e criativa se dissiparão, para dar lugar ao que é considerado o verdadeiro sujeito, ou seja, a própria escritura, a textualidade em seu desdobramento indefinido. Como escreve Philippe Hamon: "Interrogar o conceito de literatura entre 1960 e 1975 é fazer a história de uma dissolução".[1] O aparelho teórico estruturalista e principalmente o enfoque linguístico participarão de modo pleno da nova aventura literária que se apresenta como uma reapropriação da linguagem no seu ser próprio, fora das fronteiras estabelecidas entre gêneros.

1 Hamon, Littérature. In: Pottier (Ed.), *Les sciences du langage en France au XXe siècle*, p.307.

A simbiose *nouvelle critique/nouveau roman*

De fato, reencontra-se a temática estrutural em ação nos princípios fundadores do *nouveau roman:* a mesma colocação do sujeito a distância, com a exclusão do personagem romanesco clássico, o mesmo privilégio concedido ao espaço que se desenrola por meio das diversas configurações das coisas localizadas pelo olhar do romancista, o mesmo desafio diante da temporalidade em sua dialética, a qual é substituída por um tempo suspenso, um presente estático que se dissolve ao desvendar-se.

Em 1950, Nathalie Sarraute escreve um artigo em *Les Temps Modernes,* cujo título ela aproveitará para a publicação de uma obra de maior vulto que sairá em 1956 pela Gallimard: *L'ère du soupçon.* Esse título exprime fielmente o estado de espírito comum à nova crítica literária e aos literatos. Mais globalmente, ele corresponde ao progresso do paradigma crítico que anima todo o pensamento estrutural em ciências humanas. Nathalie Sarraute faz a constatação da crise do romance, da vacilação da credibilidade dos personagens que sustentavam o enredo romanesco. À concepção clássica do simulacro que representa a pintura de personagens, semelhantes e verossímeis em sua suposta densidade na intenção do autor inspirado que as concebe, ela opõe o trabalho artesanal fundamentado no documento vivido, como preconiza Michel Tournier, à maneira do etnólogo, a criação como bricolagem.

A obra de Nathalie Sarroute rapidamente simbolizará a ruptura necessária com o romance clássico, e a suspeita permitirá uma relação renovada com as diversas formas de escritura nesses tempos críticos. Entretanto, ela não rompe tão radicalmente quanto parece com a perspectiva psicologizante do romance. Desloca simplesmente a sua atenção, desconstruindo os arquétipos dos caracteres e personagens para melhor lhes captar a agitação íntima, a efervescência subjacente, especialmente por meio da subconversação, dos tropismos concebidos como movimentos indefiníveis por trás do aparente fio condutor anedótico, reduzido ao estatuto de pretexto para obter acesso, graças a uma relação de imediatismo psicológico, à infinita fragilidade do ego. Abertura para o *nouveau roman, L'ère du soupçon* ainda se inscreve na linhagem da renovação da escrita romanesca de Dostoiévski, Proust e Joyce.

O *nouveau roman* volta-se, em todo o caso, para as ciências sociais, inspirando-se na sua descentração do sujeito, na sua contestação do eurocentrismo, numa configuração na qual a figura do Outro substitui a busca do Mesmo. Inversamente, os pesquisadores estruturalistas investidos em seu campo disciplinar particular se servirão de suas descobertas e de seu terreno de exploração para fazer obra literária. É uma nova sensibilidade que leva, na época, a pensar que a verdade se conserva fora de si e que é necessário, portanto, para lhe ter acesso, derrubar o que até então se considerava serem as alavancas essenciais do conhecimento: a psicologia e a temporalidade, tidas agora na conta de obstáculos àquele. O estruturalismo serve, pois, de nova estética: Mondrian no plano pictórico, Pierre Boulez no domínio musical, Michel Butor em literatura... a estrutura torna-se método criativo, fermento da modernidade. Exterior à criação no início, a questão da estrutura penetra pouco a pouco em arcanos considerados até então insondáveis. Os adeptos da nova crítica estrutural, ao se referirem a essa nova estética, encontrarão em Mallarmé e Valéry os antecedentes de suas atuais pesquisas, porque ambos se preocupam com as condições verbais da criação literária: "A literatura é e não pode ser outra coisa senão uma espécie de extensão e aplicação de certas propriedades da linguagem".[2]

Toda uma efervescência literária se difunde a partir de alguns polos, como as Éditions de Minuit – que publicam Michel Butor, Alain Robbe-Grillet, Marguerite Duras, Claude Simon, Robert Pinget... – e o grupo *Tel Quel*, em que vamos encontrar, ombreando com Philppe Sollers, Daniel Roche e Jean-Pierre Faye, o teórico do *nouveau roman*, Jean Ricardou. É no momento em que Lévi-Strauss triunfa com *Tristes tropiques*, em 1955, que o *nouveau roman* se vê consagrado pela crítica e pelos prêmios literários. Alain Robbe-Grillet recebe o prêmio da crítica nesse mesmo ano de 1955 com *Le voyeur*, e dois anos mais tarde é concedido a Michel Butor o prêmio Renaudot com *La modification*. Ele consegue atingir o grande público com mais de 100 mil exemplares vendidos. Em 1958, é Claude Ollier o ganhador do prêmio Médicis com *La mise en scène*, e, no mesmo ano, a revista *Esprit* consagra um número especial ao *nouveau roman*. Evidentemente, cada um desses autores tem seu estilo próprio, mas todos eles traduzem o desejo de uma nova escrita

2 Valéry, *Oeuvres*, v.I, p.1.440.

romanesca, a rejeição das formas tradicionais do romance e o desafio que representa para os escritores o fato de se verem na obrigação de ir além de Proust, Joyce ou Kafka, que se apresentam como outros tantos monumentos insuperáveis. É preciso, portanto, encontrar um outro caminho para a nova geração, ancorado na modernidade.

O *nouveau roman* exprime, simultaneamente, um profundo mal-estar, o dever de escrever após a criação da obra-prima *Em busca do tempo perdido*, e a procura de uma saída para a deterioração da criação literária, num apelo à relação participativa do leitor, confrontado com a projeção explícita da subjetividade do escritor. Essa perspectiva crítica que se faz passar por vanguarda, ainda informal no artigo de Nathalie Sarraute de 1950, é reivindicada por ela como um manifesto coletivo quando da reedição em livro de bolso de *L'ère du soupçon* em 1964: "Esses artigos constituem certas bases essenciais do que hoje se chama o *nouveau roman*".[3]

Em 1957, Mario Dondero fotografa diante das Éditions de Minuit, um grupo de ar bonachão em pleno debate, que representa para os leitores o *nouveau roman* reunido. Juntaram-se para a foto Alain Robbe-Grillet, Claude Simon, Claude Mauriac, o editor Jérôme Lindon, Robert Pinget, Samuel Beckett, Nathalie Sarraute e Claude Ollier. O personagem clássico desaparece do novo horizonte romanesco, e a atenção do autor se desloca exclusivamente para o interior da esfera discursiva; seu olhar emerge de uma relação imanente com a língua. A realidade deixou de ser considerada numa relação de exterioridade com a linguagem, mas interior a esta. Do modo descritivo, do romanesco balzaquiano, à relação de estranheza, de distanciamento, em Albert Camus, passa-se agora para a dissolução da realidade, concebida como dado, e para sua redução ao discurso que o escritor faz sobre ela. Nesse movimento para o qual "o essencial não está fora da linguagem: o essencial é a própria linguagem",[4] realiza-se uma simbiose, ao longo dos anos 1960 e 1970, com a orientação estruturalista que tem por modelo de análise a fonologia e encontrou na linguística a sua ciência-piloto.

Alain Robbe-Grillet está, desde muito cedo, consciente desse encontro entre a atividade literária e a evolução do pensamento, da

3 Sarraute, Préface. In: *L'ère du soupçon*.

4 Ricardou. In: Buin, *Que peut la littérature?*, p.52.

passagem, em curso, de uma abordagem fenomenológica para um enfoque estruturalista. Retoma por conta própria o projeto que Borges definia como o exercício problemático da literatura: "Estou cada vez mais persuadido de que a filosofia e a literatura têm os mesmos objetivos".[5] Em 1963, Alain Robbe-Grillet publica uma coletânea de seus artigos escritos desde 1955 e que se apresenta como um manifesto, *Pour un nouveau roman*. Aí enuncia os princípios que, como autor, aplica em seus próprios romances, *Gommes* em 1953, *Le voyeur* em 1955, e que, a partir dessa última data, faz prevalecer na qualidade de conselheiro literário nas Éditions de Minuit. Ele anuncia essa reconciliação entre a crítica e a criação literária e que esta, para ter acesso à modernidade, deve alimentar-se dos novos saberes: "As preocupações críticas, longe de esterilizar a criação, poderão, pelo contrário, servir-lhe de motor".[6] O *nouveau roman* é aí apresentado, ao mesmo tempo, como uma escola do olhar e como a do romance objetivo. Promove um realismo de um gênero novo, rompendo com as correntes que o prendiam à obra balzaquiana. Trata-se também, sem dúvida, de uma paixão de descrever, mas depurando da descrição os elementos de intencionalidade, aqueles que fazem com que o mundo só exista por mediação de personagens: na nova escrita, "gestos e objetos estão presentes antes de serem qualquer coisa".[7] À maneira como Lacan enfatizou a importância do que aflora, da fala, da cadeia significante, Robbe-Grillet rejeita o mito da profundidade para opor-lhe o nível mais essencial da superfície das coisas. Daí resulta toda a importância atribuída ao modo descritivo, e a mesma rejeição estruturalista à postura hermenêutica, a mesma distinção estabelecida entre sentido e significação.

A revolução romanesca se desvia do personagem, percebido como sobrevivência obsoleta da ordem burguesa. A natural aceitação dessa ordem pela época anterior, que marcou o apogeu do indivíduo, será considerada a partir de então liquidada, à medida que é substituída pela era "do número de matrículas".[8] Nessa desertificação, reencontra-se a expressão da desesperança de um período em que se deve continuar a

5 Robbe-Grillet, *Les enjeux philosophiques des annés cinquante*, p.28.
6 Ibidem, p.11.
7 Ibidem, p.11.
8 Ibidem, p.28.

pensar e a escrever depois de Auschwitz, o desejo de descompromisso com o mundo do *l'étant*, a crítica da modernidade tecnológica. A esperança volta-se, então, para o universo das formas, donde o homem se acha descentrado, simples encarnação passageira do jogo indefinido dos hábitos de linguagem. O escritor já não tem de ser portador de valores, visto que "só existem valores do passado",[9] mas cabe-lhe participar num presente estático e sem memória, à maneira dos personagens de *L'année dernière à Marienbad*, cujo universo se desdobra num mundo sem passado, no qual cada gesto, cada fala, contém a sua própria extinção. Reencontra-se, nesse exercício problemático da literatura, a temática estrutural que nega toda procura de gênese, de origem, em proveito de uma abordagem puramente sincrônica que se inscreve num espaço cuja lógica interna cumpre reconstruir: "Nessa narrativa moderna, dir-se-ia que o tempo está cortado de sua temporalidade. [...] O instante nega a continuidade".[10]

Roland Barthes percebe imediatamente que essa nova literatura, qualificada de literal, adere aos princípios da nova crítica que ele quer promover e, em 1955, publica um estudo muito elogioso sobre *Le voyeur*, de Robbe-Grillet.[11] Barthes passa a apoiar-se sistematicamente na obra de Robbe-Grillet em literatura, e de Brecht no teatro, para promover o "descondicionamento do leitor em relação à arte essencialista do romance burguês".[12] *Le voyeur* realiza esse grau zero da escritura e da história que Barthes desejava desde 1953. Ele deixa aparecer um mundo de objetos suspensos unicamente do olhar, constitutivos de um universo dessocializado e desmoralizado que procede da parte de Robbe-Grillet de um "formalismo radical".[13] Essa aproximação da criação literária e da reflexão científica sobre a linguagem produz um tipo bastardo, que Barthes qualifica de escritor-escrevente:[14] esse tipo novo conjuga as tarefas do escritor (que deve aplicar-se a absorver o mundo

9 Ibidem, p.123.

10 Ibidem, p.133.

11 Barthes, Littérature littérale, *Critique*, n.100-101, set.-out. 1955, p.820-6, reimpresso em idem, *Essais critiques*.

12 Ibidem, p.70.

13 Ibidem, p.69.

14 Idem, Écrivains et écrivants. *Arguments*, n.20, out-nov. 1960, p.41-4, reimpresso em idem, *Essais critiques*, p.153.

no como escreve) e as do escrevente, a quem compete explicar, e para quem a palavra é apenas o suporte transitivo para demonstrar.

Barthes desloca, assim, as fronteiras tradicionais e situa o *nouveau roman* e a *nouvelle critique* do mesmo lado, o do escritor, portanto, do lado da criação. Essa nova divisão permite conceitualizar a nova aliança em curso: a do crítico e do escritor, ambos reunidos numa problematização do fenômeno da escritura e dos diversos dispositivos da linguagem. Assiste-se, dessa forma, a uma interação constante entre a teoria literária estrutural e a prática do *nouveau roman*, as quais se alimentam mutuamente de um afastamento similar do referente e das diversas figuras do humanismo clássico. O *nouveau roman* abandona a plausibilidade sociológica da narrativa para se dedicar a delimitar as variações das narrativas possíveis.

Essa simbiose entre uma nova escrita literária, o *nouveau roman*, e uma nova crítica literária, estruturalista, evoluirá, entretanto, no caso das relações entre Barthes e Robbe-Grillet, no sentido de uma distância crescente a respeito da vontade de formalização e de construção de um realismo objetivo, de uma literatura literal. Da mesma maneira que Barthes se orienta a partir de 1967 para o prazer do texto, os biografemas e a pluralização dos códigos, Robbe-Grillet passa de um realismo objetivo para um realismo subjetivo e confere importância crescente em sua escrita à expressão de sua subjetividade.[15] Também ele pratica a pluralização, o jogo indefinido dos espelhos, a deterioração dos personagens, dos enredos, a encenação de temas autobiográficos, a mistura de registros. Robbe-Grillet queixa-se até de que Barthes interpretou mal a sua obra em 1955, e reivindica, pelo contrário, um subjetivismo total: "Nunca falei de outra coisa a não ser de mim mesmo".[16] Barthes, segundo Robbe-Grillet, procurava desesperadamente um grau zero da escritura e achava ter encontrado na obra do romancista a sua suposta realização: "A minha pretensa brancura – que chega no momento certo para alimentar o seu discurso. Vi-me, pois, sagrado 'romancista objetivo' ou, pior ainda, que tentava sê-lo".[17]

---

15 Robbe-Grillet, *Le miroir qui revient*; idem, *Angélique*.

16 Idem, *Le miroir qui revient*, p.10.

17 Ibidem, p.38.

Do mesmo modo que Lévi-Strauss considera o mito como construído pelo conjunto de suas variantes, o *nouveau roman* procederá por repetições e variações a partir das quais atuam as diversas leis da série, perturbadas sempre pela intervenção do aleatório que faz ressaltar a narrativa a partir de uma estrutura aberta. Essa nova perspectiva atribui uma autonomia à literatura, que não tem mais de demonstrar, de engajar-se, de refletir, mas que vale por si mesma em sua própria trama. Ao mesmo tempo, ela pode, segundo Barthes, responder a uma interrogação filosófica que se teria deslocado, não mais formulando a questão de saber se o mundo tem um sentido, mas esta: "Eis o mundo: existe um sentido nele? [...] Empreitada que talvez nenhuma filosofia logrou realizar e que, na verdade, cabe à literatura".[18] A literatura tomaria, portanto, o lugar da filosofia, ela seria a própria consciência da irrealidade da linguagem, verdadeiro sistema de sentido, uma vez operado seu desligamento de toda instrumentalização.

Essa conjunção entre teoria e prática é particularmente evidente no itinerário de Michel Butor, que participou ativamente dos questionamentos de ordem epistemológica dos anos 1950 antes de escrever seu primeiro romance, em 1954.[19] Licenciado em filosofia, Michel Butor prepara-se em 1948 para obter o diploma de estudos superiores sob a orientação de Gaston Bachelard com uma tese intitulada *Les mathématiques et l'idée de necessité*. Prepara em seguida uma tese de doutorado, *Les aspects de l'ambigüité en littérature et l'idée de signification*, sob a orientação de Jean Wahl. Quando se lança na escrita romanesca, Butor não abandona, porém, o horizonte teórico, filosófico, e concebe o romance como uma pesquisa, um ensaio de problematização. Portanto, no seu primeiro romance, *Passage de Milan*, problematiza o espaço a partir de um prédio parisiense de sete andares, e depois, no seu segundo romance, *L'emploi du temps*, o tempo é o personagem central. Em 1960, volta explicitamente à teoria literária com *Essais sur le roman*.[20] A partir de 1962, com a publicação de *Mobile*, orienta sua desconstrução do romance clássico ao introduzir numa mesma narrativa estilísticas

---

18 Barthes, La Littérature aujourd'hui, *Tel Quel*, n.7, 1961, p.32-41, reeditado em idem, *Essais critiques*, p.160.

19 Butor, *Passage de Milan*.

20 Idem, Essais sur le roman. In: *Répertoire I*.

diferentes que jogam com a justaposição de frases, citações, excertos da imprensa, colagens, efeitos de montagem, versaletes dispersas pela superfície da página... Uma vez mais, Barthes aplaude essa revolução que contesta a própria ideia de livro, após ter desconstruído a narração do romance clássico. Michel Butor, segundo Barthes, atinge, então, o essencial ao contrariar as normas tipográficas: "[...] Atentar contra a regularidade material da obra é visar à própria ideia de literatura".[21]

Com *Móbile*, Michel Butor propõe uma nova estética, aquela que, à maneira da enchente de um rio, transborda do leito no qual se deseja ver correr a narrativa, fora do desenvolvimento linear que lhe dá um débito sempre mais importante, mas sem surpresa, simples variação quantitativa; a isso opõe ele uma estética da descontinuidade, da justaposição das diferenças.

Os dois movimentos, estruturalista e *nouveau roman*, unem-se, pois, em sua atenção comum à escrita como tal, considerada como o meio de desenvolver as armas da crítica, a ponto de Jean Ricardou propor o termo "scripturalismo",[22] o qual permitiria designar esse surgimento da textualidade como horizonte comum às ciências sociais e à literatura.

O romance das ciências humanas

Os estruturalistas ligados às ciências humanas vivenciaram essa aproximação com a literatura a ponto de conceber sua obra como criação, portanto, impregnada de uma viva preocupação estilística. Os grandes romances do período foram, no essencial, obras das ciências humanas. Lembremos que, no começo, *Tristes tropiques* era um projeto romanesco, e Lévi-Strauss manifestou constantemente uma grande atenção à construção formal de sua obra, concebida como musical ou pictórica. Assim, *Les mythologiques* são articuladas à maneira de uma composição musical. As modulações diferentes dos motivos invocados são fortemente inspiradas pelo que, em música, tem o nome de desenvolvimento.

---

21 Barthes, Littérature et discontinu, *Critique*, 1962, reeditado em idem, *Essais critiques*, p.176.

22 Ricardou, Textes mis en scène, *La Quinzaine Littéraire*, 10-15 nov. 1967.

O estilo barroco de Lacan é fortemente marcado por sua colaboração no entreguerras numa revista de arte surrealista, *Le Minotaure*, o que o fez conviver assiduamente com Éluard, Reverdy, Picasso, Masson, Dalí... Depois, ficará fascinado pela obra de Georges Bataille, com cuja esposa, Sylvia, veio a se casar. Encontra-se nessa escrita de limites, no manejo da estranheza dificilmente comunicável, essa vontade liberatória de Georges Bataille, essa transgressão incessantemente renovada dos tabus da sociedade racional, a irrupção da figura do Outro, maldito da razão, que se revela no apagar do eu e de seus ardis. A importância de Bataille também está presente no encaminhamento de Michel Foucault, a par de outros autores que influenciaram a sua estilística: "Blanchot, Artaud e Bataille foram muito importantes para a minha geração".[23] No plano literário, esses autores mostraram o caminho a percorrer para deslocar as linhas fronteiriças do pensamento, transpor os limites e desestabilizar as crenças comuns, ao procurar os pontos de ruptura. Interrogar a razão a partir da loucura, a medicina a partir da morte, a lei a partir do crime, o Código Penal do ponto de vista da prisão; essa inversão de perspectiva foi, em parte, realizada sob o impulso de uma literatura em ruptura e em particular para Michel Foucault graças à obra de Maurice Blanchot. Em 1955, Blanchot definia o espaço literário como um espaço indefinido no qual a obra é solitária, existente em si.[24] Ela nada revela, a não ser exclusivamente que é – e nada mais. Maurice Blanchot recusa, tanto quanto o *nouveau roman*, a ideia de uma relação dialética com o tempo: "O tempo da ausência de tempo não é dialético. O que nele aparece é o fato de que nada aparece".[25]

Michel Foucault presta homenagem à obra de Maurice Blanchot em 1966.[26] Vê nele uma literatura do impessoal na qual ele se reconhece totalmente assim como a corrente de pensamento estrutural que defende a literalidade: "O avanço para uma linguagem da qual o sujeito está excluído [...] é hoje uma experiência que se anuncia em pontos muito diferentes da cultura".[27] Blanchot realiza, no plano literário, com sua escritura do lado de fora que repõe o leitor diante de um vazio

23 Foucault, entrevista de Louvain, 7 maio 1981, *Océaniques*, FR3, emissão de 13 nov. 1988.
24 Blanchot, *L'espace littéraire*.
25 Ibidem, p.26.
26 Foucault, La pensée du dehors, *Critique*, n.229, jun. 1966, p.523-46.
27 Ibidem.

inicial, o que Foucault deseja fazer no plano filosófico: não usar dialeticamente a negação, mas fazer passar o objeto do discurso para fora de si mesmo, do outro lado do olhar, em seu avesso, na "fluência e angústia de uma linguagem que, em todo o caso, já começou".[28] Essa atividade crítica comum a Blanchot e a Foucault desenvolve-se sob a forma de uma positividade restituída, de um sentido suspenso, ausente de sua presença, perceptível por sua falta. Já não se trata de procurar um sentido último e profundo. A figura retórica do oximoro, cujo efeito é tanto crítico quanto estético, é abundantemente utilizada por Blanchot e por Foucault. Aí se encontram os pressupostos estruturalistas, formalistas, da recusa de toda a linguagem instrumentalizada, usual. Pelo contrário, a obra deve procurar "realizar-se numa experiência própria",[29] rejeitando as noções de valores, os significados veiculados pela sociedade, a fim de atingir um nível em que a história seja abolida e dê lugar, exclusivamente, ao tempo presente.

Percebem-se aí traços do pensamento de Nietzsche, de que se valem Blanchot e Foucault em sua rejeição comum aos valores dominantes, bem como em seu temor de uma recuperação qualquer que interviria no sentido de uma possível superação desses valores. Resulta daí uma dupla negação: negação de valores e negação da negação, o que dá lugar a uma frequente utilização da figura do oximoro: "plenitude vazia"; "um espaço sem lugar"; "o acabamento inacabado"...[30] O textualismo desligado dos valores, comum ao empreendimento do *nouveau roman* e ao estruturalismo, encontra aí uma fonte de inspiração, uma estética particular. Tal como a vanguarda literária, a prática formalista da filosofia pode valer-se do fato de não ter finalidade externa alguma e, por conseguinte, apresentar-se como um discurso que permite reconciliar lógica e estética. Essa prática pode, nesse caso, deslocar as linhas fronteiriças entre literatura e pensamento racional.

Quando "o ser da literatura nada mais é do que a sua técnica",[31] como escreve Roland Barthes, nada mais separa a atividade crítica do estruturalista da atividade criadora do escritor. É a partir desse encontro

---

28 Ibidem.

29 Blanchot, *Le Livre à venir*, p.247.

30 Ibidem, p.16, 100 e 176.

31 Barthes, La Réponse de Kafka, *France-Observateur*, 1960, reeditado em idem, *Essais critiques*, p.140.

que se pode apreender como as obras estruturalistas são suscetíveis de serem lidas, apesar das negativas de seus autores, como empreendimentos romanescos. Mas também permite compreender como certos estruturalistas, decepcionados ou fatigados pela busca da estrutura fundamental, do código último, derivaram, sobretudo depois de 1968, para um pluralização desta e deram curso cada vez mais livre à sua inspiração literária.

A disseminação do discurso filosófico

Já vimos que Jacques Derrida tinha contestado vigorosamente as linhas fronteiriças que separavam filosofia e ficção: a sua atividade desconstrutiva visa revelar a polissemia do texto, a equivocidade do dizer, a partir das ambiguidades que rompem as barreiras fronteiriças e permitem a disseminação de uma escritura liberada. Ele abre assim o discurso filosófico para uma atenção privilegiada à língua e o orienta para uma estetização cada vez mais forte.

A primeira perspectiva de Derrida nos anos 1960, que foi seguir de perto os indícios do logocentrismo, do fonologismo, principalmente daqueles que se consideravam estruturalistas, dá lugar, no correr dos anos, a uma estetização cada vez mais fortificada e animada pelo prazer de escrever: "Procuro encontrar uma certa economia de prazer no que se chama de filosofia".[32] Esse prazer é o da inventividade literária e situa-se no centro das linhas de obstáculos, na própria transgressão dos limites. A partir de 1972, Derrida situava o seu trabalho textual fora dos quadros disciplinares estabelecidos: "Direi que os meus textos não pertencem nem ao registro 'filo' nem ao registro 'literário'".[33]

Essa disseminação do discurso filosófico, que emerge da escritura literária, é particularmente sensível na obra que Derrida publica em 1974, *Glas* (Galilée). Aí se encontra a mesma perspectiva desconstrutiva do livro como unidade fechada que se vê em Michel Butor, pela justaposição de diferentes tipos de impressão, de colunas conjuntas, mas que

32 Derrida, entrevista com David Cahen, *Le Bon plaisir*, France-Culture, 22 mar. 1986.
33 Idem, *Positions*, p.95.

diferem por seu conteúdo. Sem princípio, sem fim, sem história, sem personagens, *Glas* resulta, no essencial, de uma pesquisa formal que participa da aventura do *nouveau roman*: "A chuva dispersou os espectadores que correm em todos os sentidos. De que se trata, em suma? De citar, de recitar a giesta [*le genêt*] ao longo das páginas? De interpretá-la, de executá-la como um fragmento de música? De que é que escarnecem?".[34] Derrida opera uma abertura do texto de Genet[35] levando o mais longe possível o confronto entre filosofia e literatura, num mosaico de textos separados uns dos outros, de palavras fragmentadas, desmanteladas num verdadeiro quebra-cabeças, que corta, por exemplo, a palavra *gla* – da sua continuação, duas páginas adiante – *viaux*.[36] Derrida multiplica a justaposição de considerações especulativas, de noções científicas e de "fragmentos autobiográficos",[37] numa espécie de autoanálise que usa o texto como pretexto, a fim de desestabilizar as principais oposições do pensamento ocidental:

> A assinatura não retém, em absoluto, o que assina. Aí planta a giesta [*le genêt*], a inscrição altiva [*cavalière*] em túmulo, o monumento funerário é uma planta de giesta [*à genêt*]: quem escreve, isto é, fala sem acento... [*genet* sem acento = ginete, cavaleiro, e nome próprio] – O teu nome? Genêt. – Plantagenet? – Genet, estou lhe dizendo. – E eu quero dizer Plantagenet, tá bom? Isso te incomoda?...[38]

Nessa nova economia discursiva, a estrutura é uma construção aberta, plural, estilhaçada. A noção da diferença, do Outro, que esteve na raiz do primeiro estruturalismo e das pesquisas da antropologia estrutural, a partir de então operará no sentido da disseminação da própria ideia de estrutura.

Essa evolução é particularmente sensível em Gilles Deleuze, que lança a noção de diferença contra a noção de unidade hegeliana e também lhe opõe o caminho da estetização: "Parece-nos que a história da

---

34 Idem, *Glas*, p.135.

35 Genet, Ce qui est resté d'un Rembrandt déchiré en petits carrés bien réguliers, et foutu aux chiottes, *Tel Quel*, n.29, 1967.

36 Derrida, *Glas*, p.166 e 168.

37 Bougon, Genet recomposé, *Magazine Littéraire*, n.286, mar. 1991, p.47.

38 Derrida, *Glas*, p.48-9.

filosofia deve desempenhar o papel bastante análogo ao de uma colagem numa pintura".[39] A diferença e a repetição substituem o idêntico e o negativo do hegelianismo, e revelam, segundo Deleuze, o advento do mundo moderno, o do simulacro, o de um neobarroco mais atento às invenções de formas do que às variações de conteúdo. Daí resulta toda uma retórica da fruição, e Deleuze não se cansará nunca de criar o novo, à maneira do escritor, lançando novas noções tornadas conceitos na sua leitura do mundo. Deleuze quis, sobretudo, escapar à história da filosofia e, nesse sentido, participa da sensibilidade estruturalista. Denuncia nela uma função eminentemente repressiva que frustra toda a criatividade e a qualifica de "Édipo propriamente filosófico [...] uma espécie de *enculage* ou, o que dá no mesmo, de imaculada concepção".[40]

Ao hegelianismo desacreditado, Gilles Deleuze opõe também a pluralização, a multiplicidade que deve percorrer a escritura, a reflexão sobre intensidades variáveis que se pode retalhar em todos os sentidos. Com *Différence et répétition*, Deleuze quer também, no pós-1968, orientar-se no sentido de dinamizar a estrutura: "Tratar a escritura como fluxo, não como um código".[41] É incontestável que o choque de Maio de 1968 contou muito nessa vontade de pluralização para dar lugar às máquinas apetentes com relação ao Um, ao pensamento estabelecido. Encontra-se o mesmo privilégio concedido aos improváveis, aos incertos, em Derrida, com mais radicalidade ainda na reivindicação do fluxo apetente: "Escrever é um fluxo entre outros, e que não tem nenhum privilégio em relação aos outros, e que entra em relações de corrente, de contracorrente, de remoinho com outros fluxos, fluxo de merda, de esperma, de fala, de ação, de erotismo, de moeda, de política etc.".[42] A partir desses fluxos, revela-se, paradoxalmente, um aspecto importante do paradigma estruturalista, pois não se encontra aí o menor indício do sujeito. É a ideia de máquina que funciona e o "Eu" dá lugar ao "isso" da máquina apetente, acoplada, conectada em todos os pontos. As codificações e descodificações se fazem e se desfazem sem lei nem rei, polimórficas, simples figuras sem raízes, mônadas inatingíveis.

39 Deleuze, *Différence et répétition*, p.4.
40 Idem, *Pourparlers*, p.14.
41 Ibidem, p.16.
42 Ibidem, p.17

A ideia de fechamento, de interpretação, é violentamente atacada em 1972 quando Gilles Deleuze publica, com Félix Guattari, *Capitalisme et schizophrénie*, volume 1: *L'anti-Oedipe* (Minuit). Essa obra não tardará a converter-se em máquina de guerra antiestruturalista e a contribuir para a aceleração da desconstrução do paradigma em curso. O seu êxito é imediato e impressionante; é o sintoma da mutação que se opera e o prenúncio do declínio que está para acontecer. *L'anti-Oedipe* é, em primeiro lugar, o retorno violento do recalcado do lacanismo. O retorno a Freud realizado por Lacan tinha privilegiado o significante, o simbólico, a concepção de um inconsciente esvaziado de seus afetos. Essa abordagem vê-se radicalmente contestada por Deleuze e Guattari, que opõem à Lei do Mestre, tão cara a Lacan, a necessária libertação da produção apetente. Não obstante, a obra de Lacan não é desprovida de méritos, e os autores de *L'anti-Oedipe* reconhecem que ele demonstrou em que medida o inconsciente é tecido de uma multiplicidade de cadeias significantes. A esse respeito, reconhecem uma abertura lacaniana que faz passar um fluxo esquizofrênico capaz de subverter o campo da psicanálise, mormente graças ao objeto *a*: "O objeto *a* irrompe no seio do equilíbrio estrutural à maneira de uma máquina infernal, a máquina apetente".[43] A obra ataca menos Lacan do que os seus discípulos e a psicanálise em geral. Nesse plano, Deleuze e Guattari compartilham dos sarcasmos de Michel Foucault contra essa disciplina. Apoiam-se na *Histoire de la folie à l'age classique* para estabelecer um vínculo de continuidade entre a psicanálise e a psiquiatria do século XIX em sua redução comum da loucura a um "complexo parental", na importância da figura da confissão de culpabilidade que resulta do Édipo: "Assim, em vez de participar de uma empresa de libertação efetiva, a psicanálise participa na obra mais geral de repressão burguessa, aquela que consistiu em manter a humanidade europeia sob o jugo de papai-mamãe, e em nunca pôr um fim a esse problema".[44]

A psicanálise, segundo Deleuze, procede por reduções e rebaixa sistematicamente o desejo a um sistema fechado de representações: "A psicanálise não faz outra coisa senão elevar Édipo ao quadrado, Édipo de transferência, Édipo de Édipo [...]. É a invariante de um desvio das

43 Idem; Guattari, *L'anti-Oedipe*, p.99.
44 Ibidem, p.99.

forças do inconsciente".[45] Deleuze e Guattari estabelecem um corte entre o capitalismo, que está mancomunado com a psicanálise, e os movimentos revolucionários, que caminham ao lado da esquizoanálise. Para eles, como para o estruturalismo, não existe sujeito significante, não há lugar assinalável por uma transcendência qualquer, existem apenas processos; e eles traduzem metaforicamente essa oposição ao confrontar a árvore com o rizoma, cujo caráter polimórfico pode representar um modo de pensamento diferente, um conceito operacional para promover uma nova escrita filosófica superabundante e em ruptura com toda codificação. Em tal abordagem, o recurso à lógica deixa de fazer sentido e, evidentemente, semelhante escrita distancia-se das considerações epistemológicas do primeiro estruturalismo, a fim de dar livre curso a um pensamento fragmentado, sem articulação possível, ao sabor da inspiração poética.

Deleuze e Guattari criticam, sobretudo, o pai do estruturalismo, Claude Lévi-Strauss, cuja importância vimos na própria definição que Lacan nos dá do inconsciente (vol. I: *O campo do signo*). Eles opõem duas lógicas divergentes encarnadas uma pela máquina apetente e a outra pela estrutura anoréxica: "O que se faz do próprio inconsciente, senão reduzi-lo explicitamente a uma forma vazia, donde o próprio desejo está ausente e expulso? Tal forma pode definir um pré-consciente, não o inconsciente, por certo".[46] Em contrapartida, Lévi-Strauss ganha o perdão, aos olhos dos autores, para a sua definição de esquizoanálise, quando se trata de minorar o lugar do Édipo. Eles se apoiam então no mito de referência do primeiro volume de *Mythologiques, Le cru et le cuit*, para acompanhar a demonstração de Lévi-Strauss segundo a qual o verdadeiro culpado da história do incesto do filho com a mãe é, de fato, o pai, pois quis se vingar. Ele será punido e morto por isso: "Édipo é, em primeiro lugar, uma ideia de paranoico adulto, antes de ser um sentimento infantil de neurótico",[47] deduzem Deleuze e Guattari.

A alteridade erigida em modo de pensamento reencontra a inspiração anti-histórica do estruturalismo, e substitui a história por uma

---

45 Backès-Clement, Entretien sur *L'anti-Oedipe*, *L'Arc*, n.49, 1972, reeditado em Deleuze, *Pourparlers*, p.29.

46 Deleuze; Guattari, *L'anti-Oedipe*, p.220.

47 Ibidem, p.325.

atenção especial ao espaço, por uma verdadeira cartografia da estrutura como sistema aberto: "Cada coisa tem a sua geografia, a sua cartografia, o seu diagrama".[48] Ao passo que o tempo não pode ser homogêneo e remete para uma inevitável fragmentação, uma vez que é envolvido em processos descontínuos que geram suas dilacerações contingentes: "Os pensamentos da diferença repelem a história para o lado de um simples efeito de superfície".[49] A evolução dos estudos semióticos, no início dos anos 1970, no sentido da textualidade, do conceito de escritura, também permite dar livre curso à inspiração poética, criativa, liberta de um modelo único no momento em que se confrontam, simultaneamente, saussurismo, chomskismo, pragmática...

A pluralização em curso no campo filosófico é, com efeito, contemporânea da multiplicação dos modelos e dos conceitos com que os projetos semióticos são dotados. A relativização que daí resulta, a perspectiva constantemente repelida de chegar à chave única, fortalecerão aqueles que optaram pela bifurcação estética. Esta se alimenta de uma crise perceptível desde os anos 1960: "Uma 'era da suspeita' dos semióticos junta-se e duplica a dos próprios romancistas".[50] Essa crise abre amplamente o campo da escritura a todos aqueles que substituem o desejo de codificar o texto pelo prazer do texto.

Uma filosofia do desejo

É essa filosofia do desejo que será adotada por aquele cuja tensão sempre foi grande entre a preocupação do teórico e a expressão do afeto: Roland Barthes. Como vimos, ele já tinha iniciado, com *S/Z* e *L'empire des signes*, uma pluralização dos códigos, e dado livre curso a uma intuição liberada, num sistema aberto. Ele confirma essa nova orientação e, dessa vez, reivindica o caminho da estética em termos explícitos com a publicação em 1973 de uma obra cujo título revela a

48 Descamps; Éribon; Maggiori, Entretine avec Gilles Deleuze, *Libération*, 23 out. 1989, reeditado em Deleuze, *Pourparlers*, p.50.

49 Ruby, *Les archipels de la différence*, p.107.

50 Hamon, Littérature, p.297.

todos que foi virada uma página. *Le plaisir du texte* volta as costas a *L'aventure sémiologique*. O escritor Roland Barthes pode, então, libertar-se do escrevente Barthes e desvendar mais ainda o seu gosto pela estilística. Pode revelar-se a si mesmo sem ter de disfarçar o seu dizer por trás de um discurso teoricista de apoio.

A escritura é, nesse momento, reivindicada como espaço de gozo, prova de desejo, de prazer. Barthes assume plenamente a subjetividade, tanto no ato de escrever, segundo o seu próprio sistema de gostos/desgostos, quanto no das reações do leitor cujo julgamento depende do prazer inteiramente pessoal que nele provocou o texto lido. O livre curso dado ao prazer é o meio derradeiro de esvaziamento do que Barthes não se cansa de perseguir de perto desde o começo de suas investigações, o significado: "O que o prazer interrompe é o valor significado: a (boa) causa".[51] É certo que Barthes permanece fiel a algumas de suas posições teóricas mais importantes e repete que o autor, o escritor não existe: "O autor está morto".[52] O autor não tem outra função a não ser a de um joguete, um simples receptáculo, grau zero, faz o papel do morto no *bridge*. Reencontra-se também nessa obra o uso da binaridade para opor o que Barthes qualifica de textos de prazer confrontados com os textos de gozo. Um supre, é dizível: o texto de prazer; o outro é a experiência da perda, faz vacilar, é indizível: o texto de gozo. A grande referência filosófica de Barthes nessa obra é a mesma de Deleuze: Nietzsche, que constitui o ponto de apoio para fazer explodir as verdades constituídas a partir dos estereótipos e das velha metáforas, assim como para libertar o novo, o singular.

Barthes não dá ganho de causa a nenhuma das duas morais que operam a forclusão do prazer, nem à pequeno-burguesa, da sensaboria dos estereótipos, nem a classificatória, do rigor: "A nossa sociedade parece, ao mesmo tempo, serena e violenta: de toda maneira frígida".[53] O prazer do texto dá acesso ao indefinido, à trama, aos incessantes entrelaçamentos de uma abertura criativa na qual o sujeito se desfaz ao revelar-se: "O texto quer dizer tecido",[54] não no sentido em que cumpriria

51 Barthes, *Le plaisir du texte*, p.103.
52 Ibidem, p.45.
53 Ibidem, p.75.
54 Ibidem, p.100.

procurar a verdade no seu avesso, mas como textura de que é feito e cujo sentido resume. Em 1975, respondendo às perguntas de Jacques Chancel em seu famoso programa da France-Inter, *Radioscopie*, Barthes rememora o seu itinerário, lembrando que começou a escrever pensando participar de um combate, mas que a verdade do ato de escrever se revelou pouco a pouco em toda a sua nudez: "Escreve-se porque, no fundo, gosta-se disso, porque isso causa prazer. Portanto, em última instância, é por um motivo de gozo que se escreve".[55]

O semiólogo Barthes não está, porém, ausente dessa manifestação de hedonismo. Ele prossegue em sua reflexão sobre a textualidade, mas a opção estética reivindicada exprime, sem dúvida, uma descontinuidade importante entre o Barthes da euforia teórica de 1966 e o Barthes de 1973. Mais do que um itinerário singular, essa ruptura manifesta a asfixia do programa estruturalista, a crise dos anos 1967-1968 e a busca de soluções. A bifurcação que Barthes adota anuncia um certo número de retornos que, sobretudo, ressurgirão a partir de 1975. Nesse meio tempo, à semelhança do antigo grego descrito por Hegel que interroga sem descanso o sussurro da folhagem, o frêmito da natureza, Barthes interroga o frêmito do sentido "ao estudar o sussurro da linguagem, dessa linguagem que é a minha própria natureza de homem moderno".[56]

55 Idem, *Radioscopie*, 17 fev. 1975, France-Inter apud Calvet, *Roland Barthes*, p.251.
56 Barthes, Vers une esthétique sans entraves (1975). In: *Le bruissement de la langue*, p.96.

20

Filosofia e estrutura

A figura do Outro

A filosofia clássica passa mal nesses tempos de turbulências estruturais. Se nos anos 1970 se faz teoria, epistemologia, em contrapartida evita-se cautelosamente declarar-se filósofo. A razão ocidental deu lugar a uma busca cada vez mais apaixonada das diversas figuras do Outro. Isso não quer dizer, porém, que a filosofia esteja morta; simplesmente, ela se ocupa de novos campos de investigação, os das ciências humanas, para descobrir o Outro no espaço, graças à antropologia, o Outro em si, com a psicanálise, ou ainda o Outro no tempo, com a antropologia histórica.

A geração pós-1968, tal como a da década de 1950, continua a converter-se a essas novas e promissoras investigações cujos êxitos parecem destituir a filosofia do lugar central e dominante que ocupava nas humanidades clássicas. No entanto, a filosofia não abandonou sua arrogância e presunção, pois são os filósofos, essencialmente, que se encontram à cabeça dessa reapropriação das diversas positividades das ciências do homem, sem deixar de criticar com firmeza os modos de classificação e as divisões disciplinares em uso. Entretanto, um certo discurso filosófico passa mal nessa conjuntura.

A dialética do mesmo e do outro

Nessa época, os anos 1970, Jacques Bouveresse deplora: "A verdade não tinha mais interesse, era preciso substituir a questão do verdadeiro pela questão do justo, como dizia Althusser".[1] Isso não o impede, porém, de dar continuidade à sua reflexão filosófica na contracorrente, não hesitando em levar sua provocação a ponto de ignorar as referências filosóficas infalíveis do momento, Michel Foucault ou Jacques Derrida, preferindo Rudolf Carnap, Gottlob Frege, Ludwig Wittgenstein, Bertrand Russel e Willard Van Orman Quine. Em 1973, publica *Wittgenstein: la rime et la raison* (Minuit), que é uma reflexão sobre as relações entre ciência, ética e estética: "Era uma provocação deliberada, pois se tratava de uma época em que era quase proibido ou totalmente incongruente falar de ética. Não podia haver problemas que não fossem políticos ou psicanalíticos".[2] Jacques Bouveresse situa-se noutro lugar, para escapar ao teoricismo/terrorismo que consiste em perseguir de perto o discurso filosófico a partir de duas máquinas de guerra, a psicanálise e o marxismo: "A uma objeção, nunca se respondia sobre o fundo; fazia-se a psicanálise do objetante ou então propunha-se uma análise da sua posição de classe".[3]

A tríade Nietzsche/Freud/Marx serve de base de leitura, e os três são mobilizados para essa busca do Outro como o avesso da razão ocidental. A esse dique filosófico da vanguarda soma-se uma lógica disciplinar para a psicanálise ou a antropologia, que mantêm sua velha rivalidade com a filosofia sobre o modo da emancipação, a fim de corroborar e fortalecer sua implantação, sua institucionalização. O adversário designado é a hermenêutica e sua postura interpretativa, que estaria sustentada por uma verdade última do texto a restabelecer. Após ter oposto a essa postura filosófica a lógica estrutural como sistema de relações autonomizado em relação ao seu conteúdo, chega-se a preconizar cada vez mais o indefinido interpretativo.

Adorno e Horkheimer já tinham iniciado no pós-guerra a reflexão sobre a relação conflitante e dialética mantida entre a razão e seu outro,

---

1 Jacques Bouveresse, entrevista com o autor.

2 Ibidem.

3 Ibidem.

o mito. Para se constituir, a razão teve de se apartar do terror ancestral do mito, e é seu progressivo domínio que constituirá a ordem da razão. Mas esse combate prossegue e a razão se defronta continuamente com seu outro: "Trata-se, portanto, de uma espécie de víbora criada ao peito".[4] Mas Vincent Descombes sublinha a confusão feita com a noção de Outro entre seus dois sentidos, o do outro como outro, *aliud*, e outro como *alter ego*. Dessa confusão nasce uma estratégia da suspeita que atinge a própria razão, entendida como o que está em jogo num conflito generalizado entre diversas forças, das quais ela seria apenas, momentaneamente, a mais poderosa: "Para reconhecer a gravidade dos conflitos modernos, acabamos por suspeitar de que a razão venceu a sua demanda com excessiva facilidade: ninguém tem razão, já não existe razão em parte alguma, apenas potências envolvidas numa relação de força".[5]

Tal desconstrução permite celebrar as sucessivas mortes de Deus, do homem, da metafísica, e opor à abordagem dialética da superação, a – niilista – do extravasamento, até numa estilística de ruptura com o academismo em uso na argumentação filosófica. O filósofo deve dar lugar ao grande número de pessoas que experimentam a descoberta do Outro e que não se reduz aos especialistas em ciências humanas:

> Eis os homens em excesso, os mestres de hoje: marginais, pintores experimentais, *pop*, *hippies* e *yuppies*, parasitas, loucos, internados. Há mais intensidade e menos intenção numa hora de vida de todos eles do que em 300 mil palavras de um filósofo profissional. Mais nietzschianos do que os leitores de Nietzsche.[6]

É a dialética do mesmo e do outro que, com efeito, desenrola-se em todas essas esferas de atividade. E é o momento em que se manifesta a tendência para atribuir à figura do mesmo todos os males da atitude paranoico-repressiva, ao passo que a criatividade e a libertação se encontrariam na outra vertente.

---

4 Jacques Hoarau, entrevista com o autor.

5 Descombes, *La Philosophie par gros temps*, p.139.

6 Lyotard, Notes sur le retour et le Kapital. In: Colóquio de Cerisy "Nietzsche aujourd'hui?", 10/18, v.1, 1973, *Anais...*, p.157.

Esse jogo de forças reproduz em parte a crise de legitimidade da filosofia diante da emancipação reivindicada pelos pesquisadores em ciências sociais. Raymond Aron censura Lévi-Strauss por suas relações ambivalentes com a filosofia, o que o leva a insistir sobre o caráter científico de sua abordagem quando é acusado pelos etnólogos empiristas de fazer filosofia, mas sem fundamentar a cientificidade de sua análise estrutural: "A resposta exigiria a elaboração do estatuto epistemológico da análise estrutural – elaboração esta que ele se recusa a fazer".[7]

Quanto a Paul Ricœur, nesse mesmo ano de 1970, responde ao desafio lançado pelos estruturalistas admitindo a fecundidade dessa postura explicativa, mas considerando que não é mais do que uma etapa nos processos de elucidação: "O modelo explicativo chamado estrutural não esgota o campo das atitudes possíveis a respeito de um texto".[8] Paul Ricœur apresenta como complementar a atitude explicativa que terá por instrumento a linguística e a abertura necessária do texto, permitindo o acesso ao estágio superior da interpretação, graças a uma reapropriação pelo sujeito do sentido do texto. Existe, portanto, ato, efetuação do sentido pela relação dele consigo mesmo no caráter atual da interpretação: "O texto tinha somente um sentido, ou seja, relações internas, uma estrutura; agora possui uma significação".[9] Mas essas tentativas de conciliação não serão entendidas no momento em que o cordão umbilical que ainda unia as diversas positividades sociais com a filosofia é brutalmente cortado.

O outro no espaço

Uma boa parte da jovem geração continua a abandonar a filosofia para se lançar na aventura das ciências humanas e do confronto que estas permitiam esperar com a pesquisa de campo. Philippe Descola está na École Normale Supérieure (ENS) de Saint-Cloud em 1970,

7 Aron, Le Paradoxe du même et de l'autre. In: Pouillon; Maranda (Eds.), *Échanges et communications*: mélanges offerts à Claude Lévi-Strauss, p.952.

8 Ricœur, *Du texte à l'action*, p.147.

9 Ibidem, p.153.

com a ideia de fazer antropologia. Considera, então, a formação que recebe em filosofia como uma simples propedêutica, a tal ponto que seus colegas da École Normale "deram-se conta disso e me apelidaram de o emplumado".[10] Ele descobre com interesse o livro de Maurice Godelier, *Rationalité et irracionalité en économie*, e quando este último foi fazer um ciclo de conferências como antigo aluno da ENS, pareceu a Phillippe Descola que a antropologia era o bom caminho para analisar cientificamente as realidades sociais. Aprovado nas provas escritas do concurso para o magistério superior, foi reprovado na prova oral, e a ideia de recomeçar o desencorajou: "Fui procurar Claude Lévi-Strauss e, após um ano de estágio, parti para o campo".[11]

Sylvain Auroux, também ele normalista em Saint-Cloud, escolherá, como profissional, um outro campo do saber, a linguística, o que exige desviar-se do percurso clássico do filósofo. Integra a École em 1967 e anima um grupo de ciências humanas que recebe conferencistas. É nessa ocasião que Sylvain Auroux trava conhecimento com Oswald Ducrot e descobre a pragmática. Se não aceita o cientificismo estruturalista da época e sua exclusão do sujeito, considera, entretanto, que essa ideologia cientista permitiu dois avanços decisivos e positivos: "Por um lado, isso eliminava o sujeito transcendental em nível filosófico. Penso que isso é definitivo e, em segundo lugar, levava a estabelecer, de uma vez por todas, que as ciências humanas não se constroem no nível do vivido".[12] Uma vez aprovado como professor universitário, Sylvain Auroux vê-se lecionando filosofia no liceu de Vernon (Eure), nos anos de 1972-1974. Nessa altura, sente-se insatisfeito com um saber filosófico que não permite articulá-lo com os problemas que afetam a sociedade, já que é um saber "totalmente abstrato, restrito a microproblemas de interpretação histórica. Quando os meus alunos vinham me perguntar o que eu pensava do aborto, respondia-lhes que esse não era um problema filosófico. Recusávamo-nos a abordar essas questões teoricamente".[13] Essa defasagem consolida em Sylvain Auroux a ideia de que é necessário sair dos caminhos balisados do percurso filosófico clássico para lançar-se numa

10 Philippe Descola, entrevista com o autor.
11 Ibidem.
12 Sylvain Auroux, entrevista com o autor.
13 Ibidem.

ciência humana particular, a linguística, da qual se tornará um dos eminentes especialistas.

A figura do Outro da filosofia como alteridade observável no espaço, fora da Europa, sustentada pelo saber antropológico, continua representando nesses anos 1970 um importante desafio para o campo filosófico. Lévi-Straus declarava em 1967: "É necessário que os filósofos, que durante tanto tempo desfrutaram de uma espécie de privilégio porque se lhes reconhecia o direito de falar de tudo e a propósito de tudo, comecem a resignar-se a que muitas investigações escapem à esfera da filosofia".[14]

Em 1973, Lévi-Strauss é eleito para a Academia Francesa, ocupando a cadeira de Henry de Montherlant. Essa eleição é a manifestação clara da irresistível ascensão do estruturalismo, e diante dessa candidatura o pobre príncipe Charles Dédéyan, símbolo personificado da mais clássica história literária, que tinha a intenção de apresentar-se, decide sabiamente se retirar da competição. Único candidato, Lévi-Strauss não terá, no entanto, uma eleição fácil. É certo que será eleito logo no primeiro escrutínio, mas com uma fraca maioria: dezesseis votos, quando o mínimo requerido é catorze. Contudo, a entrada do especialista dos bororos e dos nhambiquaras na Academia Francesa basta para avaliar o caminho percorrido por Lévi-Strauss entre seus começos em São Paulo nos anos 1930 e a consagração que recebe em 1974 ao tomar assento na Academia: "Ao me acolherem hoje, estais admitindo pela primeira vez em vossa casa um etnólogo".[15]

Lévi-Strauss continua, então, contornando a filosofia a partir de dois domínios. O da arte, em primeiro lugar, que ele evoca nos seguintes termos quando de sua eleição para a Academia Francesa: "Há em mim um pintor e um *bricoleur* que se revezam. [...] Vejam, por exemplo, *Tristes tropiques*. [...] Ao escrever esse livro, eu tinha o sentimento de compô-lo como uma ópera. As passagens da autobiografia à etnologia correspondem aí à oposição entre os recitativos e as árias".[16] Ao mesmo tempo, ele joga a cartada científica, publicando nesse mesmo ano da sua

14 Lévi-Strauss, entrevista com Raymond Bellour, *Les Lettres Françaises*, n.1.165, 12 jan. 1967, reimpressa em Bellour, *Le livre des autres*, p.44.

15 Idem, Les discours du récipiendaire, *Le Monde*, 18 jun. 1974.

16 Idem, entrevista com J.-L. de Rambures, *Le Monde*, 21 jun. 1974.

eleição, em 1973, uma segunda coletânea de artigos, *Anthropologie structurale deux* (Plon), que cobre um extenso período, uma vez que reproduz o seu famoso ensaio de 1952, "Race et histoire", e vai até as últimas contribuições de 1973.

Nessa obra, Lévi-Strauss faz prevalecer a capacidade científica do estruturalismo, retomando seus dois territórios de investigação privilegiados, as estruturas do parentesco e os mitos. Lévi-Strauss define aí, uma vez mais, os critérios científicos nas ciências humanas e afirma que o linguista e o etnólogo têm mais a permutar com o "especialista de neurologia cerebral ou de etnologia animal"[17] do que com os juristas, economistas ou outros politistas. Portanto, a transformação é mais esperada do lado das chamadas ciências duras. Lévi-Strauss presta homenagem nesse volume aos seus predecessores na constituição de uma etnologia rigorosa – Jean-Jacques Rosseau, Marcel Mauss e Émile Durkheim – e evoca um humanismo generalizado do qual apenas a etnologia contemporânea pode ser portadora, graças à reconcialiação que preconiza entre o reino do homem e o da natureza: "Com a etnologia, o humanismo percorre sua terceira etapa".[18]

A etnologia estrutural se oferece, portanto, como uma possível superação da filosofia, como o último estágio, democrático e universal, que permite remeter para o passado o humanismo filosófico, quer seja o humanismo aristocrático e restrito da Renascença, quer seja o humanismo burguês e puramente mercantil do século XIX. Mas essa superação só pode ocorrer com a descentração do homem na natureza e o término do seu voluntarismo histórico, que Lévi-Strauss percebe como o prolongamento desse humanismo do passado e portador de todas as grandes catástrofes dos séculos XIX e XX:

> Todas as tragédias que vivemos, primeiro com o colonialismo, depois com o fascismo, enfim, os campos de extermínio, tudo isso se inscreve não em oposição ou em contradição com o pretenso humanismo, sob a forma

17 Idem, Critères scientifiques dans les disciplines sociales et humaines, *Revue Internationale des Sciences Sociales*, v.XVI, n.4, 1964, p.579-97, reeditado em idem, *Anthropologie structurale deux*, p.359.

18 Ibidem, p.320.

em que o praticamos há vários séculos, mas, diria eu, quase em seu prolongamento natural.[19]

O êxito de Lévi-Strauss em 1973 permite relativizar o alcance das críticas cada vez mais severas que se expressam então sobre a sua obra. Assim, no mesmo ano, Raoul e Laura Makarius reúnem também seus artigos publicados desde 1967 num livro cujo título é deliberadamente provocador: *Structuralisme ou ethnologie* (Anthropos). Para os autores, o estruturalismo foi a boia de salvação a que se agarraram os etnólogos para escapar ao declínio do funcionalismo, que ligara seu destino ao colonialismo defunto. Eles criticam a negação da realidade dos fenômenos em proveito da eficiência dos modelos que funcionam como transcendências. O estruturalismo desembocaria, portanto, num idealismo: "No estruturalismo, a busca da explicação é suprimida pela eliminação de tudo o que se relaciona com o caráter concreto, empírico dos fatos".[20] O casal Makarius estabelece, assim, uma correlação entre relações de parentesco, a origem da exogamia e a mudança do modo de produção, no decorrer da passagem da coleta à caça: daí uma crítica severa do ponto de vista estrutural, pois ele apresenta como invariante intemporal o modo de relações de parentesco. Vamos reencontrar nessa crítica da supressão do vivido pelo estruturalismo a já conhecida posição de Edmund Leach em relação a Lévi-Strauss. Para Leach, é "a ausência de estrutura o que caracteriza normalmente todo o conjunto de dados empíricos diretamente observados".[21]

Sinais de fragmentação e de diversificação dos paradigmas utilizados em antropologia fazem-se sentir, portanto, na França, a partir dos anos 1970. Eles são perceptíveis a ponto de, no momento mesmo da eleição de Lévi-Strauss para a Academia Francesa, Christian Delacampagne escrever em *Le Monde*: "Poder-se-ia também alegar que o estruturalismo tinha necessidade dessa consagração oficial. O surpreendente, em todo o caso, é que a tenha obtido justamente no momento em que é cada vez mais contestado de todos os lados". A crítica dessa alienação do objeto em nome de uma radicalização das técnicas estruturais

19 Idem, entrevista com J.-M. Benoist, *Le Monde*, 21 jan. 1979.
20 Makarius; Makarius, *Structuralisme ou ethnologie*, p.11.
21 Leach, *Les Systèmes politiques des hautes terres de Birmanie*, p.XIII.

prosseguirá e se ampliará nos anos 1980. Thomas Pavel vislumbra, assim, nessa abordagem, um simples retorno às práticas pré-spinozianas, às técnicas de exegese pré-críticas que representam, pois, uma regressão, inclusive em relação à filologia humanista do século XVII, que dissociara a leitura mística da exegese histórica. Voltar-se-ia aos princípios da leitura da Torá pelos cabalistas, segundo a permutação à vontade das unidades fonológicas ou lexicais. "Como em Lévi-Strauss, o texto perceptível congela-se numa misteriosa desordem das correntes de significação legitimadas num outro nível."[22]

O outro em si

Interpelado pelo Outro da sociedade primitiva, o filósofo também é contestado pelo Outro de si mesmo, pela psicanálise lacaniana. Em 1970, Lacan, que acaba de ser excluído de Ulm, portanto do cenáculo da elite filosófica, enuncia sua réplica teórica aos filósofos que ousaram rejeitá-lo, repetindo assim o gesto da International Psychoanalytical Association (IPA) de ontem que já fizera de Lacan um rebelde. Ele faz valer que o lugar da verdade somente se encontra em um dos quatro discursos possíveis,[23] o discurso analítico, a partir do qual derivam os três outros discursos: "O inconsciente é o saber e, por definição, um saber que não sabe. Só o discurso pode enunciar o inconsciente".[24] Como já vimos, Lacan foi buscar em Michel Foucault essa noção de discurso, mas para voltá-la contra a filosofia. O primeiro discurso, o do mestre, que se realiza principalmente no plano político, fecha o acesso à sublimação, confronta-se diretamente com a morte e só retém da Coisa o objeto *a*, entregando-se por inteiro à ilusão da ação. O discurso que cristaliza a contestação de Lacan é o discurso da universidade, que se situa no plano da moral e visa adquirir um controle. Esse discurso é "a hiância, onde se abisma o sujeito, supondo um autor para o saber".[25]

22 Pavel, *Le mirage linguistique*, p.58.
23 Lacan, Radiophonie, *Scilicet*, n.2-3, 1970.
24 Juranville, *Lacan et la philosophie*, p.341.
25 Lacan, Radiophonie, p.97.

O terceiro discurso é o do histérico, que é o do cientista: "A ciência ganha seu impulso a partir do discurso do histérico".[26]

Nessas condições, só o quarto discurso, o analítico, escapa ao desejo de controle e permite fazer vir para o lugar da verdade o saber inconsciente, o único saber significante: "Lacan é levado, finalmente, a identificar discurso filosófico e discurso metafísico".[27] Lacan situa assim o discurso analítico como o discurso dos discursos, o lugar da verdade destes.

Em 1970, uma encomenda de François Wahl esteve a ponto de dar origem a um novo dicionário técnico e crítico da psicanálise, obra e instrumento de combate somente da Escola Freudiana de Lacan, sob a égide de Charles Melman:

> Eu via claramente que a tarefa seria ingrata. A minha ideia era muito simples, é que eu sabia que no caso de não existir uma obra coletiva da Escola Freudiana, engajando cada um dos seus autores, tampouco subsistiria a Escola Freudiana. A minha ideia era forçar o destino, pois a Escola era uma nebulosa, uma justaposição de várias galáxias.[28]

Esse dicionário, concorrente do Laplanche-Pontalis das PUF, nunca verá, porém, a luz do dia. Lacan zombava das duas posições, à maneira de Lévi-Strauss e de Barthes, em registros diferentes. Por um lado, não pensa que se possa transmitir a psicanálise pelo ensino como uma ciência, o que faz dele um homem de fala e não de escrita, alguém que está subjetivamente implicado, de modo constante, em seu dizer e não dissocia a literatura do seu discurso analítico. Por outro lado, quanto mais subjetiva é a sua fala mais ele multiplica os matemas, os nós borromeanos, os toros, a fim de se desprender do seu *páthos* e situá-lo dentro de uma perspectiva científica transmitida por transferência de trabalho: "Os seminários eram um investimento vital para Lacan, porque não existe saber sem mecanismo de transferência".[29]

---

26 Ibidem, p.88.
27 Juranville, *Lacan et la philosophie*, p.356.
28 Charles Melman, entrevista com o autor.
29 Bernard Sichère, entrevista com o autor.

Vimos a que ponto esse discurso analítico que se apresentava como lugar da verdade suscitou o exagerado fascínio coletivo de numerosos filósofos, especialmente althusserianos, que optaram pela aventura psicanalítica. Esse efeito de "arrastão" afetou até o campo dos economistas, não obstante seu distanciamento dessas preocupações, com a adesão de Hubert Brochier à Escola Freudiana em 1972: "Lacan forneceu muitas coisas interessantes para a psicanálise na França, uma escuta do inconsciente, uma forma de manipular, no sentido nobre do termo, as pessoas pela profundidade".[30] Contudo, Hubert Brochier, como especialista de uma ciência, a economia, que escolheu o caminho da formalização matemática mais extrema, julga negativamente a formalização lacaniana, exceto no plano pedagógico. Do mesmo modo que a ciência econômica, ela dependeria da respeitabilidade acadêmica, embora nada ofereça no plano dos conhecimentos tangíveis. Para ele, a faixa de Moebius, a garrafa de Klein, os nós borromeanos e todas as manipulações topológicas que Lacan desenvolve cada vez com mais arte e insistência, no âmbito do seu seminário, não contribuem mais para o conhecimento do inconsciente do que a teoria do equilíbrio geral de Walras para o conhecimento do funcionamento de uma economia concreta: "Nem sempre se sabe para que é que ela serve, e quando se discute com seus defensores, dizem-nos que ela tem um valor puramente pedagógico".[31] Em todo o caso, é sintomático que certos economistas tenham sentido a necessidade de cotejar os seus próprios conceitos com os da psicanálise. A irradiação do lacanismo, que colocou a psicanálise no âmago da racionalidade em ciências humanas, muito contribuiu para isso.

O outro no tempo

Uma terceira figura do Outro torna-se objeto privilegiado das pesquisas na década de 1970 e representa um terceiro desafio ao filósofo: é o Outro no tempo. Essa busca implica também sair de um certo número de categorias filosóficas atemporais para confrontar-se, dessa vez, com

---

30 Hubert Brochier, entrevista com o autor.

31 Ibidem.

a história, a partir de uma postura de tipo antropológico. É o que Jean-Pierre Vernant realiza. Também ele é oriundo da filosofia; em 1948, encontra-se agregado à comissão de filosofia do Centre National de la Recherche Scientifique (CNRS) e se interessa pela categoria do trabalho no sistema platônico. Engajado nessa perspectiva, ele descobre a relatividade do modo de problematização que se tem o hábito de projetar a partir de uma realidade contemporânea: transpõe-se com excessiva frequência para o passado um instrumental anacrônico. Com efeito, Jean-Pierre Vernant apercebe-se de que não existe em Platão uma palavra para expressar a noção de trabalho. Essa falta o leva a historicizar sua abordagem e a descobrir que se passa, do século VIII ao VI a.C., de um universo mental para um outro, o que foi objeto de estudo do seu primeiro livro.[32]

Uma vez lançado na busca da noção de trabalho, Jean-Pierre Vernant descobre, sobretudo, a onipresença do fenômeno religioso. Helenista, torna-se aluno e discípulo de Louis Gernet, que tinha escrito uma antropologia do mundo grego e cuja abordagem, de aspecto globalizante, na linhagem de Marcel Mauss e do seu "fato social total", representará a ambição teórica sempre presente nos trabalhos de Jean-Pierre Vernant. A outra influência importante que Vernant recebe nesse começo dos anos 1950 é a do professor de psicologia histórica Ignace Meyerson, que ele conhece desde 1940 e que orientará sua reflexão na direção do homem grego, de suas categorias de pensamento, de suas emoções e sua "utensilhagem mental", para retomar uma categoria cara a Lucien Febvre. No final dos anos 1950, como já vimos, após ter historicizado seu objeto, Vernant estruturaliza-o com a sua leitura do mito hesiódico das raças.

Nessa fase, em 1958, Vernant analisa os mitos gregos "segundo o modelo proposto por Lévi-Strauss e Dumézil. Procedi, portanto, como estruturalista consciente e voluntário".[33] Esse primeiro trabalho estruturalista sobre o mito das raças foi iniciado a partir de uma nota sobre a Grécia na qual Dumézil apresentava o problema da trifuncionalidade. Essa filiação duméziliana é importante para Vernant, que ingressa na quinta seção da École Pratique des Hautes Études (Ephe) em 1963,

32 Vernant, *Les origines de la pensée grecque*.

33 Idem, entrevista com Judith Miller, *L'Âne*, jan.-mar. 1987.

graças a Georges Dumézil, abandonando, assim, a sexta seção, em que estava desde 1958. Mantém com Dumézil frequentes trocas de ideias sobre essas questões. É por ocasião de uma dessas visitas que Jean-Pierre Vernant, quando já tinha descido metade da escada, é chamado de volta por Georges Dumézil, que o acompanhara até o limiar da porta: "Ele me disse: 'Senhor Vernant, quer ter a bondade de subir de novo? [...] Pensou por acaso no Collège de France? Faria bem em pensar nisso e ir ver Lévi-Strauss, pois somos alguns pensando em seu nome'. Fui então ver Lévi-Strauss, que me disse: 'Nenhum problema, eu o apresento'".[34]

Em 1975, apresentado por Lévi-Strauss, Jean-Pierre Vernant é acolhido no Collège de France, e com ele um ramo do estruturalismo, a antropologia histórica, encontra-se desse modo no ápice da legitimação. Mas com Vernant, Clio não é exilada, muito pelo contrário: o que o apaixona é o movimento, a passagem de um estágio para outro, e a psicologia/antropologia histórica que ele preconiza deriva de uma ciência do movimento, e não da vontade de encerrar a história num estatismo qualquer. Assim, uma das suas principais referência é Marx, que ele considera o verdadeiro ancestral do estruturalismo, mas não o Marx de Althusser, o do pós-corte epistemológico, do processo sem sujeito, uma vez que o sujeito é justamente o objeto privilegiado das atenções de Vernant. "Nunca ri tanto como ao ler a *Résponse à John Lewis* de Althusser. Explicar os crimes de Stalin pelo fato de que o humanismo tinha continuado a provocar seus estragos! Era demais!"[35]

Por outro lado, Vernant engloba todos os aspectos da vida dos gregos para pensá-los em conjunto, ao contrário de uma tendência para destacar do real uma certa categoria de fenômenos a fim de examinar-lhes a lógica interna e imanente. Herdeiro de uma ambição globalizante, a de Louis Gernet, ele não considera o domínio da pesquisa de sua predileção, a religião, como uma entidade separada, muito pelo contrário. Assim é que analisa uma instância pouco presente nos estudos estruturais, a organização política, cujo advento estuda graças às reformas de Clístenes em Atenas. A organização gentílica é substituída pelo princípio territorial na nova organização da cidade: "O centro traduz no

34 Idem, entrevista com o autor.
35 Ibidem.

espaço os aspectos de homogeneidade e de igualdade, não mais os de diferenciação e de hierarquia".[36] A esse novo espaço que a *polis* instaura corresponde uma outra relação com a temporalidade e a criação de um tempo cívico. Esse duplo trabalho de homogeneização para se contrapor às divisões, facções e clientelas rivais que enfraquecem a cidade está, sem dúvida, na base de uma transformação completa das categorias mentais do homem grego. O advento da filosofia grega, da razão, não resultou, portanto, como pensa Lévi-Strauss, de puros fenômenos contingentes; ela é, de fato, "filha da cidade".[37]

Em maio de 1973, um colóquio organizado em Urbino (na Itália) sobre o mito grego, tendo como ideia central cotejar o estruturalismo francês com outras correntes de interpretação dos mitos, permitirá a Jean-Pierre Vernant descrever em termos precisos sua visão do estruturalismo. A escola semiótica de Paris aí está fortemente representada, com Joseph Courtès e Paolo Fabbri, entre outros. Jean-Pierre Vernant está presente, assim como a sua escola de antropologia histórica: Marcel Detienne apresenta uma comunicação sobre "Mito grego e análise estrutural: controvérsias e problemas", Jean-Louis Durand apresenta "O ritual do homicídio lavrador e os mitos do primeiro sacrifício", e o próprio Jean-Pierre Vernant trata de "O mito prometeico em Hesíodo". Foi a ocasião para um confronto de cúpula entre, por exemplo, a escola italiana de Ângelo Brelich e a corrente empirista britânica de Geoffrey Stephen Kirk. Em sua intervenção final, Jean-Pierre Vernant reivindica firmemente a coerência da postura de sua escola e, após afirmar que os estudos de casos apresentados devem ter sanado as inquietações expressas quanto à tendência para a eliminação da história, prossegue com a altiva defesa do programa estrutural:

> O estruturalismo não é para nós uma teoria pronta e acabada, uma verdade já constituída e que buscaríamos em outro lugar a fim de aplicá-la em seguida aos fatos gregos. Levamos na devida conta, por certo, as mudanças de perspectivas que os estudos mitológicos como os de Claude Lévi-Strauss proporcionaram nos últimos anos, testamos-lhes a validade

36 Idem, *Mythe et pensée chez les Grecs*, v.1, p.209.

37 Ibidem, v.2, p.124.

no nosso domínio, mas sem perder nunca de vista o que o material sobre o qual trabalhamos comporta de específico.[38]

Em face das críticas severas dirigidas contra a comunicação de Marcel Detienne, opondo-lhe que o sacrifício grego resultava dos rituais de caça, e considerando o mito de Adonis oriundo de uma antiga civilização de coleta outrora existente na Grécia, Jean-Pierre Vernant faz uma defesa ardorosa da abordagem estrutural:

> Gostaria de submeter a Kirk uma questão: bastará batizar de história uma reconstrução sobre a qual o mínimo que se pode dizer é que é puramente hipotética, para estar prontamente reunido no campo dos prudentes, dos positivos? Situar os mitos do sacrifício no contexto religioso grego como um todo, comparar as múltiplas versões de diversas épocas no seio de uma mesma cultura para tentar extrair modelos gerais, elucidar uma ordem sistemática: será isso mais aventuroso do que caminhar alegremente do Neolítico para a Grécia do século V? [...] Aos meus olhos, essa história resulta, na melhor das hipóteses, da ficção científica, na pior, é um romance de imaginação.[39]

Jean-Pierre Vernant fez escola, e todo um grupo de pesquisadores, entre os quais Pierre Vidal-Naquet, Marcel Detienne, Nicole Loraux e François Hartog, inscreve seus trabalhos na esteira dele. Essa pesquisa antropológica sobre o material histórico desembocará especialmente numa obra coletiva em 1979, dirigida por Marcel Detienne e Jean-Pierre Vernant, *La cuisine du sacrifice en pays grec* (Gallimard). Os autores interrogam então a vida cotidiana dos gregos, suas práticas culinárias, à maneira de Lévi-Strauss, não por exotismo, mas para melhor perceber o modo de funcionamento da sociedade grega para a qual o sacrifício é obra de pacificação, de domesticação da violência. Nessa sociedade democrática, o sacrifício é obra de todos, mas nos limites da cidadania que se detêm nos varões. As mulheres estão excluídas tanto desse rito quanto da condição de cidadãs. Se elas se apoderam

38 Idem, Il mito greco. In: Convegno Internazionale "Intervento conclusivo", 1973, *Atti*, p.397-400.

39 Ibidem.

dos instrumentos sacrificiais, é para transformá-los em armas homicidas, castradoras. Trinchar a carne consumida é tarefa que compete, portanto, ao homem, que serve os pedaços à esposa. A significação do sacrifício oferece, assim, um acesso privilegiado à sociedade grega em sua interioridade, e Lévi-Strauss percebe nesses trabalhos uma grande analogia com suas próprias constatações sobre os mitos americanos: "Os trabalhos de Jean-Pierre Vernant, Pierre Vidal-Naquet e Marcel Detienne parecem mostrar que há na mitologia grega certos níveis que são quase coincidentes com os do pensamento americano".[40]

A descoberta apaixonada das diversas figuras da alteridade, do Outro, permite essa simbiose dos três modos de abordagem que são a antropologia estrutural, a antropologia histórica e a psicanálise nessa investigação do avesso da razão ocidental, e ela representa um desafio importante para o filósofo.

---

40 Lévi-Strauss, entrevista com o Raymond Bellour, 1972, reimpressa em Bellour; Clément, *Claude Lévi-Strauss*, p.174-5.

21

História e estrutura

A reconciliação

Fernand Braudel já tinha reagido em 1958 ao desafio estruturalista quando direcionou o discurso historiador para uma história quase imóvel, a de longa duração, opondo a Lévi-Strauss a herança dos *Annales* de Marc Bloch e Lucien Febvre. Os historiadores da escola dos *Annales* não ficaram alheios, portanto, à efervescência estruturalista, ainda mais que o evento-ruptura de Maio de 1968 abalou, de certa forma, o anti-historicismo do estruturalismo dos primeiros tempos, abrindo amplamente o leque das investigações possíveis para uma história já renovada pelos *Annales*, mas reconciliada como ponto de vista estrutural, mais atenta às permanências do que às mutações, mais antropológica do que factual. Os historiadores, excluídos nos anos 1960 de uma atualidade intelectual que levava a interessar-se mais pelos avanços dos linguistas, antropólogos e psicanalistas, iniciam sua desforra.

É o começo de uma verdadeira idade de ouro junto de um público que assegura o êxito das publicações da antropologia histórica. Essa volta e adaptação ao discurso historiador do paradigma estrutural será orquestrada, sobretudo, pela nova direção da revista dos *Annales*, que Braudel passa, em 1969, a uma geração mais jovem de historiadores (André Burguière, Marc Ferro, Jacques Le Goff, Emmanuel Le Roy Ladurie e Jacques Revel), os quais abandonam os horizontes da história econômica em proveito de uma história mais voltada para o estudo das mentalidades.

A nova aliança

Em 1971, essa nova equipe publica um número especial da revista dedicado a "Histoire et Structure".[1] Ele traduz fielmente essa reconciliação desejada entre esses dois termos que se consideravam antinômicos, como o casamento do fogo e da água. A participação ao lado dos historiadores de Claude Lévi-Strauss, Maurice Godelier, Dan Sperber, Michel Pêcheux e Christian Metz mostra que o tempo dos combates é coisa do passado e que, pelo contrário, assiste-se a uma consonância, a uma colaboração estrita entre historiadores, antropólogos e semiólogos. Assim se cria uma vasta aliança, portadora de um ambicioso programa de pesquisas comuns nesse início dos anos 1970, e que será, com efeito, de grande fecundidade ao longo do decênio. André Burguière, que faz a apresentação do número, percebe claramente o movimento de refluxo do estruturalismo, afetado pela grande turbulência de 1967-1968, e a oportunidade que os historiadores devem aproveitar para recuperar as perdas. Defende para os historiadores o programa de um estruturalismo aberto, bem temperado, capaz de demonstrar que os historiadores não se contentam em perceber o nível manifesto da realidade, como dizia Lévi-Strauss em 1958, mas também se interrogam sobre o sentido oculto, sobre o inconsciente das práticas coletivas, à semelhança do que fazem os antropólogos.

Fernand Braudel já propusera a longa duração como meio de acesso à estrutura para a disciplina histórica e como linguagem comum a todas as ciências sociais. André Burguière vai mais longe ao traçar as linhas de um programa de história cultural, de antropologia histórica, que deve permitir, dessa vez, sua instalação no próprio terreno dos estudos estruturais, o terreno do simbólico. É nesse domínio privilegiado que a eficácia do método estrutural poderá se desenvolver mais facilmente. Portanto, é um estruturalismo para historiadores que os *Annales* defendem em 1971. André Burguière eleva bem alto e resolutamente o estandarte: "Um pouco de estruturalismo distancia a história, muito estruturalismo a traz de volta".[2] Os antropólogos tinham, de

---

1 *Annales*, n.3-4 (Histoire et Structure), maio-ago. 1971.

2 Burguière, Introduction, *Annales*, n.3-4 (Histoire et Structure), maio-ago. 1971, p.VII.

fato, lançado um desafio aos historiadores, mas o entendimento cordial parece manifesto nesse início dos anos 1970, graças à antropologização do discurso histórico. Lévi-Strauss, convidado em 1971 para a emissão dos *Annales* em France-Culture, no programa *Les Lundis de l'histoire*, reconhece, por ocasião de um debate com Fernand Braudel, Raymond Aron e Emmanuel Le Roy Ladurie: "Tenho o sentimento de que fazemos a mesma coisa: o grande livro da história é um ensaio etnográfico sobre as sociedades passadas".[3]

Os historiadores mergulharão nas delícias da história fria, a das permanências, e a historiografia privilegia por sua vez a figura do Outro em relação à imagem tranquilizadora do mesmo. Os historiadores dos *Annales*, ao preconizarem uma história estruturalizada, ambicionam realizar com êxito essa conjunção das ciências humanas que Émile Durkheim desejava realizar em proveito dos sociólogos, conciliando-se com o modelo estrutural e fazendo da história uma disciplina nomotética e não mais ideográfica.

O primeiro efeito dessa produção estrutural do discurso historiador é, evidentemente, uma diminuição da cadência da temporalidade, que se torna quase imóvel. Rejeita-se a história que se limita estritamente à narração dos eventos, considerada uma decorrência do epifenômeno ou do folhetim, para debruçar-se exclusivamente sobre o que se repete, o que se reproduz: "Quanto ao *acontecimental*, uma harmonização dos ensinamentos de Braudel e de Labrousse é repelido para a margem, inclusive não há interesse nele".[4] A abordagem da temporalidade privilegiará ainda mais as extensas plagas imóveis, e quando Emmanuel Le Roy Ladurie sucede a Braudel no Collège de France, intitula sua aula inaugural: "A história imóvel".[5] O historiador, segundo Le Roy Ladurie, pratica o estruturalismo conscientemente, ou sem o saber, como monsieur Jourdain fazia prosa: "Em cerca de meio século, de Marc Bloch a Pierre Goubert, os melhores historiadores franceses, metodicamente sistematizadores, fizeram estruturalismo com conhecimento de causa ou, algumas vezes, sem o saber, mas com demasiada frequência, sem

3 Lévi-Strauss, *Les Lundis de l'histoire*. France-Culture, 25 jan. 1971.

4 Pomian, *La nouvelle histoire*, p.543-4.

5 Le Roy Ladurie, *L'histoire immobile*, aula inaugural no Collège de France, 30 nov. 1973, reimpresso em idem, *Le territoire de l'historien*, v.2, p.7-34.

que isso se saiba".[6] Le Roy Ladurie afirma nessa ocasião solene a admiração que sente pelos métodos estruturalistas aplicados às regras de parentesco e às mitologias do Novo Mundo por Lévi-Strauss. Mas se circunscreve a eficácia destas a outros céus, retém, sobretudo para o historiador, a ideia de que cumpre apreender a realidade a partir de um pequeno número de variáveis, construindo com elas modelos de análise. Retomando a expressão de Roland Barthes, Le Roy Ladurie apresenta os historiadores como a "retaguarda da vanguarda",[7] os especialistas da recuperação dos avanços realizados pelas outras ciências sociais-piloto, que eles "pilham sem pudor".[8] Essa constatação é inteiramente correta e descreve bem esse segundo alento de um estruturalismo transformado e recuperado pelos historiadores. No programa de ensino que Le Roy Ladurie define, reencontra-se a mesma perspectiva cientificista do estruturalismo, a fim de situar a história como disciplina científica, nomotética. Esta revela uma extensão imóvel que se estende desde o final da Idade Média até o início do século XVIII, de 1300 a 1700, segundo um ciclo ecodemográfico cujo equilíbrio permanece invariante em torno de 20 milhões de habitantes no território francês.

Le Roy Ladurie também encontra o grau zero da história, depois do grau zero da fonologia descoberto por Jakobson, o grau zero do parentesco de Lévi-Strauss ou o grau zero da escritura de Barthes: esse "crescimento demográfico zero"[9] permite ao historiador ter acesso aos grandes equilíbrios estáveis. Portanto, sua tarefa não consistirá mais em enfatizar as acelerações e mutações da história, mas os agentes da regulação que permitem a reprodução dos equilíbrios em termos idênticos. É assim que os agentes microbianos aparecerão em primeiro plano como explicativos, como fatores decisivos de estabilização do ecossistema. É "mais profundamente ainda nos fatos biológicos, muito mais do que na luta de classes, que é necessário encontrar o que move a história espessa, pelo menos durante o período que estudo".[10]

O homem encontra-se, assim, tão descentrado quanto na perspectiva estrutural, é colhido numa armadilha e só pode dar-se a ilusão de

6 Ibidem, p.11.
7 Ibidem, p.13.
8 Ibidem, p.13.
9 Ibidem, p.16.
10 Ibidem, p.9.

uma mudança. Tudo o que está associado às grandes fraturas da história deve, portanto, ser minorado em proveito das grandes *tendências gerais*, mesmo que digam respeito a uma história sem os homens.[11] Le Roy Ladurie termina sua aula inaugural com uma nota otimista para a disciplina histórica, que ele vê de novo triunfante: "A história, que esteve durante alguns decênios meio desvalida, a pequena Cinderela das ciências sociais, reencontra a partir de então o lugar eminente que lhe compete. [...] Ela passou simplesmente para o outro lado do espelho, a fim de seguir de perto o Outro no lugar do Mesmo".[12] Na escola da história fria, alguns, como François Furet, já tinham encontrado o antídoto necessário para se libertar de seu engajamento comunista. A estruturalização da história e do movimento torna-se, nesse caso, a alavanca capaz de impulsionar a saída do marxismo, da dialética, e sua substituição pela cientificidade: "A história das inércias não é somente uma boa disciplina, mas é também uma boa terapêutica contra uma visão da historicidade herdada da filosofia do Iluminismo".[13]

A naturalização de uma história das sociedades que se tornaram estáticas, à semelhança das sociedades frias de Lévi-Strauss, simples máquinas de reprodução, retoma o programa estrutural contra o voluntarismo histórico dominante no século XIX. Em face do desmoronamento do horizonte revolucionário e das tentações restauradoras, a história reflui à imobilidade, um presente estacionário cortado do antes e do depois para justapor no espaço o Mesmo e o Outro. Essa imobilização da temporalidade pode algumas vezes estar acompanhada de uma posição política vazia de todo e qualquer projeto, simplesmente conservadora: "Estou certo de que esse tipo de história (a dos períodos longos, do homem médio) é, no fundo, uma história de vocação conservadora."[14]

---

11 Dosse, *L'histoire em miettes*.

12 Le Roy Ladurie, *Le territoire de l'historien*, v.2, p.34.

13 Furet, *L'historien entre l'ethnologue et le futurologue*.

14 Ibidem, p.61.

Georges Duby e a tripartição

Mas essa utilização da história arrefecida como antídoto para a filosofia do Iluminismo é obra, sobretudo, daqueles que utilizaram o marxismo como máquina de guerra militante segundo o modo da vulgata stalinista em uso nos anos 1950 e 1960. A situação é diferente para os historiadores que se mantiveram à margem desse envolvimento político e que não têm necessidade de exorcizar os demônios do passado. Eles não foram menos seduzidos pelo estruturalismo, que, no entanto, não se lhes apresentou como alternativa ao marxismo, muito pelo contrário.

É o caso de Georges Duby, que descobre o marxismo em 1937, em sua aula de filosofia, e para quem ele nunca será mais do que um instrumento analítico, uma ferramenta heurística, cuja importância em seu itinerário e em seus trabalhos ainda recorda, em 1980: "Na minha evolução, a influência do marxismo foi profunda. Reagi de maneira muito violenta contra aqueles que afirmam, segundo uma moda parisiense, que o marxismo não contou para os historiadores da minha geração. Ele contou fortemente para mim e constesto que se diga isso".[15] Conciliando marxismo e estruturalismo, Georges Duby pôde propor uma leitura atenta dos fenômenos estruturais reconciliados com a diacronia. Dá atenção aos trabalhos dos althusserianos: "Um momento importante foi aquele em que li Althusser e Balibar, o que me levou a ver com mais clareza que, até me especializei neste período, a determinação pelo econômico pode ser secundária em relação a outras determinações. Eu pressentia isso".[16] Ele interpretou, pois, o althusserianismo como uma possível complexificação do marxismo.

Ao mesmo tempo, Georges Duby ficou vivamente impressionado com a sua geração, pelo desafio que os antropólogos lançaram aos historiadores. Isso lhe permitiu passar das interrogações de ordem econômica, como em sua tese sobre a região de Mâcon nos séculos XI-XII,[17] na qual estuda a revolução senhorial em curso na região em torno do mosteiro de Cluny, para as interrogações sobre o imaginário, sobre o simbólico, sem jamais dissociar ou contrapor esses dois enfoques:

---

15 Georges Duby, entrevista com o autor, publicada em *Vendredi*, 4 jan. 1980.

16 Idem; Lardreau, *Dialogues*, p.119.

17 Duby, *La société aux XIe et XIIe siècles dans la région mâconnaise*.

"Tentei eliminar uma mecânica da causalidade. Prefiro falar de correlações e não de causas e efeitos. Isso me leva a pensar que tudo é determinado por tudo e tudo determina tudo. Essa noção de globalidade indispensável me faz pensar nisso".[18] Contra a vulgata mecanicista do reflexo, Georges Duby opõe a aglutinação dos níveis de uma sociedade em suas diversas manifestações materiais e mentais. E propõe aos historiadores um novo programa, o de uma história das mentalidades concebida não como um meio para se desembaraçar da história social, mas como o ápice desta.

A obra mais estruturalista de Georges Duby, que pode ser lida como a ilustração mais bem lograda da adaptação desse método à história, é *Les Trois ordres ou l'imaginaire du féodalisme* (1978). Esse importante livro é o único que foi escrito sem encomenda, e ostenta a influência de Georges Dumézil: "Devo imensamente a Georges Dumézil. Este livro não teria sido escrito sem seu apoio, mas ele não é historiador, é um linguista, ocupa-se de estrutura. Como historiador da sociedade, quis captar essa imagem em suas operações e articulações com o concreto".[19] Georges Duby retoma, assim, o esquema trifuncional de Georges Dumézil (soberania, guerra, fecundidade), mas inverte o sentido da sua proposição, segundo a qual esse esquema seria uma estrutura mental própria dos indo-europeus. No princípio era o mito, assim era para Dumézil, ao passo que Duby considera que a estrutura propõe e a história dispõe. Desloca o olhar para o surgimento do mito no tecido histórico, sua maior ou menor expressividade e estabilidade, e sua significação nas práticas sociais em que é utilizado. Ora, a sociedade que ele estuda é atravessada por zonas conflitivas, que se deslocam e engendram representações do mundo cuja forma ou natureza se adapta à necessidade de sufocar os conflitos. Nesse quadro, o ideológico desempenha um papel muito diferente, pois não é apenas simples reflexo da dominação econômica. Ele produz o sentido, portanto, o real, o social, e desempenha até, segundo a terminologia althusseriana, um papel dominante na sociedade feudal, uma função de organização das relações de produção. A esfera ideológica desempenha, nesse caso, o papel do lugar da ausência, o modelo perfeito do imperfeito.

18 Idem, entrevista com o autor, publicada em *Vendredi*, 4 jan. 1980.

19 Ibidem.

Georges Duby reconstitui o surgimento do esquema trifuncional na Europa Ocidental como resultante da revolução feudal. No século IX, com a expansão do império carolíngio, que passa a ser objeto de uma pressão exterior, assiste-se a um retorno dos valores ideológicos. O sistema militar, instalado nas regiões de fronteira, passa para o centro do corpo social, dilui-se no *hinterland*. O rei não mais encarna o poder de fazer a guerra, mas o de preservar a paz. O poder político muda de objeto, uma vez que deve ser o protetor das turbulências internas, o defensor dos lugares santos, das igrejas e dos mosteiros. Mas, ao mesmo tempo, a autoridade monárquica desaba e dissolve-se em múltiplos condados e principados. Tendo o poder temporal fracassado, era tentador para o poder espiritual, o dos monges e clérigos, incorporá-lo. A fronteira social se desloca e coloca a partir de então em oposição os que portam as armas e os outros. A resignação daqueles que suportam o peso de uma sociedade militarizada passa pela realização de um consenso ideológico que ainda falta encontrar.

A revolução feudal tem necessidade, portanto, de um sistema de legitimação, de um modelo, também ele perfeito, de representação da distribuição do trabalho social, da submissão aceita pela maioria. Ora, é nesse momento, por volta de 1025, que se descobre em dois bispos, Gérard de Cambrai e Aldabéron de Laon, a expressão de um esquema trifuncional da sociedade: "Uns rezam, outros guerreiam e ainda outros trabalham" (*oratores, bellatores, laboratores*). Na ausência do poder político, são os clérigos que tentam restaurar o equilíbrio social, e a figura ternária se apresenta como a réplica terrestre da trindade celeste. Duby mostra explicitamente que esse modelo imaginário permite justificar o monopólio do poder econômico e político de uma pequena minoria privilegiada, assim como ocultar numa estrutura tripartite o dualismo subjacente que pode causar a derrubada do sistema. O esquema trifuncional assegura não só a cumplicidade das duas primeiras ordens, mas também o primado dos clérigos sobre os leigos no duelo travado para ocupar o lugar da falta, o do poder monárquico. Se um tal esquema permanece como fala de clérigos sem eco até o final do século XII, num período de latência, ele impõe-se então para os senhores e cavaleiros a fim de se estabelecer a distinção irredutível entre as três ordens constitutivas da sociedade francesa em face da ascensão da burguesia urbana.

Essa estruturação das três ordens passa, então, do ideológico ao social, por efeito de retorno, de que resulta o seu poder criador. E quando Felipe, o Belo, recorre no início do século XVI à reunião dos Estados gerais, a ordem celeste transformou-se em ordem socioprofissional: o clero, a nobreza e o terceiro Estado, divisão que subsiste até 1789. Mediante esse mergulho na eficácia de uma estrutura simbólica, Duby mostra, ao mesmo tempo, como não se pode pensar uma sociedade a partir de uma simples mecânica do reflexo e, por outro lado, que uma estrutura simbólica deve ser estudada em seu processo de historicização: "O modelo perfeito das três ordens, vinculado ao ideal monárquico, e colocando acima dos outros os chefes dos exércitos, é uma arma numa polêmica contra os defensores de uma ordem nova, sustentada pelos heréticos, de um lado, e pelos monges de Cluny, de outro".[20]

Ressituada na conflitualidade, cujo surgimento vimos, a estrutura não corresponde, nesse caso, a uma arma contra a história, muito pelo contrário, ela é o objeto de uma reconciliação possível entre as duas posturas que se atribuíam, no começo, naturezas antagônicas.

20 Idem, Histoire-societe-imaginaire, *Dialectiques*, n.10/11, 1975, p.122.

22

Foucault e a desconstrução da história (I)

L'archéologie du savoir

Quando Michel Foucault escreve *L'archéologie du savoir* em 1968 na Tunísia, procura responder às múltiplas objeções às teses do seu grande sucesso, *Les mots et les choses*, e, em especial, às questões apresentadas pelo círculo de epistemologia da rua Ulm, por conseguinte, pela nova geração althusseriana que acaba de escolher a prática política, o engajamento e a ruptura com o aparelho do Partido Comunista. A grande balbúrdia que precede Maio de 1968 e prossegue além dele favorece a explosão do estruturalismo. Michel Foucault procura com essa obra o meio de transformar em conceitos sua posição e, ao mesmo tempo, colocar-se a uma certa distância de suas posições estruturalistas de ontem. Envereda, então, por um caminho singular, ao sugerir uma nova aliança surpreendente com os historiadores, os da nova história, com os herdeiros dos *Annales*. Por meio dessa aproximação, Foucault a partir de então se instalará no território dos historiadores e trabalhará com eles. Mas essa orientação será a fonte de numerosos mal-entendidos, uma vez que Foucault se empenha na disciplina histórica como Canguilhem tratava a psicologia, isto é, para desconstruí-la de dentro para fora, à maneira de Nietzsche.

A historicização do estruturalismo

O próprio Foucault expõe o que o separa de seus trabalhos anteriores, as flexões do seu pensamento. *Histoire de la folie* privilegiava em excesso o "sujeito anônimo da história"; *Naissance de la clinique*, cujo recurso "à análise estrutural ameaçava furtar-se à especificidade do problema apresentado";[1] depois, *Les mots et les choses*, em que a falta de quadro metolodológico explícito pôde levar a pensar em análises em termos de totalidades culturais. Esse quadro metodológico ausente em seus trabalhos é justamente o objeto de *L'archéologie du savoir*, cuja forma inicial foi a de um prefácio para *Les mots et les choses*: "Foram Canguilhem e Hyppolite que disseram a Foucault: não o ponha como prefácio, trate de desenvolvê-lo depois".[2] Ainda há a marca do estruturalismo triunfante de 1966 nessa obra, mas, entre a primeira versão e a publicação em 1969, múltiplos remanejadores e inflexões intervieram no pensamento de Foucault e na conjuntura intelectual. O mais espetacular de todos é o abandono do conceito que parecia organizar os cortes existentes em *Les mots et les choses*, a noção de episteme, que desaparece em *L'archéologie du savoir*. É sintomático que Foucault empregue uma terminologia próxima da história para caracterizar o seu método, sem que tenha por isso a pretensão de apresentar-se como historiador. Ele se define como arqueólogo, fala da genealogia e gravita, portanto, em torno da disciplina histórica, mas para situar-se fora da história, o que explica as relações no mínimo ambíguas e, com frequência, conflitantes com os historiadores.

Os interlocutores privilegiados a que Foucault se dirige em 1968-1969 são, de fato, os althusserianos da segunda geração, aqueles que não participaram em *Lire Le capital* e se interessam mais pela dimensão política do compromisso filosófico do que pela definição de um quadro metodológico comum à racionalidade contemporânea. Essa geração (Dominique Lecourt, Benny e Tony Lévy, Robert Linhart...) está em processo de ruptura com o primeiro althusserianismo: "Nós considerávamos a equipe que participou em *Lire Le capital* contaminada pelo

1 Foucault, *L'archéologie du savoir*, p.27.
2 Dominique Lecourt, entrevista com o autor.

estruturalismo e víamos isso com maus olhos".[3] Para esses militantes que deram o passo do engajamento político – frequentemente maoista – restava um problema em suspenso, o da prática. Ora, a principal inovação de *L'archéologie du savoir* é, justamente, levar em consideração esse nível da prática a partir da noção de prática discursiva. É essa inovação capital de Foucault que lhe permite desviar o paradigma estrutural da esfera exclusiva do discurso, aproximando-o, dessa maneira, do marxismo. Essa noção de prática "estabelece uma linha divisória decisiva entre *L'archéologie du savoir* e *Les mots et les choses*".[4] A ruptura essencial com o estruturalismo situa-se, com efeito, nessa nova afirmação segundo a qual "as relações discursivas não são internas ao discurso".[5] Essa posição não significa que Foucault tenha abandonado o campo discursivo. Este continua sendo o objeto privilegiado, mas é visto como prática discursiva, nos limites de sua existência que, apesar disso, não se deve procurar numa exterioridade do discurso: "Não são, entretanto, as relações exteriores do discurso as que o limitariam. [...] Elas estão [as relações discursivas] de certo modo no limite do discurso".[6]

Foucault justifica essa historicização do paradigma estrutural apoiando-se no percurso realizado pelos historiadores dos *Annales*, que combateram radicalmente três ídolos tradicionais: o biográfico, a estrita narração do evento e a história política. *L'archéologie du savoir* começa pelo grande interesse que desperta em Foucault a nova orientação dos historiadores: "A atenção dos historiadores nessas últimas dezenas de anos se concentrou, de preferência, nos longos períodos, como se, sob as peripécias políticas e seus episódios, estivessem empenhados em trazer à luz os equilíbrios estáveis subjacentes e difíceis de quebrar".[7] Essa história quase imóvel retém a atenção de Foucault, que coloca, portanto, em epígrafe de seu trabalho teórico, a grande virada epistemológica empreendida pelos *Annales* em 1929.

Pode surpreender esse consórcio entre uma história em declive suave, a das grandes bases imóveis, e o mutacionismo de Foucault, que privilegia, pelo contrário, o descontinuísmo, a força das grandes

---

3 Ibidem.
4 Idem, *Pour une critique de l'épistémologie*, p.110.
5 Foucault, *L'archéologie du savoir*, p.62.
6 Ibidem, p.62.
7 Ibidem, p.9.

rupturas enigmáticas, na linha da epistemologia das ciências de Bachelard e de Canguilhem. Temos aí uma espécie de paradoxo a sustentar a noção de limiares epistemológicos numa história arrefecida. Mas essa tensão interna é apenas aparente. Foucault percebe uma evolução convergente entre, de um lado, a história do pensamento, a nova crítica literária, a história das ciências que multiplicam as rupturas, a localização das descontinuidades, e, de outro, a disciplina histórica que faz refluir o episódio sob o peso das estruturas: "Com efeito, são os mesmos problemas que se formulam aqui e lá, mas que provocaram na superfície efeitos inversos. Esses problemas podem resumir-se numa palavra: o questionamento do documento".[8]

Basicamente, ocorre uma mesma transformação do documento que era considerado pela história tradicional como um dado e que passou a ser criado para a nova história. Esta o organiza, secciona, recorta, distribui e dispõe em séries. O documento muda de estatuto; enquanto o historiador de ontem transformava os monumentos em documentos, a história nova "transforma os documentos em monumentos".[9] Tal evolução tende a transformar o historiador em arqueólogo, e ir ao encontro do projeto, de uma arqueologia do saber que parte de uma seriação construída de conhecimentos, de uma descrição intrínseca no interior dessas séries. O que faz Emmanuel Le Roy Ladurie dizer que a "a introdução a *L'archéologie du savoir* é a primeira definição de história seriada".[10] Com efeito, Foucault enuncia claramente nesses termos o programa do arqueólogo do saber: "Doravante, o problema é constituir séries".[11] A oposição aparente entre o descontinuísmo em ação na história das ciências, ou na nova crítica literária, e o predomínio concedido às extensas dimensões do tempo imóvel nos historiadores é, portanto, superficial. Ela esconde uma comunidade de pensamento e de postura que levou, aliás, os historiadores serialistas a privilegiarem as descontinuidades: "A noção de descontinuidade assume um lugar importante nas disciplinas históricas".[12] O historiador que tinha por tarefa preencher lacunas, eliminar as rupturas, a fim de estabelecer

---

8 Ibidem, p.13.
9 Ibidem, p.15.
10 Le Roy Ladurie, *France-Culture*, 10 jul. 1969.
11 Foucault, *L'archéologie du savoir*, p.15.
12 Ibidem, p.16.

as continuidades, atribui a partir de então um valor heurístico a essas descontinuidades, que dependem de uma operação voluntária para definir o nível das análises. A descontinuidade permite fixar limites do objeto de estudo, descrevê-lo a partir de seus limiares, de seus pontos de ruptura. Ela é, enfim, um meio de construir, não mais uma história restrita em torno de um centro, uma história global, mas "o que se poderia chamar uma história geral",[13] que se define, pelo contrário, no espaço de uma dispersão.

A filiação dos *Annales* é explicitamente reivindicada por Foucault para definir a nova tarefa do arqueólogo do saber: "O que Bloch, Febvre e Braudel apresentaram para a história *tout court* pode ser apontado, creio eu, para a história das ideias".[14] Essa nova aliança permite a Foucault superar a alternativa entre método estrutural e devir histórico, ao apresentar a nova história como uma das figuras possíveis dos estudos estruturalistas. O campo da história, segundo Foucault, é o da convergência dos problemas que chegam de outros domínios, como a linguística, a economia, a etnologia e a análise literária: "Pode-se muito bem dar a esses problemas, se se quiser, a sigla do estruturalismo".[15] Foucault considera a nova história como o terreno privilegiado para empregar um estruturalismo aberto, historicizado, aquilo que os americanos chamarão de pós-estruturalismo.

Essa historicização do estruturalismo constitui, de fato, um segundo tempo da história estruturalista depois de 1967: "A arqueologia foucaultiana distingue-se com muita clareza do estruturalismo taxionômico, como o de Lévi-Strauss".[16] Foucault substitui a reflexão sobre a estrutura e o signo pelo estudo da série e do evento. Mas esse deslocamento para a história, percebido como uma adesão com armas e bagagens pelos novos historiadores dos *Annales*, que verão em Foucault aquele que está em condições de conceitualizar sua prática, constitui efetivamente uma adesão enganosa, pois o olhar de Foucault é o do filósofo que, filiado a Nietzsche e a Heidegger, decide desconstruir o território

13 Ibidem, p.17.
14 Idem, La naissance d'un monde (entretien avec J.-M. Palmier), *Le Monde*, 3 maio 1969.
15 Idem, *L'archéologie du savoir*, p.20.
16 Frank, *Qu'est-ce que le néo-structuralisme?*, p.126.

do historiador. É a esfera discursiva que interessa a Foucault e não o referente, que continua sendo o objeto privilegiado do historiador.

Em nenhum caso quis Foucault arvorar-se defensor de uma positividade qualquer da ciência histórica, por mais nova que fosse. O que lhe interessa é abrir as estruturas para as descontinuidades temporais, para os desequilíbrios e inversões que regulam os deslocamentos de um jogo incessante das práticas discursivas. A desconstrução da disciplina histórica, que, na verdade, já está sendo operada pelos novos historiadores, passa principalmente pela renúncia às pesquisas de continuidade e às tentativas de sínteses a realizar entre os elementos heterogêneos do real. Ela oferece, pelo contrário, uma perspectiva de pluralização e de atomização. Como escreveu Habermas, nessa configuração do saber a hermenêutica é dispensada, visto que a compreensão deixou de ser o horizonte teórico de tal postura: "O arqueólogo procederá de maneira que os documentos falantes voltem a ser monumentos mudos, devendo os objetos ser liberados de seu contexto a fim de ficarem ao alcance de uma descrição estruturalista".[17] O que será considerado pelos novos historiadores o melhor suporte teórico para assentarem sua prática é, de fato, um trabalho sistemático de destruição da disciplina histórica. Um verdadeiro quiproquó estará na base de todos os mal-entendidos e equívocos nos difíceis debates entre o filósofo e os historiadores profissionais.

O espaço de dispersão da arqueologia foucaultiana inscreve-se, de fato, numa perspectiva semelhante à do primeiro estruturalismo, em sua contestação do uso de causalidades demasiado simples, substituídas por uma rede de relações que toma todos os azimutes entre as diversas práticas discursivas. Considera-se a forma de superação possível do impasse que representaria o empreendimento de reunir essas práticas num conjunto coerente e causal. Portanto, o arqueólogo será também um relativista, porque é impossível fundamentar seja o que for. Nesse sentido, Foucault rompe com o cientificismo de Althusser, cujo horizonte teórico continua sendo o materialismo histórico como ciência, desembaraçado de seu entulho ideológico. Como bom nietzschiano, Foulcault destrói o alicerce das crenças que parecem mais consolidadas e as ciências que se apresentam como as mais legítimas, a partir do ponto de vista de que nada pode ser fundamentado.

17 Habermas, *Le Discours philosophique de la modernité*, p.296.

Ao investir contra a história, após ter estudado em *Les mots et les choses* o caso da filologia, da economia política e da biologia, Foucault ataca um saber ancestral mais considerável e mantém-se fiel a uma filiação estruturalista de destruição da história, mas com a exceção do deslocamento que consiste não em refutar a sua existência, mas em praticar uma invasão para desconstruí-la de dentro para fora, tarefa que será realizada além de toda a esperança nessa hora nietzschiana do começo dos anos 1970. Na impossibilidade de poder alicerçar o saber ou de lhe procurar a origem, a perspectiva fica essencialmente descritiva, e Foucault reivindica o título infame para todos aqueles que falam em nome de uma ciência constituída, o título de positivista: "Eu sou um positivista feliz".[18] Seu método evitará todo sistema interpretativo, e deixará funcionarem as práticas discursivas em seu dito e seu não dito, em sua positividade: "É exato que jamais apresentei a arqueologia como uma ciência, nem mesmo como os primeiros fundamentos de uma ciência futura".[19] O arqueólogo procede à maneira do geólogo, contenta-se em fazer aflorar no nível do saber os diferentes estratos acumulados, justapostos pelo tempo, e em localizar as descontinuidades e rupturas que afetaram sua sedimentação.

Foucault visa à filosofia analítica

O objetivo primordial de *L'archéologie du savoir* não era, porém, a realização de uma nova aliança com os historiadores dos *Annales*, mas a crítica da filosofia analítica, dominante no mundo anglo-saxônico. No momento da redação, Foucault discute muito assiduamente com o diretor da seção de filosofia da Faculdade de Túnis, que o levou a lecionar na Tunísia a partir de setembro de 1966, o francês Gérard Deledalle, especialista em filosofia anglo-saxônica. Esse objetivo polêmico, que consistiria em amparar as posições do livro *Les mots et les choses* numa crítica em regra à filosofia da linguagem, não fica explícito, entretanto, numa primeira leitura e, quando Dominique Lecourt publicou em *La*

18 Foucault, *L'archéologie du savoir*, p.164-5.
19 Ibidem, p.269.

Pensée um artigo sobre *L'archéologie du savoir*,[20] Michel Foucault lhe agradeceu, mas também lhe deu a entender que algo essencial lhe escapou: "Ele me disse: 'Você sabe, há algo que você não entendeu', e nada mais acrescentou. Agora compreendo o que ele quis dizer: era a posição contrária que ele tentava impor em relação à filosofia analítica".[21] *L'archéologie du savoir* teria sido, então, uma arma apontada contra a filosofia analítica? É uma hipótese que se pode formular com base nas relações mantidas por Foucault com Gérard Deledalle e no testemunho de Dominique Lecourt. Pode-se considerar, entretanto, que "essa resistência à intencionalidade, ao sentido e ao referente diz respeito muito mais, certamente, à fenomenologia, cuja tradição Foucault conhece, ou mais simplesmente à hermenêutica hostil ao estruturalismo".[22]

Em todo o caso, compreende-se bem o vínculo indissociável entre *Les mots et les choses* e *L'archéologie du savoir*. A filiação estruturalista continua dominante nas duas obras, que investem, tanto uma quanto outra, contra uma teoria do sujeito, se bem que se observe a mudança da reflexão foucaultiana no sentido de uma historicização. O que está fundamentalmente em questão, como na primeira hora do estruturalismo, é o sujeito, cuja descentração se trata de assegurar, à maneira heideggeriana:

> O que se chora tão ruidosamente não é o desaparecimento da história, é o apagamento dessa forma de história que mantinha secreta, mas integralmente referida, a atividade centrada no sujeito. [...] O que se chora é esse uso ideológico da história por meio do qual tenta-se restituir ao homem tudo o que, há mais de um século, não parou de lhe escapar.[23]

Na mesma perspectiva de *Les mots et les choses*, Foucault investe contra aquele que se arvorou em rei da criação: o homem. A arqueologia das ciências humanas revela-nos a multiplicação das feridas narcísicas que foram infligidas ao homem. De Copérnico a Freud, passando por Darwin, o homem é pouco a pouco despojado de sua soberania

20 Lecourt, Sur *L'archéologie du savoir*, *La Pensée*, n.152, ago. 1970, reeditado em idem, *Pour une critique de l'épistémologie*.
21 Idem, entrevista com o autor.
22 Jean-Michel Besnier, comentário crítico ao autor.
23 Foucault, *L'archéologie du savoir*, p.24.

ilusória, e o arqueólogo deve encarar com serenidade essa evolução. Não deve restaurar uma antropologia humanista, visto que "o homem está em processo de desaparecimento".[24] À filosofia analítica e seus estudos pragmáticos, Foucault opõe uma autonomização da esfera discursiva que remete a compreensão dos atos de linguagem para a insignificância, a fim de concentrar-se exclusivamente no jogos dos enunciados que se desenrolam no interior das formações discursivas: "O estudo das formações discursivas necessita de uma redução de duas ordens. Não só o arqueólogo deve prescindir da verdade, [...] mas deve também abstrair-se da pretensão de atingir o sentido dessas formações".[25]

Reencontramos a partir de então a clássica normalização do significado e do sujeito, própria da linguística estrutural, que se apresenta como a condição necessária para abordar a língua de um ponto de vista estritamente descritivo. Segundo Foucault, essa descrição dos enunciados e da função enunciativa implica uma neutralidade absoluta, que se situa numa posição de exterioridade em relação à enunciação como ato, ao contrário da filosofia analítica que buscará nela o sentido e a eficácia. O arqueólogo se limita a uma tarefa descritiva dos enunciados existentes: "O arqueólogo não leva os enunciados a sério".[26]

Ele não tenta, sobretudo, enquadrar as lógicas discursivas no interior de falsas continuidades, segundo o modelo das biografias, mas localizar os cortes arqueológicos, as passagens de uma formação discursiva para outra, as defasagens ou discordâncias. Ele se esforça por "descrever a dispersão das próprias descontinuidades".[27] Essa preocupação com o descritivo no interior de uma esfera discursiva autônoma se inscreve perfeitamente na filiação da linguística estrutural e de sua rejeição do sentido e do referente: "O arqueólogo afirma que fala fora de um horizonte de inteligibilidade".[28] Portanto não existe, além disso, significante para Foucault, quer seja a intencionalidade do locutor, o quadro referencial ou alguma significação oculta; ele parte do enunciado e volta ao enunciado como momento a exumar em sua atemporalidade.

---

24 Ibidem, p.397.

25 Dreyfus; Rabinow, *Foucault, un parcours philosophique*, p.77-8.

26 Ibidem, p.107.

27 Foucault, *L'archéologie du savoir*, p.228.

28 Dreyfus; Rabinow, *Foucault, un parcours philosophique*, p.128.

A descentração do sujeito realizada pelo arqueólogo leva Thomas Pavel a estabelecer um paralelo entre o dispositivo conceitual de Foucault e o de distribucionistas como Harris e seus discípulos:

> As semelhanças existem sobretudo a respeito da rejeição das noções mentalistas. [...] As noções intencionais contra as quais Foucault dirige sua crítica compreendem a tradição, as disciplinas, a influência, a evolução, a mentalidade, em suma, todas as formas históricas da coerência e da continuidade.[29]

Compreende-se melhor o diálogo de surdos que se iniciará entre Foucault e os historiadores: estes criticam a validade histórica de suas teses, acusando-o de manejar enunciados fora de seu contexto e de suas contingências históricas precisas. Mas, para Foucault, a noção de enunciado ou de formação discursiva não depende de conceitos de conteúdo empírico. A sua abordagem se situa nos limites do discurso para concentrar-se em suas condições de possibilidade, e não no nível do conteúdo ou do sentido da permuta discursiva, em suas proposições concretas estudadas por uma filosofia analítica que Foucault considera insignificante.

A arqueologia: uma terceira via

Mesmo que Foucault concentre toda sua atenção nas formações discursivas, isso não significa que adote os métodos linguísticos de descrição da língua. O caminho que ele define, o da arqueologia, apresenta-se como uma terceira via possível entre as técnicas da formalização linguística: a semiótica, por um lado, e a interpretação filosófica, a hermenêutica, por outro. A via arqueológica se situa também a meio caminho entre o estruturalismo, do qual constitui o enquadramento teórico, e o materialismo histórico. Gilles Deleuze aplica a Foucault o julgamento musical formulado a respeito do universo de Webern: "Ele criou uma nova dimensão, a que poderíamos dar o nome de dimensão diagonal".[30]

29 Pavel, *Le mirage linguistique*, p.131.
30 Deleuze, *Un nouvel archiviste*, p.48.

Foucault resiste a toda e qualquer redução, e, para escapar-lhe, seu pensamento se situa sistematicamente nas linhas fronteiriças, nos limites, nos interstícios entre os gêneros. O conceito central de *L'archéologie du savoir*, o discurso, encontra-se entre a estrutura e o evento; contém as regras da língua que constituem o objeto privilegiado do linguista, mas não lhe está confinado, porquanto engloba também o que é dito. O discurso, no sentido de Foucault, significa, portanto, simultaneamente, a dimensão estrutural e o acontecimento: "Ora domínio geral de todos os enunciados, ora grupo individualizável de enunciados, ora prática estabelecida para explicar um certo número de enunciados".[31] Foucault ocupa uma posição de tensão constante à medida que recusa tanto o fechamento do discurso sobre si mesmo quanto sua elucidação por elementos exteriores à linguagem.

Como o discurso não remete para outra ordem de coisas, Foucault coloca em destaque o conceito de prática discursiva, o qual permite contornar a noção de signo. Mas isso não significa que abandone uma concepção sustentada na autonomização da esfera discursiva: "De qualquer modo, as relações discursivas é que são determinantes".[32] Foucault permanece, portanto, dentro de uma concepção estruturalista baseada no corte primordial entre a língua e seu referente; compartilha, ademais, com o estruturalismo a ideia de uma prevalência concedida ao discurso, que ele não estuda, entretanto, a partir de uma técnica linguística, mas como filósofo. Mantém os discursos à distância, desloca-os, examina-os sob todos os aspectos e estuda-os num outro nível diferente daquele onde se produzem. Sob a superfície discursiva, mas partindo desta, Foucault faz com que os discursos se representem por seus outros ângulos, a fim de apreender outras organizações possíveis daqueles. Sob o jogo dos simulacros, Foucault procura descrever as regras próprias das práticas discursivas afrouxando os laços entre as palavras e as coisas, evitando remeter ao contexto circunstancial em que o discurso se desenrola. Desse ponto de vista, o horizonte foucaultiano permanece no interior da esfera discursiva. O arqueólogo não tem por função definir os pensamentos ou representações sob os discursos,

31 Foucault, *L'archéologie du savoir*, p.106.
32 Dreyfus; Rabinow, *Foucault, un parcours philosophique*, p.96.

"mas os próprios discursos, esses discursos como práticas que obedecem a regras".[33]

A arqueologia, ao contrário da filosofia analítica, não crê na significância dos atos de linguagem e na referência a um sujeito. Mas, ao contrário do linguista que estabelecerá a iterabilidade de esquemas decorrentes de um sistema linguístico, Foucault toma os enunciados em sua positividade e labilidade em relação ao tempo. O arqueólogo deve medir o grau de validade de um *corpus* movente que se desloca e evolui a cada instante, segundo sua posição no espaço discursivo e o momento preciso da enunciação. Esses deslocamentos, essas conexões entre esferas diferentes do discurso levam a problematizar e a pôr em causa as separações entre ciências, disciplinas, saberes constituídos e fechados em seus respectivos *corpora* e sistemas de regras específicas. O arqueólogo permite a localização da dominância de um certo modo discursivo transversal sobre todos os modos de saber numa época dada.

A unidade de base do arqueólogo é o enunciado, tomado em sua materialidade, sua positividade. Esse enunciado é uma verdadeira coisa situada num entremeio, com a língua como sistema de regras de um lado e, do outro, o *corpus* como discurso efetivamente pronunciado. O enunciado não é, portanto, a enunciação da filosofia analítica e, no entanto, não está fechado sobre si mesmo, porque "é necessário que um enunciado tenha uma substância, um suporte, um lugar, uma data".[34] A partir da materialidade enunciativa, Foucault não se dispõe a traçar uma síntese em torno de um sujeito, mas, pelo contrário, traça um espaço de dispersão a partir da multiplicidade das modalidades da função enunciativa. O que fundamenta e unifica o enunciado não é mais sua unidade interna, mas uma lei de repartição, regras constitutivas específicas em que o essencial se situa no nível da relação: "Empenhei-me, pois, em descrever relações entre enunciados".[35]

O nível descritivo continua sendo a tarefa primordial do arqueólogo, que não tem de estabelecer um sistema de causalidade entre palavras e coisas. As regras enunciativas são tão inconscientes quanto as epistemes, mas sua positividade é mais historicizada; ela se refere a um

33 Foucault, *L'archéologie du savoir*, p.182-3.

34 Ibidem, p.133.

35 Ibidem, p.44.

espaço, um tempo dado, uma área social, geográfica, econômica ou linguística. A prática discursiva se inscreve mais no interior das realidades sociais, por sua relação orgânica com a instituição que a constitui e ao mesmo tempo a delimita. Portanto, o arqueólogo deve localizar exatamente o conjunto dos enunciados, um vez que dependem da mesma formação discursiva. O espaço enunciativo, segundo Foucault, supõe um certo número de regras, e Gilles Deleuze distingue a sucessão de três círculos em torno do enunciado: um espaço colateral, adjacente, um espaço correlativo que organiza, marcando lugares e pontos de vista, e, enfim, um espaço complementar, o das práticas não discursivas: as instituições, os eventos políticos e os processos econômicos.[36] Esse terceiro espaço, que não constitui, de maneira alguma, um nível causal em Foucault, representa a flexão essencial para sair de um certo estruturalismo encerrado numa concepção fechada do discurso.

Essa é também a mais importante inflexão de Foucault em relação a si mesmo e sua obra anterior. Ele já substituíra as epistemes pela noção de prática discursiva e vai mais longe ainda no sentido de uma abordagem materialista, ao integrar no seu horizonte de pesquisa as relações entre práticas discursivas e práticas não discursivas, mesmo que se trate apenas de um terceiro círculo, o qual é tão somente concebido como ponto limite do olhar. O objetivo do arqueólogo consistirá em localizar precisamente, a partir desses três círculos que constituem o enunciado, as condições de iteração desse último: "É necessário que exista o mesmo espaço de distribuição, a mesma repartição de singularidades, a mesma ordem de lugares, a mesma relação com o meio instituído: tudo isso constitui, para o enunciado, uma 'materialidade' que o torna repetível".[37] Mas essas funções discursivas são apenas figuras transitórias, linguagens mortais, e não lugar de universais. Foucault frustra, assim, toda tentativa de reapresentação de sua perspectiva sob as formas de um historicismo ou de um humanismo. Sua concepção não remete para a atividade de um sujeito, mas para as regras a que o sujeito está submetido. Como diz Gilles Deleuze, o método será essencialmente "topológico" e não tipológico.

Trata-se de assinalar estatutos, localizações, posições ocupadas por aquele que tem um discurso cuja significação refere-se a um

---

36 Deleuze, *Un nouvel archiviste*, p.16-20.

37 Ibidem, p.22-3.

determinado ponto do espaço. Foucault formula precisamente a questão do lugar do locutor: "Quem fala? Quem, no conjunto de todos os indivíduos falantes, dispõe de bases para manter essa espécie de linguagem? Quem é o seu titular?".[38] Assim, o saber médico não funciona não importa como, e não se refere apenas à sua lógica interna. O estatuto do médico comporta critérios de competência. O ato médico vale por aquele que o realizou, por sua qualidade socialmente reconhecida, por seu lugar na instituição. Professor ou clínico geral, interno ou externo, doutor ou agente sanitário: cada estatuto corresponde à assimilação de um saber ou *know-how* particular numa hierarquia médica que é, ao mesmo tempo, uma hierarquia social: "A fala médica não pode vir de qualquer um".[39] A prática discursiva se situa no interior de práticas não discursivas que devem, portanto, ser reintegradas no horizonte de estudo do arqueólogo.

Quando Dominique Lecourt analisa *L'archéologie du savoir* em *La Pensée*, em agosto de 1970, é esse aspecto o que prende, sobretudo, a sua atenção, e que ele considera, a partir de suas posições marxistas, um avanço decisivo e um ponto de ruptura com *Les mots et les choses*. Esse conceito de prática e a constituição de uma teoria da instância discursiva estruturada pelas relações investidas nas instituições não podem deixar de fazer pensar em Althusser e na evolução da sua corrente para a prática. O objetivo de Dominique Lecourt, ao conceder um grande espaço à obra de Foucault em *La Pensée*, era dar a conhecer seriamente o pensamento de Foucault num órgão teórico importante do partido Comunista Francês (PCF), a fim de neutralizar a rejeição de que ele era alvo no interior do partido:

> Eu gostava muito de Foucault, como pessoa e como filósofo. Esse artigo era uma tentativa de tradução do que Foucault dizia com seus termos próprios para o vocabulário que era o nosso – as ideologias, os aparelhos ideológicos do Estado – e de afirmação de que se podia ir mais longe, como era costume se dizer na época.[40]

38 Foucault, *L'archéologie du savoir*, p.68.
39 Ibidem, p.69.
40 Dominique Lecourt, entrevista com o autor.

Dominique Lecourt sente-se feliz pelo abandono daquilo que tinha sido a pedra angular de *Les mots et les choses*, a noção de episteme ("É dos aspectos estruturalistas da episteme que Foucault quer aqui desembaraçar-se"),[41] e pela orientação de Foucault no sentido da noção de prática discursiva, que assim reata com o materialismo. Essa concepção, baseada na materialidade do regime discursivo, remete para as instituições e, por conseguinte, para os aparelhos ideológicos de Estado althusserianos. Entretanto, Dominique Lecourt considera que existe um ponto de fuga quando Foucault limita a tarefa do arqueólogo ao estrito nível da descrição, renunciando a qualquer esboço de teorização. A esse respeito, considera que Foucault se deteve no bom caminho, quando permitiu, com sua noção de formação discursiva, que se avançasse no caminho de uma teoria materialista da formação dos objetos ideológicos. Não chega até a definição das relações entre práticas discursivas e não discursivas: "Quando surge a dificuldade essencial do 'vínculo' entre a ideologia e as relações de produção, ele fica sem voz".[42] Foucault, segundo a crítica althusseriana de Dominique Lecourt, fracassa em sua tentativa ao omitir o modo de articulação, a ensambladura entre as duas instâncias que são a formação ideológica e as relações sociais. Esse nível permanece o impensado foucaultiano e remete necessariamente, segundo Dominique Lecourt, para a perspectiva formulada por Althusser de repensar a distinção entre ciência e ideologia.

L'archéologie du savoir se situa, em 1969, num momento culminante em que o paradigma estrutural registra um desvio, e participa dessa adaptação das posições anti-humanistas teóricas ao novo contexto intelectual. A acolhida dispensada a esse livro, muito esperado depois de *Les mots et les choses*, é positiva e permite ultrapassar os 10 mil exemplares desde 1969 (11 mil no primeiro ano, 45 mil exemplares no total em 1987), o que é um verdadeiro sucesso para um livro particularmente teórico. Jean-Michel Palmier descreve, sob o título de "Le glas de la réflexion historique: la mort du roi", em *Le Monde*,[43] o itinerário teórico de Foucault: este desconstruiu o belo sonho filosófico que pretendia dizer o essencial sobre o mundo, a vida, a moral, Deus e a história,

---

41 Lecourt, Sur *L'archéologie du savoir*, p.101.

42 Ibidem, p.125.

43 Palmier, Le glas de la réflexion historique: la mort du roi, *Le Monde*, 3 maio 1969.

opondo-lhe a leitura minuciosa do passado por meio de sua arqueologia. François Châtelet saúda em *La Quinzaine Littéraire* a demolição da história tradicional das ideias por Foucault.[44] Régine Robin reconhece uma grande dívida com Foucault, quando ele estabelece a relação necessária entre práticas discursivas e não discursivas, à qual ela é particularmente sensível como historiadora aberta à linguística e que preconiza uma política de aproximação entre as duas disciplinas.[45] Mas essa dívida dos historiadores é limitada, visto que Foucault nunca articula o nível discursivo com o conjunto articulado da formação social, e a crítica que Régine Robin formula se junta à de Dominique Lecourt e da corrente althusseriana. São mais severas as considerações tecidas por Jean Duvignaud em *Le Nouvel Observateur*, ao insistir mais sobre os elementos de continuidade entre *L'archéologie du savoir* e o estruturalismo, querendo Foucault "dissolver a consciência de si no discurso-objeto",[46] o que fala em nós, para nós, mas sem nós, e abre para um universo desumanizado.

Sem dúvida, Foucault se mantém em 1969 fiel às suas posições anti-humanistas; o objetivo maior continua sendo descentrar o homem, o autor, o sujeito, o locutor e, ao mergulhá-los nas regularidades discursivas, anunciar uma nova era, aquela no decorrer da qual se poderá escrever evitando ter um rosto, a era do pleno exercício da liberdade de escrita: "Mais de um, como eu sem dúvida, escrevem para não ter mais rosto. Não me perguntem quem sou e não me digam para manter-me o mesmo: é uma moral de estado civil; rege os nossos papéis; que ela nos deixe livres quando se trata de escrever".[47] É uma maneira de dizer em 1969 que, se continua a batalhar contra o humanismo e contra toda teoria do sujeito, Foucault recusa a recuperação estruturalista. Num momento de crise do paradigma estrutural, ele busca os meios de se desprender de si mesmo e de sua obra anterior, ao traçar uma terceira via neoestrutural que dá acesso a novas áreas de criação.

---

44 Châtelet, L'archéologie du savoir, *La Quinzaine littéraire*, n.72, 10-15 maio 1969.
45 Ibidem.
46 Duvignaud, *Le Nouvel Observateur*, 20 abr. 1969.
47 Foucault, *L'archéologie du savoir*, p.28.

23

Foucault e a desconstrução da história (2)

Surveiller et punir

O conceito de desconstrução de Nietzsche rapidamente predominará em Foucault, que só de um modo muito temporário procedeu à aproximação com algumas teses althusserianas. Teorizando o prejuízo da ruptura frontal de Maio de 1968, Foucault desloca seu interesse para a periferia, para a margem do sistema. Essa nova inflexão lhe permite reinvestir a sua prática política nas extremidades, frequentemente esquecidas, do sistema social. Ao esquema da revolução, ele opõe, na prática e na teoria, o da revolta. A influência de Nietzsche é cada vez mais onipresente, e à dialética entre discurso e poder de suas obras anteriores, Foucault acrescenta um terceiro termo, o corpo. Essa trilogia funciona, então, em suas extremidades: corpo e poder remetem-se mutuamente como o ser e o não-ser. A liberdade enfrenta a coerção; o desejo, a lei; a revolta, o Estado; o múltiplo, o acumulado; o esquizofrênico, o paranoico. A submissão do sujeito passa por um terceiro termo. A discursividade pertence ao campo do poder, pois o saber lhe é consubstancial.

De *L'archéologie* à genealogia

A virada genealógica se manifesta em 1970-1971 de uma tríplice maneira. Em primeiro lugar, por ocasião de uma homenagem a Jean Hyppolite, Foucault faz uma comunicação fundamental sobre a história como genealogia, isto é, como um carnaval reconstituído pela ordem, a partir das relações de Nietzsche com a história.[1] A genealogia encontra-se, segundo Foucault, no centro da articulação entre o corpo e a história, e ele propõe, portanto, concentrar sua atenção nesse corpo, esquecido da história e que, no entanto, é a sua base: "O corpo: superfície de inscrição dos acontecimentos (ao passo que a linguagem os fixa e as ideias os dissolvem)".[2] Assim, Foucault elaborará uma verdadeira economia política do corpo, seguir de perto as diversas formas de sujeição, desvendar seus modos de visibilidade.

Foucault procurará esses corpos esquecidos, rejeitados, fechados, para lhes devolver a palavra nesse mesmo ano de 1971, ao criar com outros o Groupe Informations Prisons (o GIP), articulando concretamente suas posições teóricas e sua prática política. Mas nesse começo de decênio, Foucault deve definir também um programa de ensino por ocasião de seu ingresso no Collège de France. É esse o objeto de sua aula inaugural, em 2 de dezembro de 1970, que será publicada com o título de *L'ordre du discours*. Ele define aí um programa híbrido, constituído pelas regras enunciadas em *L'archéologie du savoir*, mas numa nova perspectiva genealógica que significa um deslocamento sensível em relação à vocação do arqueólogo. Já não se trata, especificamente, da relação entre práticas discursivas e práticas não discursivas. Foucault privilegia de novo o nível exclusivo do discurso, articulando-o, dessa vez, com o corpo. Seu programa genealógico está situado sempre no terreno da história, que será objeto privilegiado da sua análise crítica. É exclusivamente no interior da esfera discursiva que Foucault se situa com total clareza; para ele, cumpre "restituir ao discurso seu caráter de evento",[3] voltar a questionar a busca ocidental da verdade e renunciar à soberania do significante. Reencontram-se as regras do método já definidas em

1 Foucault, Nietzsche, la généalogie, l'histoire. In: *Hommage à Hyppolite*.
2 Ibidem, p.154.
3 Ibidem, p.53.

L'archéologie du savoir, com a seriação dos discursos e a observação de sua regularidade e de suas condições de possibilidade. É um momento culminante para Foucault, que apresenta seu programa como programa crítico, na filiação da *Archéologie*, e, por outro lado, anuncia os seus trabalhos genealógicos futuros. As duas perspectivas coabitam, mas uma se adiantará à outra no decorrer do decênio.

A orientação genealógica, com efeito, inspirará as publicações de meados da década de 1970: *Surveiller et punir* e *La volonté de savoir* (1975 e 1976): "O genealogista é um diagnosticador que examina as relações entre o poder, o saber e o corpo na sociedade moderna".[4] Foucault enriquece a perspectiva estrutural de saída, graças à dimensão corporal, à confrontação do desejo e da lei com os sistemas disciplinares, mas permanece fiel à sua orientação de negação de toda continuidade e de toda validade de um sujeito num jogo em que se opõem estratégias anônimas de dominação que têm o corpo como seu ponto de aplicação. O sujeito, no quadro da genealogia, não é pertinente nem no plano individual, nem no plano coletivo, ele só pode ser o objeto dos múltiplos dispositivos de forças repartidas, sem centro, no espaço social. A localização do poder/saber se situará de maneira privilegiada numa tecnologia política do corpo, o que Dreyfus e Rabinow qualificam de "biopoder".[5] Do ponto de vista da genealogia, o saber não tem fundamento objetivo ou subjetivo, e deve interrogar-se a ciência a fim de se apurar como os efeitos de verdade desta são, quanto ao essencial, efeitos de poder.

Seguir de perto as positividades ocidentais pelo seu avesso, pela figura recalcada do Outro, tal é o programa genealógico que se desenvolverá ao serem exumados os procedimentos disciplinares que o discurso libertador do Iluminismo oculta, o terror que se enrosca sob o humanismo, o poder no interior da ciência. Foucault permanece, pois, na perspectiva de uma crítica ácida à modernidade ocidental, ao reino da razão a que opõe o carnaval da história. A noção de poder, onipresente, dispersa, diluída, por toda parte ressurgente, servirá, nessa qualidade, de instrumento para desconstruir as categorias da razão ocidental: "Na genealogia de Foucault, o 'poder' é, em primeiro lugar, sinônimo de uma pura função estruturalista; ocupa o mesmo lugar que a *différance* em

4 Dreyfus; Rabinow, *Foucault, un parcours philosophique*, p.157.
5 Ibidem, p.186.

Derrida".[6] Segundo Habermas, Foucault opõe ao idealismo kantiano uma temporalização do *a priori*, a do poder que é utilizado sob a sua forma inversa. O poder não está mais na dependência da verdade, é a verdade que se encontra sob o domínio do poder, que ocupa o lugar de uma categoria fundadora e não pode, portanto, ter sujeito. O poder tem uma dupla acepção que está na base de todos os mal-entendidos com os historiadores; ele é um instrumento descritivo para explicar as diversas técnicas utilizadas para sujeitar o corpo e ocupa, ao mesmo tempo, o lugar de uma categoria *a priori* que permite desenvolver uma crítica da razão. Nesse sentido, reconhece-se claramente na noção de poder de Foucault uma categoria estruturalista, a ontologização de uma estrutura não redutível a uma realidade empírica: "Quando digo o poder, não se trata de localizar uma instância que estenderia sua rede de maneira fatal, uma rede apertada em redor dos indivíduos. O poder é uma relação, não é uma coisa".[7]

Uma problematização do poder

O mais importante ponto de inflexão dos anos 1970 é a implicação subjetiva de Michel Foucault no interior do seu objeto teórico de estudo. É uma evolução semelhante à que constatamos, no mesmo momento, em Barthes, num outro registro. Essa implicação é particularmente sensível com a obra que Foucault publica em 1975, *Surveiller et punir*. É certo que, como assinalou Daniel Defert,[8] uma nota de rodapé em *Histoire de la folie* já anunciava em 1961 um trabalho sobre as prisões. Mas essa obra é, sobretudo, a resultante do envolvimento de Foucault no que se chamavam, nos anos 1970, as frentes secundárias, os combates periféricos, na impossibilidade de fazer desabar o centro.

Em fevereiro de 1971, Daniel Defert e seus camaradas maoistas vêm propor a Foucault a criação de uma comissão de investigação sobre as condições penitenciárias. Não só Foucault dá seu acordo como se engaja

---

6 Habermas, *Le discours philosophique de la modernité*, p.302.
7 Foucault, entrevista de Louvain, 7 maio 1981, *Océaniques*, FR3, emissão de 13 nov. 1988.
8 Daniel Defert, *France-Culture*, 7 jul. 1988.

irrestritamente nessa iniciativa militante. Assume ele próprio a direção do Groupe Informations Prisons (o GIP) em 1971, com o helenista Pierre Vidal-Naquet e Jean-Marie Domenach, diretor da revista *Esprit*. O endereço do GIP não é outro senão o de Foucault, que recebe em sua casa as famílias dos presos, recolhe seus depoimentos todos os sábados a partir das 16 horas, após as visitas nas prisões. O seu investimento e a sua devoção à causa dos presos foram totais, a ponto de adiar a elaboração do seu projeto teórico, que só virá a ser publicado após essa fase militante:

> A ideia de Foucault era fazer com que os detentos se exprimissem. Trabalhou muito mais do que eu para isso. Realizou essa mistura deveras curiosa, nesse ponto de encontro, entre o estruturalismo foucaultiano, um pós-marxismo de 1968 à procura de forças revolucionárias, e um cristianismo evangélico que forneceu grandes contingentes para o GIP, somando-se aos maoistas.[9]

Nesse clima de discussão de uma reforma do sistema penal, depois das contestações no interior das prisões, nas quais se multiplicam os motins, o GIP desempenhará um papel importante. Contará com a adesão de numerosos intelectuais oriundos de Vincennes, como Jean-Claude Passeron, Robert Castel, Gilles Deleuze, Jacques Rancière etc., e um recruta inesperado, mas que vai estabelecer profundos laços de amizade com Foucault e também se engajar plenamente nesse combate, o filho de François Mauriac, então jornalista no *Figaro*, Claude Mauriac. De 1971 a 1974, Foucault participa de todas as mobilizações sobre as prisões e o GIP multiplica todas as modalidades de ação: as manifestações, a circulação de informação, os depoimentos, uma reflexão crítica sobre as práticas repressivas do poder.

Somente após essa fase de atividade militante, mas alimentado por esta, é que é publicado, em 1975, *Surveiller et punir*, obra que se situa na encruzilhada de vários caminhos. Ela ilustra bem a vontade, expressa em *L'archéologie du savoir*, de superação do campo da discursividade para estabelecer o vínculo entre práticas discursivas e não discursivas. Mas, ao mesmo tempo, é a expressão do programa genealógico de pesquisa dos pontos de aplicação do poder sobre o corpo, e de localização

9 Jean-Marie Domenach, entrevista com o autor.

do modo de problematização da prisão num momento muito preciso da história ocidental. Foucault adota como objeto particular de estudo a prisão como modalidade, entre outras, de exercício do poder.

Sua abordagem do poder rompe com a concepção instrumentalista do marxismo-leninismo, e procede à sua pluralização. O poder não tem centro, ele circula, é o principal esquema relacional: "Na época do estruturalismo, estava-se entre o *Estado e a Revolução* de Lenin e o Foucault da reflexão sobre o poder".[10] Foucault faz refluir o político a partir da sua ampliação da definição do campo do poder, de sua extensão em suas margens mais extremas, e o Estado desaparece como centro nervoso que irradia o corpo social. A sua postura se apresenta como a antítese da de Hobbes no século XVII, que considerava o Estado o epicentro com o *Leviatã*. Pelo contrário, Foucault quer reconstituir a realidade de seus corpos periféricos, negligenciados até aí, considerados como epifenômenos. Essa postura tem a vantagem de descobrir, por trás do inorgânico e do desordenado, o ordenamento e a hierarquização de uma ordem.

Mas a noção de poder em Foucault dilui a dimensão política, dispersando-a *ad infinitum*. Já não se pode atribuí-lo a uma classe que o deteria. Circula a partir de uma rede entre os indivíduos, funciona em cadeias, transita por cada um, antes de reunir-se num todo. Se não existe lugar nodal do poder, tampouco pode haver lugar de resistência a esse poder. Onipresente, não pode oscilar nem cair, está em cada um, tudo é poder, por toda parte, não está, portanto, centrado em nenhuma parte. A resistência ao exercício de tal poder deixa de ter, por conseguinte, um objeto. A análise de Foucault tem o imenso mérito de convidar a que não se confunda numa mesma realidade o poder e o Estado, mas frequentemente à custa da negação da existência de um Estado, em proveito de um olhar exclusivo que se fixa no corpo.

O corpo do condenado acha-se preso entre diversos sentidos dos dispositivos de poder. Desde a expiação de seu crime nos tempos do castigo-espetáculo com seus suplícios públicos, até a correção pela pena de prisão do condenado colocado no centro do panóptico, o processo continua sendo circular entre o aumento exagerado do saber, que o Iluminismo encarna, e o aumento exagerado do poder pela extensão

10 Daniel Becquemont, entrevista com o autor.

dos campos disciplinares. Foucault procede à historicização do procedimento carcerário ao estudar as condições de aparecimento da prisão. Mas, para além desta, tem em vista um sistema de encerramento que inscreve sua positividade em todos os níveis da realidade social, seja na escola, na fábrica ou na caserna: um novo espaço de visibilidade nasce no final do século XVIII. É um sistema global que se instala e se inscreve no real das relações concretas, mas Foucault jamais o atribui a um sujeito decisório, a um sistema qualquer de causalidades.

A prática do encerramento parece impor-se do exterior e só posteriormente encontra justificação; ela está na interseção de uma ordem de discurso particular e do deslocamento do olhar numa outra direção, de um outro modo de visibilidade. O advento da sociedade moderna está baseado, como já sugeria Max Weber, na autodisciplina do sujeito, e Foucault segue de perto as condições desta na multiplicação e extensão dos poderes de normalização que afetam o indivíduo em todos os espaços do sistema social. Passa-se de uma sociedade jurídico-discursiva em que a regra, a lei é enunciada pelo poder que funciona de maneira uniforme, para uma sociedade fundamentada na disciplina e em normas disciplinares. O crime, na sociedade absolutista, era um atentado ao soberano como pessoa. O corpo do criminoso sofria, então, suplícios a fim de restabelecer o poder do príncipe momentaneamente afetado. Por conseguinte, o suplício tem uma função mais política do que judiciária. O corpo está no centro do dispositivo do poder: "O corpo interrogado durante o suplício constitui o ponto de aplicação do castigo e o lugar de extorsão da verdade".[11] O corpo do condenado é, com efeito, a peça principal do ritual do castigo público. A execução está vinculada à natureza do crime: é perfurada a língua dos blasfemos, queimam-se os impuros, corta-se a mão do que matou. A justiça repete, portanto, o crime cometido e exorcisa-o pelo brilho do suplício e morte do culpado. Esse ritual permite reconstituir a soberania, atingida por instantes, do soberano: "O suplício não restabelecia a justiça; reativava o poder".[12]

Com a crise da soberania real, o direito de punir torna-se outro; deixa de ser o meio de reativar a figura do príncipe para converter-se no meio de defesa da sociedade. Essa nova abordagem corresponde

11 Foucault, *Surveiller et punir*, p.46.

12 Ibidem, p.52.

ao momento em que a ilegalidade passa do crime contra o corpo para o furto de bens. Descobre-se, então, um sistema judiciário em que o poder disciplinar tende a tornar-se invisível. Quanto ao corpo social, deve-se tornar transparente, acessível ao olhar em seus menores recantos, a fim de ser vigiado. É o estabelecimento de um sistema disciplinar com a multiplicação das prisões, dos colégios ou ainda das casernas: "O que se desenha é [...] uma marcação penal mais rigorosa e compacta do corpo social".[13] A onipresença do poder, que está a todo momento em condições de punir, não importa qual seja a infração, substitui o poder impotente que manifestava pelo brilho ostensivo dos suplícios corporais a sua vontade de potência: "O direito de punir foi deslocado da vingança do soberano para a defesa da sociedade".[14] A modernidade traz consigo o controle das populações a partir de instituições específicas, concebidas para serem mais eficazes. É o tempo da grande reclusão, segundo Foucault. No começo, o processo afeta as camadas sociais marginais: vagabundos, mendigos, loucos; mas envolve também as crianças que ingressam nos colégios, nos quais se impõe o modelo do convento, e os soldados, que passam da vagabundagem à sedentarização nas casernas.

Todo o sistema social se modifica segundo um novo esquema de visibilidade. O modelo dessa nova sociedade disciplinar nos é dado por Bentham e seu panóptico, que a partir dos anos 1830-1840 passou a ser o modelo de construção das penitenciárias: "É polivalente em suas aplicações, serve para corrigir os presos, mas também para cuidar dos doentes, instruir os escolares, guardar os loucos, vigiar os operários, fazer trabalhar os mendigos e os ociosos. É um tipo de fixação do corpo no espaço".[15] Com o estabelecimento dessa sociedade disciplinar assiste-se, segundo Foucault, a um deslizamento do eixo de individualização para a camada mais baixa do corpo social. Na sociedade medieval, a individualização era maior no topo, onde se exercia o poder, no próprio corpo do soberano: pelo contrário, na sociedade disciplinar, a visibilidade tem de permitir o conhecimento dos fatos e gestos de toda uma população, a individualização é, nesse caso, descendente, enquanto o poder torna-se anônimo, simples máquina funcional.

---

13 Ibidem, p.80.

14 Ibidem, p.93.

15 Ibidem, p.207.

Foucault inverte duplamente a perspectiva: em primeiro lugar, não vê o poder de um ponto de vista negativo, mas, pelo contrário, em sua positividade ("De fato, o poder produz: ele produz o real"),[16] e, sobretudo, contesta a visão progressista da história que vê no Iluminismo um momento capital de libertação e de emancipação que se evidencia com o advento da modernidade. Por trás dessa emancipação, por trás do reinado das liberdades, Foucault vislumbrou a progressão do controle dos corpos, a extensão das práticas disciplinares, o fortalecimento de uma sociedade repressiva: "O sonho de uma sociedade perfeita, os historiadores das ideias atribuem-no frequentemente aos filósofos e juristas do século XVIII; mas houve também um sonho disciplinar da sociedade".[17] É, portanto, para uma verdadeira reversão da perspectiva histórica que Foucault nos convida; o objeto central de sua genealogia é o corpo, e o método de abordagem, as inflexões do olhar, as modalidades de visibilidade. Nesse nível, Foucault continua a empregar a mesma forma usada para descrever as condições que permitiram o nascimento da clínica, no momento em que sua inspiração era, sobretudo, estruturalista. Mas, nesse estudo da razão punitiva, seu grande mérito foi confrontar-se com o próprio arquivo histórico, com os projetos reformadores, com a literatura policial, constituindo um *corpus* específico de análise, evitando os textos canônicos da história da filosofia. Situa o seu ângulo de análise no nível do discurso e do olhar (vigiar) para melhor compreender o que está efetivamente em jogo nos dispositivos do poder.

Seu livro conhecerá uma repercussão espetacular. Mais do que *Histoire de la folie*, que teve dois momentos distintos de sucesso, *Surveiller et punir* corresponde perfeitamente ao estado de espírito de uma geração que procura "expulsar o tira da cabeça", "o chefinho", e que vê o poder por toda parte. É o ponto em que as teses foucaultianas se transformarão depressa, além dos desejos do autor, em vulgata para aqueles que lutam contra as diversas formas de vigilância social. Verdadeira arma da crítica contra as práticas disciplinares, as teses de Foucault servirão de instrumento para as diversas lutas setoriais, as múltiplas frentes secundárias que se abrem e voltam a se fechar. O filósofo foi como nunca o eco dos ideais e das desilusões de uma geração, a de 1968. *Surveiller et*

16 Ibidem, p.196.
17 Ibidem, p.171.

punir também reflete os motins que se multiplicam nas prisões e oferece um quadro teórico de análise para esse avesso da sociedade moderna. Como escrevem Jean-Michel Besnier e Jean-Paul Thomas: "Extrair as lições de 1968, nos anos 1970, era renunciar à bela simplicidade da luta contra o poder do Estado sem ainda abdicar de práticas e de análises decididamente revolucionárias".[18] Não é surpreendente, pois, que esse livro, deslumbrante pelo seu estilo, faça uma bela carreira comercial com 8 mil exemplares vendidos em 1975, chegando aos 70 mil em 1987.[19]

Foucault, historiador?

Foucault cultivou extensamente o território do historiador como filósofo, dialogou com a corporação dos historiadores e chegou a realizar trabalhos com alguns deles, sobretudo com duas historiadoras, Michelle Perrot e Arlette Farge, cujo objeto histórico privilegiado também era o dos excluídos da história tradicional, as mulheres e os marginais.

Desde sua primeira publicação, a de sua tese sobre a história da loucura, Foucault encontrou-se, sem o querer, com historiadores profissionais. É o caso de um franco-atirador isolado da história das mentalidades, defensor improvável de Foucault, se levarmos em conta sua formação ideológica de direita, ultraconservadora, monarquista, quem apoia o manuscrito que será publicado pela Plon em 1961: Philippe Ariès. A obra recebe um acolhimento entusiástico, sobretudo por parte dos historiadores: Robert Mandrou e Fernand Braudel saúdam o nascimento de um grande historiador. Mas desde o começo a relação com os historiadores se constrói em torno de um mal-entendido, pois o que se celebrava era uma obra de psicologia social que ilustraria de maneira excelente o conceito de história das mentalidades dos *Annales*, o que *L'histoire de la folie* não é, de forma alguma. Os historiadores terão em seguida a impressão de perder um dos melhores dentre eles, mas o projeto do filósofo não era se instalar no território do historiador como especialista de história social, ainda que renovada, porém problematizar

18 Besnier; Thomas, *Chronique des idées d'aujourd'hui*, p.46.
19 Informações comunicadas por Pierre Nora.

o que ele considerava ser o carnaval da história. Com suas obras de epistemologia, ergue-se um certo muro de incompreensão entre Foucault e os historiadores: "Foucault foi amargo, por vezes. Sentiu-se como se fosse um rejeitado. Antes de entrar no Collège de France, uma de suas ambições talvez fosse ingressar na Escola de Altos Estudos. Não creio que ele tenha apresentado a sua candidatura, mas esperava que lha solicitassem. Nunca lhe pediram isso".[20]

Michelle Perrot, pelo contrário, adere com entusiasmo à obra de Foucault. Historiadora formada na escola labroussiana dedicada às longas séries da história, Michelle Perrot é uma grande especialista na história do operariado no século XIX, além de ser uma historiadora feminista, muito aberta à interdisciplinaridade na sua universidade de Paris-VII, onde animou no início dos anos 1970 uma unidade de valor (UV) sobre o tema "A história e a literatura" com Gérard Delfau. Engajada num grupo feminista em 1972-1973, promove um curso em Paris--VII, em 1973-1974, cujo objetivo consiste em saber se as mulheres têm uma história.[21] Nessa ocasião, ela convida sociólogas para falar sobre a condição feminina no presente: Madeleine Guilbert, Évelyne Sullerot... Nesses primeiros tempos da história das mulheres do começo dos anos 1970, trata-se sobretudo de exumar uma realidade ocultada, de fazer a história dos esquecidos, de tornar visível o recalcado da história. Compreende-se que o encontro entre Foucault, que trabalhava para devolver a voz aos prisioneiros, e Michelle Perrot, às mulheres, não podia deixar de ser fecundo. Quando *Surveiller et punir* vem à luz, Michelle Perrot interessava-se justamente pela história da prisão no século XIX: "Achei esse livro formidável".[22]

A partir de um texto do historiador Jean Léonard, "L'historien et le philosophe", que critica o método de Foucault, e da resposta dada pelo filósofo em "La poussière et le nuage" [A poeira e a nuvem], Michelle Perrot organiza com François Ewald uma mesa-redonda em torno desses dois textos contraditórios da qual participaram os historiadores e Foucault: "Os historiadores, salvo Jacques Revel, que conhecia muito

20 Michelle Perrot, entrevista com o autor.

21 Esse tabalho coletivo é que estará na origem da publicação, sob a direção de Michelle Perrot e Georges Duby, de *Histoire des femmes*, 1991.

22 Michelle Perrot, entrevista com o autor.

bem a obra de Foucault, e Arlette Farge, que trabalhava com ele, formulavam perguntas a Foucault, que tentava responder-lhes. Mas o que houve foram dois discursos paralelos, e quando se encontraram com François Ewald e ouviram a gravação, concluíram que era impublicável tal como se encontrava".[23] A solução escolhida foi dar prioridade às declarações de Foucault, reduzindo as diversas intervenções dos historiadores à fala de um historiador anônimo cujo diálogo com Foucault obedece aos dois textos iniciais. O conjunto constituirá a matéria da publicação, em 1980, de *L'impossible prison*,[24] "mas o diálogo, na verdade, não ocorreu".[25]

Foucault expôs, por ocasião desse confronto, sua postura, e não escondeu que ela é fundamentalmente diferente da abordagem historiadora. Seu objetivo não é proceder a uma análise global da sociedade: "O meu projeto era, desde o início, diferente do dos historiadores. [...] O meu tema geral não é a sociedade, é o discurso Verdadeiro/Falso".[26] Repete que trabalha no sentido estrito da narração dos eventos, mas que seu objeto não é o campo da história social. Seu quadro de análise situa-se num outro nível, o das práticas discursivas. É isso o que lhe recrimina o historiador Jean Léonard, que aponta no estudo de Foucault um uso abundante de verbos pronominais e do pronome pessoal indefinido "*on*" [se]. Trata-se de poder, de estratégia, de técnica, de tática, "mas não se sabe quem são os atores: poder de quem? estratégia de quem?".[27] Foucault põe de lado o papel das diversas instituições na empresa de treinamento do corpo e de condicionamento; quanto às diversas categorias sociais, são deixadas no vestiário. Jean Léonard censura a Foucault mergulhar seu leitor num universo kafkiano: "O vocabulário da geometria desertifica a sociedade dos homens; não se trata senão de espaços, linhas, quadros, segmentos, disposições...".[28] Mas

---

23 Ibidem.

24 *L'impossible prison*: recherches sur le système pénitentiaire au XIXe siècle. Réunies par Michelle Perrot. 1980.

25 Michelle Perrot, entrevista com o autor.

26 M. Foucault, *L'impossible prison*: recherches sur le système pénitentiaire au XIXe siècle. Réunies par Michelle Perrot. 1980, p.55.

27 J. Léonard, *L'Impossible prison*: recherches sur le système pénitentiaire au XIXe siècle. Réunies par Michelle Perrot. 1980, p.14.

28 Ibidem, p.15.

Foucault responde a esse requisitório que não é esse o seu tema. Não se trata de um estudo sobre a sociedade francesa nos séculos XVIII e XIX, nem de uma história das prisões entre 1760 e 1840, mas "de um capítulo na história da razão punitiva".[29] O diálogo só pode ser um diálogo de surdos, pois Foucault não faz outra coisa senão atravessar alguns canteiros de história como filósofo, cujo objetivo primordial é mostrar que a instância global do real, tão cara aos historiadores, é um engodo que cumpre desmistificar.

Foucault punha a história na berlinda, interrogando-se, como toda sua geração estruturalista, para entender como o próprio berço da civilização ocidental pudera dar origem ao monstro nazista e ao totalitarismo stalinista. No âmago de sua relação com a história, existe, sem dúvida, esse traumatismo que o leva a não se contentar com aparências enganadoras, a revelar o avesso e a apreender, por trás das proclamações do Iluminismo, o estabelecimento de dispositivos de submissão: por trás da liberdade, a grande reclusão; por trás da igualdade, a escravidão do corpo; por trás da fraternidade, a exclusão. É uma visão sombria da história a que nos oferece Foucault, uma crítica radical à modernidade. A sua desconstrução histórica não deixou, no entanto, de estimular certos historiadores a prestarem uma atenção particular à conceitualização, à problematização de seus respectivos objetos: "Para mim, isso foi inteiramente considerável. Ele nunca deixou de me fornecer linhas de reflexão. Em *Surveiller et punir*, tudo o que disse a respeito da noção de disciplina ajudou-me a compreender tudo o que podia ser a normalização na sociedade industrial, a entender melhor o que se denominou a formação da classe operária. Pois o que é importante no que diz Foucault é que a disciplina não é unicamente a repressão, é também o consentimento, a interiorização de valores".[30]

O gosto do arquivo leva Foucault a apresentar dossiês históricos que lhe permitem expor a maneira como um corpo pode ser tomado como lance do jogo de poder no entrelaçamento de múltiplos dispositivos discursivos que o disputam. O aparelho judiciário e o aparelho médico disputam-se o louco. Um criminoso como aquele que Foucault

29 M. Foucault, *L'impossible prison*: recherches sur le système pénitentiaire au XIXe siècle. Réunies par Michelle Perrot, 1980, p.33.
30 Michelle Perrot, entrevista com o autor.

descobriu nos *Annales d'hygiène politique et de médecine légale* (1836), Pierre Rivière, está assim na encruzilhada de múltiplos discursos de origem e função diferentes, que se defrontam a seu respeito como pretexto para conquistar uma posição de poder, uma legitimação quanto ao caráter científico de sua tomada de posição. O caso Pierre Rivière, que data de 1836, é então objeto de um dossiê coletivo realizado por Foucault e os membros do seu seminário de 1973.[31] Nesse dossiê, Foucault pôde estabelecer uma correlação entre o exposto numa memória escrita pelo próprio Pierre Rivière, camponês de uns vinte anos que acabava de matar a mãe, uma irmã e um irmão, e um conjunto de peças judiciárias e três tipos de relatórios médicos: o do médico de província, o de um médico citadino encarregado de um manicômio, e o de grandes nomes da psiquiatria e da medicina legal. Esse cotejo baseado num caso concreto permite descobrir o início da utilização de conceitos psiquiátricos na justiça penal. O acusado encontra-se no centro de táticas que se defrontam no recinto judiciário.

A sensibilidade de Foucault para o arquivo, deveras peculiar para um filósofo, levá-lo-á a publicar alguns trabalhos em colaboração com historiadores. Depois de *Moi, Pierre Rivière...*, ele publica uma apresentação a *Le panoptique* de Bentham com Michelle Perrot,[32] e se encontra com Arlette Farge, com quem trabalhará sobre as ordens régias de prisão da Bastilha: "O meu encontro com Foucault era improvável, pois não trabalhávamos nas mesmas direções; ele ocorreu, no entanto, a propósito do próprio material e de algo que geralmente se ignora, a sensibilidade dele para o arquivo. Foucault era muito influenciado pela estética do documento".[33] Esse fascínio diante do arquivo inverterá o modo de relação entre a historiadora e o filósofo, pois é Arlette Farge quem consegue convencer Foucault de que é necessário fazer uma apresentação desses documentos, enquanto Foucault queria publicar as ordens régias sem comentários: "O milagre é que ele tenha podido ser convencido disso e me tivesse então pedido para colaborar com ele nesses textos".[34]

---

31 Foucault, *Moi, Pierre Rivière, ayant egorgé ma mère, ma soeur, mon frère...*, 1973, dossiê realizado por: B. Barret-Kriegel, G. Burlet-Torvic, R. Castel, J. Favret, A. Fontana, M. Foucault, G. Legée, P. Moulin, J.-P. Peter, Ph. Riot e M. Saison.

32 Bentham, *Le panoptique*. 1977.

33 Arlete Farge, entrevista com o autor.

34 Ibidem.

Essas ordens régias eram, de fato, uma velha descoberta de Foucault que remonta ao tempo em que ele escrevia *Naissance de la clinique*. Já nessa época ele dizia pretender fazer alguma coisa com elas. Ele tinha com esse material uma relação afetiva muito forte: "Foi a única pessoa a dizer-me que se pode trabalhar também com a emoção. Para mim, ele permitiu que a emoção não fosse mais a emoção no sentido afetado do termo, mas uma ferramenta intelectual".[35] Assim é que Foucault trabalhará durante dois anos com Arlette Farge, discípula de Mandrou, historiadora das mentalidades, que só descobriu a obra de Foucault com *Surveiller et punir* em 1975. Ela se dedicava então a estudar os fenômenos do desvio, da marginalidade: "Nessa época, dizia-se que se daria a palavra aos oprimidos".[36] Essa orientação aproximava-a de fato dos centros de interesse e de engajamento de Foucault, o que tornava esse encontro menos improvável do que ela dizia. Arlette Farge estava seduzida também por um pensamento que contestava a linearidade, privilegiava as linhas de ruptura, problematizava as descontinuidades, e permitia assim romper com uma concepção da cultura popular que funcionava de cima para baixo: "interessava-me muito, nesse momento, que a questão não fosse apresentada sem a questão do porquê. Isso condizia com um modo muito artesanal de trabalhar que conservei, e que consistia em expor os funcionamentos mais íntimos desse magma a que se dá o nome de social".[37]

Esse frutuoso encontro resulta na publicação, em 1982, de uma obra comum ao filósofo e à historiadora, *Le désordre des familles*,[38] mostrando que o próprio símbolo do arbitrário régio, do absolutismo mais infame, a partir do qual não importa quem podia ser enviado à prisão sem outra forma de processo, era mais frequentemente utilizado, de fato, por pais e cônjuges que solicitavam isso ao rei para pôr fim a uma situação familiar desastrosa. As centenas de homens e de mulheres conduzidos a Bicêtre, a Salpêtrière ou a outros lugares, por "ordem do rei", foram para lá despachados pelas próprias famílias e, essencialmente, devido a obscuras questões privadas. É uma nova ocasião para Foucault

---

35 Ibidem.

36 Ibidem.

37 Arlete Farge, entrevista com o autor.

38 Farge, Foucault, *Le désordre des familles*. 1982.

problematizar o que se apresentava como uma evidência: mostrar que as relações de poder circulam mais e são muito mais complexas do que uma simples relação instrumental encarnada pelo soberano.

Se Foucault, segundo Arlette Farge, era muito sensível ao que pudessem pensar dele os historiadores, "mais do que sensível, manifestamente dilacerado",[39] *Surveiller et punir* é, com efeito, a oportunidade de uma real abertura, junto aos historiadores, que confirma a aproximação efetiva, a partir de *L'archéologie du savoir*, portanto desde 1969, com a escola dos *Annales*. Esse encontro passa sobretudo por um homem, Pierre Nora, uma editora, Gallimard, e nessa aventura Foucault participará plenamente do novo Eldorado dos historiadores.

39 Arlette Farge, entrevista com o autor.

24

A IDADE DE OURO DA NOVA HISTÓRIA

Os grandes beneficiários da voga estruturalista dos anos 1960 foram, depois de 1968, os historiadores dos *Annales*. Eles puderam colher os frutos no momento em que uma reavaliação do evento, da diacronia, tornava-se indispensável. Tratava-se de uma conjuntura de refluxo, de ruptura, de implosão do paradigma estrutural, superado internamente por aqueles que promoviam a ideia de uma estrutura aberta, impenetrável, enquanto no exterior os questionamentos se tornavam cada vez mais radicais. A aventura estruturalista prossegue e transforma-se, enveredando pelos caminhos da história.

Os historiadores que até então, só negativamente, haviam se preocupado com uma efervescência que os devolvia ao empirismo já tinham, por certo, moderado o ritmo da duração, agora pegarão o trem em marcha com a avidez e o triunfalismo dos retardatários.

Da História às histórias

A conexão essencial por meio da qual o estruturalismo fecundará o campo de investigação dos historiadores passa pela obra de Michel Foucault e as relações privilegiadas que ele tem com Pierre Nora na Gallimard. O próprio título da coleção que Pierre Nora lança em

1971, "La Bibliothèque des histoires", sublinha a inflexão epistemológica ocorrida por meio da retomada do programa desconstrucionista pelos historiadores. Foucault estava encantado com o título encontrado para a coleção histórica, correlativa com a "Bibliothèque des sciences humaines": "A banalidade teria sido chamar-lhe 'Bibliothèque de l'histoire'. Refleti que 'Bibliothèque des histoires' correspondia inteiramente ao que eu queria dizer, à fragmentação".[1]

A história escreve-se a partir de então no plural e sem maiúscula; renuncia a realizar um programa de síntese para melhor se reorientar no sentido dos múltiplos objetos que se oferecem ao seu olhar sem limites. Essa noção de histórias, no plural, corresponde inteiramente à definição que dá Foucault à prática historiadora na Introdução de *L'archéologie du savoir*. Pierre Nora conhecia muito bem esse texto, pois Foucault já lhe pediria que o lesse: "Tinha-me feito reler esse primeiro capítulo, perguntando-me como eu reagia, como historiador, e dizendo-me que eu reencontraria ali as minhas posições".[2] Pierre Nora elabora um texto de apresentação da coleção muito marcado pela filosofia de Foucault. Retoma a noção de monumento e entusiasma-se com a iniciativa:

> Vivemos a explosão da História. Novas interrogações, fecundadas pelas ciências sociais vizinhas, a ampliação ao mundo inteiro de uma consciência histórica que por muito tempo permaneceu privilégio da Europa, enriqueceram prodigiosamente as questões que os historiadores endereçam ao passado. [...] A história mudou seus métodos, seus cortes e seus objetos...

A multiplicação desses objetos novos, a dilatação do território da história parecem outros tantos sinais de um triunfo da história. Pierre Nora lembra-se de ter rido muito com Foucault desse pequeno manifesto sobre a explosão da história, principalmente ao tomarem conhecimento de que Braudel explodira diante desse texto.

Pierre Nora queria até lançar antes da sua coleção um livro-manifesto, uma pequena obra sintética que condensasse as posições teóricas defendidas que promoveriam a nova história. Fala da ideia com

1 Pierre Nora, entrevista com o autor.
2 Ibidem.

Michel Foucault, François Furet e Emmanuel Le Roy Ladurie: "Tenta-se então refletir em conjunto sobre o que estava prestes a se tornar história. A minha ideia era assinalar os problemas que estavam a ponto de se manifestar".[3] Essa iniciativa adquirirá uma amplitude inesperada. Corresponde a um momento em que Jacques Le Goff se aproximava da Gallimard. Tendo Pierre Nora necessidade de envolver pessoas, delegou pouco a pouco esse projeto a Jacques Le Goff, que se dedicando com tamanho entusiasmo ao empreendimento transformou a ideia de uma pequena obra-manifesto em três grossos volumes da coleção "Bibliothèque des histoires", *Faire de l'histoire*, dirigidos conjuntamente por Jacques Le Goff e Pierre Nora; este último os terminará quase sozinho porque, a partir do momento em que Le Goff foi eleito presidente da sexta seção da École Pratique des Hautes Études (Ephe), em 1972, não quis ter mais relações orgânicas com as edições Gallimard.

É, portanto, um enorme conjunto que vem à luz em 1974, um guia fundamental para a nova história.[4] É o momento da contraofensiva, e os historiadores, depois de se recolherem numa desdenhosa sobranceria durante o período em que os jovens ramos das novas ciências humanas monopolizavam as atenções, manifestam agora a intenção de incorporar as orientações fecundas dos franco-atiradores; absorvem seus métodos a fim de concluir a renovação de uma história que deve pagar o preço da renúncia à sua unidade para realizar a maior dilatação possível do seu campo de experimentação. Os historiadores respondem a um desafio que lhes é lançado pelas ciências sociais em geral e pelo estruturalismo da segunda geração, o desconstrucionismo, em particular: "O campo que ela [a história] ocupava sozinha como sistema de explicação das sociedades baseado no tempo é invalidado por outras ciências de fronteiras mal definidas, que ameaçam aspirá-la e dissolvê-la".[5] A história deve salvar-se, segundo os autores dessa trilogia, renunciando à sua vocação para a totalidade, a fim de promover o que Foucault chama de uma história geral, a de um espaço de dispersão.

3 Ibidem.

4 Le Goff; Nora, *Faire de l'histoire*, 3 vols: *Nouveaux problèmes*, *Nouvelles approches*, *Nouveaux objets*.

5 Ibidem, v.1, p.11.

Essa fragmentação envolve o questionamento do edifício hegeliano que, na grande maioria dos casos, fundamentava o discurso histórico, e a descentração de quem unificava o campo; o homem como sujeito dessa história como indivíduo ou coletivo. Essa excentração do homem se une à temática de uma escritura estruturalista ao proclamar a morte do homem, a insignificância do sujeito. Isso permite ao historiador, assim como ao linguista ou ao antropólogo, promover um discurso que se apresenta como científico, à medida que marginaliza a menos manejável de suas variáveis para uma história quantitativa. É assim que Emmanuel Le Roy Ladurie intitula a quarta parte do seu livro *Territoire del'historien I*: "A história sem os homens".[6] Ao contrário da primeira geração dos *Annales*, que só concebia a história humana e antropológica, Le Roy Ladurie considera a partir de um estudo histórico concreto, o do clima desde o ano 1000, que o resultado do descentramento "é mutilar o historiador, fazer dele somente um especialista em humanidade".[7] A importância da descentração extrapola os limites desse estudo, e Le Roy Ladurie qualifica-a de verdadeira revolução copernicana na ciência histórica. O historiador passa a julgar a riqueza do seu ponto de vista na proporção desse excentramento, que lhe permite afirmar sua vocação científica.

Prevalece, então, um certo positivismo, ao aderir-se à posição de Foucault, que consiste em apreender mais o "como" do que o "porquê", numa perspectiva sobretudo descritiva do arquivo. Essa proximidade com as teses de Foucault não significa, porém, relações de confiança entre o filósofo e os historiadores: "Foucault apaixonava-se pela história e, ao mesmo tempo, considerava os historiadores uns imbecis que não se interrogam o bastante sobre o que fazem".[8] Um incidente eclode a propósito da contribuição de Pierre Vilar para *Faire de l'histoire*, na qual ele ataca com violência o livro *Les mots et les choces*:

Foucault generalizou em grandes obras um método que deixa ver melhor seus vícios e menos suas virtudes. No início, hipóteses autoritárias. Vem a demonstração e, nos pontos em que se tem alguma clareza, eis que se descobrem datas misturadas, textos induzidos, ignorâncias

6 Le Roy Ladurie, *Territoire de l'histoire*, v.1, p.423.

7 Idem, *Histoire du climat depuis l'an 1000*.

8 Pierre Nora, entrevista com o autor.

tão grandes que nos vemos forçados a crer que sejam deliberadas, contrassensos históricos multiplicados.[9]

Pierre Vilar, citando as palavras de Althusser a propósito de Michelet e seus "delírios", considera que, tudo somado, o historiador, entre os dois delírios, deva preferir o de Michelet. Como se vê, a diatribe é dura, e a reação de Foucault não se faz esperar:

> Sem desconfiar de nada, atendo ao telefone e ouço a voz glacial de Foucault, a quem eu enviara *Faire de l'histoire*. Ele explode dizendo-me: "Eu acreditava que estávamos no mesmo diapasão e a primeira coisa que você assina é uma injúria ao que eu faço, uma declaração de guerra. Não compreendo, nesse caso, por que você é meu editor...". Abro então o livro, as mãos trêmulas, e descubro essa página que me deixa sem voz, e que nos tinha escapado a Le Goff e a mim.[10]

Foucault exige que essa página desapareça da segunda edição e ameaça, caso contrário, deixar a Gallimard. Pierre Nora vai, então, à casa de Pierre Vilar: "Nora veio procurar-me. Estava profundamente abatido. [...] Foucault é um grande escritor, um homem de imenso talento, mas nego-lhe toda a seriedade no tocante ao ponto de vista da reconstituição histórica".[11] O caso complicava-se ainda mais, porque Pierre Vilar devia fazer ingressar Pierre Nora nos Hautes Études e, no momento da edição seguinte, a esposa de Vilar estava morrendo. Pierre Nora renuncia a perturbá-lo em tais circunstâncias e o caso fica por aí mesmo. A versão inicial será conservada, tanto mais que o recuo do tempo ajudará a acalmar a cólera de Foucault.

Mas esse entrevero revela as relações difíceis de Foucault com a corporação dos historiadores, que, não obstante, aderia amplamente às suas teses. Na mesma perspectiva, desconstrutiva, não se trata mais de ligar num conjunto racional os múltiplos objetos da história. Definindo a operação histórica, Michel de Certeau considera que a história perdeu o lugar central que era o seu no século XIX "e não tem mais a função

9 Vilar, Histoire marxiste, histoire en construction. In: Le Goff; Nora, *Faire de l'histoire*, v.1, p.188.

10 Pierre Nora, entrevista com o autor.

11 Pierre Vilar, entrevista com o autor.

totalizante que consistia em revezar-se com a filosofia em seu papel de dizer o sentido".[12] Pierre Nora, ao apresentar os três volumes de *Faire de l'histoire* em *Le Nouvel Observateur*, admite uma descontinuidade entre o horizonte da disciplina histórica na época de Bloch, Febvre e Braudel, e o dos anos 1970: "É essa noção de história total que me parece hoje problemática. [...] Vivemos uma história em migalhas, eclética, dilatada no sentido das curiosidades, às quais cumpre não se recusar".[13] A pluralização de temporalidades heterogêneas subentendida pela abordagem serial das temporalidades relega para um passado metafísico a ideia de totalidade: "O tempo não é mais homogêneo nem tem mais uma significação global".[14] A história não tem de trajar luto pela história total, segundo Jacques Revel, que vê na fragmentação do saber histórico o indício de um novo espaço científico: "O horizonte não é mais o de uma história total, mas o da construção totalmente articulada de objetos".[15]

A construção do império historiador passa pela desconstrução da prática historiadora. É o momento em que se pensa que, com o computador, o historiador poderá ter acesso à cientificidade. Ele quantifica todos os objetos possíveis da história econômica, social ou cultural: quantidades de trigo produzidas, o número de nascimentos, casamentos e falecimentos, o número de invocações da Virgem nos testamentos, o número de roubos cometidos em tal lugar... Ele traça as curvas, localiza os limites, identifica os pontos de inflexão: "Em última instância, [...] só é história científica a quantificável".[16]

No mesmo ano do lançamento da "Bibliothèque des histoires", sai pela Seuil uma obra de reflexão sobre o discurso historiador que se inscreve na mesma perspectiva desconstrutiva: *Coment on écrit l'histoire*, de Paul Veyne. Também muito inspirado nas teses foucaultianas, remete para a metafísica os modelos conscientes, as ilusões de globalidade. Para ele, a história pertence, numa concepção aristotélica, ao mundo sublunar da desordem, do acaso, e não pode, portanto, atribuir-se ambições nomotéticas. Ela só pode reconstituir o como, a descrição do que se passou, e não a explicação do porquê. Seu campo não tem limites: "Tudo

12 Certeau, L'Opération historique. In: Le Goff; Nora, *Faire de l'histoire*, v.1, p.28.
13 Nora, *Le Nouvel Observateur*, 7 maio 1974.
14 Pomian, *L'ordre du temps*, p.94.
15 J. Revel, entrevista em *EspacesTemps*, n.34/35, "Braudel dans tous sés états", dez. 1986.
16 Le Roy Ladurie, *Territoire de l'histoire*, v.1, p.20.

é histórico, mas só existem histórias parciais".[17] O historiador não pode deixar de ser um positivista, porque a sua disciplina depende da ideografia. Tudo o mais só existe por falsas continuidades e reconstituições falaciosas: "A História com maiúscula não existe – apenas existem 'histórias de...'".[18] A proximidade com as teses foucaultianas é tão grande que Paul Veyne, na reedição de sua obra em 1978, para livro de bolso, faz um importante aditamento: "Foucault revoluciona a história". Mostra, como historiador, a utilidade prática do método foucaultiano: "Foucault é o historiador consumado, o acabamento da história. Esse filósofo é um dos maiores historiadores da nossa época. [...] É o primeiro historiador completamente positivista".[19]

Paul Veyne, especialista em história antiga, toma o exemplo da cessação dos combates de gladiadores no século dos imperadores cristãos: ele contesta a validade das explicações que atribuía a mudança à humanização do poder, aos efeitos da cristianização, opondo a esse enfoque o que se situa, como preconiza Foucault, no próprio nível da prática do poder político. Ora, os imperadores adotaram uma outra prática do poder que, ao tornar-se paternal, era incompatível com a existência dos gladiadores. Portanto, é na própria descrição das práticas que se podem encontrar as fontes de explicação: "Foucault não descobriu uma nova instância, chamada 'prática', que fosse desconhecida até esse dia: ele realizou o esforço de ver a prática das pessoas como ela é realmente; ele não fala de outra coisa senão daquilo de que fala todo historiador, a saber, o que as pessoas fazem".[20] Segundo Paul Veyne, o grande mérito de Foucault está em mostrar-nos que as palavras abusam, que elas fazem crer na naturalidade das coisas. Retoma a utilização de invariantes, como Nietzsche, para dissolver os racionalismos e os substituir por uma genealogia: "Permanece o fato de que, no tocante à sexualidade, ao poder, ao Estado, à loucura e muitas outras coisas, não poderá haver nem verdade nem erro, visto que não existem; não há verdade nem erro sobre a digestão e a reprodução do centauro".[21] O que mais seduz Paul Veyne é a orientação estruturalista de Foucault, sensível à

17 Veyne, *Comment on écrit l'histoire*.
18 Ibidem.
19 Idem, Foucault révolutionne l'histoire. In: *Comment on écrit l'histoire*, p.203-4.
20 Ibidem, p.213-4.
21 Ibidem, p.235.

autonomização do discurso que não revela o real e que se mantém à margem do referente. Nesse dispositivo teórico, o que prevalece é o próprio núcleo do pensamento estrutural, o esquema relacional: "A filosofia de Foucault não é uma filosofia do discurso, mas uma filosofia da relação. Pois 'relação' é o nome do que se designou como 'estrutura'".[22] Paul Veyne termina sua defesa do método foucaultinano considerando infundada a questão de saber se Foucault é ou não é historiador, uma vez que a história é para ele um falso objeto natural.

A vez dos historiadores

A explosão da história nova é espetacular, a partir do momento capital de 1968-1969, e toma o lugar que era ocupado pelas publicações psicanalíticas e antropológicas. Se a produção histórica não esperou esse momento para ser publicada, ela será maciçamente difundida junto de um público que se amplia a partir dessa data. O balanço editorial de 1968-1969 comprova o fato. Fayard lança a coleção "Histoire sans frontières", sob a direção de François Furet e Denis Richet. A Flammarion lança simultaneamente três novas coleções: a "Bibliothèque scientifique" de Fernand Braudel; uma coleção "Sciences" que edita as teses desvencilhadas de seu aparelho crítico e permite a publicação da de Pierre Goubert sobre o Beauvaisis (1968), de Jean Bouveir sobre o Crédit Lyonnais, e de Emmanuel Le Roy Ladurie sobre o Languedoc (1969). Enfim, uma coleção dirigida por Marc Ferro, "Questions d'histoire", apresenta um problema histórico não delimitado por uma cronologia, mas por problemáticas do tempo presente. Pela Albin Michel são reeditados os grandes textos clássicos na coleção "L'Évolution de l'humanité", como *La société féodale*, de Marc Bloch, ou *Le problème de l'incroyance au XVIe siècle*, de Lucien Febvre. Os pais fundadores dos *Annales* tornam-se, pois, acessíveis a um vasto público. A Plon lança uma coleção dirigida por Philippe Ariès e Robert Mandrou, "Civilisations et mentalités". Na Gallimard, como vimos, Pierre Nora lança a sua "Bibliothèque des histoires" em 1971, que será um dos cadinhos fundamentais

22 Ibidem, p.236.

da nova escritura histórica. Em 1974, o número de volumes dedicados à história é seis vezes superior ao de 1964; as posições-chave deixam transparecer uma preponderância dos *Annales*, principalmente com a liderança de um trio que orquestra o êxito da Escola: Gallimard, Le Seuil, Flammarion.

Essa paixão pela história nos anos 1970 se insere numa certa continuidade do interesse suscitado pela antropologia nos anos 1960. Trata-se sempre de descobrir a figura do Outro, não em lugares distantes, mas a alteridade no próprio interior da civilização ocidental, nas profundezas do passado. A sensibilidade histórica desse período volta-se para a história cultural, para o estudo das mentalidades. O evento é substituído pela permanência, o calendário repetido da gesta cotidiana da humanidade, cujas pulsações são reduzidas às manifestações biológicas ou familiares de sua existência: o nascimento, o batismo, o casamento, a morte. O sucesso mais espetacular dessa história científica e antropologizada é a obra de Emmanuel Le Roy Ladurie, *Montaillou, village occitan*, publicada em 1975 e que alcança a tiragem, pouco habitual para um historiador universitário, de 300 mil exemplares. A revista dos *Annales* consagra nesse período uma parte crescente de seus artigos à história das mentalidades.[23] Essa antropologização do discurso histórico, que faz com que sejam abandonados os estudos sociográficos e os faz passar do porão para o sótão, assegura o êxito das obras sobre a sexualidade (Jean-Louis Flandrin, Jean-Paul Aron), sobre a morte (Michel Vovelle, Philippe Ariès, Pierre Chaunu), sobre a família (Jean-Louis Flandrin, Philippe Airès), sobre o medo (Jean Delumeau) etc. Esse nível das mentalidades tende a abranger todo o campo social, que ele integra e organiza em torno da noção de permanência da natureza humana. É a última manifestação de vitalidade de um paradigma estrutural que a partir de então conhecerá um declínio inexorável, e tão espetacular quanto seu sucesso.

23 Dosse, *L'histoire em miettes*: para o período de 1969-1976, a revista passa para 32,8% de artigos consagrados à história cultural, contra 22,4% no período de 1957-1969.

PARTE 4

O DECLÍNIO DO PARADIGMA ESTRUTURALISTA

25

As ilusões perdidas I

o efeito Gulag

Em meados da década de 1970, a situação mostra-se instável e o estruturalismo, que vinha sofrendo desde 1967 múltiplas tentativas de pluralização, de abertura, de superação, é arrebatado pela vaga. Dessa vez, a hora é a do refluxo inexorável, o que não significa absolutamente um retorno ao ponto de partida, porque uma boa parte do programa foi simplesmente assimilada em profundidade e não tem mais necessidade da intervenção da mídia para se fazer conhecer. A conjunção de vários choques, externos, quanto ao essencial, ao próprio pensamento estrutural, provocou esse declínio. O primeiro, o mais espetacular, é de ordem política: trata-se da onda de choque ocasionada pelas revelações de Soljenitsyn. É certo que as informações sobre a realidade totalitária do mundo soviético não datam de Soljenitsyn. Já nos anos 1920, tinha Trotsky denunciado a ditadura stalinista, e numerosos foram os testemunhos subsequentes que revelaram os processos, os campos de concentração, até as *Histórias de Kolyma*, de Varlam Chalamov, cuja primeira edição – truncada – é publicada na França em 1969.

Mas uma cegueira particular conjugada a um esforço paralelo – encarnado principalmente por Althusser – para pensar a teoria do socialismo sem levar em conta a sua realidade, permitiram ocultar uma verdadeira reflexão sobre os ensinamentos históricos a extrair da funesta experiência soviética. A revolta de Maio de 1968 e seu discurso preponderantemente inspirado no mais puro marxismo não permitiam aduzir todas as consequências do conhecimento da realidade totalitária, não obstante ter sido dramaticamente corroborada, uma vez mais, em agosto de 1968, quando da invasão da Tchecoslováquia.

A reconciliação com os valores democráticos

Quando é publicada a tradução francesa de *Arquipélago Gulag*, a situação já é diferente, e é um momento oportuno para que a obra tenha o máximo de repercussão. Em 1974, com efeito, o esquerdismo está em pleno descalabro, a esquerda clássica francesa progride, mas no quadro de um sistema político com o qual ela se reconciliou ao assinar o Programa Comum em 1972. Os primeiros efeitos da crise econômica não tardarão a desmentir aqueles que veem o fim do túnel para o dia seguinte. Eles revelam, pelo contrário, um importante retrocesso da conjuntura: o fim dos "trinta gloriosos" e o início de uma longa fase de "estagflação", de recessão e de reestruturação. Nada de continuar esperando a grande tarde revolucionária, as primeiras horas de uma madrugada encantadora, para sair da crise iminente. No momento em que o desemprego aumenta, em que as esperanças revolucionárias se distanciam, em que o Clube de Roma apela para o "crescimento zero", o "efeito *Gulag*" será decisivo. Ele mostra, em especial, que, se não se pode imputar a Marx a responsabilidade pelo *Gulag*, como alguns se apressarão a fazer (ter-se-ia então de condenar Jesus pelos excessos da Inquisição), tampouco é possível pensar o marxismo sem o funesto cortejo de seus efeitos concretos na história da humanidade. A crise é profunda e é impossível contentar-se em invocar uma simples derrapagem, os exageros do culto da personalidade, ou o sufocante excesso de burocratas... para salvar o sistema.

Por outro lado, o fim em 1975 da guerra do Vietnã, que tinha radicalizado uma boa parte da juventude mundial, oferecerá um contexto favorável a uma revisão dos valores sustentados pelas democracias europeias: uma nova lógica binária tende a se impor, a qual opõe cada vez mais a democracia ao totalitarismo. É nesse quadro que o efeito *Gulag* será decisivo e reconhecido como tal, inclusive por aqueles que não esperam 1974 para comover-se e engajar-se na luta contra esse sistema;

é o caso de Claude Lefort e seu grupo Socialismo ou Barbárie: "Um livro como esse, [...] fazemos parte do pequeno número que o aguardava há muito tempo".[1]

Pouco a pouco, os combates travados terão por alvo a defesa dos direitos do homem, cuja tendência, antes desse período, era a de qualificá-los de formais (positivos). A enorme soma de memória coletiva recolhida por Soljenitsyn de 1958 a 1967 já não permite mais esse gênero de subterfúgio. E o Ocidente que recebe o autor do *Arquipélago Gulag*, banido da União Soviética em fevereiro de 1974, põe-se então à escuta das vozes que lhe chegam ainda dificilmente do outro lado da Cortina de Ferro, dos dissidentes que se encontram em hospitais psiquiátricos por terem reclamado o respeito aos direitos humanos: Vladimir Bukovski, Leonid Pliuchtch... O marxismo reflui no ritmo da chegada desses dissidentes e do horror que eles viveram. Em 1977, a revelação do que acaba de realizar a revolução cambodjana de Pol-Pot não contribuirá para uma retomada desse pensamento na sua origem como tábula rasa: foi em seu nome que foram sistematicamente exterminados 2 milhões de homens e mulheres numa população de 9 milhões!

"Abandona-se, então, a consciência crítica quando não se possui mais a ideia de uma superação."[2] Com o refluxo do marxismo, desaparece o instrumento de análise global da sociedade e da história que desmorona. O estruturalismo não é imune a esse sismo, porque, aquém do encaminhamento estrutural-marxista de alguns, oferecia-se como a própria expressão do pensamento e do paradigma crítico. Ele tinha desde há muito recusado a validade científica da observação do visível, do explícito, para melhor perceber as lógicas escondidas, ocultas e globais. Ora, o que o efeito *Gulag* revela é que basta ouvir, ler, ver, para compreender, ao contrário de uma certa especulação conceitual com pretensões científicas que tinha desempenhado o papel de cortina de fumaça e impedido de discernir o que estava verdadeiramente em jogo na tragédia em curso, bem como a cumplicidade objetiva daqueles que apoiavam os carrascos.

1 Lefort, Soljénitsyne, *Textures*, n.13, 1975, artigo reimpresso em idem, *Un homme en trop. Essai sur l'Archipel du Goulag.*

2 Marcel Gauchet, entrevista com o autor.

Essa evolução também será fatal para a ideologia estruturalista, já que a mensagem dos dissidentes é a de defesa dos direitos humanos, de um certo humanismo: outros tantos valores marginalizados pelo método estruturalista, cujo ponto de vista primacial visava, justamente, pensar sem o sujeito, para se ter acesso à ciência. O retorno do recalcado efetuou-se, nesse caso, pelo Leste. Forçou os mais radicais a formularem publicamente algumas interrogações:

> Lembro-me de Derrida, na rua de Ulm, depois de ter sido preso na Tchecoslováquia. Durante o seu seminário, dizia estar muito desgostoso porque, depois de ter passado sua vida de filósofo a desconstruir o humanismo, a dizer que a ideia de autor, de responsabilidade, não existe, vê-se na Tchecoslováquia nu em pelo num comissariado de polícia, e reconhece ser obrigado a considerar que isso foi um grave atentado aos direitos humanos. Nesse dia, Derrida deu prova de grande lucidez ao dizer que se encontrava numa situação intelectual muito bizarra. Propunha, então, a categoria de barroco intelectual, pois segundo ele os dois planos não se cruzam reciprocamente. Mas não se pode permanecer eternamente no barroco.[3]

Sintoma da nova situação dos intelectuais, essa colocação paradoxal levará um grande número deles a cortar o nó górdio para enfrentar as novas exigências da realidade política, principalmente no Leste. Essa evolução se amplia ao longo de todo esse decênio, que termina com os êxitos obtidos pelo sindicato Solidariedade na Polônia (agosto de 1980) e o estado de guerra de Jaruzelski (dezembro de 1981). Dessa nova frente de combates, travados em nome dos valores do direito e da democracia, muitos concluem ser impossível manter dois discursos contraditórios.

Progressivamente, os intelectuais se reconciliarão com um certo número de valores ocidentais considerados até então mistificadores, puramente ideológicos. Ironizar os valores democráticos se torna mais difícil e a desconstrução de todos os aparelhos dessa democracia deve ser reavaliada em relação à sua positividade. O intelectual orgânico já estava morto há muito tempo, é agora o intelectual hipercrítico que conhece uma crise de abatimento. Não surpreende que se tenha podido falar em seguida do "silêncio dos intelectuais", acentuado ainda depois de 1981.

---

3 Alain Renaut, entrevista com o autor.

Essa fratura dos anos 1970 provocará reações diferentes. Alguns ficarão passageiramente afásicos. É o caso, espetacular, do responsável pelas páginas de ciências humanas em *Le Monde*, Roger-Pol Droit, que opta, nesse momento, pela liberdade de ir e vir a seu bel-prazer. De um dia para o outro, abandona todas as suas funções. Em 1977, "ele partiu, dissolveu-se".[4] Roger-Pol Droit deixa *Le Monde* e abandona a coleção que lançara na Flammarion, "Dialogue", a qual já contava em seu ativo com três projetos de obras de Roman Jakobson, Noam Chomsky e Gilles Deleuze. Deixa no papel aquela que havia preparado com Foucault: "Larguei tudo".[5] Retorna, então, aos trabalhos e aos dias no liceu de Berck-sur-Mer, onde se vê mergulhado no ensino com finalistas. Durante sete anos, é a cura radical: nem mais uma linha é publicada, e a leitura privilegia as obras todas anteriores a Shakespeare:

> Eu tinha vivido esse período dos anos 1960 e 1970 como algo de aterrorizante. Levei tempo para entender (foi preciso que partisse para descobrir isso) que o pensamento podia ser algo extremamente alegre, lúdico, tônico, risonho, ao passo que tudo o que eu tinha podido retirar das minhas mamadeiras estruturais era que se precisa ser muito sólido, rigoroso, abstrato e frio, que tudo o que podia ser carnal era impensável.[6]

Roger-Pol Droit reencontrará, primeiro à distância, depois regularmente, os caminhos de mundo, mas transformado. Interroga-se depois sobre a exclusão do Oriente do pensamento ocidental.

Os "novos" filósofos

Não foi o caminho da fuga e da meditação solitária o escolhido pelos "novos filósofos". Eles utilizarão, pelo contrário, excessivamente o dispositivo midiático para representar perante o mais vasto dos públicos

4 Droit, Curriculum vitae e cogitatorum, *La Liberté de l'Esprit*, n.7 (La Manufacture), inv. 1988, p.24.
5 Roger-Pol Droit, entrevista com o autor.
6 Ibidem.

uma peça cujo centro é um exorcismo, para a maior parte, do engajamento maoista na esquerda proletária. Estando a escatologia revolucionária moribunda, é esse o momento em que toda uma geração rejeita seu passado comprometido com 1968 e, num impulso coletivo, passa pelo confessionário para aliviar seus pecados: "Esses meninos mimados, esses garotões atrasados, não é que eles desejavam a revolução imediatamente! Ela não veio, então eles batem o pé amuados. [...] Pobres gatinhos extraviados",[7] compadece-se Pierre Viansson-Ponté. Os adoradores de Mao – André Glucksmann, Christian Jambet, Guy Lardreau, Bernard-Henri Lévy, Jean-Paul Dolié –, campeões da adesão mística ao "grande timoneiro", aterrorizando todos os tíbios e indecisos, descobrirão depois o discreto charme do liberalismo. Mais do que um rumor, é uma algazarra que se espalha por toda a parte, mas também é um indício e, além da crítica que não tarda em suscitar – como a de Gilles Deleuze, de François Aubral e de Xavier Delcout –,[8] eles são o sintoma dilacerante da agonia de uma esperança, aquela de que foi portadora a sua geração. O efeito *Gulag* é aqui imediato. Em 1975, André Glucksmann escreve *La cuisinière et le mangeur d'hommes*. Fica-se sabendo aí que o *Gulag* já estava em Platão. Em 1976, *Les Nouvelles Littéraires* confiam a Bernard-Henri Lévy um dossiê sobre a "nova filosofia", cuja realização confirma o caráter coletivo do movimento e a sua vontade de arvorar-se em nova vulgata. O filão editorial é duplamente explorado por ensaios como *La barbarie à visage humain* (1977), de Bernard-Henry Lévy, que se converte rapidamente em *best-seller* graças à forma de expressão romanesca, como *Les déclassés* (1976) ou *Les années blanches* (1979), de Jean-François Bizot.

Esse novo discurso filosófico denuncia Maio de 1968, convertido em imagem do mal escondendo o mestre. Jean-Pierre Le Dantec tinha esquecido o protetor solar e passa a partir de então a advertir contra os perigos do Sol (*Les dangers du soleil*),[9] investe contra "a gangrena" que se situa não só em Marx, mas também na própria ideia de revolução e de sua "propensão congênita para o terror".[10] Michel Le Bris, outro

7 Paugam, Entretien avec Pierre Viansson-Ponté. In: *Génération perdue*, p.15-6.

8 Aubral; Delcourt, *Contre la nouvelle philosophie*; Deleuze, *A propos des nouveaux philosophes*.

9 Le Dantec, *Les dangers du soleil*.

10 Ibidem, p.279.

militante egresso do maoismo, opta pela autoflagelação: "O que é, no fundo, Maio de 1968? Uma insurreição de filhinhos de papai".[11] Bernard-Henri Lévy vê no movimento de Maio de 1968 o pálido e desenxabido crepúsculo do nosso século XX: "Vivemos o fim da história, porque vivemos no orbe do continuado capitalismo".[12] Uma geração órfã grita sua perplexidade e confusão, mas também prepara sua reconciliação com os valores de sua sociedade de origem. Ela exprime com particular acuidade a ruptura que ocorreu devido ao efeito *Gulag*. Não obstante, verifica-se nesse modo igualmente violento de pensar a mesma propensão para perverter o sentido do discurso, como aconselhava Althusser, a fim de se fazer ouvir. Nesse plano, subsistem elementos de continuidade do passado estruturalista abandonado na sarjeta. Utiliza-se ainda com maior diligência o debate público, o *audimat* como legitimação da correção de suas teses, e retira-se-lhe outro tanto do que é real. Tendo este decepcionado tanto, nada resta senão o discurso, e mesmo assim não é um discurso qualquer, mas o do mestre.

Quanto aos contraditores, são acusados de todos os males do totalitarismo com tanto mais veemência quanto pouco tempo antes o pensamento de Mao era o modelo imposto pela força: "Toda a crítica da nova filosofia era uma apologia da censura e do *gulag* intelectual".[13] Jacques Bouveresse vê uma continuidade entre a época triunfante do estruturalismo e a dos novos filósofos no uso de um terrorismo intelectual similar, de um mesmo sectarismo, e na utilização cínica da imprensa e das operações publicitárias. Ao contrário do discurso comum, que faz da mídia a responsável por essa evolução, Jacques Bouveresse considera que é a própria evolução do discurso filosófico que está na base dessa utilização da mídia, e não simples razões de ordem sociológica. Isso é resultante, segundo ele, do fato de que os filósofos encorajaram, nos anos 1960, "a tendência para raciocinar em termos de poder, de dominação, de relações de força, de lutas de influência, de estratégia, de oportunidade e de eficácia, e, sobretudo, não de verdade e de falsidade".[14]

11 Paugam, Entretien avec Michel Le Bris. In: *Génération perdue*, p.81.
12 Lévy, *La barbarie à visage humain*, p.170.
13 Bouveresse, *Le philosophe chez les autophages*, p.44.
14 Ibidem, p.89.

Para além dos vetores da mensagem dos novos filósofos, encontra-se refúgio no discurso, mas abandonando, de passagem, a perspectiva cientista: "Eu digo: o real é discurso e nada mais".[15] Após a mística maoista, dá-se a reconciliação com a metafísica, mas uma religião sem Deus, uma crença sem objeto a adorar, se porventura não for a ausência do ser ou daquele que ocupa o seu lugar, Lacan: "O século *é* lacaniano".[16] Era preciso, dizem os autores de *L'Ange*, fazer uma opção radical entre Joana d'Arc e Stalin: eles escolheram Joana d'Arc e receberam, assim, as bênçãos de Maurice Clavel. Os horrores do mundo os decepcionaram e os incitaram ao desprendimento cristão. A fé continua a guiar-lhes os passos, mas em que direção? François Maspero, pouco sensível a esses arroubos passionais, responde: "Eis a nova direita. Há dez anos, eram os filhinhos de Marx e da Coca-Cola. Hoje, tudo o que sobrou foi a Coca-Cola".[17] De fato, a nova filosofia é, frequentemente, um pensamento conciso, um pensamento-clipe sob a forma de *slogans*, do tipo: "Sem Marx, nada de revolução, sem o marxismo, nada de campos de concentração";[18] "O *gulag* nasceu em 1844".[19] Não se pode, com efeito, reduzir a história à produção exclusiva de ideias, exceto para reler a história da humanidade da maneira mais redutora e simplificadora possível. Mas a *hubris* (a desmedida) que terá revelado essa visão do mundo e sua ação recorrente, decapante, terá acompanhado e acelerado um fenômeno mais profundo de séria atenção à instabilidade preconizada nos países do Leste, ao preço muito duro de uma verdadeira destruição de todos os modelos de análise. Passou-se, sem transição, da desconstrução para a dissolução.

15 Lardreu; Jambet, *L'Ange*, p.18.
16 Ibidem, p.71.
17 F. Maspero, Le long combat de François Maspero, *Le Nouvel Observateur*, 27 set. 1976.
18 B.-H. Lévy, *Le Nouvel Observateur*, 30 jun. 1975.
19 M. Clavel, *Le Nouvel Observateur*, 23 mar. 1975.

26

As ilusões perdidas 2

O cientificismo extenuado

Embora em 1975 se ofereça um panorama do estruturalismo, em todas as suas componentes, que celebra os faustos da revolução estrutural,[1] apresentada como a aurora da modernidade, a hora é, de fato, a do crepúsculo de um pensamento inexoravelmente arrastado para um sepultamento de primeira classe, em particular na sua ambição de constituir uma unidade de todas as ciências humanas em torno de um método comum. O recuo é geral e a dispersão desenrola-se numa tal desordem que só pode gerar ecletismo sobre um fundo de desilusão. Será a expressão do fracasso de uma filosofia, de um método científico ou, antes, o fim do movimento de intensa socialização das ciências humanas, cuja voga reflui para o nível das contingências ideológicas, a fim de melhor estabelecer suas posições científicas?

A morte súbita do althusserianismo

A tentativa mais avançada no sentido do estabelecimento de uma filosofia que englobasse todas as ciências humanas terá sido o althusserianismo. Em nome do materialismo histórico, Althusser tivera por

1 Benoist, *La révolution structurale*.

ambição reexaminar as diversas positividades das ciências sociais para julgar sua validade. Ora, o althusserianismo não conhece um verdadeiro declínio, mas a morte súbita, tão espetacular e fulminante quanto seu sucesso. Em Maio de 1968, o secretário-geral da Confédération Générale du Travail (CGT), Georges Séguy, tinha lançado o famoso "Cohn-Bendit? Quem é ele?"; em breve, os estudantes, depois de 1975, poderão retomar a fórmula a propósito de Althusser, quando até então os trabalhos de pesquisa eram dominados pelas orientações althusserianas. Em Paris-VII, Pierre Ansart orienta a tese de Saul Karsz sobre Althusser: "O único trabalho verdadeiramente sério que tive de acompanhar sobre a questão. Mas quando foi necessário constituir uma banca, não havia mais ninguém. Durante dois a três anos, não se falava senão de Aparelhos Ideológicos de Estado (AIE), mas no quarto ano isso estava totalmente posto de lado!"[2]

Em Nanterre, em ciências econômicas, André Nicolaï confirma a reviravolta de 1975 como decisiva. É nesse momento que toda a reflexão estrutural-marxista, essencialmente althusseriana, é superada pelo recuo para a microeconomia, o retorno dos neoclássicos e do marginalismo: "Nanterre ficou muito perturbada até 1975 e a partir daí houve como que um embotamento afetivo em face das perturbações estudantis, e um embotamento intelectual em face do dogmatismo althusseriano. [...] Em 1975, portanto, está tudo terminado".[3]

O balanço que Emmanuel Terray faz do estrutural-marxismo althusseriano em antropologia é "globalmente medíocre".[4] Em primeiro lugar, o horizonte científico já não tem o prestígio de que gozava nos anos 1960, e os resultados obtidos permaneceram modestos. É verdade que os estruturalistas marxistas permitiram, como Godelier, a transformação de alguns conceitos da antropologia econômica, ultrapassando o velho antagonismo entre formalistas e substancialistas, mas a antropologia só parcialmente foi afetada, e conceitos centrais como os de modo de produção, que deveriam ter permitido propor modelos de análise das sociedades primitivas, revelaram-se decepcionantes, servindo apenas

2 Pierre Ansart, entrevista com o autor.

3 André Nicolaï, entrevista com o autor.

4 Terray, *Séminaire de Michel Izard*, Laboratoire d'anthropologie sociale, Collège de France, 12 jan. 1989.

como meios de classificação para tipologizar a diversidade social observada: "Permanecemos tributários da explicação funcionalista, principalmente a propósito das relações entre infra e superestruturas".[5] Em segundo lugar, os antropólogos althusserianos esperavam alicerçar a ligação entre teoria e prática política. Ora, essa fusão entre o engajamento político e a prática profissional de campo logo se revelou um engodo. Com o refluxo da onda althusseriana, foi a esperança de uma ciência unitária do homem que desapareceu por volta de 1975.

Essa ambição globalizante em agonia corresponde também a um momento de fechamento universitário, de recuo das disciplinas para suas próprias tradições específicas. A inovação teórica, a transdisciplinaridade, conduziram-se bem no âmbito universitário depois de 1968, na época em que se recrutavam jovens docentes na base de perfis de carreira inovadores, em ruptura; pelo contrário, em meados da década de 1970, a universidade não renova mais seus quadros após a sua cura de rejuvenescimento de 1968. Entra-se num período de austeridade, de restrição das nomeações de cargos, de racionalização na gestão dos orçamentos. Essa contração dos cargos docentes acompanhará e acelerará o fenômeno de frio recuo no plano teórico.

Aqueles que quiserem ocupar um lugar na universidade deverão adotar um perfil de carreira bem amparado no interior dos cânones disciplinares e escolher temas de teses que sejam os mais consensuais possíveis: "Vi então jovens pesquisadores lançarem-se nas pistas de assuntos inodoros, incolores e sem sabor para não fazer ondas, para evitar toda e qualquer implicação ideológica ou histórica".[6] Se a capacidade para inovar pôde ser um trunfo para se obter um lugar na universidade ao longo dos anos 1960, a partir de 1975 é a capacidade para obedecer às normas que se torna o critério de recrutamento. Aqueles que, no momento da onda estruturalista, retraíram-se podem reerguer agora a cabeça e considerar que o parêntese foi finalmente fechado; e também podem, daí em diante, retornar sem sentir vergonha aos valores canonizados de suas respectivas disciplinas, que tinham sido momentaneamente esquecidos.

---

5 Ibidem.

6 Philippe Hamon, entrevista com o autor.

Vitória do ecletismo

Por outro lado, o ecletismo substitui a vontade globalizante, numa sociedade cada vez mais mediatizada, em que os eventos devem ceder o lugar às "notícias". Toda linguagem que visa atingir o maior número e se limita, portanto, por princípio, aos estereótipos reconhecidos por todos inunda os poderosos meios de comunicação e acentua a serialização da sociedade em indivíduos cada vez mais isolados uns dos outros, "sem pertença", como diz o psicanalista Gérard Mendel. Essa evolução torna ilusória toda tentativa de globalização de um universo e de aparelhos de comunicação que escapa ao controle dos intelectuais: "Um discurso freudiano não passaria na mídia, mas pode passar aquele que programa uma inteligência freudiana".[7]

A inversão da conjuntura intelectual é perspicazmente assinalada por Pierre Nora, que teve, no entanto, na Gallimard, um papel seminal no desenvolvimento estruturalista. Mas está agora consciente de que a página foi virada. Constatando o fracasso das intenções globalizantes, Nora lança uma nova revista que se apresenta como um verdadeiro acontecimento na vida intelectual francesa em 1980, *Le Débat*. A revista já não pretende ser o suporte de um sistema de pensamento, de um método com vocação unitária, mas simplesmente um lugar de diálogo, uma encruzilhada de ideias: "*Le Débat* não tem sistema a impor, nenhuma mensagem a divulgar, nem explicações essenciais a fornecer".[8] *Le Débat* se coloca numa perspectiva de abertura e conserva-se, portanto, a uma certa distância da conjuntura estruturalista, que substitui pelo ecletismo a mais vasta justaposição de pontos de vista, sem conceder preponderância a determinado método de análise.

Pierre Nora, ao formular a pergunta "que podem os intelectuais?", constata que o deslocamento do centro de gravidade da literatura para as ciências humanas talvez esteja prestes a se inverter. Sem dúvida, as ciências sociais permitiram compreender que se fala uma linguagem distinta daquela que se crê falar, saber que se ignoram os motivos pelos quais se age, e que o ponto de chegada, os resultados, escapa ao projeto

7 Marcelin Pleynet, entrevista com o autor.
8 Nora, Éditorial, *Le Débat*, n.1, maio 1980.

inicial. Se nesse plano o balanço é positivo, a conjuntura impõe uma nova relação com o saber, porque "é ao abrigo da função crítica que funciona plenamente a irresponsabilidade política dos intelectuais".[9]

Essa nova orientação que rompe radicalmente com o paradigma estruturalista em sua vocação para ser uma grade de análise crítica é reforçada pelo distanciamento que ocorreu nas relações privilegiadas que Pierre Nora e Michel Foucault mantinham até então. O estruturalismo terá, sobretudo, gerado personalidades consideradas gurus, mestres pensadores, mas não uma verdadeira escola de pensamento:

> Nora percebeu muito bem que Foucault, fora dos seus próprios livros, não tinha escola [...]. Na Gallimard, Foucault considerava que ninguém estava dando bola para ele e isso não visava especialmente Nora, mas o fato de que não lhe pediam nada, quando estava cheio de projetos e teria gostado muito de ocupar-se ativamente de edição e administração.[10]

Pierre Nora escolhe Marcel Gauchet para dirigir a redação da revista e isso só podia acentuar ainda mais a distância que o separava de Michel Foucault, dadas as posições extremamente críticas de Marcel Gauchet em relação à obra foucaultiana.

A criação de *Le Débat* revela a reconciliação dos intelectuais com os valores da sociedade ocidental, uma reavaliação da democracia, do Iluminismo, e uma conversão progressiva ao aronismo. A revista constata a exaustão dos modelos de superação, quer na relação com um futuro a partir de então excluído, na resignação à perda de um futuro progressista ou revolucionário, ou no plano científico de um rigor desembaraçado do parasitismo ideológico. O tempo é propício a um pensamento displicente, móbil, lábil, que revele as ilusões perdidas do cientificismo dos anos 1960. Também é sintomático que o subtítulo de *Le Débat* destaque "História, Política, Sociedade", pois em 1980 as disciplinas que tiveram um papel de liderança no momento de glória do estruturalismo – antropologia, linguística, psicanálise – estão todas numa situação de crise, de refluxo de desintegração e de confusão teórica.

---

9 Idem, Que peuvent les intellectuels?, *Le Débat*, n.1, maio 1980, p.17.

10 François Ewald, entrevista com o autor.

Do outro ao mesmo: do inconsciente ao consciente

A antropologia que se interrogava sobre a figura do Outro não responde mais à demanda de uma sociedade ocidental que se interroga a partir de então principalmente sobre a figura do Mesmo, sobre seu passado e seus valores. Por outro lado, importadora dos seus próprios modos de demonstração tomados de outras disciplinas (da biologia no século XIX, quando ela concebia a sociedade como um organismo, depois da linguística estrutural no século XX), a antropologia encontra-se carente de modelos no momento do refluxo do estruturalismo. E faz surgir horizontes que ficaram por explorar durante o período estrutural, como o do político, que revela a não realidade da ambição globalizante inicial: para Marc Abélès, "é a desforra do cotidiano".[11]

Novas questões se apresentam aos antropólogos sobre a dominação dos mais velhos sobre os mais novos, as relações entre os sexos, a escravidão, os mecanismos do poder político em sua dupla realidade institucional e simbólica. Conscientes desses novos desafios, os antropólogos conhecem, então, uma grave crise conceitual, antes de se orientarem para novos modelos como a topologia ou a teoria das catástrofes. Nesse meio tempo, a etnologia tende a voltar a ser etnografia, simples descritivo do campo sem um quadro coerente de categorias: "A antropologia vive por sucessivas importações de modelos. Estes guiam as pesquisas, no sentido academista do termo, são fecundos durante um certo tempo, depois é necessário substituí-los. Estamos numa crise desse tipo".[12]

A cada etapa, as modelizações utilizadas permitem, entretanto, avançar para novas descobertas. As tentativas para fundamentar a antropologia como ciência não são, pois, frustradas, uma vez que deixam, ao se retirarem, conhecimentos e experiências relevantes, sem conseguir, porém, transformar de maneira irreversível a antropologia em ciência dura, talvez porque "para além das combinatórias e dos formalismos, o Homem não estava presente ao encontro".[13] Por outro lado, a antropologia estrutural se verá recriminada por seu relativismo cultural,

11 Abélès, L'anthropologie dans le désert, *Politique-Hebdo*, n.286, 24 out. 1977.
12 Emmanuel Terray, entrevista com o autor.
13 Abélès, L'anthropologie dans le désert.

que se converte num obstáculo para a reconciliação em curso dos intelectuais com os valores próprios de sua sociedade.

O "psicanalismo" que denuncia um íntimo de Michel Foucault, Robert Castel, em 1973,[14] também reflui em meados dos anos 1970. São cada vez mais numerosos os discípulos de Lacan que abandonam o mestre e suas figuras topológicas, antes mesmo que ele pronuncie a dissolução da sua escola.

O refluxo conjunto da antropologia e da psicanálise revela o desejo de problematizar de novo os modelos conscientes, e de não continuar a valorizar exclusivamente como lugar de verdade o nível do inconsciente, seja no nível individual ou das práticas sociais coletivas.

Por seu lado, a linguística já não desempenha o papel de motor das ciências sociais que exerceu durante a *belle époque* do estruturalismo; ela inicia uma retirada para posições institucionais conquistadas. A revista *Langages*, que lançava uma quantidade variável de 3-3,5 mil exemplares, vê suas vendas caírem sensivelmente na década de 1980 para 1,8-2 mil, a ponto de Jean Dubois ter pensado até em suspender sua publicação em 1986. Esse refluxo no nível editorial e no plano de irradiação intelectual do conjunto das ciências sociais é reforçado por um deslocamento da eficácia do modelo linguístico para as estruturas tecnológicas, para as "tecnologias da língua".

A linguística não perdeu, no entanto, o seu poder; este foi simplesmente deslocado, integrando-se na sociedade tecnológica, respondendo à sua demanda de computadores, de fala sintética: "A linguística tem um poder infinitamente superior ao que tinha, mas não é mais um poder na edição, ele situa-se no plano tecnológico".[15] Essa linguística de engenheiros em grandes laboratórios de pesquisas científicas, como o dirigido por Maurice Gross e onde trabalha Jean Dubois, implica uma outra relação entre a subjetividade, a originalidade e a realização de programas, relação invertida comparativamente à situação anterior. "Agora, não posso trabalhar, e ninguém pode, nem mesmo o diretor do laboratório, sem admitir o método de análise do conjunto do laboratório. É um verdadeiro laboratório de ciências, e tem-se de obedecer a uma

14 Castel, *Le Psychanalysme*.
15 Jean Dubois, entrevista com o autor.

metodologia que não permite mais sermos inteiramente nós mesmos".[16] Uma certa linguística terá, portanto, encontrado os caminhos da operacionalidade científica, mas terá renunciado ao seu papel de centro modelizante no interior do campo das ciências humanas. Essa retirada acompanha o refluxo geral do paradigma estruturalista, e desemboca, portanto, num novo paradoxo que vê uma linguística menos preocupada com a ideologia e mais com a metodologia operacional, no momento em que o cientificismo parece estar próximo da exaustão, após ter alimentado as ambições mais desmedidas.

16 Ibidem.

27

AS ILUSÕES PERDIDAS 3

O RETORNO DA ÉTICA

O estruturalismo foi uma tentativa de emancipação em relação à filosofia, cujo fim próximo ele não se cansava de apregoar em nome da ciência, da teoria. Ora, com o refluxo do estruturalismo, a filosofia, que se acreditava ter sido destituída, reencontra o seu anterior lugar central. O número da revista *Critique* de 1978 intitula-se "La philosophie malgré tout" e anuncia "O fim do fim da filosofia".[1] A prática de evitar determinadas questões propriamente filosóficas, preferindo o campo das ciências sociais, tinha permitido a crença em que o estruturalismo autorizava considerar definitivamente obsoletas as interrogações sobre a ética e sobre a metafísica. Ora, com a guinada radical em meados dos anos 1970, são justamente essas questões que a partir de então dominarão a vida intelectual francesa de forma duradoura. Essa demanda ética é a de um filósofo, entre outros, que permaneceu fiel ao seu materialismo e à sua adesão primeira a Althusser. André Comte-Sponville orienta-se para a busca de uma sabedoria, de uma arte de viver que ele qualifica de materialismo ético. Reconciliando o pensamento sem sujeito de um Althusser e de um Lévy-Strauss com a *anatta* dos budistas, Comte-Sponville parece desbravar os caminhos de uma ética de si

1 *Critique*, n.369 (La Philosophie malgré tout), fev. 1978, com J. Bouveresse, F. Châtelet, E. Martineau, V. Descombes e J. Rancière.

mesmo sem ego, desembaraçada de toda ambição desmedida de libertar a humanidade de suas cadeias.

A ética da responsabilidade

Quer tenha sido a tomada de consciência dos limites do cientificismo em matéria de ciências humanas ou o retorno da questão dos direitos do homem, a ética volta a ser um problema importante e muda de natureza: "A morte do estruturalismo, propicia o nascimento de um novo tipo de intelectual, cuja ética já não é a da convicção, mas a ética da responsabilidade, retomam-se aqui as categorias aronianas".[2] Reafirma-se, por conseguinte, o imperativo da "análise concreta da situação concreta", corre-se o risco do empirismo, mas é permitido pelo menos confrontar o fim com os meios utilizados para o atingir, e avaliar a variabilidade das situações no tempo e no espaço com mais discernimento. O que a partir de então os intelectuais querem evitar é deixar-se seduzir como foi o caso a respeito da União Soviética, que para muitos encarnou a vanguarda histórica da humanidade, seguida das vanguardas de substituição: China, Cuba...

O último sobressalto público da ética de convicção poderia ser datado de 1978, quando Michel Foucault, enviado por *Le Nouvel Observateur* ao Irã, descreve a revolução iraniana em marcha. Impressionado pela contestação dos valores ocidentais modernos, ele vê nessa revolução um movimento que permite reatar com uma espiritualidade política positiva: "A situação no Irã parece estar na expectativa de um grande duelo entre dois personagens com brasões tradicionais: o rei e o santo, o soberano em armas e o exilado sem munição; o déspota tendo à sua frente o homem que ergue as mãos nuas, aclamado por todo um povo".[3] Sabe-se hoje até que ponto esse governo islâmico que Foucault apresentava como libertador, encarnação da resistência à opressão, transformou-se numa ditadura ainda mais brutal do que o regime derrubado. Esse gênero de conduta, que passou a ser excepcional e incongruente

---

2 Alain Renaut, entrevista com o autor.

3 Foucault, A quoi rêvent les iraniens?, *Le Nouvel Observateur*, 16 out. 1978.

depois de 1975, largamente adotado, pelo contrário, no período precedente, pode ser interpretado como o resultado de uma posição hipercrítica em face da democracia e de suas instituições.

Se a função dos intelectuais está no exercício dessa crítica, ela implica, para evitar determinados delírios políticos, considerar que a democracia não é incontestável a ponto de ser preciso esquecer sua contribuição em termos de sabedoria e experiência para melhor exaltar uma outra coisa qualquer: "O problema não consiste em que se tenha produzido esse gênero de discurso crítico contra a democracia, mas que ninguém se tivesse dado ao trabalho de lhe juntar uma declaração de solidariedade".[4]

A filosofia da suspeita quis erodir as bases da democracia ao denunciar o seu avesso, os seus não ditos; mas ela depressa se converteu no seu contrário e deu lugar a uma fase de ecumenismo tíbio, de ingenuidade besta despojada de capacidade crítica. A virada dos anos 1970 dá lugar a uma atitude inversa e igualmente insatisfatória, pois tanto num caso como no outro a lucidez não saiu ganhando.

A volta do religioso

Com a emergência da constelação que se qualificou de nova filosofia, reunida e santificada por Maurice Clavel, assiste-se a uma relegitimação do religioso, que se acreditava ter sido historicamente superado, em particular nos movimentos maoistas, nos quais se substitui o "grande timoneiro" por Deus. É o caso, em 1975, de Philippe Némo,[5] que retoma os quatro discursos tal como os definira Lacan em seu seminário de 1970, mas deslocando-lhes o sentido, a fim de valorizar a posição do discurso do mestre. Se o seu discurso ainda se situa numa filiação lacaniana, é sobretudo para escapar-lhe, pelo alto, rumo à transcendência: "O homem como alma é o contemporâneo da transcendência que o transpassa: ele é filho de Deus".[6] O próprio título do livro, *L'homme structural*, revela

4 Jacques Bouveresse, entrevista com o autor.
5 Némo, *L'homme structural*.
6 Ibidem, p.234

a vontade do seu autor de conciliar o pensamento da estrutura e o da transcendência, que não deveria mais ser procurada em outro lugar, mas no próprio interior do homem estrutural.

No pós-guerra, Vladimir Jankélévitch tinha postulado a obrigação moral como um absoluto no plano da vontade racional, numa preocupação de alicerçá-la em sua imanência e em sua universalidade.[7] Esse filósofo inclassificável, um tanto ignorado no apogeu da onda estruturalista e que terá consagrado sua vida à busca moral e à reflexão metafísica, vê esse esforço coroado de êxito e seu questionamento retomado pelo conjunto do mundo intelectual no próprio momento em que desaparece, em 1985.

Um outro filósofo ocupa, então, o proscênio filosófico graças a uma filosofia baseada numa preocupação maior com a ética: Emmanuel Lévinas. Introdutor de Husserl na França nos anos 1930, ele também permanecerá à margem da efervescência estruturalista para voltar ao centro das preocupações com o retorno da questão do sujeito e da relação intersubjetiva. Emmanuel Lévinas interroga-se, como os estruturalistas, sobre os fundamentos da obediência à lei, mas situa-se no nível da ética: "Tudo começa pelo direito do outro e pela minha obrigação infinita de respeitá-lo".[8] Lévinas apoia-se na fenomenologia para situar a alteridade radical que separa o Mesmo do Outro, e baseia sua relação na copresença da ética: "Minha maneira de compreender o sentido do humano não começa por pensar na preocupação que os homens manifestam com os lugares onde se obstinam em ser-para-ser. Eu penso, sobretudo, em para-o-outro".[9]

É a descoberta do fato concentracionista que estimula o pensamento de Jankélévitch e de Lévinas. Um e outro procuram traçar o percurso para uma moral provisória, para um pensamento da relação com o Outro. Lévinas antecipou a reflexão contemporânea sobre a dialógica, estribada no conceito de interação que ressurge no próprio momento da crise das ideologias e da tomada de consciência dos desastres históricos que ocasionou o estabelecimento de sistemas fundamentados na

---

7 Jankélévitch, *L'austerité et la vie morale*; idem, *Le paradoxe de la vie morale*.

8 Lévinas, *Du sacré au saint*, p.20.

9 Idem, L'autre, utopie et justice, *Autrement*, n.102 (A quoi pensent les philosophes?), nov. 1988, p.58.

globalidade: "Pensar uma moral provisória, que foi em Descartes uma tarefa menor no projeto de controle da natureza, torna-se então um compromisso ponderável para os contemporâneos que transformam a moral provisória em projeto total".[10]

Outro sintoma da nova importância atribuída à dimensão ética é o reconhecimento, tardio mas espetacular, da importante obra realizada pelo filósofo Paul Ricœur. Lembra-se o leitor de que ele tinha sido um dos principais contraditores das teses de Lévi-Strauss, no âmbito dos debates da revista *Esprit*, a partir de 1963: ele opunha, naquele momento, à teoria geral das relações de Lévi-Strauss uma teoria geral da interpretação. Depois, foi derrotado por Michel Foucault quando de sua candidatura ao Collège de France em 1969. Encarnando, então, uma hermenêutica com a qual o estruturalismo triunfante queria garantir uma ruptura radical, ele era nesse momento um adversário ainda incômodo porquanto assimilava e integrava em sua perspectiva filosófica todas as aquisições das ciências humanas, graças a uma posição intangível de diálogo e de abertura. Em 1965, ele já publicara um ensaio sobre Freud, *De l'interprétation*:[11] tentava uma reapresentação reflexiva da obra de Freud integrando a perspectiva psicanalítica no interior de uma arqueologia do sujeito. Em 1969, reunia os seus artigos em *Le conflit des interprétations*, cujo objeto essencial era uma reflexão hermenêutica sobre a linguagem. Sem contestar o fundamento epistemológico da abordagem semiológica, Paul Ricœur negava ao modelo linguístico toda forma de absolutização, e já considerava a sua superação ao mostrar que, além da taxionomia, a linguagem é um dizer. Prosseguirá com um trabalho sobre a língua, bem como com essa confrontação com as teses estruturalistas, sobretudo quando critica o axioma da imanência da linguagem em *La métaphore vive* (1975).

Quando a onda estruturalista reflui é que se avalia melhor, hoje em dia, o caráter fundamental das orientações da filosofia de Paul Ricœur, que soube preservar, na contracorrente, as dimensões recusadas do sujeito, da ação, do referente, da ética..., ao mesmo tempo que se impregnava de tudo o que havia de positivo na efervescência semiológica em curso. Rechaçando o fechamento da linguagem sobre si mesma,

10 Georges-Élia Sarfati, entrevista com o autor.
11 Ricœur, *De l'interprétation*. Essai sur Freud.

acrescentou sempre a dimensão do agir humano e apresentou seu trabalho numa relação de complementaridade com a semiologia.[12] Hoje, Paul Ricœur está melhor situado do que qualquer outro para resistir à vaga que arrasta para o nada toda a reflexão dos anos 1960, e para permitir a plena realização da virada em curso, ao participar de maneira central no retorno atual da ética. É o que ele faz ao explorar as múltiplas dimensões do sujeito. Elabora a esse respeito uma terceira via, entre o idealismo do *cogito* cartesiano e as práticas desconstrutivas, a qual passa por uma reinterpretação da dialética do Mesmo e do Outro.[13] Após ter sido consagrado no estrangeiro – nos Estados Unidos, onde leciona (em Chicago), na Alemanha, na Itália, no Japão –, Paul Ricœur vê-se finalmente reconhecido e celebrado na França. Um número especial de *Esprit* é publicado em julho-agosto de 1991 sobre a sua obra, um colóquio é-lhe consagrado em Cerisy,[14] Le Seuil publica sucessivamente sob o título *Lectures* três volumes que reúnem seus escritos esparsos: prefácios, comentários, artigos etc., e sua trilogia sobre a temporalidade é publicada em 1991 em livro de bolso.[15] Todas essas intervenções fazem de Paul Ricœur o grande filósofo contemporâneo no coração da cidade.

O retorno à filosofia

Outro sintoma – mais tardio – desse retorno da filosofia e da ética é o itinerário de Julien Freund – um dos introdutores de Max Weber na França –, que tinha abandonado o campo das interrogações propriamente filosóficas para responder melhor às questões apresentadas pelas ciências sociais.[16] Ora, Julien Freund abandona suas investigações sociais para retornar a uma "filosofia filosófica",[17] e convida para uma

12 Idem, *Du texte à l'action*.
13 Idem, *Soi-même comme un autre*.
14 Idem, *Les métamporphoses de la raison herméneutique*.
15 Idem, *Temps et récit*; I: *Temps et récit* (1983); II: *La configuration dans le récit de fiction* (1984); III: *Le temps raconté* (1985).
16 Freund, *Les théories des sciences humaines*; idem, *Qu'est-ce que la politique?*; idem, *La sociologie de Max Weber*; idem, *Sociologie du conflit*.
17 Idem, *Philosophie philosophique*.

reavaliação da filosofia como discurso específico, que ele considera estar em agonia depois da crítica nietzschiana: "poder-se-ia dar a esta obra o título de 'Contra Nietzsche'".[18] Ele reage também para salvar a moral que naufraga no momento em que parece triunfar o artifício do pós-modernismo. Julien Freund não nega o desvio que realizou e que conduziu ao território das ciências sociais: "Esse longo período através das ciências humanas foi benéfico sob todos os pontos de vista".[19] Mas constata simplesmente que elas não podem substituir a filosofia e preconiza voltar à divisão recusada pelo pós-modernismo entre as noções de verdadeiro e falso, bem e mal, julgando, portanto, a interrogação metafísica como fundamental: "A reflexão sobre a essência não é um jogo gratuito [...], pois consiste num esforço simultaneamente de identificação e de diferenciação de noções, sem o que se soçobraria na confusão".[20]

A volta à filosofia também adota o caminho de abertura para o estrangeiro com a filosofia analítica, cujo acesso tinha sido barrado na França pela efervescência estruturalista, a qual não permitia incluir o sujeito no campo de problematização. Essa abertura foi facilitada, evidentemente, pelo refluxo do estruturalismo, mas também pela descoberta da obra de Wittgenstein, graças, sobretudo, aos trabalhos de Jacques Bouveresse.[21] Em meados dos anos 1980, Bouveresse denuncia a tendência dos filósofos para se comprazerem na negação de sua identidade.[22] Ele compara a prática da filosofia no mundo anglo-saxão como disciplina argumentativa com o *status* literário desta na França, o que revela frequentemente uma indiferença tanto ao seu conteúdo quanto à argumentação utilizada. Jacques Bouveresse opõe à filosofia desconstrutora ou ultraestruturalista a exigência de claridade pela qual Wittgestein define a especialidade da filosofia e a diferencia do espírito de ciência e de sua contemporaneidade: "Hoje, os novos dionisíacos vão repetindo que devemos pôr fim, de forma absoluta, ao reinado da lógica, da razão e da ciência".[23] Apoiando-se nas posições de Frege e de

18 Ibidem, p.12.
19 Ibidem, p.53.
20 Ibidem, p.108.
21 Bouveresse, *Wittgenstein*: la rime et la raison; idem, *Le mythe de l'intériorité*.
22 Idem, *Le philosophe chez les autophages*.
23 Ibidem, p.71-2.

Wittgenstein, Bouveresse também pensa que não se pode dispensar um julgamento moral e negar a responsabilidade humana.

A negação dessa dimensão resulta do que Popper chama o "monismo ingênuo": "O conhecimento sobre si mesmo que o indivíduo deve às mais notáveis descobertas das ciências do homem não resolve nenhum problema ético ou político".[24] Assim, a psicanálise, que chegou mais longe nesse sentido, não consegue ser mais eficaz que o marxismo para curar o homem da crença religiosa. Ora, o período estruturalista se caracterizou pela preponderância atribuída aos diversos determinismos psicológicos, sociológicos e culturais. Tendeu a substituir o homem racional pelo homem psicológico, criatura simultaneamente mais rica, mas também mais perigosa e inconstante, segundo Bouveresse, para quem Wittgenstein representa a última figura dos grandes filósofos cujo "'realismo', ascético, distante e implicitamente irônico, evoca de muito perto a atitude de certos sábios da Antiguidade, [...] aquela que consiste em só aceitar o mínimo de dependência e em tentar adquirir o máximo de liberdade em relação às necessidades e às satisfações impostas".[25]

24 Ibidem, p.96.
25 Ibidem, p.166.

28

Da reprodução à regulação

Os filhos de Keynes, de Althusser e da crise

Do lado dos economistas, a reviravolta decisiva data de 1973. Até então, os "trinta gloriosos", como lhes chamava Jean Fourastier (os "trinta vergonhosos", segundo Jean Chesneaux), tinham permitido ao Ocidente conhecer um crescimento espetacular no pós-guerra. De súbito, a crise inverte a situação, desfaz as previsões otimistas dos prospectivistas e frustra os esquemas clássicos de explicação, assim como as tentativas de saída da crise cuja eficácia revela-se duvidosa.

A crise abala, assim, os esquemas althusserianos baseados na *reprodução*: esta conhece, manifestamente, disfunções importantes demais para ser percebida sem que se lhe introduza movimento e contradições. Do mesmo modo, a crise atinge os economistas neoclássicos; eles são forçados a questionar sua concepção de mercado perfeito que parecia funcionar sem muitos choques e constituía seu paradigma central de análise desde os anos 1950. O pressuposto de um equilíbrio geral desconstrói-se, atingido pela crise, e obriga a uma abertura para elementos exógenos. A corrente estruturalista em economia desviará suas orientações e passar progressivamente da reprodução para a *regulação*.

Essa corrente é oriunda, entre outras, do keynesianismo: "Os keynesianos do sul denominam-se estruturalistas. A Comissão Econômica para a América Latina e o Caribe (Cepal) fala de análise estruturalista da inflação, de análise estruturalista do desenvolvimento".[1] A difusão do keynesianismo na França foi facilitada pela influência das teses durkheimianas entre os economistas. Ela passa, pois, pela ideia da necessidade de construir seu objeto de análise, de fundar modelos puros para analisar a realidade econômica a partir de estruturas que induzem o comportamento de tal ou tal categoria de agentes e permitem, portanto, a sua formalização.

Mas a grade estruturalista foi importada, sobretudo, pelas ciências econômicas por meio do althusserianismo. A chamada escola da regulação (da qual fazem parte, entre outros, Michel Aglietta, Hugues Bertrand, Robert Boyer, Benjamin Coriat, Alain Lipietz, Jacques Mistral e Carlos Ominami) é fruto dessa corrente de pensamento estrutural-marxista e, simultaneamente, de um distanciamento crítico das teses althusserianas: "Nós, regulacionistas, somos de certa maneira filhos rebeldes de Althusser".[2] Alain Lipietz descobre Marx graças a Althusser e consagra o seu Diplôme d'Études Spécialisées (DES) a este último em 1972.[3] Diante da crise de meados dos anos 1970, tem de corrigir certas orientações iniciais para compreender a evolução da situação econômica. Insistirá, então, ele e aqueles que se organizarão no que se denominou a escola da regulação, no caráter contraditório das relações sociais de produção, que obstrui os mecanismos simples de reprodução e, por outro lado, toma consciência de um horizonte morto do althusserianismo baseado num processo sem sujeito.

Os regulacionistas se encontrarão diante da necessidade imperiosa de reintroduzir o sujeito, suas representações, suas estratégias, no interior dos próprios mecanismos da reprodução, por meio dos quadros instituídos. Alain Lipietz reconhece, entretanto, ao althusserianismo o mérito histórico de ter desferido um golpe decisivo no marxismo estereotipado, de ter permitido derrubar "o mito da contradição única, da expectativa messiânica de uma revolução pela virtude implacável da contradição entre forças produtivas e relações de produção interiorizada na contradição proletariado/burguesia".[4] O determinismo economicista é

1 Alain Lipietz, entrevista com o autor.
2 Idem, De l'althussérisme à la théorie de la régulation. In: Fórum "The Althusserian Legacy", Stonybrook, SUNY, 23-24 de setembro de 1988, *Anais...*
3 Idem, *Sur le pratiques et les concepts prospectifs du matérialisme historique.*
4 Idem, De l'althussérisme à la théorie de la régulation, p.12.

abalado por Althusser e o estabelecimento do conceito de modo de produção como estrutura articulada de três instâncias é um instrumento que permite complexificar a grade de análise. Desse modo, ele permite sair vantajosamente da vulgata em uso. Mas o althusserianismo deixa de responder à expectativa dos regulacionistas quando propõe conceitos que descrevem uma realidade essencialmente estática e quando, em nome do combate contra o historicismo, contra o evolucionismo, não permite mais explicar modalidades de passagem, mudanças.

O modo de produção define-se essencialmente nos althusserianos por sua tópica, pela reprodução dos lugares que realiza no interior da estrutura, não no tempo, mas no nível de um plano e de uma lógica de deslocamento nesse plano. É fundamentalmente a partir de uma crítica dessas limitações que a teoria da regulação se definirá: "Rejeição da contradição e do sujeito: essas duas censuras parecem ser, para o althusserianismo clássico, o preço do surgimento do conceito de reprodução".[5]

O regulacionismo se apresenta, então, como a ultrapassagem necessária do althusserianismo para pensar a crise, para mostrar que a reprodução não é isenta de dificuldades e que, se pode perdurar durante um longo período, como o dos "trinta gloriosos", também é capaz de acumular no decorrer dele um certo número de contradições que acabam por se combinar e culminar numa crise. Mas Lipietz lembra sua dívida para com Althusser, tratado com muita frequência, como outrora Hegel, como um "cachorro morto": "infelizmente, aqueles que hoje 'esquecem' Althusser, 'esquecem', de fato, Marx, a existência de estruturas de exploração, o peso das relações sociais".[6]

No início dos anos 1970, Michel Aglietta parte para os Estados Unidos com a finalidade de descobrir o que fundamenta a eficácia do crescimento em curso. Procura apurar, por exemplo, qual pode ser o modo de ação do Estado para conter os fatores de crise: "Para isso, procedi a um deslocamento de campo. Fui aos Estados Unidos para fazer esse trabalho".[7]

Michel Aglietta trata de identificar, então, a partir da realidade econômica norte-americana, os modos de coordenação intermediários que

---

5 Ibidem, p.33.
6 Ibidem, p.49.
7 Michel Aglietta, entrevista com o autor.

possibilitam compreender que não basta justapor a lógica do Estado à do mercado para fazer aparecer uma estrutura de conjunto. Lança-se, portanto, no que constituirá a grande originalidade da escola regulacionista, a pesquisa das formas de relações intermediárias, institucionais. Estas englobam toda uma realidade que era encarada de um ponto de vista estritamente instrumental pelos keynesianos e que era repelida pelos defensores do equilíbrio geral, como representativa de elementos exógenos não pertinentes.

Michel Aglietta introduz essa posição das instituições que escapava à axiomática inicial no interior da coerência da estrutura econômica e social: "Era essa a primeira exigência. A segunda consistia em dizer que existe uma eficácia dos grupos sociais e não somente dos indivíduos".[8] Integra no horizonte do pensamento econômico as racionalidades que resultam do comportamento dos agentes, concebidas como ações de grupos e não como de indivíduos atomizados. Essas lógicas deixam transparecer os níveis de coordenação, mas também as contradições e os conflitos de interesses que introduzem um movimento constante no interior da estrutura. É evidente que Michel Aglietta viu seu objeto de estudo transformar-se com a crise de 1973. Quando seu estudo é publicado, leva em conta a dupla realidade do crescimento e da crise.[9] Ele concebia, nesse momento, essa abordagem regulacionista numa situação de proximidade teórica com o althuserianismo e, uma vez terminado o livro, mostrou-o "a Althusser e a Balibar. Foi algo que eles avalizaram muito bem. Reconheciam-se nessa abordagem".[10] Tal como Alain Lipietz, Michel Aglietta estava impregnado do modelo epistemológico que o althusserianismo oferecia. Retinha dele, particularmente, a ideia de formular os problemas em termos de sobredeterminação, o fato de considerar as estruturas como totalidades articuladas. Antes de sua partida para os Estados Unidos, ele conduzira, aliás, com Philippe Herzog, um trabalho de pesquisa sobre as problemáticas de crescimento a partir da grade de questionamento althusseriana, adaptando à economia a ideia de formas intermediárias e de encaixe. De um modo mais global, a conjuntura estruturalista do final dos anos

8 Ibidem.

9 Idem, *Régulation et crises du capitalisme*. L'expérience des États-Unis.

10 Idem, entrevista com o autor.

1960 influenciou as orientações de trabalho de Michel Aglietta, pois seu objetivo era também compreender como podia funcionar a diversidade num mesmo quadro estrutural, como os processos de regulação podem ser diferentes, complexos e, no entanto, inscrever-se no interior de um mesmo sistema capitalista, o que permitia situar o problema das diferentes vias nacionais: "As referências procuradas eram aquelas que procuravam compreender o que era comum a todas essas sociedades. A ideia de formação social era, portanto, essencial, assim como o que era transversal entre elas".[11]

Nessa dialetização do singular e do universal, Michel Aglietta está muito atento à obra de Georges Dumézil, "porque ele destacava o papel essencial das representações",[12] e permitia, dessa maneira, perceber para além de sistemas com doutrinas diferentes uma mesma forma de legitimidade, decorrente do ideológico e representando o fundo comum dessas sociedades. Foucault também influenciou Aglietta, "porque ele formulava questões sobre as instituições e dava respostas".[13] O que o seduzia, sobretudo, era a atenção de Foucault aos micropoderes, seu deslocamento do centro para as periferias, sua pluralização de um poder multiforme que corresponde perfeitamente à vontade de atingir os corpos institucionais intermediários dos regulacionistas. Foucault permitia, além disso, um certo distanciamento da "concepção fundamentalista do marxismo"[14] e a compreensão desse modo de crescimento sem choques nem conflitos, repousando num sistema de conciliação, de ajuste dos interesses apresentados até então em seu antagonismo irredutível, entre capitalistas e assalariados: "Foi o que eu tentei em seguida mostrar sob a forma da compatibilidade da progressão do salário real e do emprego com a progressão da taxa de lucro, no nível global da macroeconomia".[15]

Na confluência dos diversos polos do pensamento estrutural, Michel Aglietta também é decididamente influenciado por Pierre Bourdieu, cuja orientação ele aprecia desde 1963, por ocasião de algumas conferências na Politécnica, nas quais Bourdieu desenvolvia sua

11 Ibidem.
12 Ibidem.
13 Ibidem.
14 Ibidem.
15 Ibidem.

abordagem, então ainda incipiente. A dimensão sociológica pertence, de fato, ao horizonte do trabalho sobre a regulação, que procura compreender essa conciliação entre interesses de classes *a priori* divergentes; daí o interesse de Michel Aglietta pela reestruturação dos grupos sociais por sua integração no salariado, no quadro de um Estado que desenvolve a proteção social, o sistema educativo, o acesso ao consumo, e remodela assim esses grupos, estratificando-os a partir de um deslocamento do próprio sistema de regras. Essas diversas influências que geraram o regulacionismo são aparentemente díspares, mas, de fato, convergem e fazem parte "dessa mesma família de ideias que adotava por objetivo precípuo olhar a sociedade procurando nela estruturas finas".[16]

Única ciência social a ter conseguido uma formalização tão apurada, a economia tinha servido de modelo no ponto de partida do paradigma estrutural; reencontramo-la no ponto de chegada, beneficiando-se das consequências incidentais da efervescência epistemológica dos anos 1960, a qual permitiu ver nascer uma escola nova e dinâmica com os regulacionistas. Esses últimos permitem a assimilação de uma boa parte do programa estrutural, se bem que em determinadas condições, como a necessária dinamização das estruturas e a reintegração dos agentes da economia, os homens.

A dupla injeção da história e dos agentes

A escola da regulação se encontra na encruzilhada de três heterodoxias: em primeiro lugar, na qualidade de herdeira de um marxismo "althusserizado"; em segundo, por sua filiação keynesiana, ao considerar a demanda efetiva, ao defender uma concepção da moeda como instituição, e uma concepção do trabalho como relação e não como mercado; finalmente, como herdeira do institucionalismo. Essa genealogia é posta em evidência por Robert Boyer, um dos fundadores da escola da regulação, num breve ensaio de 1986.[17] Essa obra se tornará mais necessária, porque a escola regulacionista começava a se difundir em

16 Ibidem.

17 Boyer, *La théorie de la régulation*: une analyse critique.

escala internacional, englobando as crescentes divergências de orientação, principalmente entre os adeptos da chamada escola de Grenoble, animada por Gérard Destanne de Bernis, o Groupe de Recherche sur la Régulation de l'Économie Capitaliste (Greec),[18] frequentemente próximo das posições do Partido Comunista Francês (PCF), e a escola de Paris em torno do Centre d'Études Prospectives d'Économie Mathématique Appliquées à la Planification (Cepremap). Robert Boyer admite, de imediato, o caráter "mestiçado" da doutrina regulacionista, que deve se adaptar a um contexto e a problemas novos. Ela se distingue das doutrinas de autorregulação do mercado por sua abertura para o social e para a história.

Trata-se de descobrir o que fundamenta as situações estabilizadas pelo tempo. Os quatro principais traços que Robert Boyer destaca para definir a abordagem regulacionista são, em primeiro lugar, uma certa fidelidade às questões da análise marxista em sua preocupação de estudar as relações sociais a partir de uma visão holística; em seguida, o reconhecimento de leis tendenciais, envolvendo uma certa crítica dos esquemas estruturalistas que imobilizam o tempo ou dos do capitalismo monopolista de Estado de Paul Boccara; em terceiro lugar, a atenção às formas institucionais como derivadas seja da relação mercantil, seja da relação capital/trabalho; e finalmente, o interesse pela macroeconomia kaleckiana que se inscreve no interior do processo de acumulação do capital.

A partir de cinco instituições retidas como critérios privilegiados de estudos (a moeda, as formas da concorrência, a relação salarial, o Estado, o modo de inserção na economia mundial), todos variáveis também no tempo e no espaço, os modos de regulação combinam-se em regimes de acumulação e definem igualmente modos específicos de desenvolvimento.

A abordagem é particularmente ambiciosa na sua vontade de apreender o jogo de interação entre o econômico e o social a partir de situações concretas, e ao ressituar estas últimas numa perspectiva dinâmica, com a preocupação de realizar "o estudo da transformação das relações sociais criando formas novas simultaneamente econômicas

18 Greec, *Crise et régulation*.

e não econômicas, formas organizadas em estruturas e reproduzindo uma estrutura determinante, o modo de reprodução".[19]

O althusserianismo inicial, e seus conceitos de modo de produção, de instâncias, de sobredeterminação, defronta-se com a historicidade, com a história de longa e média duração, o que explica que a saída do estruturalismo permita privilegiar um diálogo e um interesse pelos trabalhos dos historiadores, sobretudo por Fernand Braudel: "Os trabalhos de Braudel são úteis para os economistas que afirmam ser o material histórico fundamental para o desenvolvimento da ciência econômica".[20] É o caso da escola da regulação, cuja concepção holística, antropológica, dos mecanismos econômicos induz a que se leve em conta a historicidade, tanto no plano heurístico quanto no nível do material inicial da análise conceitual. Sua preocupação consiste em quebrar os sistemas rígidos e mecânicos, como o das etapas predeterminadas da vulgata marxista, que se apoia exclusivamente no estado das forças produtivas. Mas os regulacionistas também questionam a ideia de permanência dos mecanismos de reprodução, na qual se apoia um enfoque estritamente estruturalista: "A referência a diferentes regimes de acumulação evita criar invariantes, tão frequentemente citadas na literatura marxista de inspiração estruturalista".[21]

A segunda grande abertura dos regulacionistas é uma decorrência do fato de levarem em conta a distinção entre a lógica social de conjunto e a das estratégias que os grupos sociais desenvolvem. A partir da ideia de uma coerência do conjunto, ela não deve ocultar "a necessidade de explicitar as mediações por meio das quais se determinam os comportamentos coletivos e individuais".[22] Os regulacionistas abrem, portanto, a porta para o regresso do sujeito, sem se tornarem os apóstolos de um individualismo metodológico, que é o da microeconomia, inteiramente estranha às preocupações deles. Não se trata de formalizar, de equacionar o comportamento individual, mas de reintroduzir os agentes como grupos, categorias sociais portadoras de estratégias institucionais ou comportamentais mais ou menos conscientes. Esses

19 Aglietta, *Régulation et crises du capitalisme*, p.14.
20 Idem, Le Schumpeter de l'histoire, *EspacesTemps*, n.34-35 (Braudel dans tous ses états), 1986, p.38-41.
21 Boyer, *La théorie de la régulation*, p.47.
22 Ibidem, p.43.

agentes, que estão no centro da análise regulacionista, são estudados precisamente por meio das inflexões da *relação salarial*, convertida em instância privilegiada nas transformações do modo de desenvolvimento durante um longo período.

De fato, é a relação salarial que subtende os mecanismos de regulação, e é ela que permitirá localizar as novas censuras no regime de acumulação. Michel Aglietta já mostrava em sua tese de 1974 como o crescimento norte-americano do pós-guerra apoiou-se numa generalização do sistema fordista, ou seja, num regime de acumulação intensiva centrado na produção e no consumo de massa, no acesso dos assalariados ao *american way of life*.[23] Ao sistema taylorista do entreguerras sucede um regime melhor regulado: o fordismo, que sofrerá, por sua vez, uma crise decisiva no final dos anos 1960, sensível ao decréscimo dos ganhos de produtividade.

A obra de Michel Aglietta desempenhará um papel seminal num momento particularmente oportuno, em 1975, quando o estrutural-marxismo althusseriano atravessa um momento de asfixia: "Em 1975-1976, Aglietta organizou a discussão da sua tese no decorrer de um longo seminário que inspiraria os trabalhos de uma equipe do Cepremap".[24] Os regulacionistas serão os melhores elucidadores na análise dos fatores de crise, por sua capacidade de oferecer uma explicação multidimensional e, ao mesmo tempo, centrada na crise da relação salarial.[25]

O segundo campo revisado pelos regulacionistas é o da moeda. Michel Aglietta e Alain Lipietz criticam a subestimação da importância da moeda no marxismo tradicional, e a negação pelo althusserianismo do caráter contraditório da relação mercantil: "Na troca mercantil, na relação salarial, trata-se efetivamente de abonar o tempo de trabalho, de arrancar o sobretrabalho".[26]

---

23 Aglietta, *Accumulation et régulation du capitalisme en longue période*. Exemple des États-Unis c1870-1970.

24 Lipietz, La Trame, la chaîne, et la régulation: un outil pour les sciences sociales In: Congresso Internacional sobre a Teoria da Regulação, Barcelona, 16-17 jun. 1988. *Anais...*, p.2. O trabalho de equipe mencionado por Alain Lipietz foi publicado em 1977: Lipietz; Benassy; Boyer et al., *Approches de l'inflation*: l'exemple français.

25 Ver, por exemplo, Coriat, *L'atelier et le chronomètre*. Essai sur le taylorisme, le fordisme et la production de masse.

26 Lipietz, *Le monde enchanté*. De la valeur à l'envoi inflationniste, p.14-5.

Michel Aglietta realiza um novo deslocamento da abordagem a fim de apreender a moeda não mais apenas como um dos modos de regulação entre outros, mas também como um fenômeno irredutível sem o qual não se pode passar: "A ciência econômica não se interroga sobre a natureza dos fenômenos monetários".[27] Questiona o postulado que, em seu entender, oculta a vivência da desordem, da violência, do arbitrário, do poder e do compromisso instituído pela moeda: o da teoria do valor, com suas duas variantes, o valor de uso e o valor de troca.

> No caso da moeda, eu não podia continuar trabalhando de forma aleatória, pois se estava no âmago das questões a partir do instante em que se definia a moeda como a instituição de base da economia, e em que essa instituição não era pensável na base da lógica do mercado. Isso levou-me a formular o problema da socialização das relações separadas a partir de uma outra lógica que não a do valor, tornando-se a moeda a relação fundadora.[28]

Essa refundação do papel da moeda envolve uma releitura crítica do uso que dela fez o neokeynesianismo do pós-guerra, para o qual o Estado podia regular à vontade os fluxos monetários mediante um direcionamento central. Michel Aglietta e André Orléan recusam igualmente a tradição liberal de uma "moeda silenciosa" – segundo os termos de Jacques Rueff –, a grande muda das leis endógenas do mercado.

Foi a partir dessa dupla insatisfação que eles sentiram a necessidade de construir "uma teoria qualitativa da moeda".[29] Oferece-se, então, a possibilidade de uma abordagem estruturalista, qualificada de teoria do circuito monetário: os autores admitem o progresso que ela representa em relação a um ponto de vista naturalista, mas sublinham seu maior inconveniente, postular as instituições como dados e, portanto, dedicar-se unicamente à descrição de uma reprodução imutável: "Para o estruturalismo, cada modo de organização social é inteiramente definido por suas regras. Ele tende apenas para a sua própria conservação e nada mais".[30]

---

27 Aglietta; Orléan, *La violence de la monnaie*, p.12.
28 Michel Aglietta, entrevista com o autor.
29 Idem; Orléan, *La violence de la monnaie*, p.15.
30 Ibidem, p.17.

A moeda permite, aos autores regulacionistas, captar a tensão entre as lógicas de afirmação individual e as da coordenação do sistema, graças à sua dualidade, à sua ambivalência: "Pode-se dizer que por aí se escapa ao estruturalismo de uma certa maneira ao considerar irredutível essa tensão".[31] No caminho desse deslocamento teórico, os autores encontram a obra de René Girard, "a qual permite destacar o caráter geral da violência e seus fundamentos. Dela se deduzem certas semelhanças esclarecedoras entre a ordem mercantil e a ordem sacrificial".[32] A análise desse objeto privilegiado da ciência econômica, que é a moeda, encontra-se, portanto, enquadrada numa perspectiva antropológica global que vê nele o ter como metonímia do ser, numa relação de três termos que coloca em confronto o sujeito, o objeto e o rival, segundo o esquema mimético de René Girard, meio, para Aglietta, de reintrodução do caráter conflitante, contraditório, no próprio interior da relação mercantil, sem que para isso se adote o individualismo metodológico.

Uma renovação oriunda da alta administração, à margem da universidade

A filiação althusseriano-estruturalista, que deu origem à teoria da regulação, reveste-se de uma particularidade que a diferencia nitidamente das outras ciências humanas: ela só marginalmente afeta a universidade, ao passo que está representada de maneira maciça no próprio âmago da alta administração do Estado. Tendo sucedido aos "desenvolvimentistas" do pós-guerra, que lançaram o planejamento à francesa num quadro contábil neokeynesiano, esses engenheiros-economistas saem das grandes escolas (a Politécnica, essencialmente, a de Minas, a de Pontes...) e optam pelo serviço na administração pública, em vez de uma carreira no setor privado: "Eu disse que éramos os filhos rebeldes de Althusser, mas também de Pierre Massé, o grande Comissário do

31 Michel Aglietta, entrevista com o autor.
32 Idem; Orléan, *La violence de la monnaie*, p.21.

Plano dos anos 1960".[33] A maioria dos regulacionistas vem da Politécnica: Michel Aglietta, Hugues Bertrand, Robert Boyer, Alain Lipietz, Jacques Mistral. Trabalham na administração, no Institut National de la Statistique et des Études Économiques (Insee), no Comissariado do Plano, no Cepremap.

Essa situação de excentramento em relação aos polos fundamentais da vida intelectual os afasta um pouco da pluridisciplinaridade, do diálogo com as outras disciplinas, e a abertura para estas depende mais de uma postura voluntarista de autodidata do que de estruturas transversais. É assim que o politécnico Michel Aglietta descobre, já quarentão, a obra de René Girard, o que lhe permite afirmar que a moeda incorpora a violência. Marc Guillaume, egresso da Politécnica, está descontente com o saber que aí lhe fora transmitido: "A formação de um engenheiro na França é de bom nível científico e técnico, bastante abrangente, mas é muito deficiente no tocante a todo e qualquer saber social. Nesse plano, a incultura é total".[34] Marc Guillaume completa sua formação de engenheiro com uma formação de economista, é aprovado para professor de Economia em 1968, e só a partir dessa data se integra à efervescência que ocorre em torno das ideias estruturalistas, na Escola de Frankfurt, de Marcuse...

Nos gabinetes de estudos se multiplicam os contratos com o Comité d'Organisation des Recherches Appliqués sur le Développement Économique et Social (Cordes). Ora, nessas equipes, o marxismo althusseriano está especialmente presente, com o desejo de reconciliar Marx e Keynes, trabalhando-se sobre modelos econométricos. Além disso, "o althusserianismo como estruturalismo é o ideal para fazer do marxismo algo que seja admissível na administração pública. É tão culto, tão polido!".[35] Assim é que Bernard Guibert, no Insee, escreve o seu painel sobre a economia francesa, que se tornará a linha oficial para uma parte da administração pública.[36] Portanto, é em torno das necessidades do plano, da prospectiva, sob o impulso do Estado, que as reflexões sobre os modos de regulação ganharam raízes no próprio

33 Alain Lipietz, entrevista com o autor.
34 Marc Guillaume, entrevista com o autor.
35 Alain Lipietz, entrevista com o autor.
36 Guibert, *La mutation industrielle de la France*. Du traité de Rome à la crise pétrolière.

seio da administração francesa: "Isso levou-nos, nos anos de 1966-1968, aos limites do modelo de interpretação dessas práticas",[37] pois a justaposição de modelos econométricos importados do mundo anglo-saxão, concebidos para serem operacionais no plano setorial e aplicados para explicar a ação do Estado em termos de ação sobre as estruturas, é considerada então insuficiente por investigadores como Robert Boyer, Michel Aglietta ou Philippe Herzog. "Daí partiu uma reflexão que formulou problemas de tipo estruturalista",[38] recusando a dicotomia tradicional entre um nível abaixo próprio do mercado e, um acima, o plano das ações do Estado apropriadas aos grandes fluxos. O objetivo era, pelo contrário, apreender as interações entre os níveis. Por conseguinte, é no próprio centro das problemáticas apresentadas na administração que nasce essa corrente de análise, última descendente da abertura estruturalista.

A atenção dos economistas para a efervescência estruturalista não se originou, portanto, na universidade, na qual o reconhecimento tardio de uma identidade específica das ciências econômicas e a separação do pessoal de letras favoreceram atrasos, falta de perspicácia e, por vezes, indigência no nível do pensamento: "Só se começa a ensinar Keynes na universidade no início da década de 1960. Ele é ainda desconhecido nos anos 1950".[39] A inovação e a modernidade se encontram então fora dos quadros universitários, defendidas por alguns franco-atiradores como François Perroux no Institut de Science Économique Appliquée (Isea).[40]

É necessário esperar a geração formada depois de 1968 para que chegue à universidade francesa os reflexos do trabalho teórico levado a cabo noutra parte, e ver os seus universitários adquirirem uma competência técnica que rivaliza com as dos anglo-saxões. O que acentuará a dominação dos marginalistas na universidade francesa ou de uma pequena minoria dentre eles, graças a uma segunda geração, são os trabalhos dos regulacionistas.

---

37 Michel Aglietta, entrevista com o autor.
38 Ibidem.
39 Ibidem.
40 Intituto criado pelo próprio François Perroux em 1944.

Na área da economia da universidade, predomina a preocupação em obter uma ciência dura, formal, cujo critério de cientificidade se encontra nas ciências da matemática, em que a interdisciplinaridade não é verdadeiramente valorizada. Além disso, não existem na França, contrariamente à situação norte-americana, ligações entre as ciências econômicas e políticas. Nos Estados Unidos, a ciência política é importante e estuda as estratégias de poder sob uma forma muito teorizada e estritamente vinculada à economia: "É nos Estados Unidos que se desenvolvem as noções de regimes políticos vistos como modos de regulação a partir de conceitos oriundos da ciência política: os de ajuste, negociação, estratégia, regras aceitas. [...] Utilizo muito essa literatura".[41]

Certos universitários heterodoxos poderão adquirir alguma influência, marginal, é certo, mas serão rapidamente submergidos pela onda de refluxo geral do estruturalismo por volta de 1975. O neomarginalismo levará, então, a melhor por toda a parte, deixando apenas algumas migalhas para as outras correntes.

Henri Brochier, para quem não pode existir em economia uma separação nítida das outras ciências humanas, foi professor em Dauphine em 1969. Foi nessa ocasião que ele abriu seu seminário sobre a obra de Baudrillard e de Barthes. A partir de modelos econométricos, ele podia cotejar o estudo dos coeficientes de correlação entre níveis de renda e tipos de consumo, níveis de preços e de consumo, e mostrar a necessidade de se considerarem os grupos e as categorias sociais, assim como outras variáveis, quais sejam, o *habitat*, a ideologia etc. Mas Hubert Brochier não tardou a perceber que se equivocara em Dauphine ao pensar que esta poderia ser uma universidade de ciências sociais, quando se tratava de realizar uma escola prática de administração de empresas: "As grandes libertações ideológicas que caracterizam os anos de 1965-1975 declinaram um pouco. Voltei-me então para a epistemologia da economia".[42]

Outro polo dos economistas em ruptura é o departamento de economia Política da Universidade de Vincennes, animado por Michel Beaud. Mas esse departamento, como já vimos, não oferece licenciatura e serve, mais propriamente, de complemento de formação para outros

41 Michel Aglietta, entrevista com o autor.

42 Hubert Brochier, entrevista com o autor.

departamentos do que de centro de formação de economistas profissionais, o que limita de imediato seu poder de irradiação.

Esse grupo de franco-atiradores isolados no sistema universitário já tinha, aliás, falado de regulação. É assim que Henri Bartolli subdividia o seu curso "Sistemas e estruturas", realizado em 1960-1961, numa primeira parte sobre as estruturas e uma segunda sobre as regulações. Por seu lado, André Nicolaï, fundador do departamento de economia política em Vincennes, embora permanecesse em Nanterre, e que tinha como projeto estabelecer as bases de uma antropologia econômica geral, escreveu em 1962 um artigo para a *Revue Économique*, intitulado "L'Inflation comme régulation",[43] no qual mostra como os papéis se reproduzem através dos processos inflacionários. Essa abordagem vem-lhe diretamente do estruturalismo antropológico, que o leva a formular a questão da positividade do fenômeno inflacionário como máquina para reproduzir e não apenas como simples expressão das disfunções do sistema: "Está aí, sem dúvida, a influência mais forte de Lévi-Strauss sobre os meus trabalhos, nessa reprodução dos papéis através dos processos de regulação".[44] André Nicolaï vê os regulacionistas com um certo desgosto por ter expressado uma orientação semelhante à deles num momento em que ela não podia ser compreendida: "Os regulacionistas são um pouco uma desforra póstuma".[45] O que ele viveu na universidade depois de 1968 foi, antes, a rejeição de Keynes e Marx, o regresso a partir dessa data à economia pura, com a dominação absoluta do neomarginalismo: "Todo o aspecto estrutural foi jogado fora, o mercado era supostamente perfeito".[46] André Nicolaï só podia estar pregando no deserto, apanhado entre os adeptos do neoclassicismo, de uma economia formalizada e fechada sobre si mesma, por um lado e, por outro, uma corrente marxista ultradeterminista; não havia, então, lugar para uma terceira via entre essas duas correntes.

A partir de 1975, a teoria do equilíbrio geral se torna o paradigma central da ciência econômica universitária, sobre o fundo do refluxo do estrutural-marxismo. Os heterodoxos procuram exprimir-se fora

43 Nicolaï, L'Inflation comme régulation, *Revue Économique*, n.4, jul. 1962, p.522-47.

44 André Nicolaï, entrevista com o autor.

45 Ibidem.

46 Ibidem.

das instituições tradicionais. Alguns entre eles se encontram na revista *Critiques de l'Économie Politique*, publicada pelas edições François Maspero (Alain Azouvi, Hugues Bertrand, Robert Boyer, Bernard Guibert, Pierre Salama, Bruno Théret etc.). Outros, um pouco mais tarde, colaborarão no *Bulletin du Mauss*,[47] dirigido pelo sociólogo Alain Caillé. É o caso, por exemplo, de um economista de Paris-I, Jérôme Lallement, que, após ter defendido teses althusserianas, considerou que estas conduzem a impasses e acabam "pulverizadas".[48] Ao abandonar o estrutural-marxismo, inspirou-se, sobretudo, entre 1969 e 1974, na obra de Michel Foucault *Les mots et les choses*, a fim de repensar a evolução do pensamento econômico em termos de simultaneidade e de epistemes: "Essa ideia de episteme foi verdadeiramente uma fonte de inspiração que muito me fez trabalhar".[49] Jérôme Lallement realiza uma releitura da evolução da ciência econômica em torno da noção de signo, com base no modelo de Saussure. Localiza uma virada da economia política, contemporânea de Saussure e de Proust, que faz ingressar o pensamento numa nova episteme, como Foucault a define: "Essa episteme do signo segue o modelo de Saussure a partir do corte significante/significado. Em economia, o significante é o preço e o significado a utilidade, ou ainda, o significante é o mercado e o significado o indivíduo".[50] A partir da década de 1870, a economia política tende, portanto, para uma economia do signo, constrói-se como uma semiologia, e não mais exprime a própria realidade, o referente. Jérôme Lallement conclui sua tese explicando a impotência dos economistas em apreender a própria realidade: esta situa-se sempre fora do domínio deles, pela própria definição da epistemologia do seu saber. Jérôme Lallement defende sua postura arqueológica contra as histórias tradicionais do pensamento e aproxima as posições de Foucault das de Thomas S. Kuhn: "Ambos são relativistas; ambos repelem a ideia de uma verdade imutável, definitiva, que silenciosamente aguardaria ser pouco a pouco desvendada";[51] mas concede sua preferência ao paradigma foucaultiano, que é aplicável às

47 Mauss: Mouvement anti-utilitariste dans les sciences sociales.

48 Jérôme Lallement, entrevista com o autor.

49 Ibidem.

50 Ibidem.

51 Idem, Histoire de la pensée ou archéologie du savoir? Modèle économique et science sociale, *Œconomia*, n.2, 1984, p.91.

ciências humanas e, ao contrário de Kuhn, não se detém numa sociologia da comunidade científica, mas visa o próprio ato de conhecer.

Mas se alguns desses heterodoxos estão dentro da universidade, representam o papel de marginais cada vez mais perdidos no meio dos marginalistas.

29

Uma via mediana

O *habitus*

Em 1975, no próprio momento em que o estruturalismo parece se dissolver no ar de um novo tempo, Pierre Bourdieu lança uma nova revista, *Actes de la Recherche en Sciences Sociales*, de que ele é diretor, e que persegue a ambição científica do programa estruturalista: "O discurso da ciência só pode parecer desencantador para aqueles que têm uma visão encantada do mundo social".[1] Se Bourdieu reassume por conta própria a herança estruturalista que animou seus trabalhos até então, inicia, contudo, uma inflexão de sua abordagem e se distancia um pouco do paradigma estruturalista. Entabula uma crítica ácida ao estrutural-marxismo althusseriano ao atacar seu aristocratismo filosófico e sua negação total do papel dos agentes sociais, que são reduzidos à aplicação dos sistemas de regras: "Gostaria de reintroduzir de algum modo os agentes, que Lévi-Strauss e os estruturalistas, sobretudo Althusser, eram propensos a abolir, fazendo deles simples epifenômenos da estrutura".[2]

Nas *Actes*, a partir de 1975, Étienne Balibar é quem serve de alvo para os ataques de Bourdieu, e é evidentemente com toda a corrente althusseriana que ele ajusta suas contas. Sua intervenção se inscreve em continuidade com sua posição durkheimiana e seu desejo de realizar a

1 Bourdieu, Présentation, *Actes de la Recherche en Sciences Sociales*, n.1, jan. 1975, p.2.

2 Idem, *Choses dites*, p.19.

unidade das ciências humanas a partir de uma sociologia emancipada da tutela filosófica. Ataca violentamente a ambição de Balibar de instituir-se "em guardião da autenticidade da mensagem" marxista[3] e, mais do que isso, acusa a posição presunçosa do filósofo que pretende falar em nome da ciência, qualificando a sua prática teórica de prática científica e eliminando, assim, por anexação ou exclusão, a concorrência das ciências sociais. Para Bourdieu, essa posição apenas exprime uma defesa puramente corporativista dos privilégios vinculados à legitimação antiga do discurso filosófico, permitindo-lhe continuar a erigir-se em juiz dos critérios de cientificidade e em guardião do templo para denunciar toda e qualquer forma de desvio ou de recaída: "A sacerdotisa elabora o catálogo dos pecados".[4] Bourdieu denuncia nos althusserianos um *a priori* quase metafísico, uma pretensão de deduzir o evento da essência e, por conseguinte, uma visão ontologizada do mundo social que desemboca na construção de uma "teodiceia do teólogo".[5] Quinze anos mais tarde, Étienne Balibar considera que a violência dessa polêmica ilustra, sobretudo, as lógicas específicas do campo acadêmico que o próprio Bourdieu estudará em detalhe em *Homo academicus*: "Dar-se-á conta de até que ponto isso se aplica a ele próprio?".[6] Essa ambição durkheimiana de Bourdieu não é, aliás, uma novidade, visto que remonta ao começo dos anos 1960.

O estruturalismo ou como sair dele

O que, em contrapartida, é sintomático do esgotamento do paradigma estruturalista é a inflexão crítica das teses bourdieusianas em relação ao esquema da reprodução estrutural, e sua vontade de dar

---

3 Idem, La Lecture de Marx [ou quelques remarques critiques à propos de "Quelques remarques critiques à propos de 'Lire Le capital'"], *Actes de la Recherche en Sciences Sociales*, v.1, n.5-6, nov. 1975, p.69. O artigo é uma resposta a Balilar, Sur la dialectique historique. Quelques remarques critiques à propos de *Lire Le capital*. *La Pensée*, n.170, ago. 1973, p.27-47.

4 Ibidem, p.70.

5 Ibidem, p.73.

6 Étiene Balibar, entrevista com o autor.

lugar ao sujeito nos limites estreitos daquilo que o condiciona. Repele a representação althusseriana hierarquizada das instâncias do modo de produção organizando-se em infra e superestruturas, mas se afasta também de Lévi-Strauss, que foi o inspirador essencial de sua abordagem. Estabelece, então, todo um dispositivo de análise que se organiza, sobretudo, em torno das noções de *habitus*, mas também de senso prático e de estratégia, que têm por finalidade mostrar que a ação não é a simples execução automática da regra. Graças a essa inflexão, Bourdieu tenta sair dos impasses a que conduz a tradição estruturalista: "Lévi-Strauss, fechado desde sempre na alternativa entre subjetivismo e objetivismo, não pode aperceber-se das tentativas para superar essa alternativa senão como uma regressão ao subjetivismo".[7] Bourdieu assenta o deslocamento do seu paradigma na própria evolução da linguística desde o final dos anos 1960.

Sempre atento ao que se passa fora do campo próprio da sociologia, e fiel nesse aspecto à ambição transversal e globalizante do estruturalismo, Bourdieu toma a iniciativa de reatar a ruptura chomskiana, tal como é entendida na França, ou seja, essencialmente a partir de uma certa confusão entre o que é gramática gerativa e a ideia genética que remete para um processo de transformação, para uma gênese. Assim é que o Bourdieu desse período, definindo sua postura, exprime sua vontade de "elaborar um estruturalismo genético",[8] e funda uma "nova" orientação, não alicerçada naquela já empregada nos primeiros tempos do estruturalismo por homens como Jean Piaget ou Lucien Goldmann, mas na contribuição mais recente de Chomsky. Em 1972, Bourdieu já havia aberto o seu *Esquisse d'une théorie de la pratique* com uma citação de Chomsky. No plano da influência que sobre ele exerce a linguística, Pierre Encrevé, sociolinguista chomskiano, desempenha um papel de destaque, e sua colaboração culminou num paradigma comum e complementar. Pierre Encrevé enriquece a orientação chomskiana graças às noções bourdieusianas de campo e de *habitus*, ao passo que, por seu lado, Bourdieu espera se libertar das aporias do primeiro estruturalismo saussuriano ao distinguir o equivalente chomskiano dos modelos de competência e de *performance*, graças à sua noção de *habitus*, que

7 Bourdieu, *Choses dites*, p.78.
8 Ibidem., p.24.

designa um sistema de disposições adquiridas, inculcadas pelo sistema social. É simultaneamente "matiz de percepções, de apreciações e de ações".[9] O *habitus* permite, portanto, dialetizar competência e desempenho ao tornar possível a exteriorização da interiorização, restabelecer os mecanismos de reprodução, mas prever também estratégias sustentadas pelos agentes do sistema que variam segundo os lugares e o momento. O *habitus* é gerador, como o modelo de competência, de práticas, portanto, de um sistema de desempenhos: "Eu queria reagir contra a orientação mecanicista de Saussure e do estruturalismo. Muito próximo, nesse aspecto, de Chomsky, em quem eu reencontrava a mesma preocupação em dotar a prática de uma intenção ativa, inventiva...".[10]

Como sociólogo, Bourdieu inscreve o nível de competências no plano das disposições adquiridas pela experiência social e não no de um inatismo ontológico ou biológico. A sua estrutura permanece fundamentalmente sociológica, enquanto *hic et nunc*, encarnada, incorporada no interior de uma prática e de representações sociais. Nesse sentido, a apropriação que Bourdieu faz de Chomsky se apoia numa leitura que não tem muita coisa a ver com a própria orientação chomskiana, caracterizada, pelo contrário, por seu associologismo.[11]

A outra influência que permitirá a Bourdieu tentar escapar ao objetivismo do primeiro estruturalismo é a filosofia analítica. Ela permite, com efeito, atribuir um lugar ao sujeito que não seja o da tradição metafísica, ao refletir sobre os atos da linguagem e não mais somente sobre as regras instituídas por esta última: "Se se lesse realmente Austin, que é sem dúvida um dos filósofos que mais admiro, perceber-se-ia que o essencial do que procurei reintroduzir no debate sobre o performativo já se encontrava dito, ou sugerido, nele".[12] A análise dos atos de linguagem permite a Bourdieu proceder à reintrodução do referente, da situação social concreta, posta de lado por Saussure, assim como a fala, eliminada em proveito de uma preocupação exclusiva com as regras próprias da língua.

9 Idem, *Esquisse d'une théorie de la pratique*. Précédé de "Trois études d'ethnologie kabyle", p.178.

10 Idem, *Choses dites*, p.23.

11 Ver "O Chomskysmo: nova fronteira?", Capítulo 1, p.19.

12 Bourdieu, *Choses dites*, p.40.

Wittgenstein terá também alimentado a inflexão do paradigma bourdieusiano por sua atenção ao universo da necessidade, ao mundo instituído das regras. A resposta que dá Wittgenstein, segundo a qual a necessidade não está fundamentada na adequação das regras instituídas a uma realidade natural, mas corresponde, pelo contrário, a um conjunto de práticas humanas e tem sua origem, portanto, na própria instituição humana, permite a Bourdieu construir sua teoria do *habitus*, que tenta responder à dupla exigência de pensar a necessidade da prática do sujeito como tal e como tendo uma origem que lhe seja exterior. Reencontra-se em Bourdieu a interrogação de Wittgenstein sobre a dimensão pragmática das atividades humanas, sobre a questão de saber o que se passa quando o indivíduo segue uma regra. A noção de *habitus* propõe-se como resposta a essa questão fundamental.

Trata-se de uma noção antiga, proveniente de Aristóteles, retomada por São Tomás de Aquino e pela corrente sociológica de Weber a Durkheim. Mas Bourdieu dá-lhe um sentido diferente daquele dado pela tradição aristotélica, para a qual o *habitus* dependia da consciência e era, portanto, uma noção variável, manejável, na escala da vontade humana. Bourdieu, pelo contrário, redefiniu completamente o *habitus* para fazer dele um paradigma que evita o recurso à oposição entre consciente e inconsciente: ele permite falar de estratégias, mas no sentido de intencionalidade sem intenções. Bourdieu situa, portanto, o seu ângulo de análise mais no nível das condições de possibilidade das práticas do que no estudo das próprias práticas, mas nem por isso adere, contudo, a uma abordagem histórica: "Sem recair no episódico sem começo nem fim da história que se limita à narração de eventos".[13] Ele permanece, pois, fiel à orientação estruturalista inicial, ao seu sincronismo e ao predomínio conferido às entidades estruturantes sobre as práticas; em suma, fiel à sua vocação nomotética. Numa tal abordagem, e contrariamente à censura que Lévi-Strauss faz a Bourdieu por reintroduzir o subjetivismo, o irracionalismo, e por renunciar, portanto, ao programa científico que o estruturalismo se atribuía, o sujeito que ele reintroduz não tem a livre escolha da sua estratégia e tampouco tem grande coisa a ver com o sujeito cartesiano. Limita-se a estar simplesmente na encruzilhada de séries causais heterogêneas que operam a partir dele e sobre

13 Ibidem, p.61.

ele: "O sujeito não é o ego instantâneo de uma espécie de *cogito* singular, mas o traço individual de toda uma história coletiva".[14] As estruturas objetivas são, portanto, totalmente independentes da consciência dos agentes. São, porém, interiorizadas por esses últimos, que, ao exteriorizá-las, proporcionam-lhes sua plena eficácia.

Ao contrário da crítica de subjetivismo feita por Lévi-Strauss, Raymond Boudon censura a Bourdieu a realização, com sua releitura da noção de *habitus*, de uma representação puramente funcionalista e organicista da reprodução social. A autonomia do sujeito bourdieusiano não passa de ilusória, aos olhos de Raymond Boudon: "Portanto, não é autonomia, em absoluto, uma vez que o indivíduo só tem autonomia para criar-se ilusões".[15] Bourdieu postula a existência de coações e, segundo Raymond Boudon, "recai nos raciocínios do tipo círculo vicioso. Há, ao mesmo tempo, exagero das coações e a ideia absurda de que elas provêm da totalidade social e dos desejos que essa totalidade teria de se reproduzir. Tudo isso é pura fantasmagoria".[16]

Bourdieu, procurando escapar ao objetivismo e ao subjetivismo, situa-se numa perspectiva de tensão constante entre esses dois perigos e se expõe à dupla rejeição por parte dos estruturalistas, como Lévi-Strauss, e dos defensores do individualismo metodológico, como Boudon. Sua margem de manobra para conciliar o legado estruturalista e a problematização das práticas dos agentes é, portanto, particularmente estrita:

> Entre o sistema das regularidades objetivas e o sistema das condutas diretamente observáveis, interpõe-se sempre uma mediação que não é outra coisa senão o *habitus*, lugar geométrico dos determinismos e de uma especificação das probabilidades e esperanças vivenciadas, do futuro objetivo e do projeto subjetivo.[17]

Bourdieu não renuncia à noção de um determinismo metodológico que ele continua erigindo no próprio princípio do *Métier de sociologue*,[18] que necessita colocar o seu periscópio acima das práticas dos agentes. Mas

14 Ibidem, p.129.
15 Raymond Boudon, entrevista com o autor.
16 Ibidem.
17 Bourdieu, *Le sens pratique*, p.88-9.
18 Idem; Passeron; Chamboredon, *Le métier de sociologue*.

ele reintegra a vivência das percepções e das estratégias no interior de um modelo de análise que as tinha eliminado: "É o papel que compete ao conceito de *habitus*, fornecer uma resposta para esse problema do *status* do sujeito".[19]

Em 1982, Bourdieu ingressa no cenáculo da legitimação suprema, o Collège de France, decididamente o lugar de coroamento da inovação estruturalista, graças a Benveniste, Dumézil, Lévi-Strauss, Barthes, Foucault, Duby, Vernant.

> Não se deveria permitir ministrar uma aula, mesmo inaugural, sem se perguntar com que direito. A instituição aí está para dissipar essas interrogações e a angústia ligada à incerteza dos inícios. Ritual do concurso e da investidura, a aula inaugural realiza simbolicamente o ato de denegação ao termo do qual o novo mestre é autorizado a proferir um discurso legítimo, pronunciado por quem tem direito.[20]

Bourdieu aproveita a oportunidade, portanto, para formular a questão da posição do cientista, empenhado numa lógica que o supera e que pertence plenamente à instituição. Adere ao tipo de problematização de Foucault sobre a ligação estabelecida entre saber e poder, e sobre a necessidade de situar os lugares do dispositivo discursivo.

O sociólogo e a estética

Três anos antes de seu ingresso no Collége de France e, portanto, de sua consagração, Bourdieu publica *La distinction* (1979), um vasto estudo de crítica social da capacidade de julgamento. Ele confirma, a partir desse estudo minucioso dos gostos e representações culturais, a inflexão iniciada em meados dos anos 1970, que ilustra o que pode ser concretamente o *habitus*. Defende aí uma concepção mais ativa do papel dos agentes sociais do que em *La reproduction*. Mas se o jogo de pluralização das estratégias é mais complexo, Bourdieu investe nessa

19 Ansart, *Les sociologies contemporaines*, p.241.
20 Bourdieu, *Leçon sur la leçon*.

ocasião contra um tabu muito mais forte que o da instituição escolar, ao aventurar-se num domínio que depende, sobretudo, da esfera privada, o "dos gostos e das cores" que não se discutem, e da criação cultural considerada como um além das determinações sociológicas: "A sociologia situa-se no terreno por excelência da denegação do social".[21] Ora, Bourdieu tenta mostrar em que esse domínio dos gostos culturais participa da maneira como a classe dominante impõe seus modos de ver e permite fundamentar a legitimidade de seus gostos por meio de um sábio dispositivo de distinções entre estes últimos. Todo o domínio cultural, no mais amplo sentido, etnológico, do termo, englobando os usos e costumes de cada um, torna-se então uma contingência no jogo de classes, um meio de afirmar uma relação de poder, de dominação sobre o outro, sobretudo quando existe uma situação de contiguidade social. Bourdieu retoma a noção matricial do marxismo que é a noção de capital, mas dessa vez para aplicá-la no campo cultural e simbólico, e não mais no terreno exclusivo das atividades econômicas. A luta de classes é reapresentada por ele como luta de classificação. O operador dessa última é a distinção do julgamento cultural entre os diversos agentes sociais, em situação de concorrência para a obtenção de bens raros.

Bourdieu procede, portanto, a uma classificação minuciosa e reveladora das hierarquizações sociais dos bens culturais, encarados do ponto de vista de sua capacidade para serem "classificantes". Considera seu vasto estudo sobre as variações de gostos e aversões como revelador dos processos de legitimação da dominação de classe, fornecendo assim uma resposta e uma crítica à posição kantiana sobre a estética, à *Crítica do juízo* de Kant. Bourdieu continua, portanto, de maneira explícita, o confronto do sociólogo com a filosofia. Ele considera sua posição mais fundamentada do que a do filósofo, visto que se apoia num material científico, estatístico. O sociólogo-rei, para retomar uma expressão de Jacques Rancière, pensa poder ultrapassar o enfoque tradicional da obra de arte como invenção propriamente – e puramente – estética. Segundo Bourdieu, a análise baseada na essência da disposição estética "impede de lhe restituir a sua única razão de ser, ou seja, a razão histórica que fundamenta a necessidade arbitrária da instituição".[22] Ao

21 Bourdieu, *La distinction*, p.9.
22 Ibidem, p.29.

considerar a obra de arte no plano estrito de sua função de classificação, Bourdieu remete a ideia de belo para "a expressão natural da ideologia profissional daqueles que gostam de chamar-se 'criadores'".[23] Toda caracterização estética dos valores artísticos seria apenas, pois, segundo Bourdieu, uma forma de denegação da relação social incorporada no interior do modo estabelecido de classificação dos gostos.

Bourdieu não quer, assim, ver mais valor nas canções de Petula Clark do que nas obras de Stravinsky, mais qualidade estética no *Hamlet* do que numa comédia de *boulevard*, nas *Variações Goldberg* de Bach mais valor do que nas canções de Sheila... O único critério distintivo é o que divide os *habitus* de classe e permite a uns fazer valer um capital cultural socialmente legitimado, superior, portanto, sem que critérios estéticos pudessem sustentar essa superioridade.

O mérito de Bourdieu terá sido ampliar a noção de classe que, segundo ele, não se limita à detenção dos meios de produção, mas estende-se ao universo simbólico, em que a violência da dominação se exerce tanto ou ainda mais: ela procede de maneira totalmente invisível, por denegação dos processos de condicionamento, e facilita a dominação desses últimos.

Bourdieu abre, portanto, para um estrutural-marxismo sem fôlego, as portas até então inexploradas do campo cultural, graças à sua noção de *habitus* como princípio gerador de práticas objetivamente classificáveis: "estrutura estruturadora que organiza as práticas e a percepção das práticas".[24] Ele distingue no seio da classe dominante dois princípios de hierarquização, segundo a detenção do capital econômico ou do capital cultural, que a organizam em duas estruturas inversas "segundo uma estrutura em quiasma",[25] dividindo as frações mais ricas em capital cultural e aquelas que detêm um capital essencialmente econômico, os intelectuais num polo e os donos de empresas no outro. Essa situação induz uma relação diferente com a cultura, dois *habitus* inversamente proporcionais em termos de capital cultural e econômico. As análises de Bourdieu são sistematicamente apoiadas por um minucioso aparelho estatístico, mas também por descrições de ordem etnológica da cultura

23 Ibidem, p.574.
24 Ibidem, p.191.
25 Ibidem, p.130.

material da sociedade francesa inteiramente pertinentes, como quando opõe a ausência de restrições nas preferências alimentares das camadas populares ao uso de formas específicas de alimentação na burguesia, o ascetismo dos professores aos gostos de luxo das profissões liberais, ou quando compara o uso, para assoar-se, do lenço de papel nos meios urbanos, o que requer delicadeza, ao do lenço de tecido, rural, no qual se assoa com força e ruidosamente.

A um senso agudo de observação, Bourdieu soma o senso literário, uma minúcia quase proustiana e uma causticidade lúcida, como quando considera que "o pequeno-burguês é um proletário que se faz pequeno para virar burguês".[26] Mas esse estudo da condição social do julgamento não é menos redutora quando elimina a dimensão de ruptura das criações artísticas, reduzindo-as apenas à sua função social de distinção.

Ao praticar essa redução funcional do campo cultural, Bourdieu se expõe a severas críticas: "Tudo leva a crer que, por trás de suas sutilezas, trata-se ainda do fantasma de um jdanovismo *new look*".[27] A ampliação da definição do que é a classe social do ser em si para o ser percebido significaria uma retificação da obra de arte, uma redução desta a uma simples contingência de ordem ideológica. Revelaria os limites com que se depara a tentativa bourdieusiana para sair do paradigma estruturalista, à medida que sua análise crítica passa pela negação do que fundamenta a autonomia da estética para poder estabelecer seu sistema de classificação e fazer surgir uma hierarquização coerente. Nesse jogo sincrônico de localização das posições de cada uma das categorias no espaço social, é ainda o referente, no caso a arte, numa tradição muito estruturalista, que se vê primordialmente negado em sua especificidade.

No plano estilístico, *La distinction* insere também uma pesquisa de ordem literária, a do *nouveau roman*, para quebrar a linearidade da narrativa e a substituir pela pluralidade das vozes. No domínio da sociologia, Bourdieu subverte a forma tradicional da narrativa distanciada do especialista. Justapõe comentários teóricos ao estilo direto ou indireto do documento bruto das entrevistas, fotografias e quadros estatísticos. Todo esse material, heterogêneo em sua forma e situado em registros diferentes, interpenetra-se e se organiza segundo uma composição

26 Ibidem, p.390.

27 Enthoven, La comédie humaine selon Bourdieu, *Le Nouvel Observateur*, 5 nov. 1979.

polifônica muito trabalhada por Bourdieu, que lhe dedica enorme cuidado: "Para mim, a coisa mais interessante em *La distinction* é a subversão da forma. [...] É um livro estilisticamente de vanguarda, ou seja, combinei nele cinco ou seis linguagens normalmente incompatíveis".[28] Esse entrelaçamento do vivenciado e do conceito permite a realização de uma obra simultaneamente sociológica e literária. Ela revela, uma vez mais, o difícil luto aliviado de Bourdieu e de toda essa geração estruturalista em face da literatura, sua vontade de fazer obra literária por intermédio das ciências sociais.

As referências de Bourdieu a Gustave Flaubert ou a Marcel Proust são, aliás, constantes, e obscurecem as distinções entre os gêneros à medida que ilustram uma das principais contribuições da crítica estrutural, segundo a qual não se pode dissociar o fundo da forma. A escritura, no sentido estilístico, é nesse caso o instrumento essencial para pensar um real construído.

Quando a obra veio à luz em 1979, *Le Monde* deu-lhe uma ampla repercussão, em duas páginas. Thomas Ferenczi vê na análise de Bourdieu uma "ruptura decisiva", e Pierre Encrevé, "um efeito libertador" comparável ao de Jean-Jacques Rousseau, com quem estabelece um paralelo ao assinalar uma ambição similar de filósofo engajado na libertação da humanidade de seus grilhões: "É uma mania comum aos filósofos de todas as épocas, escrevia Rousseau, negar o que é e explicar o que não é. *La distinction* é um livro construído contra a empresa da negação do real".[29] O conjunto do dossiê de *Le Monde* é, portanto, especialmente laudatório, se excetuarmos duas colaborações mais críticas, a de Jacques Laurent, "Une société coupée de son histoire", e a de François Châtelet, que se pergunta: "Onde está a questão da arte?". Châtelet faz a verificação pertinente da falta que subsiste após esse enorme trabalho sociológico: "É a montante, do lado da compreensão filosófica e historiadora, e não a jusante, do lado das classificações sociológicas, que se podem reformular as interrogações sobre a arte".[30]

Bourdieu, apesar dos limites que se podem encontrar em sua abordagem da estética, ter-se-á, não obstante, empenhado no esforço de

---

28 Pierre Bourdieu, *Le Bon plaisir* com P. Casanova, France-Culture, 23 jun. 1990.
29 Encrevé, Un effet libérateur, *Le Monde*, 12 out. 1979.
30 Châtelet, Ou est-il question del art?, *Le Monde*, 12 out. 1979.

complexificação para escapar a uma filosofia mecanicista ou finalista. Ter-lhe-á oposto a sua noção de *habitus*, muito diferente da noção de aparelho dos althusserianos, que remete para uma concepção vertical da infraestrutura e das superestruturas. A noção de Bourdieu permite que se tenha acesso a uma realidade mais rica, feita de hábitos, de necessidades, de práticas, de inclinações e, não obstante, articulada num espaço em três dimensões: vertical com a avaliação do capital econômico, escolar, cultural etc.; estrutural com o que opõe num mesmo campo o capital econômico e o capital cultural; e, enfim, a dimensão da trajetória que permite reintroduzir um movimento na estrutura e traduzir a Antiguidade na possessão desse capital econômico/cultural. É a coalescência dessas três dimensões que permite definir um *habitus*.

A prática e seu sentido

Pouco depois da publicação do estudo empírico que era *La distinction*, Bourdieu traz a público o que parece constituir a moldura teórica desse estudo: *Le sens pratique* (1980). Ele confirma no plano teórico sua crítica do paradigma estruturalista e, em especial, da autonomização do discurso em relação à situação em que ele se inscreve, da marginalização da fala ou de sua redução a uma simples execução de regras da língua: "Não haveria grande dificuldade em mostrar que todos os pressupostos – e todos os obstáculos consecutivos – de todos os estruturalismo decorrem dessa espécie de divisão originária entre a língua e sua realização na fala, ou seja, na prática".[31] Essa posição redunda em considerar o cientista numa posição de estrita exterioridade em relação ao seu objeto, ao passo que para Bourdieu o analista-sujeito da ciência faz organicamente parte do objeto dessa última. O classificador é classificável; ele ocupa um lugar que é ilusório negar em nome de um modelo no qual ele ocuparia "a posição de um Deus leibniziano possuindo em ato o senso objetivo das práticas".[32]

31 Bourdieu, *Le sens pratique*, p.55.
32 Ibidem, p.55.

Por outro lado, Bourdieu critica aqueles que derivaram do modelo estruturalista inicial enriquecendo-o com elementos novos, abrindo-o para o contexto a fim de explicar as variações observadas, as exceções à regra como ele próprio pôde observá-las na Kabília, mas que assim "economizaram um questionamento radical do modo de pensar objetivista".[33]

Bourdieu propõe, portanto, uma crítica radical desse ponto de vista, para evitar os equívocos de uma concepção que partiria de um puro sujeito etéreo, sem raízes, desligado de todo sistema de condicionamento. O conceito de senso prático opõe-se, pois, tanto ao panlogismo estruturalista quanto ao intuicionismo baseado unicamente no mundo das representações: "Essa teoria da prática, ou melhor, do senso prático, define-se antes de tudo contra a filosofia do sujeito e do mundo como representação".[34] Bourdieu substitui o termo "regra" pela noção de senso prático, e as regras de parentesco de Lévi-Strauss se convertem em estratégias matrimoniais e em usos sociais do parentesco. Existe, com efeito, uma tentativa de introdução de um papel mais ativo dos agentes sociais, mas ele conserva da abordagem estruturalista o postulado do arbitrário cultural, do universo simbólico que lhe permite realizar a redução dessa dimensão ao seu nível social próprio. A concepção da estética numa tal abordagem permanece, portanto, fundamentalmente fiel a uma perspectiva estrutural de transposição dos gostos, indefinidamente alterados, invertidos segundo os diversos modos de regulação dos esquemas característicos.

É a metáfora do jogo que serve a Bourdieu como instrumento para escapar à alternativa entre subjetivismo e objetivismo, e para pensar a prática: "O *habitus* como senso do jogo é o jogo social incorporado, convertido em natureza".[35] Fazendo da necessidade virtude, o *habitus* permite tornar adequado o necessário e o desejável, resignar-se com a morte da história coletiva e do sonho das grandes noites revolucionárias. É o "verdadeiro equivalente sociológico do Édipo freudiano".[36]

33 Ibidem, p.88.
34 Idem, La grande illusion des intellectuels, *Le Monde*, 4 maio 1980.
35 Bourdieu, *Choses dites*, p.80.
36 Caillé, *Critique de Bourdieu*, p.126.

O sujeito bourdieusiano, produto do *habitus*, pressupõe implicitamente, segundo Alain Caillé, um trabalho de luto perfeitamente proporcional à incompletude do reconhecimento social sob a forma do duplo capital econômico e cultural, portanto, "o sujeito não seria mais do que a soma de suas renúncias",[37] ou seja, um ser totalmente reduzido às coações externas que atuam sobre os seus haveres, imagem invertida do sujeito sartriano. Por outro lado, segundo Jacques Rancière, os resultados da pesquisa levada a efeito por *La distinction* são decepcionantes, pois só deixam transparecer "o que o sociólogo já sabia",[38] à medida que o universo estético se reduz a um problema de distância, no caso ao julgamento em termos de gostos para distinguir-se do *ethos* popular. O sociólogo conservaria uma simples lógica dos lugares ao praticar a redução tanto do conteúdo da estética como do conteúdo dos debates intelectuais em *Homo academicus*.[39] Nesta última obra consagrada ao estudo sociológico dos universitários, o campo é estritamente circunscrito por outros tantos cortes com sua historicidade, os conteúdos ensinados, o meio ambiente político e social, para permitir a distinção de *habitus* diferentes, simultaneamente imbricados e em situação conflitante.

É no interior das lógicas do próprio campo que se encontra o sistema de coações que, segundo Bourdieu, elucida as tomadas de posição, o itinerário e a obra do universitário assim objetivados. Nessa perspectiva, Bourdieu trabalha para sua própria objetivação, uma vez que participa plenamente desse universo acadêmico. Nesse terreno, ele pode certamente avançar para um melhor conhecimento de si mesmo, daquilo que o coage, e problematizar seu próprio itinerário. Mas quando publica em 1989 um total de seiscentas páginas sobre *La noblesse d'etat* para demonstrar cientificamente que as grandes escolas servem para reproduzir as elites da nação, pode-se experimentar o sentimento de exaustão, dessa vez manifesta, de um paradigma que tem, no entanto, o mérito de procurar uma terceira via entre objetivismo e subjetivismo, mas sem o conseguir. Com efeito, ele não escapa à recaída em esquemas reprodutores no seio dos quais circulam os agentes, quais fantasmas abalando o bom funcionamento das estruturas que eles servem.

37 Ibidem, p.132.

38 Rancière, *Le Philosophe et ses pauvres*, p.271.

39 Ver o "O segundo alento dos durkheimianos: Bourdieu", Capítulo 6, p.85.

30

A CONVIDADA DE ÚLTIMA HORA

A GEOGRAFIA DESPERTA PARA A EPISTEMOLOGIA

Nos grandes debates dos anos 1960 acerca do paradigma estruturalista, pode-se procurar por muito tempo, mas debalde, uma disciplina que tem, no entanto, seu lugar bem estabelecido no seio das ciências sociais. Ela teve mesmo sua hora de glória no início do século XX: a geografia. Essa ausência é ainda mais surpreendente uma vez que pudemos avaliar até que ponto o estruturalismo privilegiou as noções de relações em termos de espaços, às custas de uma análise em termos de gênese. A sincronia substituiu a diacronia; após a investigação das origens, prevaleceu um esforço cartográfico, a atenção se deslocou para as diferentes inversões efetuadas pelo olhar, e é impossível, portanto, não ficar muito surpreendido por não se encontrar a geografia no âmago dessa reflexão da década de 1960.

O longo sono de uma disciplina sem objeto

A geografia está então mergulhada num longo sono, surda para uma interrogação que a deveria ter acordado do seu torpor, e muda em tempos particularmente loquazes. Essa longa ausência tem alguns fundamentos. Em primeiro lugar, a disciplina geográfica continua a se definir, nos anos 1960, como uma ciência das relações entre a natureza e a cultura, entre os elementos da geomorfologia, da climatologia etc., e aqueles que decorrem da valorização humana das condições naturais. A esse respeito, a ambição estruturalista de fundar as ciências do homem exclusivamente sobre a cultura, modelada pelas regras da linguagem, é percebida como algo deveras estranho à preocupação do geógrafo que, pelo contrário, baseia a unidade da sua disciplina na correlação entre os dois níveis da natureza e da cultura: "Os geógrafos viveram isso, portanto, como algo que não lhes dizia respeito".[1]

Pode-se até considerar que os geógrafos desconfiavam de um paradigma que ameaça abalar profundamente a disciplina deles, pois se não é a única ciência humana a ver-se solicitada entre a natureza e a cultura (também é esse o caso da psicologia ou da antropologia), ela foi a única, na época, a recusar uma divisão possível segundo esses dois domínios do seu saber.

A outra razão da ausência da geografia prende-se à própria história dessa disciplina, que nos anos 1960 tende a viver à sombra dos louros conquistados no passado com uma tal segurança que foi ficando cada vez mais defasada. Não há dúvida de que a geografia teve sua hora de glória, particularmente brilhante. Ela respondeu, após a derrota de 1870, às necessidades da reconquista da Alsácia-Lorena ligando sua sorte à história-batalha nacional de Ernest Lavisse, na perspectiva da legitimidade dos direitos da pátria francesa. O *Tableau géographique de la France*, de Paul Vidal de La Blache, abre então a grande *Histoire de France I*, de Ernest Lavisse.[2]

Terminada a guerra e reconquistada a Alsácia-Lorena, a geografia vidaliana fará escola ao se desembaraçar dessa perspectiva patriótica e furtar-se à dominação do Estado. Deixa, então, o político e a política, conquista a liberdade de ir e vir, e passa a percorrer o país de lés a lés. Redescobre com alegria uma França repleta de rincões acolhedores, luminosa em sua polícroma diversidade regional. Nos anos 1920 e 1930, a geografia vidaliana lança-se na produção de monografias regionais; faz-se historiadora e o historiador faz-se geógrafo. É a idade de ouro da escola geográfica francesa, cuja influência afeta todo o campo das ciências sociais, assim como a comunidade dos geógrafos numa escala mundial.

1 Daniel Dory, entrevista com o autor.

2 Vidal de La Blache, *Tableau géographique de la France*.

Por ocasião do Congresso Internacional de Geografia que se realiza em Paris em 1931, a hora é do triunfalismo para essa escola francesa de geografia que se vê consagrada em sua preeminência pelos geógrafos do mundo interiro. Durante a sessão inaugural, o delegado do governo italiano, o general Vacchelli, pôde declarar:

> Para limitar-se à obra realizada no decorrer dos últimos cinquenta ou sessenta anos, são mais especialmente os geógrafos franceses aqueles que fizeram penetrar e progredir na Europa as ideias modernas em matéria de morfologia, e foi sobretudo na França que a geografia humana recebeu novas diretrizes.[3]

Os mentores dessa escola são, na época, Albert Demangeon e Emmanuel de Martonne.

Mas os geógrafos permitirão que seu êxito seja aproveitado pelos historiadores. Lucien Febvre percebeu imediatamente a força de atração dessas monografias. Defendeu com veemência Vidal de La Blache contra a escola de geopolítica alemã de Ratzel e contra o desafio lançado pelos sociólogos durkheimianos em 1922.[4] Quando funda com Marc Bloch a revista dos *Annales d'Histoire Économique et Sociale* em 1929, Febvre convida Albert Demangeon para o comitê de redação. Quanto à orientação da nova escola histórica francesa, ela retoma, em seus aspectos essenciais, o paradigma vidaliano.[5] Unindo a sua sorte à dos novos historiadores, os geógrafos veem-se despojados de seu dinamismo próprio, que beneficiará por inteiro somente os historiadores.

Durante o pós-guerra e ao longo dos anos 1960, as grandes monografias regionais são as dos historiadores: Emmanuel Le Roy Ladurie, Pierre Goubert, Georges Duby... Mesmo que a institucionalização da disciplina geográfica progrida, de fato, nos anos 1950 e 1960, ela permanece estruturalmente vinculada à história e, desvitalizada, não faz mais do que gerenciar a herança vidaliana caracterizada por seu naturalismo, a preponderância atribuída às permanências, seu caráter monográfico e contingente, assim como sua preocupação em permanecer uma escrita

3 Général Vachelli apud Pinchemel, *La recherche géographique française*, p.11.
4 Febvre, *La terre et l'évolution humaine*.
5 Ver Dosse, *L'histoire en miettes*.

literária. As duas principais orientações dos estudos geográficos franceses mantêm-se situadas no âmbito regional e privilegiam o estudo das paisagens. Não tendo extraído todas as consequências do desaparecimento do determinismo, os geógrafos praticam então, essencialmente, o plano "em gavetas", contentando-se em justapor, em nome de uma síntese ideal, os elementos do relevo, do clima, da população, das redes urbanas etc.; tudo isso em monografias cujo objetivo essencial não é verdadeiramente problemático, mas visa apenas à exaustividade. Essa geografia tradicional se conciliará com uma abordagem marxista que registra substancial avanço no pós-guerra, graças à influência e à penetração que um certo número de geógrafos comunistas adquiriu: Pierre George, Jean Dresch, eleitos para a Sorbonne, e Jean Tricart, para a Universidade de Estrasburgo. Contudo, marcados pela geografia tradicional e prisioneiros do seu empirismo, esses geógrafos não lograrão abalar sua disciplina nem abri-la para um questionamento epistemológico sobre seus fundamentos ou para diálogos teóricos interdisciplinares. Tanto mais que a conjuntura da guerra fria e do stalinismo era pouco propícia ao desenfurnar esses geógrafos comunistas encerrados em sua torre de marfim e em sua dupla certeza: a de um materialismo histórico, por um lado, e, por outro, a de um saber empírico estribado nas grandes obras do passado, sem contar algumas tradições jdanovianas, como aquela a que sucumbiu o geógrafo Jean Tricart quando opôs a geomorfologia marxista à geomorfologia burguesa de seus predecessores.[6]

Houve, é certo, algumas tímidas tentativas de debates que rapidamente abortaram, como a do colóquio realizado pelos geógrafos comunistas em Ivry, em 28 e 29 de junho de 1953,[7] mas a revolução epistemológica desejada não se produziu. Quanto à geração formada por Pierre George, Bernard Kayser e Raymond Dugrand, tampouco logrou remover montanhas e desentocar um saber geográfico que se mantinha muito regional, periférico, senão menosprezado no universo intelectual e universitário dos anos 1960.

---

6 Tricart, Premier essai sur la géomorphologie et la pensée marxiste, *La Pensée*, n.47, mar.-abr. 1953, p.62-72.

7 Ver Suret-Canale, Géographe, marxiste, *Espaces Temps*, n.18-20 (Espace/Marxisme), 1981, p.15.

A asfixia da geografia se acelera mais depressa à medida que perde seu objeto privilegiado com essa França rural que se moderniza a passos cadenciados. É preciso encontrar o caminho da salvação, e alguns geógrafos perceberão na abertura para o estrangeiro a possibilidade de renovação de sua disciplina: "Até 1968, a maioria dos colegas estava sinceramente persuadida de que não havia fora da França uma geografia digna desse nome".[8] Mas finalmente se estabelecerão contatos entre a geografia francesa e a anglo-saxônica, graças, sobretudo, a geógrafos francófonos da Suíça, do Canadá e da Bélgica. Nessa difusão do que se chamará a nova geografia, Paul Claval desempenhará um importante papel.[9]

Essa nova geografia rompe com o descritivismo da geração precedente. Deixa de se conceber como gênero literário, para ganhar seus galões como ciência. Volta-se para as disciplinas econômicas e sociais que, por seu lado, avançaram no caminho de uma conceituação do espaço, que passa, então, a ser o objeto privilegiado da disciplina. Com a mesma preocupação de cientificidade, os geógrafos querem apoiar-se a partir de então num material quantificado, em sólidas fontes estatísticas, e esperam muito das técnicas quantitativas para a renovação de sua disciplina: "O neopositivismo em moda nas ciências sociais substitui, assim, o positivismo do começo do século".[10] A geografia vidaliana, essencialmente concentrada num mundo rural, agrícola, torna-se caduca pela própria evolução da sociedade. Os novos geógrafos adaptam seus métodos de abordagem a um mundo que se tornou urbano, móvel, objeto de uma transformação acelerada. À descrição, no sentido do concreto, do visível, os novos geógrafos opõem a necessidade de sondar o não dito, o implícito, o escondido: "Nenhum geógrafo se limita mais aos aspectos visíveis da realidade".[11]

É dessa nova orientação da geografia que situa a disciplina no âmago das ciências sociais, pertença até então recusada, que surgirá a renovação progressista da disciplina nos anos 1970. É verdade que Pierre Gourou tinha participado, desde 1960, como geógrafo tropicalista, na aventura da antropologia estrutural, colaborando na revista

---

8 Claval, Contemporary human geography in France, *Progress in Geography*, n.7, p.250-79.

9 Idem, *La Nouvelle Géographie*.

10 Idem, Mutations et permanences, *Espaces Temps*, n.40-41 (Géographe, état des lieux. Débat transatlantique), 1989, p.8-12.

11 Brunet, 1972 apud Pinchemel, *La recherche géographique française*, p.16.

L'Homme, sob a direção de Lévi-Strauss. Mas Gourou era uma exceção. No essencial, a geografia permanecera separada das ciências sociais. Seu objeto, recuperado pela nova história, tinha desaparecido; restava apenas uma instituição disciplinar desnorteada, e tanto mais recolhida em si mesma no temor de que o menor desafio acabasse provocando seu súbito desaparecimento.

Um despertar tardio

O despertar da disciplina geográfica é progressivo a partir do início do decênio. A abertura para as matemáticas suscitará, pouco a pouco, interrogações de ordem epistemológica. Em 1971, jovens geógrafos do sudeste da França decidem, diante da insuficiência de sua formação em matemática e informática, formar um *pool* de seus conhecimentos. Constituem um grupo de trabalho com um patronímico bem francês, o grupo Dupont, cuja notoriedade jamais alcançará, por certo, a do grupo Bourbaki, mas cujo trabalho sobre a quantificação desembocará rapidamente numa reflexão teórica em termos de formalização matemática. Depois, "trata-se pouco a pouco de epistemologia".[12] As reuniões do grupo na capital do condado Venaissin fizeram desses geógrafos os Dupont de Avignon. Em 1972, além da realização em Besançon do primeiro colóquio de matemática aplicada à geografia, e da publicação de uma obra de reflexão sobre a disciplina,[13] uma nova revista de geografia vem à luz: *L'Espace Géographique*. Esse título revela a vocação da nova geografia para instalar-se, graças ao conceito de espaço, no coração das ciências sociais.

Sinal revelador dessa opção inteiramente nova, e que rompe com aquela indeterminação da geografia dividida entre ciências da natureza e ciências humanas: quando o filósofo François Châtelet publica em 1973 o último volume da sua *Histoire de la philosophie*, dedicado à filosofia das ciências sociais, recorre a Yves Lacoste e concede, portanto, um lugar à geografia, a par da psicologia, da sociologia, da etnologia,

12 Grataloup, Géopoint: l'interrogation, *EspacesTemps*, n.4, 1976, p.49.
13 *La pensée géographique contemporaine*. Mélanges offerts au professeur A. Meyneir.

da história e da linguística. "A abertura começa com o excelente artigo de Lacoste publicado na enciclopédia de Châtelet."[14]

Yves Lacoste não esconde o estado de crise que o discurso geográfico tradicional conhece, sua inaptidão para a reflexão teórica e sua obstinação em sustentar com denodo um estado de espírito deliberadamente terra a terra, tendo o cuidado de evitar toda e qualquer forma de abstração. Lacoste constata que a prática dos geógrafos já não corresponde mais ao seu projeto unitário, posto que uns se especializam em geografia física, enquanto outros enveredam pelo caminho da geografia humana, sem que lhes ocorra interrogar-se sobre essa contradição que desvenda "o caráter falacioso do projeto de geografia unitária".[15] Ridiculariza com humor e pertinência o caráter tristemente enumerativo, simples catálogo do reduto, recitado segundo um eterno plano escalonado, do saber geográfico, dito de síntese. Na interface de numerosas disciplinas, o geógrafo é chamado a utilizar os dados delas provenientes sem se interrogar sobre sua validade. O estado de coisas vigente deixa transparecer um tal vazio teórico que se pode até aventar a possibilidade de desaparecimento de uma disciplina que perdeu seu objeto e está desprovida de método: "A geografia entrou no tempo dos fracionamentos".[16]

Lacoste considera que a recuperação não pode provir de uma simples formalização matemática do saber geográfico, e que os geógrafos não poderão economizar a construção de seus conceitos de acordo com o modelo epistemológico preconizado por Bachelard: "Cumpre refletir para medir e não medir para refletir".[17] Lacoste entrevê as portas da salvação para a geografia na retomada do estudo metódico dos espaços no quadro das funções que aí exerce o aparelho de Estado, e recorda a esse respeito o papel dos geógrafos alemães do século XIX no estabelecimento de uma geopolítica, cuja utilização foi levada ao paroxismo com Hitler, o que contribuiu para o descrédito dessa opção no pós-guerra. Lacoste preconiza a definição de diferentes escalas de conceituação antes de pensar em as articular, em distinguir o espaço como objeto real e como objeto de conhecimento. Sobre esse ponto, assim

14 Jacques Lévy, entrevista com o autor.

15 Lacoste, Le Géographie. In: Châtelet, *Histoire de la philosophie*. La Philosophie des sciences sociales, p.247.

16 Meynier, *Histoire de la pensée géographique en France*.

17 Bachelard, *La formation de l'esprit scientifique*, p.213.

como o da ligação necessária entre teoria e prática política, a referência epistemológica essencial de Lacoste é Althusser, citado explicitamente[18] e que serve manifestamente de modelo epistemológico para repensar ou pensar o espaço. A geografia terá sido, portanto, o último continente a ser influenciado pelo althusserianismo.

Por seu lado, dando coletivamente continuidade a essa reflexão sobre a geografia, a corrente modernizadora, denominada a partir de então "Géopoint", reúne seu primeiro colóquio em 1976 com o tema "Teorias e geografia", acolhido pela Universidade de Genebra.[19] O meio dos geógrafos começa a se agitar, portanto, nos anos 1970, mesmo que não se deva acreditar que toda a disciplina tomou o caminho da renovação. Jacques Lévy lembra-se do momento em que, aprovado para professor universitário de geografia em 1974, ouviu a banca julgadora censurá-lo por não exaltar suficientemente a cartografia, por não ter sido suficientemente lírico. Ele só ouvirá falar pela primeira vez do termo "estrutura" no nível institucional após o concurso, em 1975, por ocasião de um seminário reservado a estudantes já bem avançados no domínio de sua disciplina, animado por universitários de fora, e no âmbito de uma universidade que, para os geógrafos, era periférica, Paris-VII: "Esse seminário intitulava-se 'Estruturas, sistemas e processos' e puseram-lhe o apelido de 'Estruturas e troços', para significar que se tratava de coisas abstratas e incontroláveis. Seus animadores foram François Durand-Dastès e Roger Brunet".[20] Mais que o estruturalismo, que estava nesse momento agonizante, é o sistemismo que conhece então uma certa voga entre os geógrafos, sobretudo após a publicação na França da *Teoria geral dos sistemas*.[21]

Reencontra-se o princípio de imanência do estruturalismo, assim como a ideia da interdependência dos elementos, e sua necessária apreensão a partir de uma lógica de conjunto, global. Mas, diferentemente do estruturalismo, o modelo provém, nesse caso, das ciências

18 Lacoste, Le Géographie, p.282.
19 Esse colóquio gravitou em torno de quatro comunicações: S. Gregory, *Théorie géographique et méthodologie statistique*; C. Tricot, *Les mathématiques en géographie*: recherche d'une structure descriptive cohérente; C. Raffestin, *Problématiques et explication en géographie*; e J.-B. Racine, *Discours idéologiques et discours géographique*: un noveau débat.
20 Jacques Lévy, entrevista com o autor.
21 Bertalanffy, *Théorie générale des systèmes*.

da natureza e não mais das ciências humanas, da linguística. Parte do postulado da complexidade do real e da impossibilidade de isolar um número restrito de variáveis, o que obriga a se ocupar da totalidade dos mecanismos em relação, segundo o modelo de leis próximas da termodinâmica. O sistemismo oferece a vantagem de um paradigma que permite procurar as inter-relações, as ações e retroações, e ultrapassar, portanto, o descritivismo ambiente da corporação dos geógrafos tradicionais. Também permite salvar o caráter unitário da geografia ao pressupor que tudo se relaciona. Entre outros prolongamentos, o sistemismo terá efeitos no sentido da abertura para as preocupações centradas no ecossistema, na ecologia: "Aí, os geógrafos estavam inteiramente à vontade, pelo menos aqueles que pensavam que a natureza tinha uma relação com a disciplina deles".[22] Entretanto, construído sobre o modelo da cibernética, o sistemismo, tal como o estruturalismo, não redunda numa análise em termos de dinâmica.

Hérodote

É nesse clima de receptividade que Yves Lacoste intervém duplamente em 1976 e realiza um avanço significativo ao colocar dinamite sob as bases rachadas da geografia tradicional, a dos professores. Ele publica no mesmo ano *La Géographe, ça sert, d'abord, à faire la guerre*, e lança pelas Éditions Maspero uma nova revista, *Hérodote*,[23] com um subtítulo significativo da ruptura que realiza com o passado da disciplina: "Stratégies, géographies, idéologies". Lacoste escolhe para seu alvo a enumeração descritiva da geografia universitária. Opõe-lhe o uso eficaz que os poderes tanto sociais quanto político-militares fazem do espaço, e a manipulação exercida sobre aqueles que se encontram sujeitos a determinadas estratégias sem que lhes conheçam os detalhes e as circunstâncias. Seu propósito essencial consiste em tornar visíveis as estratégias ocultas que têm o espaço por objeto de suas operações e de

22 Daniel Dory, entrevista com o autor.

23 *Hérodote*, diretor: Ives Lacoste; secretariado de redação: Michel Abhervé, Olivier Bernard, Jean-Michel Brabant, Béatrice Giblin, Maurice Ronai.

seus lances, em mostrar no que se observa a imbricação de diferentes conjuntos espaciais em coerências não percebidas.

Lacoste recorda, a esse respeito, a origem militar da utilização do saber sobre o espaço, os mapas de Estado-Maior, e abre toda uma perspectiva frutuosa de reabilitação da geopolítica, até aí desacreditada. A partir de uma postura essencialmente crítica, empreende uma desmistificação que deve dar origem a um verdadeiro saber estratégico reapropriado por aqueles que se sujeitam aos diversos modos de dominação do espaço social. Essa dimensão política, tradicionalmente ocultada na geografia vidaliana, deve voltar a ser o horizonte de estudo do geógrafo para perceber e analisar as zonas de crise, de tensão, e contribuir assim para sua inteligibilidade. A esse respeito, Lacoste opõe à preferência vidaliana pelos fenômenos de permanência, em torno da noção de paisagem fora do político, a necessidade de compreender as turbulências nascidas da modernização com seus fenômenos de aceleração na transformação dos diversos espaços, em suma, uma geografia da crise: aquela que traduz as degradações da biosfera, a degradação das potencialidades de produção de víveres, a explosão demográfica, o congestionamento urbano, a acentuação das desigualdades, a confrontação de potências.

A análise de todos esses fenômenos implica um olhar diferencial segundo as escalas consideradas entre o local e o planetário. Ela dá acesso a uma macrogeografia dos territórios que supera a tradição monográfica regional tão poderosa na França. No cerne da questão política, *Hérodote* propicia também acesso às diversas articulações do espaço social. Lacoste pretende delinear as lógicas de espaços manipuladas pelos Estados-Maiores modernos, que são as grandes empresas multinacionais, a fim de elaborar o mapa de suas redes, a articulação entre os seus lugares de reunião, a localização de seus diversos centros de produção em subempreitada, a fim de reconstruir as lógicas subjacentes da exploração econômica.

Ele visa, primeiramente, devolver alguma vitalidade a uma geografia que parecia moribunda, e inscreve seu projeto no quadro mais global de uma colaboração ativa com outras ciências sociais chamadas a alimentar essa reflexão nova sobre o espaço. Assim é que o grupo de discussão de *Hérodote* é composto de geógrafos, mas também de etnólogos, de urbanistas, de filósofos e jornalistas. *Hérodote* retoma, portanto, o projeto crítico do paradigma estruturalista sobre o declínio, e as estratégias revisitadas devem permitir decifrar o terceiro termo do subtítulo da revista: as ideologias.

Reconhece-se aí, uma vez mais, uma influência althusseriana difusa, ponto de passagem para uma reflexão epistemológica acerca do que fundamenta o discurso geográfico. O primeiro número da revista compreende até uma contribuição apaixonante, repleta de semiótica, de referências a Christian Metz, a Algirdas-Julien Greimas etc., a respeito da noção de paisagem.[24] Outra incidência do estruturalismo sobre a disciplina geográfica passa pela influência que Foucault exerceu sobre a equipe de *Hérodote*, que descortina na obra do filósofo toda uma reflexão sobre o olhar, sobre dispositivos e lógicas desenvolvidos no espaço, e o convida a responder às perguntas dos geógrafos no número inaugural da aventura de *Hérodote*:

> O trabalho que você empreendeu reitera (e alimenta) em grande parte a reflexão que entabulamos em geografia e, de um modo mais geral, sobre as ideologias e estratégias do espaço. Ao questionar a geografia, encontramos um certo número de conceitos: saber, poder, ciência, formação discursiva, olhar, episteme, e a sua arqueologia contribuiu para orientar nossa reflexão.[25]

Lacoste, que pertence a essa geração de geógrafos formada por Pierre George, pôde sair do economicismo tingido de marxismo de uma geografia essencialmente descritiva graças ao contexto coletivo da Universidade de Vincennes do pós-1968, graças à visão estrutural-marxista que aí dominava e que permitiu abrir a geografia para um diálogo teórico com François Châtelet, Michel Foucault e os althusserianos em geral dos diversos departamentos de Vincennes-a-estruturalista. Era mais que oportuno para que a geografia se mexesse, antes que os buldôzeres viessem arrasar os derradeiros traços de ebulição desse período.

---

24 Ronai, Paysages, *Hérodote*, n.1, 1976.

25 Questions à Michel Foucault sur la géographie, *Hérodote*, n.1, 1976, p.71.

Espaces Temps

O outro fato sintomático do despertar da geografia é a batalha que um grupo de jovens geógrafos contestadores da seção de história-geografia da École Normale Supérieure de l'Enseigment Téchnique (Enset) travará contra a geografia tradicional. A partir de um quadro mais restrito e periférico, reiniciarão a batalha que ocorreu em maior escala entre os seus antecessores nos anos de 1966-1968, na Sorbonne, contra as humanidades clássicas em nome da ciência. Com um certo atraso, uma vez mais, os geógrafos também viverão a contestação proveniente de jovens investigadores desejosos, como seus predecessores dos anos 1960, de maior rigor e insatisfeitos com o saber que se lhes oferecia. Entretanto, nada predestinava a Enset de Cachan a se converter num lugar de agitação ou de inovação, mas a soma de alguns acasos fará dela o foco para o surgimento de uma revista que rapidamente se tornará a propulsora de uma outra geografia: *Espaces Temps*.

Inicialmente, um modesto boletim da seção de história-geografia da Enset, simples expressão da convivência cara aos geógrafos, que gostam de viver e trabalhar juntos por ocasião das excursões no campo. Mas esse boletim trimestral ultrapassou depressa esse quadro muito tradicional para manifestar a insatisfação com o saber geográfico ensinado: "Ao obtermos a licenciatura com Christian Grataloup, mostrávamo-nos desgostosos com a geografia e procurávamos uma ocasião para manifestá-lo de uma maneira ou de outra".[26]

O primeiro boletim da seção de história-geografia será publicado em outubro de 1975 com o título de *Espaces Temps*.[27] Beneficiar-se-á de uma repercussão que ultrapassa a modéstia do projeto inicial, visto que Maurice Le Lannou a ele dedica sua coluna em *Le Monde* sob o título provocante de "Des géographes contre la géographie".[28] Não é, por certo, para traçar um panegírico das posições dos jovens iconoclastas, mas, muito pelo contrário, para indignar-se com seus "exageros", embora reconhecendo-lhes "uma parcela de verdade".

---

26 Jacques Lévy, entrevista com o autor.

27 *Espaces Temps*, n.1; comitê de redação: J.-P. Burdy, A. Bidaud, Ch. Grataloup, M. Hours, B. Judic, J. Lévy, Y. Lévy-Piarroux, J.-L. Margolin, J.-L. Martini e C. Virole.

28 Le Lannou, Des géographes contre la géographie, *Le Monde*, 8-9 fev. 1976.

O responsável pela tranquila seção de história-geografia da Enset, Albert Plet, começa a ficar assustado diante de tanto barulho. Para prevenir todo e qualquer revide por parte da instituição dos geógrafos, reage energicamente à leitura do projeto do segundo número de *Espaces Temps*, sobretudo em face da virulência das críticas formuladas contra o *Dictionnaire de géographie*, publicado sob a direção de Pierre George. Albert Plet alerta a direção da Enset e, o número, já impresso, não é autorizado a sair. O artigo incriminado, assinado por Jacques Lévy, "Le Dictionnnaire d'une géographie", tomava a obra dirigida por Pierre George como sintoma daquilo em que se convertera a disciplina geográfica: uma sábia mistura de anedotas, erudição, empirismo e vazio teórico:

> É pela abundância de termos técnicos ou estrangeiros que o *Dictionnaire* espera suprir sua indigência científica. Não se pode decentemente querer mal a um livro, a uma matéria que terá, pelo menos, ensinado ao leitor o que é um "Miombo" e um "Igniambrite". Assim, o bricabraque generalizado que caracteriza a obra deve ser considerado um obstáculo e uma máscara. [...] Assim como as multidões escondem, com frequência, uma inifinidade de solidões, a abundância dos materiais pode dissimular a sua nulidade interior.[29]

Bloqueada no nível da Enset, era esse o trampolim mais seguro para que a revista saísse do âmbito confidencial de um boletim de seção; ela não tinha outra saída. Os membros da revista iniciam uma campanha, recolhem numerosas assinaturas que subscrevem uma petição de protesto e recebem importantes apoios, como o de Milton Santos. Ao fim de um acordo em que foram feitas concessões mútuas, *Espaces Temps* pode reaparecer, não mais como o boletim da seção da Enset, mas como uma revista independente que muda, portanto, de natureza.

Uma linha de intervenção é então definida e dá lugar à publicação de um manifesto no número 4, em 1976: "Pensar a geografia; refletir a história; intervir no ensino; interrogar as ciências sociais".[30] A orientação é claramente fazer participar a geografia na aventura das ciências sociais

29 J. Lévy, Le dictionnaire d'une géographie [Sur une traduction simultanée], *Espaces Temps*, n.2, 1976, p.22.

30 Manifeste, *Espaces Temps*, n.4, 1976, p.3.

por meio do aprofundamento da noção de espaço social, convertida em pedra angular do empreendimento: "Queremos que o estudo do tempo social e do espaço social participe, em seu legítimo lugar, no movimento contemporâneo das ciências humanas".[31] Os autores da revista têm, portanto, a intenção de romper o casulo do saber geográfico a fim de abri-lo para os avanços realizados pelas ciências sociais vizinhas. Eles querem situar-se na interface das diversas disciplinas e, para tanto, julgam indispensável um desvio no sentido de uma reflexão de ordem epistemológica, teórica: "interessando-nos pela filosofia, tão distanciada até aqui da geografia, queremos saber o que é uma ciência".[32]

É a partir desse desvio considerado incontornável que se podem perceber os ecos atrasados das interrogações epistemológico-estruturalistas dos anos 1960 e, em particular, a influência das teses althusserianas. A referência de *Espaces Temps* ao marxismo é explícita como "guia, numa palavra, para a prática científica",[33] e essa referência deve servir para libertar o saber geográfico do seu conteúdo ideológico e permitir a sólida ancoragem da disciplina geográfica como ciência.

Reconhece-se aí, nessa perspectiva refundadora, o trabalho impulsionado nos anos 1960 pelos althusserianos no sentido do deslocamento das fronteiras disciplinares e da crítica das aparências enganadoras, a fim de fazer emergir a ciência, a teoria, após a realização do corte epistemológico, já assinalado no interior da obra de Marx, e que os geógrafos de *Espaces Temps* também esperam apreender, mas no interior do saber geográfico. Althusser também foi importante, nessa área, embora já estejamos na época da autocrítica do seu teoricismo: "Para mim, Althusser foi uma mediação para a epistemologia francesa: Bachelard, Canguilhem e até mesmo Durkheim".[34] A dimensão do desvio necessário em relação ao objeto, a necessidade de construí-lo de maneira rigorosa, inspirou os jovens geógrafos, que se fizeram partidários de uma interdisciplinaridade com a qual a geografia devia readquirir sua posição firme, não uma interdisciplinaridade complacente, gênero festim, como denominava Lacan, em que cada um pode vir beber e comer:

---

31 Ibidem, p.5.

32 Ibidem, p.7.

33 Ibidem, p.8.

34 Jacques Lévy, entrevista com o autor.

"Aplicou-se a fórmula de Jaurès a propósito do patriotismo e do internacionalismo. Um pouco de interdisciplinaridade afasta as disciplinas; muita, aproxima-as. O interesse desta reside no seu caráter conflitante".[35] O que, entretanto, diferencia *Espaces Temps* da inspiração althusseriana é a vontade de não se limitar a "pensar a geografia", mas de tentar fazê-la, de se confrontar com o campo, ao passo que Althusser se isolava em sua posição de filósofo crítico, acima das refregas, não atribuindo verdadeiramente lugar às ciências sociais que, por princípio, segundo ele, eram incapazes de realizar qualquer corte epistemológico no interior de seus respectivos *corpus* de estudo. Mas a referência althusseriana, seja pelos textos de Althusser, de Étienne Balibar ou pelos de Michel Pêncheux, Michel Fichant ou Pierre Raymond,[36] guia os passos teóricos da revista *Espaces Temps* na difícil busca do objeto próprio da geografia, definido como espaço social que deve tornar-se o crisol de todo estudo numa perspectiva que se quer essencialmente "científica", diferentemente de *Hérodote*, que prefere à categoria de ciência a de "saber pensar o espaço".

A formalização gráfica: a coremática

Uma outra filiação renovou o saber geográfico e se originou ainda mais diretamente da efervecência estruturalista da década de 1960: é a reflexão e a prática sobre o uso da gráfica em geografia. Nesse domínio, essencial, da cartografia, da representação das diversas formas do real, o iniciador foi Jacques Bertin, diretor do laboratório de gráfica na École des Hautes Études en Sciences Sociales (Ehess). Ele está, portanto, mergulhado no próprio coração das ciências humanas, numa alta instância da reflexão estrutural sobre os diversos modos de escritura nos anos 1960. Ele publica em 1967 *Sémiologie graphique*. Bertin considera nessa obra manifesto a representação gráfica como transcrição de signos e deduz daí que "a representação gráfica é uma parte da semiologia, ciência que trata de todos os sistemas de signos".[37]

---

35 Ibidem.

36 Raymond, *Le passage au matérialisme*; idem, *Materialisme dialectique et logique*.

37 Bertin, *Sémiologie graphique*, p.8.

Ao tentar, desse modo, fazer a geografia participar desde 1967 do conjunto das reflexões semiológicas, Jacques Bertin não será verdadeiramente ouvido no momento, levando-se em conta a situação de isolamento da disciplina geográfica. Será então utilizado, sobretudo, por historiadores como Pierre Chaunu ou Fernand Braudel. Bertin preconiza uma formalização do discurso gráfico, que passa pela estrita separação entre o conteúdo (a informação) e o continente (os meios do sistema gráfico). À maneira dos semiólogos literários, Bertin delimita, como Christian Metz para sua grande sintagmática do filme narrativo, um número restrito de oito variáveis pertinentes, situados em dois planos distintos. Considera, portanto, a gráfica como uma linguagem, de acordo com o modelo da linguística estrutural.

A imagem é concebida e construída como uma estrutura. Dessa reflexão emergiu uma prática, a de uma cartografia mais analítica que descritiva, que funciona na Ehess como produção de serviços prestados às ciências sociais, mas que não é verdadeiramente um lugar de produção de ideias, de problemáticas. O processo técnico se adianta à criação, à teoria.

Bertin terá pregado num certo deserto ao longo dos anos 1960, mas suas orientações foram retomadas e sistematizadas por Roger Brunet, que ressaltou esse eixo reflexivo em 1980,[38] em torno da noção de corema, que é o correspondente geográfico da noção de fonema para a linguística estrutural, como a menor unidade de valor distinto que permite descrever a linguagem gráfica em torno de estruturas espaciais elementares: "Aí temos, sem dúvida, o ponto culminante de um longo caminho da geografia para ligar sua vertente ideográfica (os espaços sociais descritos) à sua vertente nomotética (produzir os princípios gerais de organização dos espaços das sociedades)".[39] O vasto canteiro de produção dos mapas coremáticos está tão indefinido quanto a gramática do mesmo nome, o que permite aferir a que ponto os geógrafos, que iniciaram com atraso o caminho da formalização estrutural, ainda se encontram longe de esgotar sua fecundidade.

---

38 Brunet, La composition des modèles dans l'analyse spatiale, *L'Espace Géographique*, v.9, n.4, 1980, p.253-65.

39 Grataloup, L'explorateur et le missionnaire, *L'Homme et la Société*, n.95-96, 1990, p.141.

31

A volta do recalcado

O sujeito

Dialógica e pragmática

O sujeito tinha desaparecido da problematização das ciências humanas, sob o impulso, entre outras causas, de um modelo linguístico que lhe retirara a pertinência para melhor fundamentar sua cientificidade. Ora, essa mesma linguística se orienta cada vez mais, ao longo dos anos 1970, para uma reintrodução do recalcado no seu campo de investigações. Esse retorno para o próprio seio de uma disciplina que desfruta ainda de grande prestígio acelerará o processo ao término do qual o sujeito e o indivíduo poderão ser problematizados de novo. Recorde-se que muito cedo, já em 1966, Julia Kristeva tinha introduzido no seminário de Barthes a ideia de intertextualidade, de dialógica, ao expor a obra de Mikhail Bakhtin.

Essa apresentação de Bakhtin será retomada mais tarde por um outro semiólogo de origem búlgara, Tzvetan Todorov, que modificará radicalmente suas posições no final da década de 1970, a partir da leitura sistemática de toda a obra de Bakhtin. A ocasião para isso foi um projeto de estudo para restituir à obra de Bakhtin uma coerência que a dispersão de seus escritos, publicados em traduções díspares, não permitira até então atingir e dava aos seus conceitos, em língua francesa, uma impressão indeterminada. A obra é publicada em 1981:[1] "Tive a

1 Todorov, *M. Bakthine, le principe dialogique*.

ambição muito humilde de produzir um texto auxiliar, uma espécie de introdução ao pensamento de Bakhtin, mas este, à medida que o fui conhecendo melhor para apresentá-lo, influenciou-me profundamente".[2] É surpreendente constatar que o processo de envolvimento e de transformação do leitor vivido por Bakhtin quando estudou a obra de Dostoievski reproduziu-se para Todorov em sua leitura de Bakhtin. É esse fenômeno de interação entre o objeto de estudo e o sujeito deste que dá lugar ao conceito de dialógica. Ele provoca uma ruptura decisiva com o distanciamento e a normalização do objeto linguístico até então em uso no estruturalismo.

A partir de então, é o diálogo entre o leitor e o autor que faz sentido, e que abre, portanto, o campo do estudo literário ou ideológico para um horizonte muito mais vasto que a simples decifração da coerência interna de um texto. Todorov, apoiando-se em Bakhtin, recoloca o projetor sobre o conteúdo do dizer, sobre a recepção deste pelo leitor, e não mais exclusivamente sobre as diversas maneiras de produzir sentido.

Cumpre discernir as vicissitudes do sentido, e só a dialógica pode explicá-las, o que determinará, sobretudo em Todorov, uma ruptura com o formalismo do primeiro período e a preocupação em reintroduzir uma reflexão sobre o sujeito e o sentido, é sua trajetória política. Seu fascínio pelo formalismo nos anos 1960 apoiava-se, em seus aspectos essenciais, numa reação de rejeição a respeito do que se praticava em seu país de origem, a Bulgária, a saber, a história literária puramente limitada à narração de eventos e totalmente exterior aos próprios textos: "Nessa situação, eu sentia a necessidade de completar o que mais faltava e de insistir no ponto cego dos estudos literários".[3] Por outro lado, no contexto stalinista de um dogmatismo ideológico implacável, que era a grade de leitura obrigatória de todo texto literário, havia em Todorov a vontade de se subtrair a esse domínio tirânico, refugiando-se no interior do próprio texto, de suas categorias gramaticais, de seu ritmo, num nível o mais distanciado possível da placa de chumbo ideológica que pesava sobre os estudos literários.

Esse desejo de escapar à política e à ideologia mudou em Todorov, que assimila rapidamente a França, adota a cidadania francesa e adapta,

2 Idem, entrevista com o autor.

3 Ibidem.

então, suas posições a uma outra realidade democrática: "Comecei a descobrir que se podia influenciar o rumo das coisas por volta dos anos 1978-1980, e essa descoberta de uma outra relação com a política me fez sentir que se impunha uma mudança de perspectiva".[4] Se Todorov não renega, naquele momento, os importantes frutos de uma reflexão que permitiu melhor leitura de um texto, melhor apreensão da sua construção, ele se coloca a uma certa distância em relação ao que não considera um fim em si, mas um simples instrumento para poder ganhar acesso ao conteúdo, à própria significação.

Partindo do princípio de que o pesquisador em ciências humanas é fundamentalmente envolvido pelo seu objeto, é desse envolvimento que se deve doravante partir, segundo Todorov. É o que faz ao orientar seus trabalhos, a partir do final dos anos 1970, e sob a influência das teses bakhtinianas da dialógica, para o estudo da pluralidade das culturas, da unidade da espécie humana, da alteridade.

Esse trabalho resultou em duas obras, uma de 1982 e outra de 1989,[5] as quais permitem a Todorov conduzir um diálogo com a tradição literária francesa em sua percepção da alteridade, e da mesma maneira reviver, envolvendo-se nela, a conquista da América: "Quero falar da descoberta que faço do *outro*".[6] O sentido dessa conquista só é perceptível como realidade intersubjetiva. Ela se revela nessa incapacidade dos ocidentais para descobrir os americanos sob a América, o que depende simultaneamente de uma revelação e de uma recusa da alteridade. Por seu lado, os índios, que consideram sua relação com o mundo como ponto culminante de todo um sistema de signos, e que estão mais atentos a uma comunicação entre eles e o mundo do que à dimensão inter-humana dessas relações, têm um modo de comunicação "que é responsável pela imagem deformada que os índios terão dos espanhóis".[7] Se os espanhóis triunfam, é sobretudo, segundo Todorov, porque eles privilegiam essa comunicação inter-humana que alicerça sua superioridade, mas essa vitória é amarga, porque obtida ao alto preço do sacrifício de uma dimensão essencial, a da relação com o

4 Ibidem.
5 Idem, *La conquête de l'Amérique*; idem, *Nous et les autres*.
6 Idem, *La conquête de l'Amérique*, p.11.
7 Ibidem, p.81.

mundo na civilização ocidental: "Ao ganhar de um lado, o europeu perdia do outro; ao se impor sobre a terra toda pelo que era sua superioridade, esmagava em si mesmo sua capacidade de integração no mundo".[8]

Todorov restabelece essa estratégia minuciosa de conquista de Cortez, que não se aplica tanto a se apoderar do que é do outro quanto a compreender o outro para consolidar melhor sua dominação e destruir melhor o que o outro representa. Cortez chega, dessa forma, a uma boa compreensão da sociedade asteca e a um bom controle do seu sistema de signos. É graças a esse controle que ele assegura, à frente de um punhado de conquistadores, o domínio do maior império da América Central.

Isso não significa, porém, que Todorov tenha retornado a uma história tradicional, pura narrativa dos eventos da conquista. Ele permanece na perspectiva de um estudo dos sistemas simbólicos a partir de uma reflexão sobre o signo, sobre a semiótica, mas repondo esta última no interior do seu quadro contextual e dialógico: "O semiótico não pode ser pensado fora da relação com o outro".[9] No horizonte dessa reflexão, Todorov participa de uma preocupação ética, para a qual textos e história são apenas os esteios, com o advento de uma nova era: a de uma comunicação entre os homens que permitiria superar o antagonismo conflitante entre o eu e o outro que é tão velho quanto a própria humanidade. Estabeleceria, assim, as bases de uma nova harmonia: "Estou procurando, mesmo que isso pareça um pouco pretensioso e cômico, uma espécie de sabedoria".[10]

Por isso, Todorov recusa a partir de então, como indivíduo, obliterar a dimensão do "Eu" para imergir melhor no interior das narrativas passadas da história literária e ideológica, a fim de conduzir com elas esse diálogo que, assim espera, gerará a desejada harmonia. Essa mutação radical de Todorov em relação à sua primeira fase formalista o leva, de fato, a aderir em grande parte às posições daquele que era, no entanto, apresentado como o adversário do estruturalismo nos anos 1960: Paul Ricœur e sua hermenêutica.

8 Ibidem, p.102.
9 Ibidem, p.163.
10 Tzvetan Todorov, entrevista com o autor.

O retorno da literatura à linguística

O conceito de dialógica, nascido da crítica literária, penetrará no campo da linguística, em que será utilizado como instrumento operacional. É a manifestação clara da inversão em curso, visto que até aí era a linguística que alimentava a reflexão da nova crítica literária. Assim, no domínio da linguística, Oswald Ducrot utilizará a noção de dialógica em sua reflexão sobre os atos de linguagem, a propósito da pragmática: "Assiste-se, inclusive, à ocorrência de uma espécie de simbiose entre o campo da linguística e o campo literário".[11] Em *Les mots du discours* (1980), Oswald Ducrot já tinha analisado os conectores argumentativos, o papel das pequenas unidades da língua que induzem um certo número de posições argumentativas e fazem, assim, pressão sobre o interlocutor. Numa perspectiva similar, dessa vez impregnada da noção de dialógica, Ducrot escreve *Le dire et le dit* (1984), no qual utiliza as concepções polifônicas de Bakhtin numa ótica propriamente linguística.[12] Em contraste com Todorov, porém, Ducrot não concebe sua abordagem pragmática da linguagem como uma ruptura em relação às suas posições saussurianas, estruturalistas: "Tenho a impressão de ser inteiramente estruturalista no que faço. [...] Quando faço uma pragmática integrada, gostaria que ela fosse tão estrutural quanto a sintaxe ou a fonologia que se faziam na década de 1950".[13] Nesse caso, a pragmática dá acesso a um horizonte de estudo ignorado até então, o sujeito, mas este continua sendo, por princípio, uma abstração formal no âmbito das convenções da linguagem.

A teoria da enunciação, na filiação de Benveniste, ganha impulso nos anos 1980. Ela devolve ao sujeito um lugar destacado na reflexão linguística. Assim é que Michelle Perrot, historiadora em Paris-VII, participando de uma banca examinadora por ocasião de uma tese de linguística sobre a linguagem das mulheres, defendida por Marina Yaguello,[14] ficará bastante surpreendida e cativada em face da evolução

---

11 Alain Boissinot, entrevista com o autor.

12 Em especial, Ducrot, Esquisse d'une théorie polyphonique de l'énonciation. In: *Le dire et le dit*, p.171-233.

13 Oswald Ducrot, entrevista com o autor.

14 Yaguello, *Les mots et les femmes*.

da linguística, sobretudo pelo fato de levar em conta a enunciação, a partir das questões de gênero, e pela diversidade das práticas de linguagem: "Apercebi-me da existência de toda uma outra linguística que já não era, em absoluto, aquela que eu tinha conhecido".[15]

Pesquisas muito rigorosas no sentido da formalização, como as de Maurice Gross, revelam, por seu lado, que a partir da observação sistemática das propriedades dos verbos franceses, por sua probabilidade de ocorrência em tal ou tal contexto, pode-se deduzir, limitando-se a uma centena de construções possíveis, que nenhum dos 8 mil verbos estudados é comparável aos outros: "Tem-se, portanto, uma espécie de vertigem quando se percebe que o nosso cérebro é capaz de fazer funcionar milhares de verbos pertencentes à mesma classe sintática, a classe dos verbos, com propriedades que fazem com que, na prática, cada verbo seja único".[16] Essa constatação de Maurice Gross abala a própria ideia de estrutura com suas noções de classe e de substituição num eixo paradigmático. Partindo da comparação das propriedades, situa-se no heterogêneo, e essa perspectiva compromete o generalizável.

O próprio gerativismo chomskiano interroga-se hoje, com Nicolas Ruwet, sobre um estatuto indispensável a conceder ao sujeito, ao sentido, no campo dos estudos sobre a sintaxe: "Em Chomsky, existe algo que me incomoda há uma dezena de anos, é a articulação entre a sintaxe formal e os problemas de sentido".[17] Nicolas Ruwet não se cinge mais, portanto, aos processos inatistas das estruturas do cérebro para solucionar problemas apresentados pela sintaxe: "Estamos diante de coisas muito mais sutis, que recorrem ao sentido e que são questões de pragmática".[18]

Ele trabalha, pois, sobre problemas em que a questão do sujeito intervém no primeiro plano, como é o caso da distinção entre o sujeito de consciência e os diferentes sujeitos implicados numa proposição, aquele que fala e aquele de quem se fala. É o que ocorre com o uso do pronome *en* na proposição: *Pierre pense que Marie en est amoureuse*, pois nesse caso não se pode dirigir objetivamente a Pierre o amor que Marie sente:

---

15 Michelle Perrot, entrevista com o autor.
16 Marina Yaguello, entrevista com o autor.
17 Nicolas Ruwet, entrevista com o autor.
18 Ibidem.

> Isso resulta do fato de elementos como *en* não poderem remeter ao sujeito consciente, ao sujeito da proposição em que se encontra *en*, o qual exprime um conteúdo de consciência. [...] Não se pode fazer uma gramática de *en* sem levar isso na devida conta. Essa é uma das grandes dificuldades da gramática gerativa há uma dezenas de anos.[19]

O êxito das pesquisas sobre a enunciação é de tal ordem que atinge igualmente o núcleo da semiótica da escola greimasiana de Paris. Se não abalou o próprio Greimas, provocou, no entanto, os seus iracundos e fulminantes raios quando um de seus fiéis discípulos, e organizador de primeira hora da escola de Paris, Jean-Claude Coquet, tornou-se responsável por um crime de lesa-majestade ao publicar em 1987 um número das *Actes Sémiotiques* em que, sem deixar de reconhecer o mérito de Greimas por ter desempenhado um papel fundador na criação de uma semiótica "objetal", louva os méritos de uma outra semiótica, "na linha de Benveniste", que ele qualifica de "subjetal".[20] Greimas, diretor da revista, preferirá provocar o naufrágio desta última a proteger com sua autoridade uma direção de pesquisa que persiste em considerar dependente da metafísica. O quadrado dos semióticos greimasianos se verá reduzido na mesma proporção.

Nesse número, Jean-Claude Coquet lembrava as bases da semiótica objetal, conforme fora definida por Algirdas-Julien Greimas e Joseph Courtès em 1979,[21] encarnada pelo *il* que constitui seu emblema. Ela se tornará, segundo Greimas, "ao lado do cavalo, uma das maiores conquistas do homem".[22] O sujeito deixa de ter nessa semiótica um estatuto particular, está reduzido a figurar como um operador de transformações, ao passo que "numa semiótica subjetal, cada discurso está centrado".[23] O trabalho de Benveniste convida, portanto, a revisitar o esquema actancial da semiótica objetal, se se admite que cada discurso é centrado.[24] Jean-Claude Coquet reavalia totalmente a contribuição decisiva de Benveniste para o trabalho do semiótico, graças à diversificação e à definição

19 Ibidem.
20 Coquet, Linguistique et sémiologie, *Actes Sémiotiques*, v.IX, n.88, 1987.
21 Greimas; Courtès, *Sémiotique. Dictionnaire raisonné de la théorie du langage.*
22 Greimas apud Biobibliographe. In: *Recueil d'hommages por A.-J. Greimas*, p.LXVIII.
23 Coquet, Linguistique et sémiologie, p.13.
24 Idem, *Le discours et son sujet.*

que ele dá às instâncias de discurso e à reflexão muito precoce, iniciada logo no pós-guerra, sobre o que é um sujeito, articulado a uma ação, sobretudo numa obra publicada em 1948.[25] Coquet anuncia também os termos de uma importante transformação quando conclui:

> Hjelmeslev e Greimas elaboraram esboços do que podia ser uma teoria semiótica geral. A importância de suas respectivas obras deixou na sombra, durante um certo tempo, todas as tentativas de estabelecimento de uma semiótica do discurso. Com Benveniste e a lenta apreciação de suas proposições pelos pesquisadores, sobretudo a partir de 1970, essa semiótica subjetal podia, melhor dizendo, pôde se constituir".[26]

A intersubjetividade

A dimensão da intersubjetividade, da dialógica, permite apreender, por outro lado, os limites da abordagem estrutural de Martial Guéroult no domínio da história da filosofia. Guéroult tinha construído todo um método de elucidação dos textos filosóficos concebidos como autossuficientes, e cortados de seu contexto, de toda parasitagem exterior, para melhor fazer valer sua coerência e arquitetura internas.

Ora, essa abordagem, baseada nesse tipo de redução, pode redundar em graves erros de interpretação. É o que ocorre, segundo Aléxis Philonenko, a propósito da análise de *A doutrina da ciência*, de Fichte.[27] Philonenko censura a Guéroult por renovar a interpretação hegeliana de Fichte e sustentar o caráter inconsistente do seu idealismo. Guéroult, que concebe essa obra fichteana em seu fechamento, percebe uma contradição entre o idealismo ontológico, afirmado por Fichte na primeira parte, teórica, de *A doutrina da ciência*, na qual ele reduziria o mundo ao eu, ao pensamento, à consciência onipotente, e uma segunda parte, prática, na qual apreenderia o mundo como o horizonte da ação, o que pressupõe a ideia da realidade do mundo e, por conseguinte, uma

---

25 Benveniste, *Noms d'agent et noms d'action en indo-européen*.

26 Coquet, Linguistique et sémiologie, p.20.

27 Guéroult, *Études sur Fichte*; Philonenko, *L'Oeuvre de Fichte*.

consciência fundada em sua exterioridade. Guéroult conclui pela incapacidade estrutural de Fichte para alicerçar a ação do idealismo prático a partir de suas bases teóricas.

Ora, Philonenko desloca o ângulo da análise de Guéroult ao mostrar que o primeiro princípio de *A doutrina da ciência* não é, segundo Fichte, a exposição da verdade, mas, de fato, a verdade envolta no erro. É a primeira ilusão transcendental que o filósofo deve justamente desconstruir para chegar à verdade. Os diversos estados de consciência não derivam, portanto, de um eu dotado de poder ilusório, segundo Fichte, mas, muito pelo contrário, da desconstrução desse poder. Se Philonenko pode, portanto, perceber de modo diferente o enunciado de Fichte, é porque se afasta do princípio de fechamento do texto sobre si mesmo postulado por Guéroult, o que lhe permite elucidar *A doutrina da ciência* por meio de outros textos de Fichte. Procede, dessa maneira, a uma ampliação do *corpus* a fim de encontrar aí uma coerência que não é mais a da composição estritamente sistemática, tal como a concebe Guéroult.

A diferença de interpretação resulta, pois, fundamentalmente, da própria ideia de fechamento do texto que defende Gueróult, para quem os objetos filosóficos só existem por si mesmos, fora de toda e qualquer solicitação exterior, ao passo que a inteligibilidade da filosofia ficheteana pressupõe uma relação dialógica com sua obra. Ora, é isso que Fichte postula como a própria base de sua abordagem:

> No prefácio para *A doutrina da ciência*, Fichte escreve que a compreensão da obra supõe o livre poder da intuição interna. Pode-se interpretá-lo de diferentes maneiras, mas isso significa, em primeiro lugar, que a leitura não será uma leitura morta ou puramente estética, e que não se poderá acompanhar o processo descrito de validação depois da desconstrução e, enfim, da reconstrução da verdade sem que, ao mesmo tempo, se seja mudado.[28]

Essa verdade desvendada pouco a pouco nesse percurso filosófico deve, portanto, ser reapropriada pelo leitor, pelo historiador da filosofia. Ela é uma conquista que nunca se fecha e que, pelo contrário, dá

28 Jean-Christophe Goddard, entrevista com o autor.

acesso ao indefinido da interpretação e a uma relação de comunidade, de intersubjetividade.

Por seu lado, Joëlle Proust, que não renega a fecundidade do método estrutural e, sobretudo, a ênfase dada ao rigor, à literalidade, à textualidade, e considera o descontinuísmo empregado na história da filosofia e das ciências por Guéroult, Goldschmidt, Bachelard e Canguilhem como pertinente e fecundo, tampouco deixa de se aperceber dos seus limites no nível da articulação dos sistemas entre eles: "Quando se quer compreender o que faz com que um filósofo se interesse por um outro filósofo, é-se obrigado a sair um pouco do fato de que cada sistema seria uma entidade fechada sobre si mesma, com significações para uso interno".[29] Colocando o problema das filiações na história da lógica, Joëlle Proust formula a hipótese da existência de outros tipos de estruturação dos textos além daquela que se evidencia por meio de sua análise estrutural. Esse nível de articulação diferente revela questões e estruturações transistemáticas que remetem para uma comunicação entre os sistemas.

Joëlle Proust reabre, portanto, o campo da análise para a historicidade dos textos, que ela remete, no essencial, para uma mesma realidade cognitiva, fundamento de uma espécie de realidade transtextual: "Se faz sentido comparar o Belo em Platão e o Belo em qualquer contemporâneo hodierno, é justamente porque existe uma espécie de estrutura subjacente comum a esses dois conceitos".[30] Para que se tenha acesso a essa estrutura, Joëlle Proust preconiza a superação da ideia de fechamento de Guéroult, e de descontinuísmo da epistemologia das ciências, mediante a introdução de um novo conceito, o de tópica comparativa. A uma primeira etapa de identificação da organização formal da obra filosófica, deve seguir-se uma segunda, a da interpretação, que "consiste em abordar as condições tópicas da intertextualidade".[31] Essa perspectiva permite fazer dialogar os textos e os sistemas entre eles para valorizar as singularidades de cada um, assim como as invariantes estruturais que eles veiculam. Ela também dá acesso, portanto, a uma dialógica em

29 Joëlle Proust, entrevista com o autor.
30 Ibidem.
31 Proust, Problèmes d'histoire de la philosophie: l'idée de topique comparative, *Bulletin de la Société Française de Philosophie*, v.82, n.3, jul.-set. 1988, p.92.

matéria de busca da verdade filosófica. "A tópica comparativa tem a ambição muito longínqua de contribuir para lembrar que a história da filosofia não é um mausoléu".[32]

Roland Barthes: os prazeres de si

A volta do sujeito permite a Roland Barthes desembaraçar-se da sua carapaça teórica que o impedia de dar livre curso ao seu prazer de escritura. Decide pôr radicalmente fim à tensão interior que até então o dominava, entre o homem de ciência e o escritor, optando agora claramente pela segunda personagem. Após ter defendido o prazer do texto em 1973, Barthes dá mais um passo na direção da subjetivação do seu modo de escritura, tomando a si mesmo para objeto, numa autobiografia que é, porém, não linear, feita de uma coleta de informações parciais e esparsas que sai dos cânones habituais do gênero. Procede à sua substituição por "biografemas". Mas se a forma permanece fiel a uma certa desconstrução, o retorno a si, à exposição de seus afetos, de suas lembranças, e a imagem de seus parentes, revelam a que ponto o retorno do recalcado é espetacular: ele atinge, com efeito, um autor que tinha sido um dos mais inflexíveis e obstinados teóricos da não pertinência desse nível de análise.

Esses "biografemas" traçam também as linhas de fuga de uma escritura romanesca ainda não plenamente assumida. A esse respeito, Barthes nos informa, numa outra ocasião, sobre o sentido que tem para ele todo o empreendimento de ordem biográfica: "Toda biografia é um romance que não ousa dizer o seu nome".[33] Quando aparece em 1975 o seu *Roland Barthes par Roland Barthes*, o escrevente dá lugar, portanto, ao escritor. É certo que o sujeito Barthes expõe-se na terceira pessoa, sob a forma do "ele", que mantém uma distância entre o escritor e o seu objeto. Mas deixa aparecer fragmentos essenciais de si mesmo; entrega-se aos seus leitores, à comunicação intersubjetiva, fonte mais de amor do que de estrutura. Aliás, ele próprio se pergunta: "Estruturalista,

32 Ibidem, p.98.

33 Barthes, *Tel Quel*, n.47, 1971, p.89.

quem o é ainda?".[34] É verdade que Barthes desvenda apenas uma parte de si mesmo: sua doença, seu tratamento, o sanatório, a sua escolaridade. O sujeito que deve transparecer pretende, antes de tudo, ser um efeito de linguagem, mais do que referência a uma natureza extratextual. Deve dar lugar a um efeito Barthes, imagem comovente, fonte polifônica de múltiplas composições e recomposições, sobre as quais apenas algumas indicações são dadas para uma partitura que pretende ser, antes de tudo, livre, aberta para o indefinido das interpelações.

O sujeito Barthes dá-se a ver, sobretudo, pela exposição de seu corpo, sob a forma de fotografias, mas também pela exposição das manifestações daquele, como a hemicrania: "A divisão social passa por meu corpo: meu corpo é ele próprio social".[35] O corpo desempenha o papel de uma "palavra-mana", inacessível, multiforme, polimorfo; é o significante que ocupa o lugar de todo significado. Barthes lembra nessa ocasião que existe corpo em *corpus*. Esse sujeito que retorna graças à escuta de suas manifestações corporais manifesta uma nova fase no itinerário barthesiano, que ele próprio expõe ao diferenciar quatro etapas em sua obra:[36] a mitologia social, a semiologia, a textualidade, que dão lugar em 1973-1975 à moralidade, cujo inspirador é Nietzsche: "Pensar sempre em Nietzsche".[37]

Quando aparece a obra, Maurice Nadeau redobra o efeito de sobreimpressão para confundir ainda mais as pistas esboçadas por esses "biografemas", solicitando ao próprio Barthes uma apreciação do seu próprio livro em *La Quinzaine Littéraire*, sob o título "Barthes puissance trois".[38] Essa obra constitui um acontecimento, porque fornece ao público alguns traços significativos daquele que foi, ao mesmo tempo, o mais adulado da gesta estruturalista e o mais reservado da tribo a seu próprio respeito, mas é também, e sobretudo, o sintoma da mudança radical que, em 1975, arrasta o conjunto do mundo intelectual para longe das margens da cientificidade e o aproxima de uma busca de si mesmo. É sobretudo nesse sentido que a publicação de Barthes causa sensação.

---

34 Barthes, *Roland Barthes par Roland Barthes*.

35 Ibidem, p.128.

36 Ibidem, p.148.

37 Ibidem, p.164.

38 Barthes, Barthes puissance trois, *La Quinzaine Littéraire*, n.205, 10-15 mar. 1975.

Le Monde lhe dedica duas páginas, e Jacques Bersani, que se pergunta, "Onde está Barthes?", responde com exatidão: "Nele mesmo".[39]

Essa passagem para a literatura, para a reivindicação subjetiva que se afasta das ambições de cientificidade das ciências humanas, é realizada, enfim, em 1977, quando Barthes publica *Fragments d'un discours amourex*. É certo que a obra resulta ainda de um seminário realizado na École des Hautes Études sobre as diversas formas de discursividade em torno do tema do amor, a partir de um texto-guia, arquétipo do amor--paixão, o *Werther* de Goethe. Mas, para além desse debate acadêmico com dois anos de duração, é sobretudo a projeção de sua própria subjetividade sobre o seu objeto, e o efeito de retroação desse objeto sobre ele mesmo, o que interessa a Barthes: "Cheguei até a misturar as figuras que provinham da minha vida às figuras de *Werther*".[40] A partir dessa constatação pessoal, que se juntava a uma tendência similar em todos os ouvintes do seminário, Barthes renuncia à ideia de fazer publicar um tratado sobre o discurso amoroso, e decide escrever ele próprio, assumindo a subjetividade do propósito, um "discurso de um sujeito amoroso. Houve uma inversão", e não um livro sobre o discurso amoroso.[41] O sujeito leva a melhor, portanto, e trata-se explicitamente, nesse caso, de um sujeito singular que não é outro senão o próprio Barthes. Ele assume, dessa vez, o "Eu" [*Je*], mesmo que este seja, evidentemente, uma composição, uma montagem que não se fornece como expressão exclusiva de Roland Barthes, embora apresentando fortemente seu cunho pessoal, como na escritura romanesca, dessa vez reivindicada por Barthes: "A relação entre o autor e a personagem posta em cena é de tipo romanesco".[42] Barthes, entretanto, permanece fiel ao seu pendor para uma escritura fragmentada, e não pretende, em absoluto, reatar com a ordem de uma narrativa linear contando uma história de amor.

Esse momento culminante de mudança de rumo traduz o retorno de Barthes à literatura, o que ele confirma, aliás, quando anuncia o que passará a ser seu ensino: "Com relação aos cursos, quero voltar aos

39 Bersani, *Le Monde*, 14 fev. 1975.

40 Barthes, propos recueillis par J. Henric, *Art-Press*, maio 1977, reimpresso em idem, *Le grain de la voix*, p.266.

41 Ibidem, p.266.

42 Ibidem, p.267.

materiais propriamente literários".[43] Com o novo casamento do semiólogo e do escritor, é o sucesso público tão esperado, o ápice da história de amor entre Barthes e seus leitores que compensa todos os diplomas do mundo. Muito além do cenáculo dos universitários, Barthes atinge dessa vez um vasto leitorado, como mostram os números de venda da obra, que se torna um *best-seller* imediato, visto que os 15 mil exemplares da tiragem inicial se esgotaram rapidamente. Só no ano da edição inicial, serão necessárias sete outras edições, ou seja, 79 mil exemplares vendidos,[44] para atingir em 1989 a cifra recorde de 177 mil exemplares, um número pouco habitual no domínio das ciências humanas para uma obra que não foi transformada em livro de bolso, e que confirma a entrada de Barthes, após tantos desvios, na literatura.

Nesse ano de 1977, Barthes conhece, portanto, uma dupla consagração, literária e institucional, com seu ingresso no Collège de France. Pronuncia sua aula inaugural em 7 de janeiro, diante de uma sala em que se comprime *tout Paris*. É desse augusto local, e como um chamado para si mesmo, para a impulsão crítica de toda sua obra teórica, para o seu horror assiduamente reiterado diante das diversas formas do engodo social e de adulteração dos clichês pequeno-burgueses e também, sem dúvida, para defender-se ao mesmo tempo de toda identificação com uma instituição, ainda que prestigiosa, que Barthes lança sua famosa fórmula: "A língua, como *performance* de toda a linguagem, não é reacionária nem progressista; ela é, muito simplesmente, fascista; pois o fascismo não é impedir de dizer, é obrigar a dizer".[45] Pressente-se que Barthes é obrigado a inventar esse tipo de impacto, uma fórmula para superar a renúncia à ambição científica que ele tinha formulado nos anos 1960, compensando esse abandono por uma radicalização de suas posições no plano ideológico; mas seu público não está menos emocionado, demonstrando uma verdadeira alegria coletiva diante da entronização finalmente conquistada por aquele que, até então, andara percorrendo os caminhos da marginalidade:

43 Ibidem, p.270.

44 Dados reproduzidos de Calvet, *Roland Barthes*, p.266.

45 Barthes, *Leçon inaugurale au Collège de France*, 7 jan. 1977.

> Na sala, onde todas as suas "famílias" estão representadas, muitas pessoas têm lágrimas nos olhos, experimentando o sentimento muito vivo de assistir a algo de extraordinário, e a emoção dos amigos é o testemunho das grandes qualidades de coração desse homem, cuja alegria compartilham, mesmo sem que ele o tivesse solicitado.[46]

A escolha da literatura e do retorno a si é um pouco mais tardia para aquela que, no entanto, foi quem apontou primeiro a Barthes o caminho da intertextualidade: Julia Kristeva. Ela publica em 1990 *Les Samouraïs*, seu primeiro romance, depoimento sobre a aventura estruturalista dos anos 1960, vista por uma de suas principais atrizes. O título evoca, é claro, a geração existencialista precedente e o retrato que dela fez Simone de Beauvoir com *Les mandarins* em 1954. Existe, assim, uma filiação reivindicada entre o que significaram *Les Temps Modernes* no pós-guerra e a equipe de *Tel Quel*, mas também diferenças notáveis entre a referência aos letrados chineses e aquela que remete para os guerreiros japoneses: uma dramaturgia que perdeu a euforia do engajamento existencialista, dos intelectuais dominados por uma pulsão de combate pelo sentimento de vida até à morte, uma geração desiludida pelo olhar frio sob a paixão que não pensa mais que o inferno são os outros mas que está alojado no íntimo de cada indivíduo.

Julia Kristeva já tinha iniciado essa guinada biográfica em 1983 em *L'Infini*, revista dirigida por Philippe Sollers, ao publicar "Mémorie", em que ela procedia a um retorno sobre si mesma a partir de sua chegada a Paris no inverno de 1965, e rendia homenagem a Simone de Beauvoir. Mas o sujeito mudou, desde essa época, e Julia Kristeva desdobra-se no seu romance: ela é Olga Morena, cujo par passional e problemático formado com Philippe Sollers não deixa de evocar o casal Simone de Beauvoir e Jean-Paul Sartre, mas também é a psicanalista Joëlle Cabarus. O sujeito do retorno já não é, portanto, o mesmo; ele renuncia à transparência a que o existencialismo acreditava chegar, é um ser dividido, estranho a si mesmo, que pensa onde não está e se encontra onde não pensa, um sujeito transformado pela psicanálise.

46 Calvet, *Roland Barthes*, p.262.

Os afetos e os humores do corpo

A consideração do corpo em suas manifestações se exprime também no campo da própria psicanálise. Em meados da década de 1970, André Green se distancia ainda mais das posições lacanianas que tinham sido as suas. Critica-as em nome de uma dimensão essencial da análise, a dos afetos. André Green tem então um encontro que será importante para ele, com o psicanalista britânico Wilfried Bion, kleiniano heterodoxo, especialista das psicoses. O que seduz Green em Bion é o fato de não ser mais o significante que se encontra no primeiro plano, mas a experiência emocional. Green conserva desse período estrutural o interesse por um diálogo pluridisciplinar com antropólogos, filósofos, linguistas... mas numa nova perspectiva de articulação entre o corporal e o textual: "O que me interessa hoje são pessoas como Françoise Héritier-Augé ou os helenistas Nicole Loraux e Marcel Detienne, porque o corpo volta a ser massa. Ora, os fluidos – o sangue, o esperma –, não basta colá-los num gráfico. Veem-se bem todas as dimensões semânticas que eles acarretam".[47]

Também do lado da antropologia se percebe um diálogo fecundo com a psicanálise no plano da representação da materialidade do corpo, de seus humores, ou seja, em direção a uma conexão maior com a materialidade das coisas, em direção ao referente corporal: "Verifica-se aí uma ultrapassagem possível do estruturalismo, no sentido de um maior materialismo".[48] Enquanto o paradigma estruturalista era propenso a dessubstancializar, a eliminar o conteúdo em proveito dos jogos formais, a furtar-se à dimensão dos afetos, estes retornam como importante dimensão a elucidar. É hoje na área dos problemas de conteúdo que muitos pesquisadores esperam uma renovação, um reavivamento do pensamento antropológico, que pode, portanto, enveredar por um caminho diferente do cognitivismo: "A reinserção dos problemas de conteúdo no seio dos problemas de forma parece-me primordial, e a antropologia não está mal equipada para isso".[49]

47 André Green, entrevista com o autor.
48 Marc Augé, entrevista com o autor.
49 Ibidem.

Toda essa dimensão humoral do corpo, eliminada em proveito de um simbólico purificado, tende, pois, a voltar a ser uma preocupação essencial, tanto na escala individual das pesquisas sobre si quanto no plano das disciplinas das ciências do homem. Após o predomínio concedido às lógicas implícitas e ocultas do social, o olhar prefere hoje ligar-se mais ao explícito, à observação, à própria experiência etnográfica em sua singularidade. Esse novo ângulo de análise não implica considerar como antinômicos os modelos formais e os problemas de conteúdo, visto que o estruturalismo terá descoberto algo que permanece inultrapassável, a saber, que nunca se observam os fatos brutos: os fatos são sempre construídos. Ora, para Marc Augé, compete ao etnólogo colocar em evidência a antropologia implícita das sociedades que ele estuda e cuja simbolização primeira é o corpo: "Tudo parte de uma representação do homem, do corpo humano. Essas sociedades têm quase a mesma relação com a antropologia que nós com a nossa medicina, uma impregnação semelhante".[50] Portanto, compete ao pesquisador não recolher todas as suas observações num sistema puramente lógico, mas ficar atento às proposições simbólicas singulares de cada sociedade. Estas revelam algo de essencial sobre as soluções efetivas que as sociedades observadas encontram para a resolução das questões que elas se formulam. Tal orientação subentende uma outra relação entre o informante e o analista, que deve tomar ao pé da letra o que lhe é comunicado para restabelecer o lugar da transmissão, da hereditariedade, das trocas, tal como os sistemas simbólicos estudados as consideram.

Essa evolução no sentido de considerar a subjetivação, no sentido de uma atenção cada vez mais apurada aos diversos tratamentos reservados ao corpo humano, vamos reencontrá-la de maneira manifesta na obra foucaultiana.

---

50 Ibidem.

32

Michel Foucault

DO BIOPODER À ESTÉTICA DE SI

No decorrer da década de 1970, a posição de Michel Foucault sobre o papel do intelectual evoluirá, adaptando-se aos imperativos do presente. Ele tinha definido a modernidade com a figura nova do "intelectual específico", que renuncia ao universal para se dedicar a defender as singularidade, e tudo o que se situa à margem dos sistemas, renunciando, dessa maneira, a se erigir em consciência universal, seja em nome do homem e de seus direitos ou do proletariado, para falar, pelo contrário, em seu próprio nome. A criação do Grupo de Informação sobre as Prisões (GIP) em 1971 corresponde a essa definição.

Mas, pouco a pouco, sob a influência de uma atualidade em plena efervescência, Michel Foucault reatará na prática com a figura de que se desligara, a do intelectual global que se arvora em defensor dos valores da democracia. Essa evolução permitirá a reunião das duas figuras até então antitéticas em seus respectivos engajamentos, as figuras de Sartre e de Foucault. É certo que o episódio iraniano vem inscrever-se de modo dissonante nessa evolução, mas é fugaz.

O combate dos direitos humanos

Com efeito, o combate que Foucault trava nesse final dos anos 1970 e começo dos 1980 é o dos direitos humanos. A frente que se abrira estrepitosamente se situa no Leste, com a resistência que os intelectuais dissidentes oferecem ao poder brejneviano. Quando da visita oficial da mais alta autoridade soviética a Paris, em junho de 1977, é sob orientação de Foucault que os intelectuais franceses se reúnem nesse mesmo momento com os dissidentes soviéticos. É ele que organizará esse encontro no teatro Récamier, e o convite é assinado, entre outros, por Jean-Paul Sartre, presente ao lado de Foucault, apesar da sua precária condição física. É a oportunidade de chamar a atenção da opinião pública internacional para a violação dos direitos humanos na União Soviética, o uso de hospitais psiquiátricos para fins políticos, reunindo as vítimas dessa política: Leonid Pliuchtch, André Siniavski, André Amalrik, Vladimir Bukovski, entre outros.

Foucault se encontra também presente nos combates travados na França contra os atentados aos direitos humanos, como por ocasião da extradição, em 1977, do advogado Klaus Croissant, simpático à Fração do Exército Vermelho da Alemanha Ocidental. Uma vez mais, Foucault se engajará totalmente e, assim que tomou conhecimento da expulsão do advogado, apresentou-se de imediato com um pequeno grupo diante da prisão da Santé para protestar e convocou em seguida uma manifestação com várias personsalidades, entre as quais, de novo, Jean-Paul Sartre. O caso Croissant é um momento decisivo, pois Foucault se põe no estrito plano do respeito aos direitos de defesa do advogado Croissant, sem afiançar de maneira alguma as práticas terroristas do banco de Baader. Essa posição revela um distanciamento crítico em relação aos seus compromissos de ontem, uma manifestação de solidariedade com os valores democráticos em nome dos quais se bate, ao passo que eles eram apresentados até então como a própria expressão da mistificação.

Gilles Deleuze, o amigo de sempre, compreendeu perfeitamente o sentido dessa mudança decisiva: eles não voltarão mais a se ver até a retirada do corpo de Michel Foucault da Salpêtrière, em 1984, momento de intensa emoção durante o qual Gilles Deleuze prestará uma derradeira homenagem ao seu amigo. São esses novos combates que solicitam as intervenções de Foucault, aqueles cuja implicação pressupõe uma solidariedade com os princípios universais dos direitos humanos.

Em 1978, é em auxílio dos *boat-people* que ele se engaja ao lado de Bernard Kouchner, e essa nova batalha permite, uma vez mais, reunir Foucault e Sartre por ocasião da entrevista coletiva dada no hotel Lutétia. Quando ele vai a Genebra para uma nova entrevista coletiva contra a pirataria, lê uma declaração cujos termos situam a radical conversão de Foucault à noção de universalidade dos direitos humanos: "Existe uma cidadania internacional que tem seus direitos, que tem seus deveres, e que convida a nos erguermos contra todos os abusos de poder, seja quem for seu autor, quaisquer que sejam as vítimas".[1] O humanismo prático de Foucault o leva, de fato, a reconciliar-se fundamentalmente com a maneira como Sartre considerava o engajamento intelectual. Isso é ainda evidente quando, em 1982, Foucault viaja com Simone Signoret e Bernard Kouchner à Polônia a fim de apoiar o combate clandestino do *Solidarnosc*, num momento em que a própria palavra solidariedade estava banida.

A resposta do filósofo ao psicanalista

Sempre muito atento à articulação da prática e da teoria a partir das solicitações do presente, Michel Foucault só poderia, por conseguinte, modificar suas posições filosóficas conforme seus novos compromissos práticos. O movimento de 1968 já havia permitido um deslocamento do seu ângulo de análise das epistemes para as práticas discursivas. Dessa vez, a atualidade o incita a problematizar o que tinha até então contornado e menosprezado, a ponto de fazê-lo desaparecer do seu campo filosófico: o sujeito. Pode-se medir, portanto, o caminho percorrido por Michel Foucault, que atribuía, pelo contrário, nos anos 1960, às três ciências sociais (a linguística, a antropologia e a psicanálise) a tarefa principal de sair da nossa idade média e de nos fazer ingressar na nova era estrutural da filosofia do conceito ao consumar a dissolução desse

1 Texto publicado em *Libération*, 30 jun. 1984.

mesmo sujeito. Não só ele reintegra o sujeito ao seu trabalho teórico como, além disso, enfrenta um problema que o preocupa muito especialmente, a sexualidade. É a um vasto empreendimento que Foucault se consagra a partir de 1976, ao publicar o primeiro volume do que deve vir a ser uma *Histoire de la sexualité*, com *La volonté de savoir*. É não só o retorno do sujeito, mas do indivíduo Foucault ao mais profundo de si mesmo.

A sua vontade de saber, que adotará uma vez mais como objeto o material histórico, consiste em demonstrar que é possível desligar o sujeito do seu desejo e da sua identidade sexual, mostrando, assim, que não se é o que se deseja: "O que caracteriza justamente a homossexualidade é essa desvinculação do sujeito e do desejo e a construção de uma cultura da amizade".[2] Ao tomar a sexualidade para objeto de estudo, Foucault reencontra em seu trajeto o contingente psicanalítico que sempre o fascinou, sem nunca o reter, ao passo que, em *Les mots et les choses*, a psicanálise é uma das três disciplinas que permitem sustentar a nova episteme da modernidade. Com *La volonté de savoir*, Foucault adota a disciplina psicanalítica como objeto, mas para se opor a ela em sua ambição hegemônica. Estabelece uma filiação histórica entre o confessionário e o divã, zombando daqueles que alugam suas orelhas. É pelo escárnio que trata agora da psicanálise, como que para se defender dela, e não mais como de uma ciência potencial. Com essa *Histoire de la sexualité*, seu objeto é duplo: em primeiro lugar, reagir contra o que Robert Castel, seu discípulo, denomina o "psicanalismo", que se apodera de todos os domínios do saber nessa década de 1970; como filósofo, ele se opõe a essa invasão. Em segundo lugar, trata-se de libertar a sociedade ocidental de sua identificação com um certo sexualismo que a psicanálise alimenta, substituindo-o por uma estratégia que deve fazer valer a homossexualidade como o bom recurso para alavancar o advento de uma cultura da amizade.

Esse duplo projeto implica, evidentemente, o confronto com Lacan, que representa, com seus quatro discursos, a mais rematada pretensão à hegemonia: "Não se entende nada da *Histoire de la sexualité* se não se reconhece em Foucault não, em absoluto, uma explicação

---

2 François Ewald, entrevista com o autor.

de Lacan, mas uma explicação com Lacan".[3] Mesmo que Lacan nunca seja citado, recorde-se ter sido Foucault quem permitiu a existência de um departamento de psicanálise lacaniana em Vincennes em 1969. Ao adotar o objeto privilegiado da psicanálise, a sexualidade, para campo de investigação, Foucault tem necessidade de desbravar os caminhos de um programa propriamente filosófico que demonstre ser possível contornar a psicanálise, inclusive no seu próprio terreno de eleição. O editor de Foucault, Pierre Nora, confirma que se trata efetivamente de um desafio lançado a Lacan: "Lembro-me dele batendo o pé no meu gabinete: 'Não encontro uma única ideia, meu caro Pierre, não tenho ideia nenhuma. Chego à sexualidade depois da batalha, quando tudo já foi dito'. Um dia, ele me traz o manuscrito e diz: 'Você verá, a única ideia que tive foi a de bater em Lacan, tomando o contrapé de tudo o que se diz'".[4] Se se reconhece aí perfeitamente Foucault em sua estratégia constante de se desprender de si mesmo, de se situar onde não se o espera para julgar da fidelidade daqueles que o seguem e da constância, do amor que lhe dedica o seu público, existe manifestamente nessa confrontação mais do que o simples jogo de gato e rato. O que motiva Foucault parece ser muito mais profundo.

A oposição a Lacan, essencial para traçar o rumo de um discurso diferente em relação ao discurso analítico sobre a sexualidade, responde a uma dupla contingência existencial e institucional. Para François Ewald, a relação de Foucault com Lacan não é de hostilidade, e o que Foucault diz a Nora é fruto de suas numerosas *boutades*, por meio das quais se liberta do seu interlocutor para não responder às suas perguntas: "A relação de Foucault com Lacan é menos polêmica do que se crê. Ele é muito sensível à ascese lacaniana, que considera mais como paralela do que como alternativa à sua".[5] Segundo Ewald, não é a Lacan que Foucault se opõe, mas à sexualização de tudo, a essa obsessão dos anos 1970 que identifica o indivíduo com sua sexualidade. Procura emancipar-se da psicanálise e problematizar a equação que ela estabelece entre a identidade e o desejo: "Está mesmo do lado de Lacan no tocante aos problemas da ética, ou seja, respeitaria a

3 Miller, Michel Foucault et la psychanalyse. In: *Michel Foucault philosophe*, p.81.
4 Pierre Nora, entrevista com o autor.
5 François Ewald, entrevista com o autor.

psicanálise à medida que esta fundasse uma ética. Ora, era isso o que Lacan buscava. Também junta-se a ele em sua preocupação de desmedicalizar a psicanálise".[6]

O biopoder

Foucault reformula a hipótese repressiva tendo apenas por base a esfera discursiva, a qual retém agora exclusivamente a sua atenção a fim de identificar os seus componentes históricos. Afasta-se então da noção de prática para concentrar-se melhor na profusão do dizer no domínio da sexualidade: "A história da sexualidade [...] deve ser feita, em primeiro lugar, do ponto de vista de uma história dos discursos".[7] A esse respeito, toma o contrapé das teses segundo as quais a sociedade é cada vez mais repressiva desde a Idade Clássica, e mostra que não se assiste de maneira alguma à progressiva rarefação dos discursos sobre o sexo, mas, muito ao contrário, à sua crescente profusão: "Desde o final do século XVI, a colocação do sexo em discursos, longe de sofrer um processo de restrição, foi submetida, ao contrário, a um mecanismo de incitação crescente".[8]

O Ocidente, para Foucault, longe de reprimir a sexualidade, colocou-a no centro de um dispositivo de produção de verdade. O sexo converteu-se no ponto nodal da transparência do Ocidente. Essa constatação, que derruba a hipótese repressiva, só é possível se a situamos "numa economia geral dos discursos sobre o sexo".[9] Ainda perto das teses de *Surveiller et punir*, Foucault dá prosseguimento à sua análise das modalidades de inscrição dos poderes sobre o corpo, numa analítica do "biopoder", mas inicia ao mesmo tempo uma história da subjetividade que se dissocia dos termos da lei e do poder, anunciando uma mudança radical ainda por vir. O "biopoder", como tecnologia coerente do poder, surge no século XVII: "Foucault compara a importância dessa

6 Ibidem.

7 Foucault, *La volonté de savoir*, p.92.

8 Ibidem, p.21.

9 Ibidem, p.19.

nova forma de racionalidade política com a revolução galileana em ciências físicas".[10] Esse "biopoder" se constitui em torno de dois polos: a gestão política da espécie humana a partir de novas categorias científicas e não mais jurídicas, e a criação de tecnologias do corpo, de práticas disciplinares, das quais a sexualidade se tornará o objeto privilegiado para formar corpos dóceis: "O sexo torna-se o edifício pelo qual o poder liga a vitalidade do corpo à da espécie. A sexualidade e as significações de que ela se vê investida convertem-se, então, no principal instrumento da expansão do biopoder".[11]

O primeiro alvo de Michel Foucault é a psicanálise, uma vez que toma o lugar do confessionário, fazendo o pecador passar a partir de então pelo divã. Ela será o modo mais refinado de expressão de um poder que mudou de função, enquanto, na época monárquica consistia em dar a morte (ordem régia de prisão, cepo, suplícios) e em deixar viver, a modernidade burguesa deu ao poder uma função nova, a de fazer viver e de deixar morrer: ele deve "gerir a vida".[12] Em vez de disfarçar a sexualidade, a burguesia anda com ela a tiracolo; é o seu equivalente simbólico do sangue aristocrático para afirmar sua legitimidade ao poder. Todo o discurso sobre o sexo se torna, portanto, objeto privilegiado de um poder encarregado de administrá-lo em nome da limitação dos nascimentos, do controle da sexualidade das crianças e dos adolescentes, da psiquiatrização de prazeres perversos. A socialização das condutas procriadoras traduz um melhor controle, um maior domínio do poder sobre a população.

Estabelece-se, desse modo, um biopoder que permite controlar a sociedade e que "escapa à representação jurídica do poder e avança acobertado pela lei".[13] Foucault procura os caminhos de saída do estruturalismo por meio de um programa, dessa vez, explicitamente nietzschiano por seu título, *La volonté de savoir*, e que ele anuncia na contracapa, na qual são previstos seis volumes a publicar.[14]

---

10 Dreyfus; Rabinow, *Foucault, un parcours philosophique*, p.195.

11 Ibidem, p.204.

12 Foucault, *La volonté de savoir*, p.181.

13 Dreyfus; Rabinow, *Foucault, un parcours philosophique*, p.266.

14 A publicar: 2 – La chair et le corps; 3 – La croisade des enfants; 4 – La femme, la mère et l'hystérique; 5 – Les pervers; 6 – Populations et races.

Resolutamente nominalista, Foucault desliga-se de práticas ou de uma abordagem institucional do poder. Para ele, tampouco se trata de fazer uma sociologia histórica de um interdito, mas "a história política de uma produção de 'verdade'".[15] O poder, já pluralizado em *Surveiller et punir*, não é mais percebido aqui como uma máquina de encerramento, o lugar de uma estratégia repressiva, mas, pelo contrário, como o polo impulsionador de uma produção de "verdade", cuja vertente de interdições seria tão somente a expressão dos seus limites. O novo rumo adotado por Foucault, que se desfaz de uma concepção puramente negativa do poder, deve ser associado a uma nova relação com a política, nesses tempos em que as perspectivas de uma revolução se distanciam. Não é ainda a reconciliação com o poder, mas uma evitação deste, a busca de um caminho fora da lei, fora dessa prática da confissão que se generalizou.

O livro é um grande sucesso de público, pois só no ano de sua publicação, 1976, foi necessário fazer uma tiragem suplementar de 22 mil exemplares, que se somarão aos 22 mil da tiragem inicial,[16] para atingir cerca de 100 mil exemplares em 1989, ou seja, aproximadamente a cifra alcançada por *Les mots et les choses*. A imprensa é-lhe favorável em geral, mas o acolhimento é mais reservado nos meios mais próximos de Foucault, para os quais é decisivo o combate antirrepressivo no *front* da sexualidade.

Ele queria surpreender e, nesse plano, obteve um rotundo êxito, além de toda a expectativa. Mas esbarra com as críticas muito compreensíveis por parte das mulheres em plena luta emancipadora, dos psicanalistas que defendem a cientificidade de sua disciplina, relegada por Foucault para o papel regional e circunstancial de prolongamento da pastoral cristã. Por seu lado, as obras dos historiadores que estudam as mentalidades, os comportamentos em face da morte, do sexo, do asseio, traduzem todas a permanência dos dispositivos repressivos. Jean-Paul Aron e Roger Kempf publicam inclusive, em 1978, um contragolpe com *Le pénis ou la démoralisation de l'Occident*. Eles percebem, ao

15 Foucault, *Le Nouvel Observateur*, 12 mar. 1977.
16 Dados comunicados por Pierre Nora. Recordemos, a título comparativo, a tiragem no ano de publicação para *L'archéologie du savoir* em 1969, 11 mil, e de *Surveiller et punir* em 1975, 8 mil e 20 mil exemplares.

contrário de Foucault, os valores em nome dos quais a burguesia conquistou o poder como que obcecados pelo antigo modelo aristocrático do nascimento e da honra, filiação que, para a classe burguesa, serve de esteio à defesa de uma repressão inflexível: "Para ela, a sua hora está na moral e na virtude".[17] A burguesia é apresentada nesse livro como realizando a dupla acumulação de capital e de esperma, que cumpre evitar ser jogado aos quatro ventos; daí a obsessão do onanismo e de seus efeitos funestos, daí a medicalização a todo transe da sexualidade.

Essa diferença entre a abordagem historiadora e a tese de Foucault resulta, de fato, dos próprios postulados do enfoque genealógico, cujos limites se situam no nível discursivo. A esse diálogo impossível e a essas reações de hostilidade, cumpre adicionar o pequeno opúsculo de Jean Baudrillard, que pretende ir ainda mais longe na negação do referente ao sustentar que o sexo como o homem, como o social, só têm um tempo que está prestes a esfumar-se; o quadro, sem dúvida admirável, traçado por Foucault, é portanto o de um mundo, de uma época que se extingue. O título de Baudrillard é por si só uma provocação, pois formula o voto de "esquecer Foucault".[18] O sorriso de Foucault crispa-se: "Quanto a mim, o meu problema seria antes me lembrar de Baudrillard".[19] Foucault, diante da multiplicação das críticas e das reticências embaraçadas de seus amigos diante de suas teses sobre a sexualidade, sente-se profundamente fragilizado, a ponto de abandonar todo esse programa de trabalho já pronto em cima de sua mesa e só publicar o segundo volume em 1984, ou seja, após sete anos de silêncio e em bases totalmente renovadas: "Foucault experimenta o amargo sentimento de ter sido mal lido, mal compreendido. Mal-amado, talvez: 'Você sabe por que é que se escreve?', tinha ele dito a Francine Pariente quando ela era sua assistente em Clermont-Ferrand, 'Para ser amado'".[20]

Michel Foucault conhece, então, uma verdadeira crise pessoal, que o impelirá para o que de mais profundo existe nele ao dedicar-se a um confronto entre sexualidade e ética, e não mais entre sexualidade e poder. Essa crise o obriga a acentuar ainda mais a reviravolta no sentido

---

17 Aron; Kempf, *Le pénis ou la démoralisation de l'Occident*.
18 Baudrillard, *Oublier Foucault*.
19 Foucault apud Éribon, *Michel Foucault*, p.292.
20 Ibidem, p.292-3.

da construção de uma ontologia histórica do sujeito em suas relações com a moral, no sentido da resposta que ele aguarda de sua inquirição histórica para as perguntas que se formula enquanto indivíduo: Michel Foucault, em relação a si mesmo.

O governo de si

Pouco a pouco, abandonando seu programa inicial de trabalho, Foucault esboça uma mudança de seu olhar. Deixa a perspectiva do biopoder, a do sujeito submetido às diversas modalidades do poder, substituindo-a por uma problematização do próprio sujeito, num primeiro tempo, a partir de 1978, no âmbito de um pensamento da governabilidade, depois do governo de si mesmo.

Ele acentua, portanto, esse movimento de retorno ao sujeito, de que é testemunho o fascínio que sente então pelo Japão, onde foi com Daniel Defert em 1978, um fascínio semelhante ao que pôde sentir Barthes. Alojando-se num mosteiro zen, entrega-se aos exercícios espirituais "com uma grande tensão, uma grande intensidade".[21] É seduzido, como Barthes, por uma cultura e uma religião que eliminam o significado, a identificação com um conteúdo, para dar livre curso ao significante e privilegiar o fazer sobre o ser.

Os títulos de seus cursos no Collège de France revelam o radicalismo da mutação consumada por Foucault, mesmo que publicação alguma venha corroborá-la antes de 1984. Em 1980-1981, o curso é dedicado à "Subjetividade e verdade", no ano seguinte à "Hermenêutica do sujeito", depois, em 1982-1983, a "O governo de si e dos outros".

Esse retorno a si mesmo parece, com efeito, resultar de um duplo movimento vinculado à nova relação que mantém com a política, mas também com uma urgência pessoal, uma vez que se sabia gravemente atingido e condenado por sua doença. Segundo Paul Veyne, que foi íntimo de Foucault nos últimos anos e o guiou na sua exploração do mundo greco-romano, "ele soube desde muito cedo que doença tinha, e que essa doença era absolutamente fatal [...]. Seus últimos livros sobre a

21 Daniel Defert, *France-Culture*, 7 jul. 1988.

ética foram livros de exercício espiritual na acepção cristã ou estoica do termo".[22] Atingido pela aids, Foucault esconderá seu mal de seus amigos e até de si mesmo, anotando em seu diário íntimo, em novembro de 1983, segundo Paul Veyne, que sabia ter contraído a doença, mas que sua histeria lhe permitia esquecê-la.

Foucault explica-se profusamente, por ocasião da publicação do segundo volume da *Histoire de la sexualité*, sobre o que causou seu mutismo, e responde ao mesmo tempo às críticas que lhe foram feitas quando da publicação de *La volonté de savoir*. É evidente que só revela sua postura para encobrir melhor o que mais profundamente a motivou, o que em nada diminui sua pertinência no plano intelectual. A sua explicação fica pela metade quando Foucault liga suas últimas publicações ao que atravessa toda a sua obra, ou seja, a pesquisa incerta, vacilante, de uma história da verdade. Ele considera, então, que seu projeto de demonstração, enunciado em *La volonté de savoir* como estudo do biopoder durante o período dos séculos XVI a XIX, redundou numa aporia e não permitia responder ao essencial: "Apercebi-me de que isso não funcionava; subsistia um problema importante: por que razão tínhamos feito da sexualidade uma experiência moral?".[23] Essa pergunta implicava um desvio para captar as raízes pré-cristãs de uma sexualidade vivida como experiência moral. A perspectiva se inverte e permite "apartar-se de si mesmo".[24]

A problematização do governo dos outros desvia-se para converter-se em problematização do governo de si mesmo; Foucault analisa os procedimentos a partir dos quais o sujeito constitui-se como tal, em que existe, de fato, continuidade entre as duas últimas obras e *La volonté de savoir*, é na recusa de levar em consideração o material das práticas e representações históricas, dos códigos prescritivos, dos interditos: "Meu propósito não era reconstituir uma história das condutas e práticas sexuais".[25]

Portanto, Foucault considera, uma vez mais, as críticas dos historiadores infundadas, porque passam ao largo do seu projeto, que é

---

22 Paul Veyne, *France-Culture*, 2 jul. 1988.
23 Foucault, *Les Nouvelles littéraires*, entrevista, 8 jun. 1984.
24 Idem, *L'usage des plaisirs*, p.14.
25 Ibidem, p.9.

construir uma hermenêutica do desejo, "uma história do pensamento, por oposição à história dos comportamentos e das representações".[26] Aos que lhe objetaram com a permanência e a eficiência dos códigos repressivos, responde ter sido levado a "substituir uma história dos sistemas de moral, que seria feita a partir dos interditos, por uma história das problematizações éticas, feita a partir das práticas de si".[27] É essa perspectiva de problematização que ele define como reveladora da coerência de toda a sua obra, dos seus trabalhos sobre a loucura e sobre a ética.

A ética de si

O que é novo, entretanto, é o objeto dessa problematização, o sujeito, em sua relação com a ética. Nesse domínio muito clássico da filosofia, Foucault procede ainda uma vez mais à inversão da ótica tradicional, ao dissociar a moral da ética. Já não se trata de situar-se no plano dos sistemas prescritivos da moral impostos de fora e que opõem um sujeito-desejo a um código repressivo, mas de perceber os modos de produção do sujeito graças à problematização da sua própria existência numa ética e estética de si. Foucault não defende para tanto uma concepção substancial ou universal do sujeito: restitui-o na singularidade de sua experiência que é "a própria problematização. É o fato, a partir de uma matéria viva, a das necessidades e dos desejos, de criar formas por meio das quais essa matéria poderá ser vivida, pensada, dominada, bem entendido, mas isso já não quer dizer oprimida".[28]

Foucault, que já tinha derrubado a perspectiva tradicional do poder como lugar de controle e de repressão para mostrar em que medida, de fato, era lugar de produção, desliga igualmente a arte de si de todo o sistema de legislação moral. Se postula uma independência relativa desses dois níveis, não se deve esperar mais que as questões éticas sejam resolvidas pela revolta contra os códigos da moral e a retirada de

26 Ibidem, p.16.
27 Ibidem, p.19.
28 Christian Jambet, *France-Culture*, 7 jul. 1988.

seus interditos. Existe, pois, de certa maneira, continuidade em relação ao projeto de pesquisa inicial, que ele próprio, aliás, revela em 1984 como sendo "uma história dos diferentes modos de subjetivação do ser humano em nossa cultura".[29] Assim, Foucault só tomou o poder por objeto para apreender melhor as práticas constitutivas do sujeito. Da mesma maneira que desejava ser um filósofo do presente, da atualidade, em que ia buscar seus objetos de problematização, Foucault reivindica nos anos 1980, de maneira sempre velada, é certo, uma relação autobiográfica com as questões filosóficas que formula: "Sempre que tentei fazer um trabalho teórico, foi a partir de elementos colhidos em minha própria experiência".[30]

É a partir da percepção subjetiva das crises, das falhas do sistema, que o filósofo deve situar-se e intervir. Não se trata, em absoluto, de um recolhimento, como o mostra Pierre Macherey,[31] mas de pensar as condições de possibilidade do exercício da liberdade no interior de uma estrutura. Pensar consiste, assim, em situar-se nos limites, nas fronteiras dos sistemas de pensamento para deslocar-lhes as linhas. Isso nos leva à tragédia pessoal que vive Foucault, vítima das devastações causadas pelo trabalho da morte em seu próprio corpo: "Em *L'usage des plaisirs*, tentei mostrar que existe uma tensão crescente entre o prazer e a saúde".[32] Essas palavras de Foucault traduzem bem o horizonte autobiográfico que adota aqui o desvio da problematização filosófica para permitir um trabalho de si sobre si, de reação contra a doença que o afeta, e reforça de maneira insuportável a marginalidade em que é mantida a homossexualidade, ao preconizar uma "moral pós-convencional".[33] Buscará seus fundamentos fora dos imperativos de interiorização da pastoral cristã ou da psicanálise, na ética do mundo antigo percebida como estética da existência e, portanto, lição para "fazer de sua vida uma obra".[34]

---

29 Foucault, Deux essais sur le sujet et le pouvoir. In: Dreyfus; Rabinow, *Foucault, un parcours philosophique*, p.297.

30 Idem, Est-il donc important de penser?, *Libération*, n.15, 30-31 maio 1981.

31 Macherey, Foucault: éthique et subjetivité, *Autrement*, n.102 (A quoi pensent les philosophes?), 1988, p.92-103.

32 M. Foucault, entrevista, *Le Nouvel Observateur*, 10 jun. 1984.

33 Rochlitz, Esthétique de l'existence. In: *Michel Foucault philosophe*, p.296.

34 Foucault, *L'usage des plaisirs*, p.16.

As afrodisias

Nessa viagem ao interior da Antiguidade, Foucault, que circulou até aí, quanto ao essencial, em um mundo de arquivos no qual ele punha de lado, com todo o gosto, os grandes textos canônicos da história do pensamento para preferir-lhes manuscritos ligados a uma prática social como o *Panóptico* de Bentham, dedica-se agora aos grandes autores cujos escritos delimitam o arquivo em cima do qual trabalha. Ocorre de novo um deslocamento, uma renúncia a penetrar na episteme de uma época a partir de um arquivo médio, e a expressão, sem dúvida, do desejo de uma relação dialógica entre ele próprio e os filósofos mais conhecidos da Antiguidade.

Foucault opta pelo reverso da visão de uma Antiguidade pagã, dionisíaca, sem fé nem lei, sem tabus. Substitui-a por uma Antiguidade greco-romana na qual a prática sexual se insere numa ascética frequentemente muito constrangedora, prolegômeno da ascética cristã. Não se pode, contudo, estabelecer entre essas últimas um vínculo de continuidade, pois os temas que se podem encontrar em um e outro caso não comportam os mesmos valores. Ao passo que o código prescritivo cristão reivindica uma dimensão universal, a moral antiga não se apresenta como código a generalizar, nem mesmo no seio de sua própria sociedade. Para os gregos, a oposição mais importante entre as afrodisias diferencia os atores ativos e os passivos: as mulheres, os rapazes, os escravos. A homossexualidade, nesse caso, não é reprimida, desde que se seja ativo nas relações com o outro.

Essa divisão institui a ética de uma sociedade baseada na virilidade. A conduta de virtude no uso dos prazeres só se dirige a uma casta, a dos homens livres. Ela subentende um domínio de seu próprio corpo, de suas pulsões. A divisão é, nesse caso, entre a moderação e a incontinência, entre a *hubris* (a "imoderação") e a *diké* (o "equilíbrio"), muito mais do que entre um outro tipo de sexualidade. Outro valor viril, além do autodomínio, "a temperança também é, em sua acepção plena, uma virtude do homem".[35] Apagar seus prazeres é um meio de constituir-se e de manter-se homem livre, é evitar se tornar escravo deles. O casamento

35 Foucault, *L'usage des plaisirs*, p.96.

na Grécia não liga sexualmente os dois cônjuges numa relação monogâmica. A reflexão sobre o casamento está ligada a uma reflexão sobre o conjunto de pessoas de uma família vivendo na mesma casa: o *oïkos*. Leem-se em Xenofonte os dois papéis complementares do homem que trabalha fora e da mulher cujo espaço se desenrola no interior do *oïkos*. A fidelidade recomendada ao marido não depende da exigência de uma relação monogâmica. Quanto ao que frequentemente se apresentou como um sinal de devassidão no nível do código moral moderno, o amor dos efebos é, pelo contrário, o objeto central da reflexão sobre as afrodisias. Ao contrário da visão mais usual, "é a seu respeito que eles formularam a exigência das austeridades mais rigorosas".[36] A atividade sexual encontra-se, pois, no centro de uma verdadeira estética da existência, reservada, é certo, para uma minoria privilegiada da população grega, os adultos livres do sexo masculino.

Essa visão que privilegia a relação consigo será, porém, criticada por Pierre Hadot.[37] Retoma as palavras de Sêneca, que encontra a alegria "na melhor parte de si", mas refere-a a uma tensão de si no sentido da transcendência, da superação da sua singularidade, e não numa harmonia reduzida a um processo de individuação. O sentimento de pertença a um todo continua sendo essencial nos estoicos e platônicos, e o sentido desses exercícios de controle é participar do todo cósmico. Pierre Hadot considera bem fundamentada a descrição que Foucault oferece das práticas de si, dessas práticas de desarraigamento de tudo que é exterior ao sujeito para lhe assegurar o domínio de si mesmo, "mas esse movimento de interiorização é inseparavelmente solidário com um outro movimento, com o qual se eleva a um nível psíquico superior, no qual se encontra um outro tipo de exteriorização".[38]

Por seu lado, a historiadora da Antiguidade Maria Daraki considera que Foucault pratica o amálgama entre dois modelos distintos: o do cidadão que deve adquirir um domínio de si porque assim é requerido pela sociedade isonômica, por sua participação nas formações de hoplitas para defender a pólis, e a segunda figura da Antiguidade grega que é a do homem puro, do renunciante que é o homem "divino": "Negando

36 Ibidem, p.269.

37 Hadot, Réflexions sur la notion de culture de soi. In: *Michel Foucault philosophe*, p.261-8.

38 Ibidem, p.267.

ao temperante o direito ao uso dos prazeres, ele acrescenta-lhe a superioridade de que somente desfruta o abstinente".[39]

Foucault, ao aplicar o método serial que ele próprio havia teorizado em *L'archéologie du savoir*, teria, segundo Maria Daraki, uma tendência exagerada a ler a Grécia antiga sob o ângulo exclusivo do *Homo sexualis*: ele supervaloriza essa dimensão e faz dela a chave da inteligibilidade dessa época, ao passo que, por trás das condutas sexuais, o que está em jogo permanece fundamentalmente vinculado ao religioso e ao político. Essa supervalorização é, sobretudo, manifesta quando Foucault atribui as razões da inquietação da época helenística, que conduzirá ao recolhimento sobre si, a uma patologização da sexualidade. Maria Daraki constata o contrário nos textos. Seria, ao contrário, uma das raras libertações que teriam suscitado o desabamento do universo cívico.

Uma estilística de si

Com *Le souci de soi*, terceiro volume da *Histoire de la sexualité*, Foucault situa-se no século II da nossa era. Ele percebe nessa nova etapa uma mudança manifesta da reflexão ética no sentido de uma intensificação dos códigos, ligada a uma crise da subjetivização no mundo romano. Essa última já não se encontra mais inserida no interior das finalidades cívicas, como no século IV a.C. Mas, como o título *Le souci de soi* revela, o domínio de si converte-se em sua própria finalidade. O sujeito constitui-se, então, plenamente como tal, e assiste-se a uma "problematização mais intensa das afrodisias",[40] que se traduz por maior requinte de todos os procedimentos pelos quais o sujeito toma posse de si mesmo, sobre um fundo de crescente desconfiança em face dos perigos associados ao uso de prazeres.

O casamento é valorizado e vinculado agora a obrigações conjugais mais rigorosas. Essa ética mais austera não tem sua origem numa intensificação do código moral, mas na atenção crescente dada a si mesmo,

39 Daraki, Le voyage en Grèce de M. Foucault, *Esprit*, abr. 1985, p.55-83, reimpresso em idem, *Traversées du XXe siècle*, p.280.

40 Foucault, *Le souci de soi*, p.53.

sem que isso conduza necessariamente ao isolamento. Esse cuidar de si dá acesso a práticas socializantes. Essa ética se refere a toda a classe dirigente de Roma, a qual deve se conformar com todo um ritual de ascese do corpo e do espírito. Ela deve seguir um regime dietético muito estrito, praticar exercícios físicos, consagrar momentos à meditação, à leitura, à rememoração do que foi adquirido: "Ocupar-se de si não é uma sinecura".[41] Foucault se dedica a localizar para além das aparências, que poderiam dar lugar a comparações apressadas com as práticas cristãs, o que fundamenta a singularidade do mundo romano. Quando evoca a prática do exame de consciência, tem o cuidado de não a assimilar a uma vontade de culpabilização do sujeito, mas refere essa última à busca de sabedoria.

Em *Le souci de soi*, Foucault prefere relacionar a problematização cada vez mais ansiosa de si com a instabilidade política e social em curso no Império Romano. O declínio das cidades-estados substituídas pelas monarquias helenísticas, depois pelo Império Romano, não extinguiu a vida política local. Entretanto, as condições de exercício do poder se tornaram complexas e a administração se tornou onipotente, devido à extensa dimensão do Império. As responsabilidades atribuídas dão um poder definido a quem exerce tais cargos, mas estes são revogáveis à discrição do príncipe. Nesse novo jogo político, a situação da classe dirigente se torna mais precária. A margem de manobra entre o exercício real do poder e seu papel como correia de transmissão de uma máquina administrativa impulsionada de outro lugar fica difícil de definir: "A constituição de si mesmo como sujeito ético de suas próprias ações se torna mais problemática".[42] Governar os outros passa efetivamente pelo governo de si mesmo, como explica Plutarco. A precariedade das posições de poder conduz a uma desestabilização de si que torna necessário um reforço do código ascético.

A nova estilística da existência se traduz, sobretudo, por uma doutrina do monopólio sexual no interior do casamento, e as relações sexuais são unicamente finalizadas como ato procriativo no quadro de uma ética da existência puramente conjugal. Nessa inversão, o amor dos efebos prossegue de fato, mas recua no interesse que se atribui a ele, em

41 Ibidem, p.66.
42 Ibidem, p.105.

proveito da relação marital: "O afeto pederástico se verá efetivamente desqualificado".[43]

Foucault não percebe essa reviravolta ética como um simples reflexo das grandes mudanças sociais e políticas, como foi frequentemente compreendido, mas numa elaboração do cuidado consigo mesmo que induz a novas práticas quando o contexto se torna problemático:

> Deve-se pensar antes numa crise do sujeito ou, melhor, da subjetivação; numa dificuldade na maneira como o indivíduo pode se constituir como sujeito moral de suas condutas, e nos esforços para encontrar na aplicação a si o que pode permitir-lhe submeter-se a regras e dar uma finalidade à sua existência.[44]

É, portanto, do interior do sujeito que se pode apreender a sua relação consigo mesmo e com os outros, e não como simples receptáculo de transformações que seriam exteriores a ele. A partir dessa autonomização, que tem o mérito de romper radicalmente com a teoria empobrecedora do reflexo, Foucault quer, sobretudo, mostrar o que existe de arbitrário em todo sistema, seja o da sociedade grega, romana ou outra. A sua descrição serve não para recapitular-lhe a historicidade, mas de pretexto para o verdadeiro objetivo subjacente a todo o empreendimento e que consiste em desvincular o sujeito do seu desejo, de libertá-lo e libertar-se de toda forma de culpabilidade nesse domínio para chegar a se reconciliar consigo mesmo.

A patologização progressiva dos corpos, a culpabilização crescente que culminará na patrística cristã, o medo que extravasa das práticas sexuais e reflui sobre a monogamia: todo esse contexto de crise nos leva até àquilo com que Foucault se debate desde o começo da descoberta de sua homossexualidade. Esse desvio pela Grécia e por Roma remete, por conseguinte, em grande parte, ao não dito do indivíduo Foucault, à sua busca desesperada e urgente de uma ética, de uma ascese espiritual compensatória de um desprendimento próximo de seu corpo, de uma libertação da culpabilidade mortífera que o habita, e de uma reconciliação final consigo mesmo. Decididamente, o sujeito está de volta.

43 Ibidem, p.230.
44 Ibidem, p.117.

33

Um sujeito autônomo

O encaminhamento de Barthes, Todorov e Foucault para uma problematização do sujeito, a partir de meados dos anos 1970, traduz um movimento profundo que arrasta as ciências sociais para longe das paragens em que elas acreditavam ter firmado sua cientificidade, as do sistema, da estrutura. É o grande retorno do recalcado, o sujeito, que se julgara ser possível evitar. Sob nomes diversos, contendo metodologias igualmente diversas, são os indivíduos, os agentes, os atores, que retêm a atenção no momento em que as estruturas se apagam do horizonte teórico.

A evolução mais espetacular é a da sociologia, cujo ato de nascimento na França corresponde em parte, porém, a uma reação contra a filosofia iluminista. Para Robert A. Nisbet,[1] os verdadeiros ancestrais da sociologia não são Rousseau, Montesquieu ou Hobbes, mas Burke, Maîstre e Bonald, que privilegiavam, ao contrário da ideologia individualista do Século das Luzes, as estruturas ampliadas de sociabilidade: a comunidade aldeã e seu sistema hierárquico.

Auguste Comte e Durkheim discernirão o próprio objeto da sociologia a partir de uma superação da noção de indivíduo, a qual, para eles, decorre da metafísica e não da ciência. Segundo Auguste Comte, o espírito positivo só adquire um caráter científico na condição de se situar

1 Nisbet, *La tradition sociologique*.

ab initio no plano da realidade social impulsionada por leis endógenas. O indivíduo é considerado o obstáculo, por excelência, à construção do espírito positivo. Para o fundador dessa nova ciência sociológica na França, Durkheim, o indivíduo só tem existência como parte integrante do ser social. Este é fruto de uma realidade independente, impossível de apreender no plano individual.

O individualismo metodológico

É contra essa orientação holística que parecia constitutiva das regras fundamentais do método sociológico que se define o individualismo metodológico, desenvolvido na França principalmente por Raymond Boudon, a partir de meados da década de 1970. Essa corrente conhecerá um êxito ainda mais espetacular visto que se baseia numa crítica radical a dois paradigmas holísticos em pleno declínio: o marxismo e o estruturalismo. A conjuntura lhe é, portanto, favorável, e Raymond Boudon exuma da sociologia os ancestrais alemães do início do século. Coloca na epígrafe de seu *Dictionnaire critique de la sociologie* uma citação de Max Weber: "A sociologia [...] só pode proceder das ações de um, de alguns ou de numerosos indivíduos separados. É por isso que ela tem a obrigação de adotar métodos estritamente 'individualistas'".[2] Esse termo individualismo não deve ser entendido no seu sentido ético, nem mesmo na acepção usual da autonomia conferida aos indivíduos na sociedade, mas no nível metodológico, opondo-se ao método alternativo holístico: "Para explicar um fenômeno social qualquer, [...] é indispensável reconstruir as motivações dos indivíduos envolvidos [...] e apreender esse fenômeno como o resultado da agregação dos comportamentos individuais ditados por essas motivações".[3]

O segundo ancestral alemão do método, mais recentemente introduzido por Raymond Boudon, é Georg Simmel, de quem publicou em 1982 *Sociologie et épistémologie* (PUF) e traduziu *Les Problémes de la*

2 Boudon; Bourricaud, *Dictionnaire critique de la sociologie*, p.V.

3 Boudon, Individualisme et holisme dans les sciences sociales. In: Birnbaum; Leca (Dir.), *Sur l'individualisme*. Théories et méthodes, p.46.

philosophie de l'histoire, em 1985 (PUF). Na polêmica que opôs vivamente Simmel e Durkheim, Raymond Boudon dá a conhecer as posições daquele, cujos argumentos só foram divulgados por meio da crítica formulada pela escola francesa de sociologia, contra o seu aspecto essencialmente psicologista. Simmel introduzia uma distinção fundamental entre a interpretação dos dados históricos que intervêm quando se revelam grandes tendências, e a explicação que remete esses dados para as causas individuais, situadas, entretanto, num quadro contextual que só permite conclusões parciais, e não generalizações que só podem ser abusivas. Simmel convida, portanto, a considerar as motivações individuais: "Para um conhecimento perfeito, cumpre admitir que somente existem indivíduos".[4]

O individualismo metodológico, como propunha Simmel, renuncia à busca de leis gerais de vocação universal. Boudon repele toda e qualquer perspectiva essencialista que concedesse preponderância às restrições, aos determinismos que pesam sobre o indivíduo. Opõe-lhe a postura inversa, que parte do estudo dos comportamentos individuais para explicar todo fenômeno social. Mas tal inversão de perspectiva não resolve o problema da passagem incontornável do singular ao generalizável, do individual ao coletivo.

O individualismo metodológico foi buscar em Simmel a ideia de que um fenômeno social só pode ser concebido como efeito de agregação dos interesses e comportamentos individuais. Portanto, o sociólogo não pode contentar-se com um descritivismo, mas deve também construir "tipos ideais" a partir de uma modelização das agregações possíveis e realizadas entre indivíduos. É na construção do objeto que o individualismo metodológico "opõe-se radicalmente a uma inspiração estrutural".[5] Fixando-se nos comportamentos e nas ações individuais, ele interroga a escolha dos indivíduos, formula hipóteses sobre estes pressupondo, assim, uma ampla margem de liberdade deixada aos agentes/sujeitos sociais.

Esse método individualista floresceu sobretudo nos Estados Unidos, nas décadas de 1970 e 1980, em torno do paradigma do *Homo economicus*. Ele permite, além disso, que o sociólogo se identifique com

4 Simmel, *Sociologie et épistémologie*.

5 Ansart, *Les sociologies contemporaines*, p.89.

o economista, formalizando como ele a partir de "tipos ideais" a ação racional dos agentes sociais. Mas para Raymond Boudon o individualismo metodológico se distingue, entretanto, dessa orientação. Faz sua a crítica de Pareto, segundo a qual o *Homo sociologicus* deve ser considerado a superação do *Homo economicus*, sem retomar, no entanto, a distinção estabelecida por Pareto entre ações lógicas e não lógicas.

O que permite a restituição das práticas sociais é a análise do sistema de interação.[6] Esse método remete, portanto, para "uma sociologia do singular"[7] que privilegia as situações contextuais nas quais o sociólogo analisa as lógicas do social, excluindo as noções abstratas e holísticas de "sociedade", de "nação" e até mesmo de "classe". Essa última noção sequer é retida na lista dos conceitos do *Dictionnaire critique de la sociologie*. O sucesso desse paradigma tem muito a ver com a evolução da própria sociedade, que atravessa uma crise sem precedentes das referências identitárias holísticas em pleno descalabro, deixando os indivíduos em confronto consigo mesmos, sem vinculações. Em segundo lugar, a recuperação do interesse pelas teses liberais encontra-se no horizonte teórico de um método que postula a "superioridade da ideologia liberal".[8]

Os jogos do ego

O jogo das estruturas foi substituído pelos jogos do ego. Em todas as disciplinas se investiga sua inserção pessoal, seu modo de implicação no objeto de estudo e, por vezes, este consiste no "eu" que interroga "as inquietações do eu".[9] Philippe Lejeune, linguista estruturalista, interessa-se pela enunciação na linha de Benveniste, define o pacto autobiográfico como promessa de transparência. Orienta-se, portanto, no sentido da boa lembrança do ego e opta por trabalhar sobre a autobiografia, a dos outros e a dele: "Ninguém escapa de si mesmo".[10]

---

6 Ver Goffman, *Les rites d'interaction*.

7 Ansart, *Les sociologies contemporaines*, p.285.

8 Boudon, *L'idéologie ou l'origine des idées recues*, p.287.

9 *Espaces Temps*, n.37 (Je et Moi, les émois du Je. Questions sur l'individualisme), 1988.

10 Lejeune, *Moi aussi*, p.33. Ver também idem, *Le pacte autobiographique*; idem, *Je est un autre, l'autobiographie, de la littérature aux médias*.

Esse novo exercício de retorno a si foi empreendido, inclusive, por um dos eminentes representantes da antropologia estrutural-marxista althusseriana, Emmanuel Terray,[11] que esclarece seu duplo compromisso profissional e militante como a resultante de um permanente confronto, desde a infância, com a figura do traidor encarnada por seu pai, que desempenhou altas funções administrativas no governo de Vichy. Menino de 11 anos, sente um profundo mal-estar nessa pensão na qual seus pais o colocaram em 1946 e onde o clima patriótico estava em seu auge: "Eu me sentia excluído desse entusiasmo: participar dele teria sido renegar meu pai".[12] Terray, com seu escrupuloso sentido de probidade, nunca desmentido, estabelece um vínculo de necessidade entre a maneira como considerou sua vida, segundo o modelo de um livro rigoroso e claro, pleno de significado, e sua própria angústia existencial, que o devolvia a um passado que não podia negar e que era um meio para ele de "renunciar a afirmar-me na minha singularidade".[13]

Terray jamais renegará seus entusiasmos, ainda quando contraditórios: Sartre, Lévi-Strauss, Althusser. Se tem de se defrontar com a figura do traidor, jamais será um renegado para a causa que defendeu. A etnologia foi para ele o combate que seu pai não sustentou. Dedica-se a ela com fervor, conjugando estudos minuciosos de campo, debates teóricos e combates militantes anticolonialistas. Se não se faz hoje o cantor do retorno ao otimismo das Luzes, é porque "este morreu nas valas comuns de Auschwitz e sob os escombros de Hiroshima, e todo esforço para ressuscitá-lo não seria mais que escárnio e insulto".[14] Essa narrativa autobiográfica nos revela, portanto, um itinerário tecido por uma historicidade simultaneamente pessoal e coletiva, que traduz alguns aspectos relevantes da integridade e sinceridade de seu autor.

Esse retorno a si torna-se um fenômeno coletivo e o historiador Pierre Nora o experimenta na corporação dos historiadores. Chega mesmo a vislumbrar nele, em 1985, o surgimento de um novo gênero para uma nova idade da consciência histórica: a ego-história. O historiador assume, pois, plenamente sua situação de sujeito investido no

---

11 Terray, *Lettres à la fugitive*.
12 Ibidem, p.19.
13 Ibidem, p.33.
14 Ibidem, p.182.

presente e não se apaga mais atrás de uma suposta neutralidade científica: "O desvendamento ou a análise do investimento existencial, em vez de se afastar de uma investigação serena, torna-se o instrumento e a alavanca da compreensão".[15] As delícias do ego darão lugar a uma obra apresentada por Pierre Nora que reuniu, nessa ocasião, as ego-histórias de um certo número de historiadores, que aplicam a si mesmos um método largamente provado com os outros para explicitar, "como historiador, o vínculo entre a história que se fez e a história que vos fez".[16] Essa preocupação consigo mesmo nem por isso se transforma, contudo, em "ego-história" e permite enfatizar os grandes *topoi* da consciência histórica de uma geração. Essas narrativas são, por conseguinte, abertas e articuladas sobre a pertença a uma comunidade erudita, a um modo de problematização do tempo. Permitem apreender a diversidade das respostas singulares que são dadas por personalidades diferentes em face de situações semelhantes.

O ídolo biográfico

O gênero biográfico que se acreditava ter sido enterrado para sempre pela escola durkheimiana também ressurge na sociologia do lado da sua ala "contestadora". Esta apresenta-se como "o efeito mecânico da entrada na sociologia de uma geração de sociólogos cuja aprendizagem devia tanto à experiência militante quanto ao ensino universitário".[17] Ora, esses novatos chegam ao campo da disciplina sociológica a partir da segunda metade dos anos 1970. A conjunção que oferecem a conversão do esquerdismo político em esquerdismo contracultural e o desencanto que resulta da ineficiência dos modelos estrutural-marxistas conduzirá para as regiões do vivido, das "histórias verdadeiras", das "pessoas daqui". Colocam-se, como se dizia no *Libération* nos anos 1970, as próprias tripas sobre a mesa, e multiplicam-se as coleções que reúnem as vozes, as narrativas singulares: "Testemunhos", "Depoimentos",

15 Nora, *Essais d'ego-histoire*, p.6.
16 Ibidem, p.7.
17 Mauger, Mai 68 et les sciences sociales, *Les Cahiers de l'IHTP*, n.11, abr. 1989, p.91.

"Ao vivo" etc. "Faço parte dos sociólogos que trabalham a partir de relatos de vida, ou seja, que escutam as pessoas comuns contar-lhes, é claro que à sua maneira, a história de suas vidas..."[18]

O ídolo biográfico também está de volta entre os historiadores. É certo que ele não tinha desaparecido de certos relatos históricos tradicionais que tinham sabido conservar, graças a ele, o seu grande público, mas, fenômeno mais surpreendente, seduziu nos anos 1980 a escola histórica que consagrara e teorizara a morte desse gênero histórico: a escola dos *Annales*. Assim, não é sem surpresa que se vê um dos eminentes representantes dessa escola, Emmanuel Le Roy Ladurie, historiador da "história imóvel", passar em revista os reis que fizeram a casa de França, por ocasião da publicação de *L'histoire de France* na Hachette, em fins de 1987. O psicologismo biográfico prevalece e Le Roy Ladurie pode, então, sondar "o fundo do coração" de Henrique II[19] e considerar globalmente positivo o balanço desses heróis da nação que não desmereceram. Marc Ferro, outro membro do comitê de direção da revista *Annales*, publica em 1987 uma grande biografia de Pétain.[20] O mais fiel dos fiéis a Braudel, dedica-lhe esse livro em que, no entanto, não se encontra nenhum dos ensinamentos do mestre. O autor não nos poupa, na sequência de documentos que constituem o tecido de sua obra, nenhum dos detalhes curiosos sobre os estados de alma do marechal Pétain, e adere, assim, totalmente ao gênero biográfico tradicional. Não é esse o caso de todas as biografias: Georges Duby e Yves Sassier concebem as suas como verdadeiras radioscopias do mundo medieval.[21]

Esse retorno é espetacular e Ferro recorda, em 1989, que ainda não faz muito tempo se realizava um grande colóquio internacional sobre a revolução de 1905 no qual nenhum dos trinta participantes se propôs apresentar uma comunicação sobre Nicolau II. O mesmo caso ocorreu num colóquio precedente a respeito do governo de Vichy, sem que se fizesse menção a Pétain: "Esses dois colóquios haviam sido organizados, um pela Sorbonne, outro pela Fondation Nationale des Sciences

---

18 D. Bertaux, Individualisme et modernité, *Espaces Temps*, n.37 (Je et Moi, les émois du Je. Questions sur l'individualisme), 1988, p.20. Autor de *Histoires de vie ou récits de pratiques? Méthodologie de l'approche biographique en sociologie*.

19 Le Roy Ladurie, *Histoire de France*, v.2, p.168.

20 Ferro, *Pétain*.

21 Duby, *Guillaume le maréchal*; Sassier, *Hughes Capet*.

Politiques".[22] Esses dois exemplos mostram a que ponto o gênero biográfico tinha sido banido da escrita histórica, fora das fronteiras da escola dos *Annales*, e relegado ao papel secundário de romance para ler no trem. A tradição durkheimiana, retomada como estandarte pelos *Annales*, conseguira, dessa forma, colocar a perspectiva biográfica durante muito tempo fora do campo do historiador sério, científico. Mas Marc Ferro faz-se hoje o advogado do gênero: "Abandonar essa parceria da análise histórica é uma solução de facilidade".[23]

A subjetividade também retorna entre os etnólogos. Assim, Marc Augé lançou as bases de um gênero novo com *La traversée du Luxembourg* (1985); o etnorromance, a partir de uma inversão da perspectiva ao término da qual o etnólogo não é mais o sujeito do olhar etnológico, mas o objeto desse último no relato de uma experiência cotidiana.

Numa outra orientação, menos literária, inspirada no começo pela corrente interacionista de que é prova a obra de Erving Goffman, uma nova corrente surge nos anos 1960, nos Estados Unidos, e nos anos 1980 na França: a etnometodologia, cujo livro fundador, de Harold Garfinkel, data de 1967.[24] O objetivo é analisar como os atores sociais produzem uma situação social. No coração desse paradigma, situa-se, portanto, a atividade comunicativa entre os atores sociais. A noção de fato encontra-se dinamizada num processo indefinido de posse dos comportamentos pelos atores sociais. O etnossociólogo deve, nesse caso, envolver-se completamente nessas práticas sociais a fim de lhes restituir a dinâmica: "É uma inversão completa. Com a etnometodologia, existem somente pessoas, atores que inventam seus etnométodos todos os dias. Para eles, é a subversão total pela invenção permanente do cotidiano".[25] Georges Lapassade, em Paris-VIII, é um fervoroso adepto, entre outros, dessa nova orientação da pesquisa.[26]

22 Ferro, La biographie, cette handicapée de l'histoire, *Magazine Littéraire*, n.264, abr. 1989, p.85.

23 Ibidem, p.86.

24 Garfinkel, *Studies in ethnomethodology*.

25 René Lourau, entrevista com o autor.

26 Ver Coulon, *L'ethnomethodologie*.

A geografia humanista

Mesmo em geografia, o retorno do sujeito é sensível numa corrente ainda marginal mas que progride e vem também dos Estados Unidos, da costa oeste americana. É o que os anglo-saxões chamam a geografia humanista. Essa corrente de pensamento é representada, por exemplo, por alguns suíços francófonos que desempenharam um papel ativo na renovação do discurso geográfico, como Claude Raffestin, professor na Universidade de Genebra, ou Jean-Bernard Racine, professor na Universidade de Lausanne. Eles consideram que o geógrafo deve, antes de tudo, ligar-se ao domínio das representações, considerado, com efeito, o objeto próprio da ciência geográfica, que deve se emancipar das ciências naturais para delimitar com mais precisão seu objeto, constituído por fenômenos afetivos, por valores que organizam os fatos humanos.

Segundo eles, a geografia cometeu o erro, nos anos 1960, de adotar como seu principal referencial teórico a ciência econômica e de fundamentar suas modelizações a partir exclusivamente do *Homo economicus*: "O espaço que o geógrafo estuda não traduz simplesmente o projeto vital de toda sociedade, subsistir, proteger-se, sobreviver, mas também suas aspirações, suas crenças, os aspectos mais íntimos de sua cultura".[27]

Ao contrário das evoluções das outras disciplinas, que se desviam então das reflexões semiológicas da fase estruturalista, a geografia, essa convidada de última hora, abre-se com essa corrente para uma reflexão dessa ordem, e utiliza Barthes nessa valorização da esfera das representações.

Reconhecendo a semantização de seus objetos, essa geografia que gosta de comparar-se a um palimpsesto "também é, evidentemente, um semantido [*sémantide*], segundo a expressão de Jacques Ruffié".[28] Abre-se então uma vasta perspectiva de confrontação do sujeito em sua relação com o espaço, a de uma geografia da forma, das representações articuladas com uma geografia relacional da experiência vivida. Claude Raffestin procura até dar à geografia uma ontologia para evitar a deriva que ela conhece como disciplina retalhada e reduzida à categoria de

27 Racine, Vers un nouveau modèle de l'homme comme référentiel de contrôle, *Espaces Temps*, n.40-41 (Géographie, état des lieux), 1989, p.38.

28 Ibidem, p.39.

auxiliar. Ele reage propondo que se reflita sobre uma possível teoria da "geograficidade", que necessita mudar de paradigma e revisitar o espaço a partir dela como modo de existência humana e de seu destino: "Mas corre-se o risco de cair nos mesmos erros se se resistir em fazer a despesa de uma ontologia da geografia".[29]

O ator social

A volta do ator a que se assiste de todos os lados não deve fazer esquecer aquele que foi um iniciador no domínio da sociologia na época em que ela não estava muito em moda: Alain Touraine. Ele teve a coragem de enunciar teses que davam maior importância ao ator social num momento em que o estruturalismo triunfava na praça de Paris, e em que era de bom tom considerar esse nível de análise como não pertinente, não científico. A partir de meados da década de 1960, no próprio apogeu do fervor estruturalista, Alain Touraine teoriza os seus primeiros estudos de casos,[30] a fim de definir o objeto da sociologia em termos de ação social e de movimentos sociais: "Os progressos realizados nestes últimos cem anos estiveram diretamente ligados à descoberta do objeto próprio da sociologia".[31]

O paradigma de Touraine articula-se em torno das mutações que a sociedade conhece e que a fazem passar de um estado industrial a um pós-industrial. Essa passagem está na base da transição de um paradigma de ordem essencialmente econômica para um sociocultural que integra o sentido que os atores sociais conferem às suas práticas. Esse último nível especificaria até o objeto próprio da sociologia. Essa análise integra os atores no interior do campo de estudo, e privilegia as dinâmicas sociais, ao contrário do estatismo e dos fenômenos de reprodução valorizados pelo estruturalismo.

---

29 Raffestin, Théorie du réel et géographicité, *Espace Temps*, n.40-41, 1989, p.30.

30 Touraine, *L'Évolution du travail ouvrier aux usines Renault*; idem; Ragazzi, *Ouvriers d'origine agricole*.

31 Idem, *Sociologie de l'action*, p.7.

Ao passo que a abordagem estrutural era propensa a negar a pertinência da história e tornava-se incapaz de explicar os processos de transformação, Touraine, pelo contrário, colocará a historicidade no centro do seu modo de análise, sem por isso reatar com a história teleológica. Considera a historicidade um conceito que permite perceber a ação da sociedade sobre si mesma a partir de sua realidade conflitante. Para Touraine existe, sem dúvida, uma oposição entre dominantes e dominados, na qual o que está em jogo é a historicidade. Entretanto, esse antagonismo não se reduz, no quadro da sociedade pós-industrial, apenas à posição dos atores sociais no interior das relações de produção.

A resistência essencial à dominação tecnocrática se exerce no plano cultural: é nesse nível que a sociologia pode contribuir para tornar-se um dique de resistência contra o avanço das diversas formas de desapropriação, de esbulho, e contra a passividade que daí resulta, participando assim no renascimento do ator social.[32]

Pouco compreendido na era estruturalista, Touraine parece manter uma posição mediana entre o ator e o sistema, repelindo com igual firmeza a absolutização das estruturas e a dos sujeitos. O combate entre holistas e individualistas lhe parece artificial e fonte de facilidades, pois a verdadeira tarefa situa-se na articulação do ator e do sistema no qual ele atua e é atuado. Posição mediana que, como acontece com frequência na França, tem dificuldades para fazer-se entender.

Humanismo e individualismo

A abordagem spinozista da leitura de textos tinha dominado a era estrutural, obliterado o sujeito e permitido instalar-se num universal abstrato, numa enunciação sem sujeito. Não era a verdade do texto que era interrogada. Os pesquisadores deviam restabelecer o que existia no texto e nada mais: "Essa fase spinozista está prestes a encerrar-se".[33] Com a reinflexão para o sentido, e dado o fato de que desde meados dos anos 1970 já ninguém se prende exclusivamente aos instrumentos

32 Idem, *Le retour de l'acteur*.

33 Tzvetan Todorov, entrevista com o autor.

do sentido, o sujeito reencontra um lugar central no dispositivo reflexivo. O sentido deixa, então, de estar reduzido ao signo, e o autor ao escrevente, sem que isso signifique o retorno ao culto de um sujeito supremo, entronizado em sua soberania absoluta. O movimento atual não implica, pois, uma divinização do homem.

O problema apresentado consiste em repensar o sujeito após as descobertas do inconsciente e das determinações históricas e sociais, e não em criar um impasse acerca dessas últimas: "Mais ninguém proporia hoje um sujeito numênico, transcendendo a história, transparente para si mesmo, tendo um perfeito domínio de seus pensamentos e de suas ações".[34]

A crítica derridiana do humanismo se baseia na convicção de que esse pensamento é um pensamento da essência. Assim, estaria comprometido com o nazismo, já que essa ideologia postulava uma essência do homem encarnada pelo ariano: "Ora, o humanismo não é necessariamente um pensamento da essência. É um contrassenso absoluto".[35]

Os filósofos do humanismo, se valorizam a humanidade do homem, afirmam muito pelo contrário que, se existe algo próprio do homem, algo que o diferencia da espécie animal ou das coisas, é justamente o não ter essência. Recorde-se a famosa demonstração feita por Sartre em *L'Être et le Néant*, a qual se inscreve nessa filiação quando ele define o existencialismo como um humanismo e opõe o corta-papel ao homem, ao garçom de restaurante. Ele demonstra, assim, que a existência precede a essência. Sartre reata desse modo a longa tradição da filosofia humanista: "Existe uma belíssima frase de Fichte: 'O animal é o que é, o homem só nada é'. Também em Kant: 'O homem só se torna homem pela educação'."[36]

Alain Renaut, por seu lado, define esse humanismo a partir de um pensamento do sujeito que valoriza as noções de autonomia e de responsabilidade, e opõe-no a um pensamento do indivíduo que se situa do lado da valorização da independência. O individualismo não constitui, portanto, o horizonte do humanismo moderno, mas tão somente um dos seus momentos históricos no qual se dissolve. Se bem que

34 Alain Renaut, entrevista com o autor.

35 Ibidem.

36 Ibidem.

geralmente se coloquem esses dois conceitos no mesmo plano, o individualismo, que afirma a onipotência do ego, destrói de fato as bases da autonomia própria do humanismo. A leitura moderna do pensamento do individualismo origina-se, segundo Alain Renaut, em Leibniz: "O verdadeiro momento inaugural e decisivo deixa-se situar sem equívoco na monadologia leibniziana".[37] A partir desse momento decisivo, toda a filosofia do indivíduo desabrochará e progressivamente dissolver o sujeito e sua autonomia. Hegel e depois Heidegger retomam essa mudança radical como fundamento da filosofia moderna.

Nietzsche leva esse pensamento aos seus limites extremos quando julga romper com a era das monadologias. Mas "tudo o que ele faz é revelar-lhe o verdadeiro sentido, que consiste em acompanhar, na extenuação do princípio da subjetividade e dos valores da autonomia, o profundo deslocamento que ocorreu no cerne da modernidade".[38] Nietzsche ampliou o movimento que conduzia o indivíduo a uma independência total, fora de todas as coações sociais. Essa busca leva o indivíduo a destruir a ideia de universalidade da verdade e a considerar o moderno reinado da razão um obstáculo à afirmação de sua diferença individual, de sua singularidade. É, pelo contrário, a partir de uma articulação em torno do princípio de autonomia, que Alain Renaut considera que o sujeito deve ser repensado, o que não implica "nenhuma regressão em relação às principais conquistas do pensamento contemporâneo".[39] Esse humanismo, baseado num sujeito autônomo, não nega a alteridade, a diferença, mas está longe de exacerbá-las numa absolutização que redundaria em "encerrar as pessoas em sua cultura".[40] O objetivo de Renaut é pensar o estatuto das diferenças contra um fundo de identidade a partir do qual elas se manifestam. Esse humanismo reata, portanto, a ambição da primeira geração estruturalista, aquela encarnada por Lévi-Strauss, que tinha por objetivo encontrar o geral por trás do singular, a transparência da existência humana não derivada de uma essência postulada, mas subjacente na diversidade de suas modalidades irredutíveis.

37 Idem, *L'ère de l'individu*, p.31.
38 Ibidem, p.221.
39 Ibidem, p.296.
40 Idem, entrevista com o autor.

É essa irredutibilidade que sublinha, pelo contrário, Louis Dumont como fundamento da oposição que ele percebe entre a sociedade holista indiana e a sociedade individualista ocidental. Essas duas ideologias constituem para ele uma oposição binária, contraditória, em termos exclusivos. Só pode existir, portanto, como manifestação de uma pulsão de morte, de holismo na sociedade individual e de individualismo na sociedade holística. Louis Dumont, a partir de 1948, começou por dedicar sua obra de antropólogo ao estudo da civilização indiana, que ele definiu como a do *Homo hierarchicus*.[41] Ideologia holista que subordina o indivíduo à totalidade social, ela corresponde ao princípio de uma sociedade hierárquica, fundada na renúncia ao mundo e numa interdependência entre os homens encarnada pelo sistema de castas.

Dez anos depois, Louis Dumont, em 1977, chama a atenção para o reverso do espelho indiano que constitui a civilização ocidental, como ideologia oponível termo a termo aos valores indianos. *Homo aequalis*[42] descreve a invenção moderna do indivíduo na sociedade ocidental, que se desfaz do primado ontológico do social, da ordem coletiva e de sua marca no indivíduo, em sua singularidade. Essa emancipação é o corolário do nascimento do econômico como categoria distinta dos outros níveis, político e religioso. A sacralização da riqueza mobiliária libertará das tradições ancestrais e permitir ao indivíduo se definir como sujeito da sua própria historicidade, liberto das tradições, mas que reencontra o social por meio do ideal do igualitarismo.

A publicação em 1977 dessa obra, que enfatiza as raízes antropológicas individualistas fundadoras da singularidade da modernidade ocidental, acompanha no plano teórico o movimento em curso no interior da sociedade desde 1975: um movimento de recuo para a esfera do privado, um refluxo de todas as escatologias coletivistas e o triunfo da "era do vazio".[43]

Tanto no caso indiano como no do Ocidente, a sociedade é impulsionada por uma estrutura ideológica forte que organiza a coerência social: no Ocidente, a do indivíduo-no-mundo, e no Oriente, a do indivíduo-fora-do-mundo. A passagem de um ao outro é o fruto de uma

---

41 Dumont, *Homo hierarchicus*. Le Système des castes et ses implications.

42 Idem, *Homo aequallis*.

43 Lipovetsky, *L'ère du vide*.

longa gênese que Louis Dumont descreve.[44] A fase estoica de distanciamento deixa lugar para o dualismo próprio do cristianismo: este exalta o valor infinito do indivíduo ao mesmo tempo que desvaloriza o mundo, permitindo, assim, uma relativização da negação do mundo aqui embaixo e um "grau notável de latitude na maioria dos assuntos do mundo".[45] A conversão do imperador Constantino ao cristianismo no século IV e, depois, no século VIII, o cisma de Bizâncio reforçam cada vez o engajamento dos cristãos-no-mundo. A Reforma do século XVI e, em particular, sua forma calvinista completam esse processo pelo qual o destino dos indivíduos deixa de ser tributário da Igreja, porquanto todos os eleitos o são por toda a eternidade numa relação direta com um deus onipotente, não mediatizado por uma instituição qualquer: "Com Calvino, a igreja englobando o Estado desapareceu como instituição holística".[46] A ponta extrema dessa mudança ideológica, que alicerça uma nova ordem sobre os valores individuais, é percebida na Declaração dos Direitos do Homem de 1789, culminação desse longo processo ao término do qual pode-se enunciar, então, o projeto prometeico do indivíduo mestre e senhor da natureza.

Um sujeito dividido e historicamente determinado

Esse individualismo triunfante e triunfal encontra nos anos 1980 a sua expressão mais extrema no pensamento pós-moderno. Este deleita-se no efêmero e acentua ainda o caráter monadológico do indivíduo ao considerá-lo simples partícula ligada a redes, como é o caso em Baudrillard: "Existe apenas uma espécie de relé, de terminal. Mas o indivíduo não existe. É uma espécie de ressurgência alucinatória, por compensação. Mas isso talvez corresponda realmente a um mecanismo de funcionamento: as pessoas funcionam como átomos nas moléculas, como partículas".[47] Baudrillard descreve bem essa vitória do indivíduo como negação

44 Dumont, *Essais sur l'individualisme*: une perspective anthropologique sur l'idéologie moderne.

45 Ibidem, p.46.

46 Ibidem, p.67.

47 Baudrillard, entrevista com François Ewald, *Magazine Littéraire*, n.264, abr. 1989, p.19.

do sujeito que teria perdido toda a autonomia, toda a responsabilidade, e só teria pertinência pelas redes que o animam. Simples lugar de síntese, o indivíduo nada mais é do que uma prótese autorregulada por um sistema fundamentado no simulacro: "Pode-se chamar a isso uma cultura, mas não é mais uma cultura da ação. É uma cultura da operação".[48]

A distinção estabelecida por Alain Renaut entre sujeito e indivíduo permite compreender em que medida o pós-modernismo se inscreve na filiação de um pensamento do individualismo inteiramente contrário a um pensamento do sujeito. Contudo, esse último pensamento não pode criar o impasse sobre as diversas formas de condicionamento, de submissão do sujeito. Existe, por exemplo, a aquisição do freudismo revisitado por Lacan e que não permite pensar a partir de então o sujeito como unidade indivisível e transparente, mas, pelo contrário, como realidade dividida e opaca. Nesse domínio, a contribuição de Lacan continua fundamental: "O problema do sujeito já está no centro da sua dialética do desejo".[49] Portanto, não se pode invocar o sujeito sem o alicerçar, esquecendo que ele se apresenta além dos seus objetos de desejo, e que está fundamentalmente submetido ao significante: "Todos os que dizem 'o sujeito? O sujeito?', como De Gaulle dizia 'A Europa! A Europa!', zombando de Lecanuet, parecem-me irrisórios porque se trata de um discurso totalmente impensado".[50] François Wahl visa aqui a todos aqueles que, em seu retorno ao sujeito, se apoiariam na negação de sua divisão básica, de sua estrutura dividida, em proveito de um sujeito pleno, de uma concepção numênica do sujeito: "O futuro do sujeito não está, como se gostaria de nos fazer (re)acreditar, no ministério do interior".[51]

Por outro lado, o sujeito não pode ser pensado sem ser referido ao contexto histórico que o determina, como nos lembra, a propósito do mundo helênico, Jean-Pierre Vernant, em sua polêmica com Didier Anzieu.[52] Vernant mostra, com efeito, que a matéria da tragédia não é o sonho colocado numa relação de exterioridade em face da realidade

48 Ibidem, p.20.
49 François Wahl, entrevista com o autor.
50 Ibidem.
51 Wahl, *Le Nouvel Observateur*, 13 jun. 1986.
52 Anzieu, Œdipe avant le complexe ou De l'interprétation psychanalytique des mythes, *Les Temps Modernes*, n.245, out. 1966, p.675-715; resposta de Vernant, Oedipe sans complexe, *Raison Presente*, n.4, 1967, p.3-20, reimpresso em idem, *Oedipe et ses mythes*, p.1-22.

social, mas, pelo contrário, uma emanação simultaneamente precisa e polissêmica do pensamento social da cidade grega do século V a.C. O helenista não reconhece a releitura de toda a mitologia grega que tenta Anzieu a partir da fantasmática edipiana como reflexo do sentido da tragédia grega: "O helenista não reconhece mais as lendas que lhe são familiares. Elas perderam o rosto, os traços pertinentes, o caráter distintivo, o domínio específico de aplicação que lhes eram próprios".[53]

Vernant não nega para tanto que a leitura analítica possa permitir a elucidação das coisas, mas na condição de correlacioná-la com um bom conhecimento de helenista: "Digo simplesmente que não existe leitura psicanalítica da tragédia, assim como digo que não existe leitura marxista da tragédia. O conhecimento dessa última pode ser facilitado ou obliterado pelas opções intelectuais".[54]

A proximidade do domínio de investigação de Vernant do campo analítico só podia reativar esse debate que estava suspenso. A discussão, com efeito, foi recentemente reiniciada, embora de maneira menos polêmica, entre Vernant e um dos seus antigos alunos dos anos 1960 na Sorbonne: Pierre Kah, agora psicanalista, e que se mantivera distante de Vernant na época da guerra da Argélia. Era o momento em que esse último era considerado pestífero pelo Partido Comunista Francês (PCF), que incumbira sua jovem guarda militante – Philippe Robrieux, Jean Schalit e Pierre Kant, entre outros – de manter Vernant de quarentena e interditar-lhe o uso da palavra na Sorbonne. O tempo das excomunhões acabou. Todos abandonaram há muito a casa materna, quando Pierre Kahn descobre, com entusiasmo, ao ler o livro de Vernant, *La morts dans les yeux* (1986), que o seu auto está numa situação de proximidade constante com a psicanálise. Decide, então, escrever-lhe e solicitar-lhe que explicite em que consiste a distância que ele vê ainda existir entre a abordagem da antropologia histórica e a psicanalítica. Vernant responde ao questionário que lhe foi submetido por Pierre Kahn.[55]

---

53 Vernant, *Mythe et tragédie en Grèce ancienne*; idem, *Oedipe et ses mythes*, p.8.

54 Idem, entrevista com o autor.

55 Idem, La mort dans les yeux. Réponses à un questionnaire, *Espaces, Journal des Psychanalistes*, n.13-14 (D'une illusion des illusions), 1986, p.75-83.

Recorda ele nessa ocasião que o historiador não pode construir um modelo interpretativo a partir de arquétipos, mas deve adaptar a cada caso singular um modelo construído a partir dos diversos elementos documentais de que dispõe para articulá-los "num conjunto significativo".[56] Essa relativização conduz, por exemplo, a não se partir de uma concepção anacrônica do indivíduo, mas daquela da civilização estudada. Ora, o sujeito na Grécia antiga não é o sujeito da modernidade: "A experiência de si não está orientada para dentro, mas para fora. O indivíduo procura-se e encontra-se em outrem".[57] A consciência de si não passa na época por uma introspecção, mas por fora do sujeito: ela é apreensão de um "Ele" e ainda não de um "Eu". Por conseguinte, a abordagem do sujeito não pode ser realizada a partir de categorias trans-históricas, mas deve, pelo contrário, ser relativizada, cada vez que for tomada pela significação, do sujeito em seu contexto histórico preciso. A obra de Vernant, como a do período estrutural em geral, revela o contrassenso de um retorno puro e simples a um sujeito numênico que obliteraria o condicionamento histórico.

Ludwing Wittgenstein pode também contribuir para utilizar uma noção de sujeito suscetível de conciliar-se com as aquisições das ciências humanas, já que considera que "não se é obrigado, para ter o direito de utilizar uma noção de sujeito, a possuir uma teoria filosófica que a justifique".[58] Wittgenstein, que não concede, no entanto, *status* privilegiado algum às ciências sociais, pode permitir uma conciliação com as suas próprias experiências quando postula que não há problemas propriamente filosóficos, mas apenas dificuldades filosóficas que podem ser dissolvidas, sobretudo ao se eliminarem os mal-entendidos, as incompreensões acumuladas no uso da linguagem ordinária.

56 Ibidem, p.79.

57 Ibidem, p.82.

58 Jacques Bouveresse, entrevista com o autor.

34

O retorno à historicidade

Em meados dos anos 1970, o historicismo já não é perseguido como um vício, como foi no apogeu do estruturalismo. O historiador Pierre Vilar ainda recorda Nicos Poulantzas recriminando-o por "ter caído no historicismo. Respondi-lhe: 'Não tenho necessidade de cair nele. Estou e aceito estar nele'".[1] Mas ele era, na verdade, uma figura de exceção na época, como historiador que aceitava o diálogo com o estruturalismo, sem nada ceder sobre a preponderância atribuída às transformações históricas. O mais espetacular é, sobretudo, o retorno da historicidade ao próprio seio da disciplina que lhe retirara toda a pertinência: a linguística, a semiótica. É significativo, a esse respeito, que a obra de Vladimir Propp, que foi o breviário do ambicioso programa estruturalista de *Communication 8* em 1966, só tenha dado lugar na França à tradução e publicação da primeira parte em 1965, sob o título de *Morphologie du conte*, e que fosse preciso aguardar 1983 para assistir à edição da segunda parte, com o significativo título *Les racines historiques du conte merveilleux*, não obstante estar publicado na União Soviética desde 1946. Essa segunda parte, articulada sobre a trama histórica, foi muito simplesmente ocultada durante um período no decorrer do qual essa perspectiva era frontalmente recusada.

1 Pierre Vilar, entrevista com o autor.

Essa obliteração da dimensão histórica da obra de Propp é ainda mais surpreendente, porquanto essa obra esteve no centro de numerosas polêmicas e foi a base da modelização do estudo da narrativa para toda uma geração. Por outro lado, Propp considerava sua morfologia como o prelúdio da grande obra que leva em conta a dimensão temporal da elaboração do conto russo. Pode-se mesmo descortinar uma concepção evolucionista da história no Propp do segundo volume: "A tese de Propp está, sobretudo, impregnada do dogma evolucionista".[2] Quaisquer que sejam as críticas que se possam fazer a essa segunda obra de Propp, às concessões que teve de fazer à grade de leitura em uso à época na União Soviética, é inacreditável que a comunidade intelectual francesa não tivesse podido julgar com base no conjunto de uma obra tão central e tivesse de aguardar uma outra conjuntura, em 1983, para estabelecer uma opinião fundamentada.

É certo que esse retorno do ponto de vista histórico não remete à historicidade de antes da fase estruturalista. Tal como para o sujeito, que não pode mais ser o de antes das descobertas do pensamento contemporâneo, a historicidade de que se trata coincide com uma crise do sentido da história definido como progresso. Depois das conquistas estruturalistas, não se pode mais pensar a humanidade segundo o esquema da anterioridade, o das fases que conduzem essa última a um grau superior de sua realização. O pensamento estrutural impôs definitivamente a ideia da equivalência da espécie humana desde que ela existe. Trata-se de uma aquisição assimilada a tal ponto que passou a ser tida naturalmente em conta como algo axiomático. Mas o preço a pagar foi romper radicalmente com toda ideia de historicidade. É esta que retorna como horizonte e que relativiza o alcance das modelizações sincrônicas.

Uma sede de historicidade

Sylvain Auroux reintroduz, assim, a dimensão diacrônica, a pesquisa de filiações, combinadas com a definição de um sistema. Quando

2 Propp, *Les racines historiques du conte merveilleux*, p.XII.

escreveu *La sémiotique des encyclopédistes* (1979), definiu na introdução ao seu trabalho o que ele chama de relativismo histórico, graças ao qual se pode formular a questão de saber como um sistema se movimenta. Sylvain Auroux enveredará em seguida, cada vez mais, pelo caminho de um trabalho de historiador da semiótica, da linguística e das noções filosóficas.

Por seu lado, a linguista Claudine Normand organiza um colóquio em Nanterre, em 1980, sobre a história das ciências: "Les Sciences Humaines: quelle histoire?". Ela sentia simultaneamente a necessidade de um balanço da efervescência passada e a de uma abordagem histórica. Essa necessidade se originou, também, em meados da década de 1970: "Preparei esse colóquio em nome de um grupo de trabalho que data de 1976, com numerosos filósofos".[3]

Nos anos 1980, um empreendimento pluridisciplinar se constituirá, lançado por alguns sociólogos da École des Hautes Études en Sciences Sociales (Ehess): Bernard-Pierre Lécuyer, Benjamim Matalon, com a criação da Société Française pour l'Histoire des Sciences de l'Homme, a qual agrupa numerosos representantes de todas as disciplinas desse vasto campo de pesquisas das ciências sociais, reunidos na base de uma preocupação historiadora.

O domínio da poética abre-se também para a historicidade. É o caso do trabalho de Philippe Hamon, que, sem ceder um palmo da ambição estrutural inicial, permite o acesso à necessária historicização das técnicas de descrição da narrativa. Ele mostra, a esse respeito, que a descrição sofre uma coerção estrutural que obriga a criação de um personagem observador que se detém e contempla o mundo para descrevê-lo.[4] Philippe Hamon historiciza sua observação periodizando-a, e mostra que certas épocas ignoraram a descrição, porque esta pressupõe uma certa ideia da singularidade do indivíduo que não existia. Reencontra, desse modo, as descobertas da história das mentalidades, segundo as quais o processo de individuação só lentamente se afirma a partir da época moderna, para dilatar-se no século XIX, o momento mais prolixo da técnica descritiva, encarnada pelo romance realista.

---

3 Claudine Normand, entrevista com o autor.

4 Hamon, *Analyse du descriptif*.

Ainda no domínio da poética, da literalidade da literatura, Gérard Genette abre também o texto para sua dimensão histórica ao fazer sua a noção de "transtextualidade", definida como sendo tudo o que coloca em relação, manifesta ou secreta, um texto com outros textos.[5] Essa noção envolve a mais ampla abertura histórica, mesmo que esteja confinada ao campo da literatura. Genette, definindo os tipos de relações transtextuais, ultrapassa a noção de intertextualidade introduzida nos anos 1960 por Julia Kristeva, ou seja, a copresença de vários textos num só: ele propõe diversos tipos de relações, como a arquitextualidade, que resulta da relação mais implícita, muda, entre um texto posterior e um anterior, denominado hipotexto. Essa última relação sequer tem necessidade de ser tangível, materializada no modo citacional ou paratextual, visto que define a relação entre o conjunto dos textos anteriores que puderam contribuir para a gênese do novo texto. Assim, essa noção engloba toda a história literária que ela reintroduz, de fato, numa posição significante, depois de ter sido esvaziada: "Não existe obra literária que, em algum grau e segundo as leituras, não evoque alguma outra e, nesse sentido, todas as obras são hipertextuais".[6]

Com a arquitextualidade, Gérard Genette inaugura um novo campo, ao mesmo tempo herança do estruturalismo e deslocamento da sua orientação, à medida que recupera um certo número de categorias cuja pertinência tinha sido negada nos anos 1960.[7] A arquitextualidade continua sendo bem definida como a expressão da literalidade da literatura, mas abre o campo da reflexão literária sobre os tipos de discurso, os modos de enunciação e os gêneros literários de que depende cada texto em particular. A arquitextualidade desloca, portanto, o trabalho do crítico do nível da descrição estrutural para a busca de modelos, de tipos de discurso, de tipos de argumentação. Essa modelização deve levar em conta a variação dos gêneros no interior de uma historicização desses últimos, e implica, por conseguinte, uma nova e forte conexão com a história. Esse impulso dado recentemente a uma reflexão renovada sobre a noção de gênero passa por uma redescoberta da retórica clássica. Assim é que Gérard Genette se apoia por diversas vezes

5 Genette, *Palimpsestes*, p.7.
6 Ibidem, p.16.
7 Idem, *Introduction à l'architexte*.

em Aristóteles para definir esse novo campo de investigação e inscreve suas pesquisas na filiação de uma poética ocidental que se esforçou, desde Platão e Aristóteles, por constituir uma série de categorias num sistema unificado que englobe o conjunto do fenômeno literário: "Platão e Aristóteles já distinguiam os três gêneros fundamentais segundo os seus respectivos 'modos de imitação'".[8]

Essa abertura para o campo histórico é ainda mais radical num outro estudioso da poética, companheiro de Gérard Genette, Tzvetan Todorov, que não só abre sua perspectiva sobre o histórico como transborda os limites literários para enfrentar mais amplamente o domínio das ideologias. Todorov também se faz o defensor de uma transtextualidade que retoma de Bakhtin. Este lhe serviu de alavanca para superar a concepção dos formalistas russos, segundo a qual a linguagem poética seria puramente autotélica, isto é, autônoma, cortada da linguagem prática e, portanto, de toda e qualquer justificação que não seja endógena, totalmente abstraída do condicionamento histórico. Pelo contrário, Todorov restitui à literatura sua função de comunicação e, por conseguinte, o fato de que possa ser um dos suportes privilegiados para repartir valores, visões de mundo: "Que a literatura não seja o reflexo de uma ideologia exterior não prova que ela não tenha nenhuma relação com a ideologia: ela não reflete a ideologia, é uma delas".[9]

A crítica genética

A dimensão genética destacada por aqueles que, como Lucien Goldmann, recusavam-se a abandonar a perspectiva histórica, impôs-se finalmente, embora de modo tardio, no transcurso dos anos 1980, e culminou na criação, em 1982, do Institut des Textes et Manuscrits Modernes (Item). Este acolhe uma equipe, cada vez mais numerosa, de especialistas da literatura, e se consagra a uma crítica, dita genética, interna e externa, dos textos literários.

8 Ibidem, p.9.
9 Todorov, *Critique de la critique*, p.189.

Na origem dessa instituição, encontra-se um germanista que participou ativamente da efervescência estruturalista na área da linguística na Universidade de Besançon nos anos 1960: Louis Hay. A inflexão para a história teve no seu caso uma origem acidental: "Escrevia tolamente uma tese sobre o poeta alemão Heinrich Heine quando tive a chance de encontrar a maior parte dos seus manuscritos espalhados ao redor do mundo".[10] Louis Hay recorre, então, ao governo francês e consegue convencer o general De Gaulle a comprar esses documentos. Quando estes chegam à Biblioteca Nacional, não existe conservador germanista capaz de classificá-los e isso é confiado a Louis Hay, o que se converterá num trabalho em tempo integral, exigindo seu desligamento da Sorbonne e o ingresso no Centre National de la Recherche Scientifique (CNRS) em 1968.

É a partir dessa data e da criação de uma pequena equipe à sua volta que adotará uma nova direção de pesquisa. Ela resulta do encontro fascinado de um historiador da literatura com os tesouros que ele descobre na Biblioteca Nacional, a confrontação com os próprios manuscritos. Mas essa inflexão historiadora também se relaciona com o período no decorrer do qual já se pode constatar "um certo esgotamento do estruturalismo puramente formal".[11] Essa corrente de crítica genética se inscreve simultaneamente em continuidade e em ruptura com o estruturalismo. Por sua consideração das transformações, das variações, da historicidade, ela oferece uma perspectiva diferente da corrente estrutural mais fechada e mais formal. Mas há continuidade em relação a um outro aspecto importante do estruturalismo, o qual consistiu em dar um estatuto mais objetivo aos estudos literários, sobretudo ao enfatizar a noção de texto: "Substituir o homem e a obra pelo estudo do texto, sendo este último apresentado como objeto científico que se estuda como tal: foi dessa ambição que saímos".[12] Louis Hay fez escola e juntaram-se a ele aqueles mesmos que na década de 1960 renovaram os estudos literários (vamos encontrar no Item, entre outros, Jean Bellemim-Noël, Jean Levaillant, Henri Mitterand, Raymonde Debray-Genette...).

10 Louis Hay, entrevista com o autor.

11 Ibidem.

12 Ibidem.

Em 1974, constituem-se dois grupos que trabalham sobre Proust e sobre Zola, formando o Centre d'Analyse des Manuscrits Modernes (CAM): "Foi um pequeno acontecimento, pois germanistas e *francisants* se encontravam juntos, debruçados sobre uma problemática comum".[13] Outros grupos, especialistas em outros autores, aderiram então a essa nova instituição que trabalha sobre uma meia dúzia de *corpora*, Nerval, Flaubert, Zola, Valéry, Proust, Joyce, Sartre, cujas obras são estudadas a partir de sua gênese e de sua estrutura. Em 1976, essas pesquisas atraem a atenção de Aragon, que leva seus manuscritos e os de Elsa Triolet ao CAM, transformado em Item em 1982.

Esse instituto do CNRS funciona, nesse momento, como um foguete com vários estágios. A genética textual atribui-se como objetivo restituir uma "terceira dimensão" do texto impresso, a do seu processo de elaboração e da dinâmica própria da escrita. Ela implica ocupar-se dos textos e antetextos, rascunhos, referências, em sua materialidade, e classificá-los a partir de indícios: é o nível "codicológico" da análise, o do estudo dos suportes e das ferramentas da escrita. Submete-se a tinta a um exame clínico e a betarradiografia analisa as marcas-d'água. A informática permite, por outro lado, tratar importantes *corpora* e estruturar as deduções, formalizá-las. No estágio superior do Item, são preparadas as edições críticas para levar ao conhecimento do público as descobertas. Num terceiro nível, ocupam-se do trabalho de renovação teórica dos estudos literários e dos problemas teóricos da edição. Louis Hay publica, em 1979, uma obra programática, *Essais de critique génétique*, na qual faz convergir, em torno do mesmo objeto, o manuscrito, toda uma série de especialistas: poetistas, psicanalistas, sociocríticos. "Nesse meio tempo, deu-se uma certa inversão, à medida que o objeto começou a produzir uma reflexão teórica autônoma que teve efeitos, em contrapartida, sobre outras disciplinas e atividades criadoras."[14] As pesquisas ultrapassaram o âmbito dos estudos literários e abriram-se para as interrogações acerca do próprio fato da escrita que desafiam o neurologista, o neuropsicólogo, o cognitivismo, o paleógrafo... É um segundo aspecto da filiação desses grupos de pesquisa no período estruturalista, nessa vontade de retirar a crítica literária de seu enclave, de

13 Ibidem.
14 Ibidem.

fazê-la comunicar com outras disciplinas, frequentemente imprevistas: "Não se pensara nem por um segundo na neurologia quando nos dedicamos ao estudo literário".[15] Essa nova crítica, genética, permite renovar a leitura dos textos, restabelecendo os processos pelos quais foram elaborados. Ela participa, portanto, dessa grande mudança que provocou a ruptura estruturalista em seu esforço para, além da simples linearidade, restabelecer outras lógicas em ação num texto.

O retorno da história literária

A reintrodução de uma perspectiva historiadora é perceptível por toda parte entre os homens de letras. Anne Roche e Gérard Delfau definiram-lhe o projeto desde 1974.[16] Expressam então sua insatisfação, tanto em face da história literária clássica, à maneira de Gustave Lanson, quanto diante da "focalização míope sobre o texto puro e simples",[17] e se propõem considerar "a história como fio de prumo". Esse retorno da historicidade não é o da teoria do reflexo a partir da qual a "história-e-literatura" (discurso) seria apenas o espelho levemente deformado da história (real histórico). Pelo contrário, os autores preconizam a construção de uma teoria das mediações, perspectiva que, alguns anos mais tarde, viria a ser também definida por Geneviève Idt.[18] Essa teoria subentende a retomada da noção linguística de contexto situacional, das condições materiais de produção e recepção dos discursos, das instituições que condicionam as práticas discursivas, os interlocutores, o público da mensagem literária: ou seja, uma articulação com a história social, mas também com a história cultural, ao estudar a hierarquização dos códigos da mensagem da época considerada, e suas referências implícitas e explícitas às mensagens anteriores. Não se trata, portanto, de rejeitar as experiências adquiridas durante o período estruturalista, mas de as articular ao nível histórico, de abrir a reflexão sobre a forma

15 Ibidem.
16 Roche; Delfau, Histoire-et-littérature: un projet, *Littérature*, n.13 (Histoire/Sujet), fev. 1974, p.16-28.
17 Ibidem, p.16.
18 Idt, Pour une histoire littéraire tout de même, *Poétique*, n.30, abr. 1977, p.167-74.

para suas alternativas, seus suportes, seu conteúdo: "A nossa hipótese de base, sempre correlacionada com a história, talvez pareça paradoxal, uma vez que insiste sobre a importância das formas: ora, é de tradição opor a abordagem histórica e a abordagem formalista".[19]

A crítica literária também reencontra a historicidade ao passar para o outro lado do espelho da escrita e incluir no seu campo de investigação o domínio da leitura. São cada vez mais frequentes as interrogações sobre a estética da recepção literária. Numa perspectiva ainda estruturalista e que prolonga as direções de pesquisa definidas em 1965 por Umberto Eco em *A obra aberta*, o interesse recai sobre o que estrutura o horizonte de expectativa do leitor, suas hipóteses de leitura. Historiadores e críticos literários podem, assim, caminhar de acordo, ainda que esteja Roger Chartier de um lado ou Philippe Lejeune de outro; essa estética da recepção deve articular as possíveis modelações da escrita/leitura com a configuração do campo heterogêneo da história social.

A ruptura, além da consideração da cronologia, situa-se, sobretudo, na validade reconhecida do referente que tinha sido obliterado quando da constituição da linguística como ciência do signo: "É necessário que se realize o retorno ao referente".[20] Esse referente tem uma dupla dimensão: por um lado, sociológica, que é mensurável, e, por outro, existencial, que é a dimensão sensível. Por muito tempo objeto de opróbrio em proveito da noção de imanência e de fechamento do texto sobre si mesmo, é essa dupla dimensão que retorna agora com a re-historicização em curso da crítica literária.

A manifestação mais espetacular desse retorno da historicidade na abordagem da literatura, e dada a importância do que está em jogo, uma vez que condiciona a maneira como a jovem geração terá acesso à literatura, é o ataque desencadeado por novas empresas editoriais contra o domínio absoluto no ensino do famoso Lagarde e Michard das edições Bordas.

A receita desse manual, que desde 1948 alimentou a juventude escolarizada numa familiaridade um tanto artificial com as "grandes" obras literárias e os "grandes" autores, está testada: é a sucessão cronológica

19 Roche; Delfau, Histoire-et-littérature, p.21.
20 Barbéris, Sur la littérature: une grande absente de la théorie, *Le Débat*, n.34, mar. 1985, p.184-6.

de uma seleção de trechos escolhidos. Passou pelo teste do tempo sem grandes danos, salvo uma ligeira renovação em 1985, e em 1988 representava ainda cerca de 60% do mercado.[21] Esse manual canônico conheceu, entretanto, alguns eclipses, sobretudo no ápice da onda estruturalista. Na época, foi muito frequente vê-lo repelido para o nível das velharias, das antiguidades, pois a revolta dos anos 1960 e o programa científico que ela propunha atacavam justamente a concepção do homem e da obra, assim como o princípio de estudar fragmentos escolhidos, ou seja, tudo o que Lagarde e Michard encarnavam.

A volta desse velho compêndio ao proscênio é sintomático, pois, do refluxo do paradigma estrutural e do retorno da historicidade. A modernização do ensino de letras teria abortado totalmente? Se examinarmos os concorrentes de Lagarde e Michard que se acotovelam para tomar-lhe o lugar, o balanço está longe, porém, de um simples retorno ao ponto de partida da história literária tradicional. Há um regresso, sem dúvida, à história literária, mas amplamente fecundada pelos avanços estruturalistas dos anos 1960.[22]

É incontestável que os responsáveis por esses recém-chegados ao mercado tiveram de alijar boa parte de suas posições teóricas, por vezes muito radicais, em particular contra a própria noção de trechos escolhidos e a pertinência das apresentações biográficas ou cronológicas. Magnard, que tinha tentado uma abordagem por ordem alfabética em 1983, voltou atrás, ao constatar que a maioria dos alunos "não sabia situar no tempo Corneille ou Racine".[23] Quanto à escolha das obras, "há quase todos os grandes textos que os professores esperam".[24]

Só que não se pode combater a artilharia pesada de Lagarde e Michard com atiradeira. A esse respeito, a palma coube ao trabalho dirigido por Henri Mitterand para editora Nathan, cujos cinco volumes totalizam umas 3.200 páginas! Recorde-se que Henri Mitterand foi um dos renovadores estruturalistas dos anos 1960, e as obras que

---

21 Billard, *Le Monde*, 8 set. 1988.

22 *Textes et Contextes*, por C. Biet, J.-P. Brighelli e J.-L. Rispail, Ed. Magnard; *Perspectives et confrontations*, X. Darcos, B. Tartayre, B. Agard, M. F. Boireau e A. Boissinot, Hachette; *Littérature*, sob a direção de H. Mitterand, Nathan; *Itinéraires littéraires*, sob a direção de G. Décote, Hatier.

23 Brighelli apud Billard, *Le Monde*, 8 set. 1998.

24 Henri Mitterand, entrevista com o autor.

dirigiu apresentam incontestavelmente esse cunho. É certo que o Classicismo leva a melhor, mas pontilhado de modernidade estrutural, em primeiro lugar pela preocupação constante de fazer dialogar a tradição canonizada com textos considerados marginais: "Tentou-se mostrar que no interior de um dado período literário é possível distinguir patamares, registros diferentes".[25] Por outro lado, cada capítulo termina com uma página que oferece o ponto de vista da nova crítica sobre a questão. Assim é que se encontram manuais balizados pelos textos de Barthes, Todorov, Greimas, Genette, Starobinski, Cixous... "Como há 120 capítulos, temos 120 belas páginas de crítica e de teoria modernas".[26] Quanto à contribuição propriamente linguística, está presente nos aparatos didáticos, nos quais os problemas de ordem retórica são patentes. Henri Mitterand vê também a herança estruturalista na concepção de conjuntos, em estrutura piramidal, de cada uma das obras: "É um estruturalismo pedagógico".[27] Pode-se, entretanto, mostrar algum ceticismo a respeito dessa última apreciação, pois se não há a menor dúvida de que o diretor desse conjunto de 3.200 páginas possui essa visão global, isso é mais difícil, por certo, para os secundaristas que descobrem essa enciclopédia, mesmo que seja concebida como magnífica máquina funcional.

A colaboração de Alain Boissinot, membro da muito modernista Association Française des Enseignantes de Français (Afef) – nascida da rejeição dos manuais tradicionais na esteira da contestação de Maio de 1968 –, na empresa de manuais dirigida por Xavier Darcos, na Hachette, para o último volume dedicado ao século XX é igualmente sintomática desse desejo de reinvestir os avanços teóricos do estruturalismo, sem deixar de responder à demanda de obras mais clássicas. Também, nesse caso, modernidade e tradição foram alternativamente utilizadas numa perspectiva, sobretudo, metodológica, e que retoma a reflexão estruturalista para melhor elucidar a diferenciação por gêneros. Reencontra-se aí a preocupação estrutural de objetivar o ato de escritura: "Não atuar na base da conivência cultural, mas na objetivação de um saber e sua difusão: é esse o objetivo de um ensino democrático".[28]

25 Ibidem.
26 Ibidem.
27 Ibidem.
28 Alain Boissinot, entrevista com o autor.

A volta do evento

Além das ciências-piloto que foram a linguística e a abordagem da literatura, são todas as ciências sociais que, nesse período, redescobrem a historicidade, a importância do evento, a desordem por trás da ordem. As ciências da natureza, que tinham servido de modelo ao paradigma estrutural, voltam a desempenhar, por suas descobertas, um importante papel na inflexão do paradigma das ciências humanas.

O número de *Communications* de 1972 é dedicado ao evento, cuja volta é percebida por Edgar Morin. As descobertas científicas convidam a isso, como as da astronomia que alteram profundamente a visão da história do universo ao situar em 15 bilhões de anos um evento originário, o *big bang*, a partir do qual se produziu a explosão geradora de um universo em constante evolução e expansão: "O cosmo parece ser ao mesmo tempo universo e evento".[29] A história, que tinha sido rechaçada como dimensão acientífica, retorna paradoxalmente por intermédio das ciências duras, em torno das noções de irreversibilidade, de racionalidade possível da desordem, de imprevisibilidade. É no mesmo sentido que, na década de 1970, evoluem a genética, a teoria da informação, as técnicas da inteligência artificial, e certas teorias matemáticas como a de René Thom, cuja obra principal, *Stabilité structurelle et morphogenèse*, passou inicialmente despercebida na França no momento de sua publicação, em 1972. Mas suas teses começam a ser conhecidas e a influenciar o paradigma das ciências humanas quando, em 1974, é editado em livro de bolso *Modèles mathématiques de la morphogenèse*.

As ciências humanas, numa preocupação de modelização científica, tinham repelido a desordem como manifestação perturbadora; elas devem a partir de então rever totalmente seu postulado comtiano em face da evolução da teoria matemática elaborada por René Thom, a chamada teoria das catástrofes. Os trabalhos em topologia diferencial levaram René Thom a elaborar uma matemática dos fenômenos críticos e um método qualitativo para interpretar as formas naturais: a teoria das catástrofes. Esta permite reunir num mesmo quadro teórico uma grande diversidade de fenômenos observados em óptica, em

29 Morin, Le retour de l'événement, *Communications*, n.18, 1972, p.6.

termodinâmica, em hidrodinâmica. Ferramenta de descrição dos fenômenos imprevisíveis, a teoria das catástrofes não tardou a encontrar prolongamento em sua aplicação nas ciências sociais. Essa teoria define o acidente na evolução de um sistema como o nível mais pertinente, uma vez que invalida o modo de descrição do sistema que estava em vigor até então e exige repensá-lo.

Pouco depois, em 1979, a obra de Ilya Prigogine e Isabelle Stengers, *La nouvelle alliance* (Gallimard), conhecerá um sucesso ainda maior fora dos círculos dos especialistas. A definição por eles dada de uma termodinâmica dos processos irreversíveis amplia o fenômeno de reabilitação do movimento, das descontinuidades, da historicidade. Tendo as ciências mais modernas reconhecido o alcance fundamental do evento, era inconcebível que as ciências sociais continuassem a ignorá-lo, e essas descobertas contêm em si mesmas, portanto, a extinção do paradigma estruturalista como o que privilegia a permanência, a sincronia, a evicção da eventualidade. A historicidade, portanto, reinvestirá o campo das ciências humanas, como já vimos a propósito da escola da regulação para uma parte dos economistas.

Marc Guillaume, economista politécnico, escreve em 1978 *Éloge du désordre*; reagindo contra o que considerava ser imaginário da ordem em Lévi-Strauss, Guillaume constrói um modelo inspirado na ideia de Georges Bataille segundo a qual o destino do mundo está submetido ao princípio do excesso de produção de energia. Para Bataille, as sociedades tradicionais são obrigadas a dissipar em pequenas quantidades esse excesso que as ameaça, para preservar sua ordem. Diversamente, a sociedade moderna, segundo Bataille, está sob sucessivos abalos por não dissipar mais seu excesso de energia; pelo contrário, acumula-a, cristaliza-a, até o ponto de crises cada vez mais violentas num destino trágico semeado de guerras, de destruições cada mais devastadoras: "A partir dessa visão apocalíptica, disse de mim para mim, ao trabalhar sobre a burocracia, que era possível ver a desordem como um formidável meio de procrastinação e dissipação dos prazos fatais. [...] A desordem numa tal perspectiva pode ser concebida como uma transição positiva".[30]

30 Marc Guillaume, entrevista com o autor.

Esse retorno ao discurso historiador se faz acompanhar de uma escolha estilística, a da legibilidade de um gênero literário. Um dos casos mais espetaculares de conversão é o de Élisabeth Roudinesco, conhecida até aí como althusseriano-lacaniana particularmente hermética. Quando ela publica *La bataille de cent ans, Histoire de la psychanalyse en France*, é um duplo acontecimento. Por um lado, a autora rompe com o a-historicismo de seu mestre Lacan: "Esta história foi feita contra Lacan, para mostrar que uma história era possível e que, ao mesmo tempo, era possível restituir uma história a Lacan, ao passo que ele tinha passado a vida a se des-historicizar. Essa era a aposta".[31] Evidentemente, essa história não empurra o passado para o esquecimento. Ela concede o melhor papel a Lacan, que é seu verdadeiro herói. Roudinesco também foi buscar muita coisa a Canguilhem e a Foucault: "O primeiro volume é a história das ciências à maneira de Canguilhem".[32] Por outro lado, o estilo metamorfoseou-se: a autora ilustra uma narração que se tornou clássica com retratos em cores vivas, quase romanescas: "Fiz retratos de personagens e para tanto me inspirei na literatura".[33] Esse duplo recurso à história das ciências e à literatura ilustra perfeitamente a tensão constante que resulta da dependência das ciências humanas ante esses dois polos, mas o que é significativo do período é, de novo, o prazer de escrever, o prazer do texto de Élisabeth Roudinesco, e sua preocupação de historicizar um domínio que parecia até então escapar a esse tipo de construção intelectual.

Num outro registro, mas no mesmo terreno da psicanálise, Gérard Mendel reexamina Freud situando suas proposições teóricas no momento histórico preciso no decorrer do qual elas nasceram. Assim é que Mendel mostra que as duas bases biológicas nas quais Freud entendeu fundamentar a teoria psicanalítica – o postulado da hereditariedade dos caracteres psíquicos adquiridos e o postulado de um quimismo sexual manifesto desde o nascimento – são hoje consideradas pela biologia como aberrações e decorrências, de fato, de uma concepção historicamente ultrapassada: "A biologia freudiana conjuga, assim, dois anacronismos: um neolamarckismo psíquico e um neovitalismo

31 Élisabeth Roudinesco, entrevista com o autor.

32 Ibidem.

33 Ibidem.

sexual".[34] Reexaminar Freud não significa relativizar a importância da sua descoberta, mas abrir o campo indefinido de uma refundação em constante correlação com a historicidade do homem, do social e das ciências.

Esse retorno da historicidade, da reflexão sobre a temporalidade com seus diversos ritmos, suas descontinuidades, assegurou também, conforme vimos,[35] a idade de ouro dos historiadores da escola dos *Annales*. Mas, ao mesmo tempo, a volta do evento provocava a crise do paradigma durkheimiano-estruturalista dessa escola histórica, até serem questionadas de novo as suas orientações fundadoras.[36] Ao reconhecer que a relação história e ciências sociais se encontra num "momento crítico",[37] o editorial do número dos *Annales* dedicado a esse tema anuncia a morte do passado e revela uma grave crise de identidade, apesar de uma fecundidade espetacular. A imobilização da temporalidade, a busca de invariantes não correspondem mais à sensibilidade contemporânea, e Georges Duby reconhece em 1987: "Estamos no fim de alguma coisa. [...] Tenho a sensação de sufocamento".[38] A hora é de explosão para os herdeiros de Braudel. Alguns escolhem a prédica dominical anunciando o apocalipse, como Pierre Chaunu, outros, como François Furet, sondam os horizontes da história conceitual e política. Por seu lado, Pierre Nora interroga *Les lieux de mémoire*, os lugares da representação histórica. E ainda outros reencontram as delícias de uma *Histoire de France* (Hachette) na qual reaparece a *maison France*, vitória póstuma do velho mestre Lavisse, contraporte do Lagarde e Michard no plano histórico. Em face de tal fragmentação, a escola dos *Annales*, alimentada pelo paradigma estruturalista, interroga-se: "Hoje, a atenção dada ao evento e o ressurgimento de um certo historicismo assinalam que a intuição inicial está prestes a esgotar seus efeitos".[39] Os herdeiros da longa duração reconhecem que esta pôde fazer esquecer os processos

---

34 Mendel, *La psychanalyse revisitée*, p.10.

35 Cf. "A idade de ouro da Nova História".

36 Dosse, *L'histoire em miettes*.

37 *Annales*, v.43, n.2 (Le Temps et la mémoire aujourd'hui), mar.-abr. 1988.

38 Duby, La formation de l'État, entretien avec François Ewald, *Magazine Littéraire*, n.248, dez. 1987.

39 Éditorial, *Annales*, v.44, n.6 (Histoire et sciences sociales. Tentons l'expérience), nov.-dez. 1989, p.1.318.

pelos quais a novidade advém. O refluxo do paradigma estruturalista provoca, portanto, uma grave crise do discurso historiador quando se alimentou de seu impulso. Provoca o fim do reinado dos historiadores – que tinham sucedido aos antropólogos na pista de revezamento estrutural – num momento paradoxal em que a história fecunda, por seu turno, o discurso das outras ciências humanas: curiosa contradança no decorrer da qual a solução de facilidade que consiste em voltar a vestir as velhas roupas da tradição representa a mesma tentação tanto para os historiadores quanto para os homens de letras.

35
A EXTINÇÃO DOS MESTRES PENSADORES

O início dos anos 1980 também trouxe o dobrar dos sinos pelos mestres pensadores dos anos 1960. Adulados, frequentemente no auge da glória, a morte vem surpreender muitos deles em plena atividade, deixando inacabadas as suas mensagens. Uma geração órfã, que já deveria ter curado as feridas de suas ilusões perdidas, vê-se diante de um necessário trabalho de luto diante daqueles que encarnaram o pensamento no que este tem de mais exigente. Ao ambicioso programa que devia erguer montanhas sucede um verdadeiro cortejo fúnebre que acompanha os heróis de ontem às suas derradeiras moradas.

Entretanto, não são esses desaparecimentos em cadeia que provocarão a dissipação do paradigma estruturalista, pois este já se encontrava numa fase de inexorável declínio desde 1975. Os heróis da gesta estruturalista tinham conhecido, a partir dessa data, uma evolução que os afastava cada vez mais das ambições originais do programa dos anos 1960. O seu desaparecimento, entretanto, acelerará o distanciamento desse momento estruturalista.

O desaparecimento de Barthes

Roland Barthes conhece, em 25 de outubro de 1977, o drama tão temido do falecimento de sua mãe, Henriette, a verdadeira companheira de sua existência, que ele nunca abandonou. O seu amigo Greimas se inquieta, e responde-lhe ao tomar conhecimento da notícia, quando se encontrava em Nova Iorque: "Roland, o que virá agora a ser?".[1] Esse desaparecimento é, para ele, com efeito, uma verdadeira catástrofe, que mina brutalmente seu desejo de escrever e de viver: "O que perdi não é uma figura (a mãe), mas um ser; e não um ser, mas uma qualidade (uma alma): não o indispensável, mas o insubstituível. Eu poderia viver sem a mãe (todos nós o fazemos, mais cedo ou mais tarde); mas a vida que me restava seria, com certeza e até o fim, inqualificável (sem qualidade)".[2]

Barthes defronta-se com uma profunda crise existencial do desejo, ao mesmo tempo que, após o sucesso público de seus *Fragments du discours amoureux*, está no auge de sua notoriedade. Tem de suportar, mas num clima menos favorável do que na época da polêmica com Picard, um novo ataque da Sorbonne com a publicação de *Assex décodé* (1978), de René Pommier, num estilo particularmente violento. Barthes é, ao mesmo tempo, o herói de um pastiche, menos perverso do que jocoso, *Le Roland-Barthes sans peine*.[3] Os autores propõem uma decifração do discurso barthesiano, à maneira da aquisição de uma língua nova cujo vocabulário só parcialmente seria de origem francesa.

No estilo de um manual, a obra propõe mordazmente alguns elementos de conversação, resumos, exercícios, regras, uma ginástica textual para pensar diretamente em R. B. e "traduzi-lo" em francês: "1 – Tu, como é que te enuncias? Francês: Qual é o seu nome?; [...] 3 – Que 'estipulação' aferrolha, fecha, organiza, agencia a economia de tua pragma como a ocultação e/ou a exploração de tua ek-sistência? Francês: O que é que você faz na vida?; 4 – (Eu) expulso pedacinhos de código. Francês: Sou datilógrafo".[4] Pode-se rir e riu-se com gosto, mas Barthes foi profundamente afetado. Não que fosse destituído de senso de humor, mas essa paródia chegou num péssimo momento. Submetido à dura provação com a morte da mãe, Barthes não tem vontade de rir e vê nessas publicações como que o sinal de um combate inacabado que deve prosseguir, se bem que já não sinta qualquer gosto nisso.

1 Greimas apud Calvet, *Roland Barthes*, p.271.
2 Barthes, *La chambre claire*, p.118.
3 Burnier; Rambaud, *Le Roland-Barthes sans peine*.
4 Ibidem, p.17-8.

Encontra ainda ânimo, entretanto, para procurar Jean Daniel e lhe pedir uma crônica em *Le Nouvel Observateur*, o que de pronto lhe é calorosamente concedido e que Barthes manterá de dezembro de 1978 a março de 1979. Mas seu público, embora fiel, está decepcionado. A crítica corrosiva das *Mythologies* está ausente dessas crônicas, não tanto porque Barthes tenha perdido seu talento, mas, sobretudo, porque o período não é o mesmo e o paradigma crítico reflui cada vez mais, ano após ano. Num tal contexto de crise do desejo, não existe mais do que um único e verdadeiro recurso à escrita, que Barthes revela numa entrevista dada a *Le Nouvel Observateur* quatro dias antes do acidente fatal. À pergunta sobre o que o impele a escrever, responde: "É, muito simplesmente, uma maneira de lutar, de dominar o sentimento da morte e da anulação integral".[5]

É à saída de um almoço com François Mitterand, Jack Lang, Jacques Berque, Danièle Delorme, Pierre Henry e Rolf Liberman, que Barthes, ao atravessar a rue des Écoles, é atropelado por um caminhão de lavanderia. Imediatamente hospitalizado em La Salpêtrière, o comunicado da agência France Presse é tranquilizador e indica que o estado do escritor não inspira inquietação. Contudo, Barthes parece ter perdido a energia vital para vencer o seu último combate contra a morte: "Ele não tinha grande coisa, um ligeiro traumatismo craniano, mas deixou-se morrer no hospital".[6] O médico legista, que constata a morte em 26 de março de 1980, conclui que o acidente, sem ser a causa direta da morte, provocou complicações pulmonares num indivíduo debilitado há muito tempo nesse plano. Razão médica? Razão psicológica? Ninguém o sabe verdadeiramente, mas essas razões não permitem preencher o vazio provocado pelo desaparecimento do herói mais amado da epopeia estruturalista. Deixa numerosos discípulos, mas não uma verdadeira escola. O "sistema Barthes", como o qualifica Louis-Jean Calvet, depende mais do olhar do que da teoria. O estruturalismo foi mais cruzado por Barthes para defender suas intuições literárias do que vivido como finalidade científica. É sobretudo o homem, suas emoções, a singularidade do seu olhar sobre o mundo cuja perda é insubstituível nesse ano de 1980: "Uma voz original, a mais suscetível de oferecer algo que

5 Barthes, entrevista com Philip Brooks, *Le Nouvel Observateur*, 14 abr. 1980.
6 Louis-Jean Calvet, entrevista com o autor.

eu jamais ouvira, emudecera, e o mundo me pareceu definitivamente insosso, enfadonho: nunca mais teríamos a palavra de Barthes sobre qualquer assunto, fosse ele qual fosse".[7]

Lacan contestado

O ano de 1980 é também o do desaparecimento de um outro grande guru do período: Jacques Lacan. Mas nesse caso, é uma disciplina, a psicanálise, e uma escola, a fundada pelo mestre, que conhecerão sérias turbulências. Após ter apoiado seu retorno a Freud na linguística saussuriana, nos anos 1950, Lacan acompanhou o refluxo do estruturalismo ao se distanciar desse ponto de sutura a fim de se orientar cada vez mais na direção da topologia, dos nós, dos toros...

Em dezembro de 1972, ao dedicar seu seminário a Jakobson, distingue então o que diz respeito à disciplina linguística, domínio reservado dos linguistas, e o que diz respeito à "linguisteria", um neologismo que já não traz consigo a ambição de fundamentar a cientificidade do discurso analítico, como na época do discurso de Roma. "Meu dizer, que o inconsciente é estruturado como uma linguagem, não é do campo da linguística".[8]

Essa escapada para a topologia desconcertará mais de um intelectual até então fascinado por um Lacan que conseguira instalar a psicanálise no coração das humanidades, na interseção dos grandes debates teóricos, ao interpelar particularmente a filosofia no seu próprio terreno o da reflexão sobre o sujeito. O período que começa em meados da década de 1970, e que vê declinar o estruturalismo, também representa para Lacan um momento em que as contestações radicais se manifestarão e contribuir para abalar seu belo edifício. É certo que, a partir de 1972, Gilles Deleuze e Félix Guattari, com *L'anti-Oedipe*, depois Foucault, um pouco mais tarde, com *La volonté de savoir* em 1976, já tinham contestado os fundamentos do lacanismo, e esses acontecimentos editoriais haviam revelado uma fratura crescente com os filósofos.

7 O. Burgelin, apud Calvet, *Roland Barthes*, 1990, p.315.
8 Lacan, *Le Séminaire*, Livre XX, p.20.

Mas a contestação assumirá um teor mais inquietante ao partir do seio da própria escola lacaniana, a Escola Freudiana de Paris (EFP). É o caso quando François Roustang publica, em 1976, *Un destin si funeste*. Ele denuncia de maneira radical uma psicanálise "ameaçada de virar religião, a única religião hoje possível no Ocidente".[9] Em matéria de construção científica, a trilogia Simbólico, Imaginário e Real remete, segundo Roustang, para a teologia trinitária, o Nome do Pai para o Cristo, e o recurso à Escritura para a tradição cristã. Essa religiosidade em ato, Roustang a enxerga operando, por exemplo, no tempo forte da análise que é a relação transferencial. Se a relação analítica em Freud está efetivamente baseada na transferência, ele se propõe como objetivo desfazer essa última, ao passo que Lacan jogou com a perenização da transferência. Ele pôde, desse modo, reter seus discípulos numa relação de dependência total que evoca a teorização da transferência de trabalho, ou ainda a prática da revista de Lacan, *Scilicet*, em que só o mestre tem o direito de assinar os artigos com o seu próprio nome: "Esse *Destin si funeste* provoca um belo reboliço no cenário da EFP, por intermédio de *Confrontation*, onde seu autor obtém um formidável triunfo. Cabe dizer que ele materializa um já-dado de uma crise preparada pelo matema".[10]

Charles Melman, na revista da Escola Freudiana de Paris, *Ornicar?*, responde em nome do mestre contra o que ele qualifica de "festim nada honesto",[11] e censura a Roustang ter confundido desígnio e destino, apoiando-se num erro tipográfico dos *Écrits*. Derrida responde, por sua vez, qualificando Melman de "carteiro": "Na língua inglesa, [...] carteiro é *mailman*".[12]

Pouco depois, é uma prática essencial da EFP que se encontra no centro de controvérsias internas da Escola: a prova do passe [*la passe*]. Jornadas de estudos são consagradas a uma reflexão sobre essa prática, durante o mês de janeiro de 1978 em Deauville. Lacan está presente, silencioso a maior parte do tempo, para concluir pelo fracasso completo do procedimento em discussão: "Assumi posições críticas sobre o passe, mas certamente não tão críticas quanto depois que o próprio Lacan

9 Roustang, *Un destin si funeste*, p.41.
10 Roudinesco, *Histoire de la psychanalyse*, v.2, p.636.
11 Melman, *Ornicar?*, n.10, 1977.
12 Derrida, *La carte postale*, p.543.

declarou em Deauville que o passe era um completo fracasso".[13] O passe tinha sido criado por Lacan para ser o lugar em que se avalia a validade de uma análise didática; mas, de fato, esse júri se via privado de seus objetivos, porque os postulantes faziam nessa ocasião a apologia de sua didática, em vez de determinar e expor claramente quais eram os seus problemas. Os discursos proferidos eram, portanto, totalmente tendenciosos e desviados de sua função: "As pessoas não destituíam nem o seu analista nem o júri, bem entendido. Isso fazia do procedimento um exercício deveras artificial".[14] Essa crise da prática permitirá a Jacques-Alain Miller, firmemente implantado em Vincennes, suplantar a velha guarda lacaniana: "O caminho do poder resta doravante aberto para uma outra juventude lacaniana e para o seu representante melhor instalado no palácio real: Jacques-Alain Miller".[15]

A escola lacaniana nesse final dos anos 1970 sofre de lutas intestinas, desorientação teórica e fuga na direção do matema. Uma guerra de sucessão com efeitos devastadores se trava na sombra do velho mestre. É nesse clima que aparece o panfleto do jovem filósofo François Georges, *L'effet'yau de poêle* (1979), no qual o lacanismo é ridicularizado como uma das grandes mistificações do século. À maneira do *Roland-Barthes sans peine*, François George parodia a linguagem lacanizada que se tornara a própria expressão do esnobismo mais convencional, fechando-se, à semelhança de um certo marxismo, numa língua igualmente áspera e intratável. O autor denuncia as manipulações do guru Lacan ("De fato, Lacan presume-se ilusionista")[16] e devolve as boas falas do mestre ao remetente, de maneira invertida, no interior de uma luva de crina, respeitando as regras do jogo de palavras tão caro à escola lacaniana.

Não se trata, é claro, de uma análise da doutrina, mas François George pega Lacan pela palavra, como quando esse último apresenta à plateia estupefata do seu seminário um elefante, pelo simples fato de evocar o vocábulo elefante: "Mostrar um elefante em sua ausência, eis o que, na verdade, define muito bem a sua arte, da qual se poderia dizer,

13 Jean Clavreul, entrevista com o autor.
14 Ibidem.
15 Roudinesco, *Histoire de la psychanalyse*, v.2, p.641.
16 George, *L'effet'yau de poêle*, p.49.

para não lhe trair o estilo, que é a da tromba".[17] François George junta-se à crítica de Roustang, no registro do sarcasmo, sublinhando o esvaziamento do homem por Lacan em proveito de uma purgação religiosa que se mantém à distância do corpo e de seus humores. O afetivo em Lacan é uma grosseria e o corpo não passa de "um resíduo".[18] Quanto ao sujeito com barra, $, ele evocará o dólar para o analista, e a minhoca cortada em duas pela enxada do jardineiro para o analisando, gesto repetido por aquele que supostamente detém o saber quando pratica a escansão, e intima o seu cliente a interromper a sessão pela injunção de "barrar-se". O famoso objeto *a* de Lacan, tão misterioso, nada mais é, segundo François George, do que um montículo de excrementos, uma banal merda empírica: "Esse *a* pequeno, ou esse grande cometimento, acaba recobrindo tudo o que está ligado ao corpo".[19] Eliminação do corpo e adoração do significante que jamais responde, visto que não há assinatura para o número do outro absoluto, Lacan teria tentado criar uma nova religião, "substituindo o mito da cruz pelo da barra".[20] Como se pode apreciar, a acusação é severa e o sucesso da obra está à altura do talento humorístico do autor, que usa um registro – o trocadilho – familiar à escola lacaniana. É certo que essa obra está para o lacanismo como o militar burlesco para a política; ela passa ao largo da contribuição de Lacan, mas não está aí seu objeto. O eco que esse panfleto produziu é, em todo o caso, sintomático do estado de crise e do descrédito que começa a afetar a escola lacaniana.

Em *Le Monde*, Roland Jaccard saúda a obra de François George com um verdadeiro elogio:

> Lacan, cujo seminário atraiu por muito tempo os ingênuos, os crédulos e os esnobes [...]. Desejando salvar a psicanálise francesa da medicalização que a espreitava e da mediocridade em que estagnava, ele conseguiu em alguns anos a grande façanha de a desconsiderar tanto no plano clínico – com a prática suicida das sessões reduzidas a alguns minutos – quanto no intelectual...[21]

17 Ibidem, p.48-49.
18 Ibidem, p.52.
19 Ibidem, p.54.
20 Ibidem, p.87.
21 Jaccard, Lettres à Lacan, *Le Monde*, 21 set. 1979.

Esse ponto de vista não é, porém, unanimemente compartilhado, e numerosas são as cartas de reações indignadas remetidas para *Le Monde*, mais conhecido pelo comedimento de seus colaboradores que pela sua paixão polêmica. *Le Monde* publica excertos de algumas dessas cartas, mas, sobretudo, reserva uma página inteira para Serge Leclaire, que publica, sob o título "Le mouvement animé par Jacques Lacan", uma boa parte da sua intervenção no Congresso de Tbilissi sobre o inconsciente, realizado em outubro de 1979.[22] Serge Leclaire recapitula nessa ocasião o percurso de renovação da psicanálise realizado por Lacan. Mas o caráter explosivo do ensaio de François George nem assim se extingue e, no final de outubro de 1979, é Jean-Paul Enthoven quem, em *Le Nouvel Observateur*, propõe um novo elogio de *L'effet'yau de poêle* sob o título provocante: "Pour un ultime hommage au camarade Lacan".[23] Enthoven só vê justiça nessa sátira, visto que a predileção lacaniana pelos tropos e seu desprezo pelas tripas ridicularizaram a instituição, abrindo o caminho a um mestre que se arroga todos os direitos para suprir a falta que ele colocou no posto de comando do seu discurso: "Tornou-se, de certo modo, o contravalor da 'falta' que circula como moeda fiduciária no povo lacaniano".[24]

É lamentável, entretanto, que certas críticas que atingem seu alvo de forma certeira ameacem favorecer um movimento de rejeição da psicanálise em seu conjunto e permitam esquecer a decisiva contribuição de Lacan, em particular. Como se diz há muito tempo, não se deve jogar fora o bebê junto com a água do banho. É esse o risco e é o motivo pelo qual Serge Leclaire julgará severamente a iniciativa: "A lufada de ar fresco que ele pretende fornecer cheira a fascismo".[25]

Leclaire não se arvora, porém, em guardião do templo, e se permanece lacaniano, é uma atitude de franca independência. Reconhece que existem obstáculos nos caminhos abertos por Lacan e recusa cada vez mais a evolução topológica da escola, que ele não hesita em criticar abertamente a partir de 1977 num texto que Jacques-Alain Miller

---

22 Leclaire, Le mouvement animé par Jacques Lacan, *Le Monde*, 2 out. 1979.

23 J.-P. Enthoven, Pour un ultime hommage au camarade Lacan, *Le Nouvel Observateur*, 29 out. 1979.

24 Ibidem.

25 Leclaire, *Rompre les charmes*, p.204.

não digerirá, *L'empire des mots morts*: "Seria desejável que o matema, ao perder sua dignidade compassada, desse livre curso ao seu valor grafítico".[26] Serge Leclaire trabalha, então, num projeto de seminário com Antoinette Fouque no âmbito da Escola Freudiana de Paris. Transmite o plano a Lacan para obter sua autorização, e esse lacanisno da primeira hora, esse barão do lacanismo, vê-se censurado: "Está fora de questão que você realize um seminário cujo anúncio me foi comunicado por Simatos, na EFP".[27]

Leclaire decide, portanto, escrever uma resposta satírica com Antoinette Fouque, por ocasião de uma festa da Escola Freudiana realizada em Lille. Ela reveste a forma de um sainete teatral com personagens tiradas da *Escola de mulheres* e intitulado "Pas de deux", representado no início da festa. Fecha com estas palavras: "Aqui, a verdade, eu proíbo".[28]

Se Leclaire subscreve a importância dada por Lacan ao significante e ao simbólico, recusa a evolução em curso (que se ampliará após o desaparecimento do mestre) em que o hegemonismo do significante leva a relegar o imaginário a uma dimensão demoníaca: "Isso redunda num totalitarismo pela hegemonia do significante que tudo governa a seu bel-prazer. Existe aí algo que eu não posso subscrever e que prepara o retorno ao religioso".[29] Ora, essa eliminação do imaginário gera um grave problema para o analista, porque, se ele trabalha com a ajuda do significante para ver como seu paciente escamoteou o real, como o evitou, é a partir do imaginário do analisado que ele elabora as suas hipóteses. Por outro lado, junto ao discurso dito, da fala, o analista deve restabelecer a coerência do que não passa pela verbalização. Lacan, entretanto, integrou desde o começo essa dimensão como essencial, especialmente a partir da fase do espelho, mas a evolução no sentido da pesquisa de um discurso analítico cada vez mais formalizável, científico, levou a minorar essa dimensão:

---

26 Leclaire, L'empire des mots morts. In: *Rompre les charmes*, p.196.

27 Lacan, apud Leclaire, *Rompre les charmes*, p.197.

28 Leclaire, L'empire des mots morts, p.200.

29 Serge Leclaire, entrevista com o autor.

Quando Lacan fez a sua teoria dos nós, penso que em grande parte isso foi em reação contra os seus alunos que eram levados a considerar que o imaginário, os afetos, eram uma espécie de epifenômeno da estrutura da língua, epifenômeno sem interesse. Situar o imaginário num só especial era um meio de marcar a autonomia própria das estruturas do imaginário.[30]

A dissolução

Correntes contraditórias sacodem a Escola Freudiana de Paris (EFP), em 1979, sobre um fundo de crise, de saídas espetaculares, como a de Françoise Dolto. Quanto ao mestre Lacan, portador de um câncer, é cada vez mais a sombra de si mesmo; é então presa das lutas de clãs que ele não domina. É nesse contexto deletério que Lacan promove a dissolução da Escola Freudiana de Paris, em 5 janeiro de 1980.

Tal como De Gaulle renunciou um dia ao Rassemblement du Peuple Français (RPF), Lacan renuncia à sua "coisa". Esse ato de autoridade, senão de autoritarismo, consagra a vitória de Jacques-Alain Miller que, segundo Solange Faladé, é mesmo o autor da famosa missiva que anuncia a dissolução [*dit-solution*]: "Lacan já não podia escrever. Foi decidido que Miller redigiria a carta e que Lacan a corrigiria".[31]

Lacan aí menciona o fracasso da sua escola para justificar sua dispersão: "Já não tenho escola. Eu a ergui do ponto de apoio (sempre Arquimedes) que obtive no grão de areia da minha enunciação. Agora tenho um montão – um montão de pessoas que querem que eu as tome. Mas não vou fazer delas um todo. *Pas du tout.* [...] Portanto, é preciso que eu inove, pois essa escola, eu a perdi".[32] Essa decisão intervém violando todas as regras da instituição. Ademais, esse ucasse inclui a obrigação de um novo ato de vassalagem ao mestre por parte de seus discípulos: estes devem manifestar seu desejo de prosseguir em seu caminho sob a autoridade absoluta daquele, mediante uma candidatura individual e escrita.

---

30 Jean Clavreul, entrevista com o autor.

31 Faladé apud Roudinesco, *Histoire de la psychanalyse*, v.2, p.654.

32 Lacan, texto do seminário de 15 de janeiro de 1980, publicado em *Le Monde*, 26 jan. 1980.

Invocando a lei sobre as associações de 1901, esse ucasse é imediatamente contestado por membros da EFP: 28 deles citam Lacan em recurso judicial.[33] Mas a batalha jurídica está perdida de antemão em face de uma instituição que, na verdade, jamais alicerçou sua legitimidade no direito, mas no carisma de seu líder. Jacques-Alain Miller, ex-dirigente maoista, familiarizado com a denúncia do caráter formal dos princípios democráticos, respondera antecipadamente aos contestadores em 10 de novembro de 1979: "A Escola Freudiana foi estabelecida por Lacan, somente por Lacan, e erguida sobre o alicerçe único de seu ensino. [...] A posição de Lacan não procede do nosso grupo e de seus votos, é a nossa prática que, pelo contrário, emana da sua".[34] Como se pode apreciar, Jacques-Alain Miller permaneceu essencialmente fiel aos ensinamentos da democracia proletária, cuja legitimidade promanava, nem mais nem menos, da pessoa de Stalin.

Portanto, é de Lacan e só dele que depende a sorte das tropas desbaratadas da Escola. Recebe perto de mil cartas de candidatos prontos a dar prosseguimento à aventura com ele, trezentos dos quais procedem da EFP. Estribado nesse apoio, legitimado por esse referendo que ultrapassa as suas esperanças, Lacan cria em fevereiro a *Causa Freudiana*: "A carta aos mil logo passa a ser chamada de 'Mille-errantes' pelos opositores, que são qualificados por seus adversários de 'processistas', 'falsários confessos' e 'cola-legas' que não querem se 'des-escolar'".[35] O que tinha começado com o mais sério desejo de ciência termina em clima de zombaria, que arrasta inexoravelmente para o naufrágio coletivo.

Essa chacota atinge seu paroxismo quando o grande pensador da renovação estrutural do marxismo e introdutor do interesse por Lacan no interior do Partido Comunista Francês (PCF), Louis Althusser, apresenta-se em 15 de março de 1980 numa reunião da EFP convocada pelos partidários da dissolução. Trezentos e oito membros devidamente munidos de um convite estão presentes quando chega Althusser; os jovens responsáveis pelo controle da entrada no salão Onyx do hotel PLM Saint-Jacques não o reconhecem: "Como lhe pedissem o seu

33 Entre os signatários: Michèle Montrelay, François Roustang, Michel de Certeau, Claude Rabant, Xavier Audouard, Anne Levallois, Thémouraz Abdoucheli, Lucien Mélèse e Radmilla Zygouris.

34 Miller apud Nobécourt, *Le Monde*, 11 jan. 1978.

35 Roudinesco, *Histoire de la psychanalyse*, v.2, p.658.

convite, Louis Althusser responde à queima-roupa: 'Fui convocado, sim, isso mesmo, pela libido e pelo Espírito Santo. E todo mundo sabe há muito tempo que o Espírito Santo é a libido. Por isso, em verdade vos digo, o Espírito Santo está cagando para isso'".[36] Lacan acolhe os seus partidários anunciando-lhes a Grande Notícia: ele se transformou finalmente num Significante, o "rótulo Lacan" (*label* Lacan), mas lembra à assistência que "a bela Lacan (*la belle* Lacan) só pode dar o que tem. Uma vez terminada a alocução, Althusser se levanta e intervém: "Descreve o mestre como um magnífico farsante, digno de comiseração, recitando uma lenga-lenga monocórdica. Sublinha que os analistas se atrapalham em discursos confusos, como uma mulher que ficasse escolhendo lentilhas enquanto a guerra estoura à sua volta".[37] Também ele, Althusser, está na plena crise nesse ano de 1980. Queima tudo o que adorou. Em pleno período de dissolução, Althusser apaga os seus enunciados de ontem, e essa rejeição de Lacan parece, com efeito, participar desse movimento de negação de si mesmo e do que ele representou para os outros, movimento que se pode ver em ação desde as suas autocríticas até esse ano trágico de 1980.

A diáspora lacaniana

O naufrágio transforma-se em drama quando a morte arrebata os mestres-pensadores. Lacan morre em 9 de setembro de 1981, aos 80 anos, das sequelas de um tumor abdominal. A notícia desse desaparecimento é percebida por todos como um evento da maior importância, anunciado por um artigo de primeira página do *Le Monde*: Christian Delacompagne observa nele que poucos pensadores, no século XX, gozaram de tamanha celebridade, e que a lição a reter da mensagem de Lacan está contida num ensinamento essencial segundo o qual uma prática sem teoria é cega, mas uma teoria cortada da prática não passa de "discurso vazio e jargão empolado. O próprio Lacan, cumpre dizê-lo, nunca soube separar uma da outra; e é isso o que faz com que sua obra

36 Althusser apud Roudinesco, *Histoire de la psychanalyse*, v.2, p.659-60.

37 Roudinesco, *Histoire de la psychanalyse*, v.2, p.660.

continue suscitando interesse ainda por muito tempo".[38] A morte de Lacan, que provoca o desaparecimento do Um só, leva para seu túmulo um novo lanço do programa estruturalista, e deixa desorientados os seus discípulos, que sofrerão uma verdadeira diáspora.

O mestre tinha designado, após ter-lhe deixado o poder, seu herdeiro na pessoa de Jacques-Alain Miller, seu genro, que se torna então o executor testamentário, e o único habilitado a publicar a fala do mestre. Como diz sarcasticamente Charles Melman, que conhecia bem o herdeiro porque fora seu analista: "É uma bela palavra, executor testamentário: ele executa!".[39]

Fiel fervoroso do pensamento lacaniano, que considera a obra mais explosiva e libertadora deste tempo, Charles Melman se desespera por "vê-la se transformar num moinho para oprimir e triturar um certo número de pessoas, para fazer delas discípulos submissos que raciocinam e repetem, inclinados diante do sumo sacerdote que se supõe ser a reencarnação do mestre: [...] e isso funciona!".[40] O seminário pode, com efeito, dizer-se a partir de então "É Miller", após o desaparecimento do homem de falas.

De um lado, assiste-se a uma formidável atomização do movimento lacaniano e à independência reconquistada pela maior parte dos barões do lacanismo. De outro lado, Jacques-Alain Miller recruta para a Causa Freudiana (ECF) e se lança numa política ativa de promoção-Lacan. Esse proselitismo da vanguarda, visando a um recrutamento em massa, beneficia-se do *savoir-faire* adquirido no tempo da esquerda proletária.

A colonização psicanalítica se processa em bom ritmo, inspirada no modelo maoista da conquista dos campos para cercar as cidades. A América Latina é um objetivo privilegiado, mas não exclusivo, a estratégia é planetária: "Falou-se de turbo-professores, temos agora turbo-analistas que se deslocam para os quatro cantos do hexágono e para todos os países para divulgar a boa palavra. São verdadeiros caixeiros-viajantes da psicanálise".[41] Estes vão deixando em sua esteira líderes de cidades, responsáveis locais arranjados com toda pressa nos saguões

38 Delacampagne, *Le Monde*, 11 set. 1981.
39 Charles Melman, entrevista com o autor.
40 Ibidem.
41 Joël Dor, entrevista com o autor.

de hotel das sucursais do império. A estrutura institucional teve de se adaptar às leis do mercado para perdurar, às do clipe e da grande velocidade de rotação dos homens, de mercadorias e ideias.

Quanto aos barões do lacanismo, optaram essencialmente por caminhar fora dessa instituição, na qual já não reconheciam o ensino de Lacan. Em meados da década de 1980, Élisabeth Roudinesco enumera nada menos de treze grupos diferentes, oriundos da crise generalizada de 1980-1981, sem contar as personalidades provenientes do lacanismo que não voltaram a se filiar a grupo algum, como Françoise Dolto, Jenny Aubry, Michèle Montrelay, Serge Leclaire ou Pierre Legendre: "Não posso subscrever o tipo de instituição que é a Causa, mas historicamente sua fundação faz dela meu meio natural".[42] Outro barão do lacanismo, Moustapha Safouan, dá prosseguimento, entretanto, ao seu trabalho ao lado de Jacques-Alain Miller em *Delenda*, mas não tarda a entrar em conflito com ele e decide romper: "Eu não apreciava o poder de dilaceração que a ausência de um líder cria; esperava um outro caminho, mas não foi o seguido".[43] Jean Clavreul, outro barão que nunca rompeu com Lacan e que no outono de 1979 ainda jantava com ele uma vez por semana, assume a partir da dissolução de janeiro de 1981 uma posição claramente hostil a Jacques-Alain Miller. Claude Dumézil e Claude Conté também deixarão a instituição, que aos olhos deles não representa mais o ensino do mestre.

Nessas rupturas, misturam-se mil razões intelectuais e afetivas que alimentam uma grave crise de identidade coletiva. E por trás das fraturas da instituição psicanalítica mais dinâmica, é o discurso psicanalítico que reflui do horizonte intelectual quando, nos anos 1960, era ele que se situava no centro das investigações das ciências humanas.

A dupla morte de Althusser

Antes mesmo do desaparecimento do xamã Lacan, a tragédia atinge Louis Althusser, outro grande mestre do período, formador de toda

42 Serge Leclaire, entrevista com o autor.

43 Moustapha Safouan, entrevista com o autor.

uma geração de filósofos e que desempenhou um papel de pivô do estruturalismo ao deslocar o epicentro do sismo da linguística para a filosofia, erigida em juiz do grau de cientificidade das ciências humanas.

A 16 de novembro de 1980, nesse apartamento da École Normale da rua de Ulm que ele não deixou desde o seu regresso da guerra, Hélène, sua mulher, é encontrada morta por estrangulamento. O filósofo acusa-se de tê-la estrangulado, o que é confirmado pela autópsia. Althusser é imediatamente transferido para o hospital Sainte-Anne. O seu estado nem permite ao juiz Guy Joly incriminá-lo por homicídio voluntário, e a perícia psiquiátrica autoriza o tribunal a reconhecer a improcedência da instauração de processo criminal em 23 de janeiro de 1981, em face do estado de demência de Louis Althusser, reconhecido irresponsável pelo seu ato.

A saúde mental de Althusser sempre tinha sido precária. Sofrendo de psicose maníaco-depressiva, que o afastava regularmente do seu magistério, seguira um tratamento de eletrochoques e empreendera uma narcoanálise que durou doze anos. O ato que pôs fim à vida de sua esposa prova, portanto, sobretudo, os limites desse gênero de tratamento psiquiátrico e não, como queriam alguns, a resultante do corte epistemológico. Seu amigo K. S. Karol conta que, no começo do mês de julho de 1980, Althusser recaíra numa depressão ainda mais grave que as precedentes. A partida do casal para o sul não permitira um verdadeiro restabelecimento: "Ele não recebia quase ninguém, não lia nada, falava pouco e estava pensando em voltar a se internar numa clínica. Seu estado se agravara às vésperas do último fim de semana, a ponto de Hélène decidir anular os encontros que tinha marcado para ele".[44] Nesse mês de novembro de 1980, Althusser também morre, portanto, mesmo que permaneça ainda por um decênio entre os vivos. É a partir de então um morto-vivo, pensador reconhecido irresponsável por seus atos e seus pensamentos; é condenado à quarentena, a sobreviver à margem do mundo, só, com um grupo restrito de fiéis.

Se não se pode estabelecer vínculo algum entre essa tragédia e o destino do pensamento althusseriano, é forçoso constatar que, para além de situações pessoais, um certo contexto de perplexidade afetou de forma particular a corrente althusseriana e arrastou alguns deles para o

44 K. S. Karol, *Le Nouvel Observateur*, 24 nov. 1980.

derradeiro dos extremos, o suicídio: "O que é surpreendente é que não tenha havido um maior número de mortes",[45] constata Pierre Macherey, que imputou essas tragédias ao clima de violência antimarxista que se desencadeou no mundo intelectual parisiense com a mesma velocidade com que se saudara o empreendimento althusseriano de modernização do marxismo nos anos 1960. Os heróis de ontem e seus companheiros estão marcados com o labéu da infâmia e alguns não o suportaram. Essa atmosfera de rejeição, de suspeita, não é a única causa. É preciso mencionar também a crise de identidade muito aguda vivida por aqueles que perdem os referenciais em que tinham fundamentado sua identidade intelectual e social. Esses destinos trágicos afetarão de modo especial vários althusserianos. Nicos Poulantzas, sociólogo e professor em Vincennes, defenestra-se em 1981: "Foi o momento em que o discurso antimarxista começou a ganhar força. Ele não se conformou e ficou seriamente abalado".[46] As razões que Alain Touraine invoca são de uma outra ordem. Segundo ele, Poulantzas, a quem viu com assiduidade no último período, já não suportava Vincennes: "Ele me pedira para acolhê-lo na École des Hautes Études en Sciences Sociales (Ehess). [...] Transformou sua má consciência em autodestruição. Também houve algo disso em Althusser".[47]

Depois, foi o linguista althusseriano Michel Pêcheux quem pôs fim a seus dias em 1982: para Claudine Normand, que conheceu e admirou Michel Pêcheux, "houve certamente, entre outras razões, a consciência de um impasse teórico, e uma enorme decepção política. São pessoas que acreditaram tanto na onipotência da teoria que não puderam superar isso".[48]

Dez anos após o drama que reduziu Althusser ao silêncio, a 22 de outubro de 1990, o filósofo morre uma segunda vez de um colapso cardíaco no centro de geriatria de La Verrière, aos 72 anos. Uma última homenagem é prestada a ele pela multidão de seus antigos alunos de filosofia. Em *Le Monde*, é André Comte-Sponville quem saúda "Le Maître brisé": "É cedo demais para fazer um balanço. O Mestre nos marcou

45 Pierre Macherey, entrevista com o autor.
46 Ibidem.
47 Alain Touraine, entrevista com o autor.
48 Claudine Normand, entrevista com o autor.

profundamente",[49] ao passo que Christian Delacampagne situa a obra de Althusser na linha de Marx e Spinoza. Étienne Balibar pronuncia a última homenagem por ocasião do sepultamento de Louis Althusser em 25 de outubro de 1990. Saúda essa capacidade única que teve Althusser de permanecer à escuta, de incluir os outros em seu próprio trabalho: "É por isso que eu, como toda uma geração, que tudo aprendi, senão dele, pelo menos graças a ele, acho que o nome de 'Mestre' não se lhe ajusta bem".[50] A situação do marxismo é, então, a de um coma superado, e se as homenagens são múltiplas ao homem, ao pedagogo, ao amigo que foi Althusser, o fracasso de seu empreendimento de renovação do marxismo ficou então patente. Mas podia ser de outro modo? O empreendimento era animado por um rigor e uma honestidade superlativos, mas pode-se, entretanto, perguntar, como Robert Maggiori, se "ao querer fazer do marxismo uma ciência e matar o humanismo, ao desprezar as exigências éticas, ele não contribuiu para matar o marxismo ao querer salvá-lo".[51] Mais um ardil da razão que seria a desforra póstuma da dialética contra a noção de corte epistemológico.

O desaparecimento de Foucault

Decididamente, o começo da década de 1980 é cruel para com os heróis da gesta estruturalista, e é com estupefação que se toma conhecimento da morte de Michel Foucault em 25 de junho de 1984, aos 57 anos de idade, atingido brutalmente pela aids, quando estava em plena redação da sua *Histoire de la sexualité*.

Com Foucault desaparece a própria encarnação das esperanças políticas e das ambições teóricas de toda uma geração. Ele não foi um chefe de escola nem o defensor das fronteiras de uma determinada disciplina. Muito mais do que isso, ele era o receptáculo genial de sua época: estruturalista nos anos 1960, individualista nos anos 1980. Um olhar de excepcional acuidade desaparece então da paisagem intelectual,

49 Comte-Sponville, *Le Monde*, 24 out. 1990.
50 Balibar, *Écrits pour Althusser*, p.120-1.
51 Maggoori, *Libération*, 24 out. 1990.

o olhar de alguém que estava sempre no centro da atualidade, alguém que soubera se adaptar a um novo modo de problematização que procurava ultrapassar as aporias do programa estruturalista, do qual continuava sendo, fosse como fosse, uma das principais figuras. Crítico sem igual dos preconceitos e dos chavões, também ele deixava nos anos 1980 uma multidão de fiéis sem voz, tanto mais que estes não pertenciam à confraria alguma.

A notícia de sua morte é um acontecimento à altura da dimensão do personagem, ao passo que a imprensa ainda não sabe o que foi que arrebatou Foucault. *Le Monde* consagra uma manchete de primeira página à morte do filósofo, e Pierre Bourdieu presta homenagem àquele que soube fazer compartilhar "o prazer de saber".[52] Duas páginas inteiras do jornal são consagradas a ele. Roger-Pol Droit exprime sua emoção diante do desaparecimento daquele que foi um relativista absoluto, à maneira de Nietzsche: zombando das classificações, sua obra paradoxal escapa a todo encerramento, graças a constantes sobressaltos que o faziam surgir onde não era esperado, para ver apagar-se seu próprio rosto desses desvios discursivos. Bertrand Poirot-Delpech vê em Foucault "uma ascese do extravio". Paul Veyne, Roland Jaccard, Philippe Boucher e Georges Kiejman repõem o percurso daquele que foi também um combatente, um cidadão ativo, símbolo de todas as resistências contra as máquinas encerradoras.

Libération publica em toda sua primeira página uma foto do filósofo com este título neutro que se encontra por toda parte, mas que exprime com fidelidade a emoção contida: "Foucault est mort", a emoção pela perda de um companheiro insubstituível. Serge July presta homenagem ao "desbravador de amanhãs",[53] e saúda aquele que soube pressentir as mudanças dos modos de pensamento e preparar, assim, o futuro. Robert Maggiori assinala a ironia macabra que faz coincidir o desaparecimento de Foucault e a publicação de seus últimos livros, nos quais preconiza um novo uso dos prazeres e convida a fazer da existência uma obra de arte. *Libération*, jornal no qual Foucault colaborou de diversas formas, consagra, pouco depois de sua morte, um número

52 Bourdieu, *Le Monde*, 27 jun. 1984.
53 July, *Libération*, 26 jun. 1984.

especial ao filósofo,[54] no qual, após uma grande biografia do homem, François Ewald, André Glucksmann, Roberto Maggiori, Roger Chartier, Gérard Fromanger e Françoise-Edmonde Morin prestam uma última homenagem ao restabelecer a riqueza e a diversidade das intervenções de Foucault.

Em *Le Nouvel Observateur*, é seu amigo Jean Daniel quem dedica o seu editorial a "La Passion de M. Foucault",[55] e Georges Dumézil evoca num artigo esse "homem feliz" que o deixa desprovido "não só dos ornamentos da vida, mas da sua própria substância";[56] Roger Chartier lembra o percurso de Foucault no território do historiador, e Pierre Nora, seu editor, fala dos "Nossos anos Foucault": "Foucault morto: não há um intelectual deste país que não se sinta atingido na cabeça e no coração por essas palavras. [...] Essa morte é um pouco a nossa e como que o dobrar de sinos por tudo aquilo que, com ele, vivemos".[57]

Assim, Pierre Nora vê nesse desaparecimento a marca de um encerramento. E é realmente um grande momento do pensamento que se dissipa numa certa manhã de junho de 1984 quando, no pátio do hospital de La Pitié-Salpêtrière, uma pequena multidão escuta em religioso silêncio um fragmento do prefácio de *L'usage des plaisirs*, lido por Gilles Deleuze, o amigo reconciliado, na última homenagem a Foucault.

54 *Libération*, 30 jun-10 jul. 1984.
55 Daniel, *Le Nouvel Observateur*, 29 jun. 1984.
56 Dumézil, *Le Nouvel Observateur*, 29 jun. 1984.
57 Nora, *Le Nouvel Observateur*, 29 jun. 1984.

36

Crise dos modelos universalistas e recuos disciplinares

O que está menos firme em meados da década de 1970 é o crédito que se concedia aos projetos universalistas, cuja crise acarreta o duplo desabamento do estruturalismo e do marxismo: "Eu digo, com um certo sarcasmo, que sou o último marxista".[1] Cada disciplina tende a retornar ao seu pequeno terreno original e a reencontrar aí uma certa quietude, ao reatar com suas tradições, seus ancestrais, suas certezas constitutivas de sua identidade teórica e institucional. A renúncia ao universalismo faz-se acompanhar da fragmentação disciplinar, do refluxo daquela ambição pluridisciplinar que marcou o tempo estrutural.

Hesita-se a partir de então em transpor as fronteiras fortemente guardadas de cada disciplina, e as passagens de limites, que eram percebidas como a própria manifestação da modernidade nos anos 1960, são cada vez mais proscritas das práticas e postas na contracorrente do movimento de recuo das disciplinas sobre si mesmas.

Uma dupla conjuntura, uma histórica, das ilusões perdidas, e outra sociológica, da falta de postos e da exiguidade dos créditos alocados à universidade, terá contribuído fortemente para essa retirada geral:

> O que desapareceu foi uma ilusão histórica de nossas gerações: a ideia segundo a qual as ferramentas do pensamento poderiam ser também as

---

1 Algirdas-Julien Greimas, entrevista com o autor.

armas da crítica. Assim, pensar o real e sua transformação poderia ser associado num mesmo movimento histórico. Essa ideia explodiu, essa autoilusão, esse narcisismo cultivado acabaram definitivamente, ainda que isso tenha sido doloroso, porquanto alguns dedicaram suas vidas a isso.[2] Desse recuo pode resultar uma interrogação que permita ressituar os níveis de pertinência, medir os limites numa perspectiva científica depurada dos absolutos e dos mitos que floresceram nos anos 1960. Mas também pode desembocar no ecletismo, numa simples justaposição de pontos de vista, de paradigmas, de objetos, sem procurar encontrar entre eles níveis de correlação significantes.

Duplo refluxo do estruturalismo e do marxismo

Em 1976, esquenta a briga entre estruturalistas e marxistas em antropologia, por ocasião da publicação de um livro de Claude Meillassoux.[3] A polêmica é particularmente veemente, sem que os seus protagonistas se apercebam de que, em última análise, os dois paradigmas são arrastados juntos para o declínio. Claude Meillassoux percebe uma entidade social fundamental que se perpetua em diversos modos de produção. Qualifica essa entidade de "comunidade doméstica". Esta permite, segundo o autor, assegurar a reprodução sob diversas formas. Assim, faz derivar dessa entidade as relações de parentesco nas sociedades tradicionais africanas: "As relações de produção e de reprodução se apresentam como o substrato de relações jurídico-ideológicas de parentesco".[4] Essa relativização do lugar central da proibição do incesto e das estruturas elementares de parentesco, tal como Lévi-Strauss as estudou, valerá a Meillassoux uma resposta particularmente virulenta de Alfred Adler na revista criada por Lévi-Strauss, *L'Homme*, sob o título de "L'Ethno-marxiste: vers um nouvel obscurantisme?", assim como uma crítica igualmente radical de um antropólogo

2 Maurice Godelier, entrevista com o autor.
3 Meillassoux, *Femmes, greniers, capitaux.*
4 Ibidem, p.77.

estrutural-marxista que se encontra afinado com as posições de Godelier: Pierre Bonte.[5]

Alfred Adler reagiu, portanto, com singular veemência a esse questionamento do caráter universal da proibição do incesto por Meillassoux, que vê nisso uma noção moral decorrente de uma ideologia vinculada ao controle dos mecanismos de reprodução nas sociedades domésticas. Desse ponto de vista, ele diferencia as sociedades de coletores e caçadores, por um lado, das sociedades agrícolas, por outro. "O mais claro de sua exposição, após ter fabricado peça por peça uma *écopolit-fiction*, consiste em amontoar nela, em indescritível confusão, parentesco, costumes, crenças, religião, magia e sei lá que mais."[6]

O tom da polêmica fica ainda mais violento no número seguinte de *L'Homme*. Claude Meillassoux responde aos seus detratores sob o título provocante de "Farenheit 450,5" e pergunta qual será o destino dos livros que questionam os dogmas estabelecidos quando os bem-pensantes tiverem archotes em vez de canetas para fazer a crítica final dessas obras. "Posso lhe assegurar que nenhum archote incendiário ameaça o seu livro, que mereceria no máximo uma esfregadela. [...] Com o tempo, seu materialismo histórico terá talvez acumulado um pouco de poeira."[7]

Esse choque interroga, de fato, a comensurabilidade dos dois paradigmas, estruturalista e marxista, ambos de caráter totalizante, a partir de hipóteses e modelizações diferentes. Para além dessa polêmica, vislumbra-se a própria ambição de um método universal que, pouco a pouco, desaparecerá do horizonte teórico.

A revista *L'Homme* efetua, em 1986, um levantamento das condições correntes da antropologia.[8] Como indica Jean Pouillon, não se trata de proceder a um balanço que, em geral, só se apresenta depois de consumada a falência, ao passo que a antropologia revela uma fecundidade sempre muito viva, mesmo que não seja mais concebida como o cadinho da renovação das ciências sociais (o que ela foi com a psicanálise

---

5 Bonte, Marxisme et anthropologie. Les malheurs d'un empiriste, *L'Homme*, v.16, n.4, out.-dez. 1976, p.129-36.

6 Adler, L'Ethnologie marxiste: vers un nouvel obscurantisme?, *L'Homme*, v.16, n.4, out.-dez. 1976, p.126.

7 Adler, Réponse a Claude Meillassoux, *L'Homme*, v.17, n.1, jan.-mar. 1977, p.129.

8 *L'Homme*, v.26, n.97-98 (Anthropologie: état des lieux), 1986.

no tempo estrutural, quando o não dito e o inconsciente eram considerados a chave do real). Assiste-se, por outro lado, a uma fragmentação do campo antropológico, tanto em virtude da multiplicidade dos objetos constitutivos da disciplina quanto pela pluralidade dos seus métodos. Vários colaboradores desse número da revista, Nicole Sindzingre, Carmen Bernand e Jean-Pierre Digard, constatam o parcelamento ligado à diversidade das problemáticas próprias de cada um dos terrenos de investigação. A vitalidade da antropologia é sempre grande, mas não se apresenta mais como modo de pensamento com vocação globalizante para as outras disciplinas. Já não tem o otimismo de uma rápida acomodação científica em torno do seu sistema de modelização. A diversidade teórica conduz a uma lição de modéstia que implica o retorno à descrição etnográfica precisa do terreno, sem que isso signifique no entanto renunciar à dimensão teórica, pois, como recorda Jean Pouillon, "o universal descobre-se no singular".[9] A antropologia interroga-se e faz um giro de 180 graus sobre si mesma a fim de problematizar seus paradigmas, seus objetos. Esse recuo passa pela recapitulação de sua própria história, preocupação central de uma nova revista lançada em 1986, *Gradhiva*, que se apresenta como uma revista de história e de arquivos da antropologia.[10]

Uma filosofia desligada das ciências humanas

Entre os filósofos, o retorno às interrogações consideradas mais específicas para a disciplina é ainda mais evidente. Francine Le Bret, professora de filosofia no liceu Jacques Prévert de Boulogne-Billancourt, considera a evolução em curso uma regressão, ao constatar com apreensão essa retirada para a tradição: "É um desligamento, evidentemente. Ocupar-se da eternidade proíbe que alguém se ocupe da atualidade. Querer fazer uma filosofia que esteja cortada das ciências humanas e das ciências em geral é um recuo suplementar. A filosofia

9 Pouillon, Introduction. De Chacun à tout autre, et réciproquement, *L'Homme*, v.26, n.97-98 (Anthropologie: état des lieux), 1986, p.34.
10 *Gradhiva*, n.1, 1986; comitê de direção: M. Izard, J. Jamin e M. Leiris.

tende a voltar a ser o que era sob a III República".[11] A disciplina filosófica acompanha, portanto, o refluxo das ciências humanas para sua regionalidade. Elas renunciaram ao seu desafio triunfal dos anos 1960, retirando-se para as suas respectivas terras e para trás de suas fronteiras disciplinares.

Sentindo-se ameaçados pela reforma Haby, os filósofos criaram um lugar de mobilização sob o impulso de Jacques Derrida, fundando em 1975 o Groupe de Recherches sur l'Enseignement de la Philosophie (Greph). No quadro da instituição escolar dos liceus, o ensino da filosofia depende fortemente do tipo de temas apresentados aos candidatos ao bacharelato. Ora, pode-se constatar, nesse plano, uma evolução sensível na escolha dos temas para essa prova, e uma redução do seu leque. A tríade Nietzsche/Marx/Freud está em pleno refluxo. Poucos temas recorrem à psicanálise, à qual se opõe uma filosofia da consciência. Quanto às ciências humanas em geral, são lepidamente expelidas como não filosóficas. As instruções formais da inspeção geral que seleciona os temas a tratar incitam a que se fale mais de Bergson que de Freud, mais de Hobbes que de Marx, mais de Alain que de Bachelard. Se os compêndios do último ano do secundário são ecléticos e concedem um lugar à modernidade, com textos de Foucault ou de Lévi-Strauss, o que conta nessas vastas enciclopédias é o que será retido para dar lugar aos temas do bacharelato. Nesse plano, o retrocesso é manifesto:

> De 1972 a 1980, os temas de bacharelato consagrados à ciência passaram de 19,8% a 12,6% do total; no mesmo período, os autores relacionados com a epistemologia e a ciência da natureza passaram de 10,6% a 1,1% e os autores pertencentes ao grupo das ciências do homem de 7,4% a 2,2%; enfim, os autores do século XX passam de 32,9% a 18,1%.[12]

É manifesto, portanto, o afastamento das ciências humanas e das reflexões de ordem epistemológica que marcaram o período estruturalista. A obra de Lévi-Strauss, que tinha dado lugar a quatro textos propostos aos candidatos ao bacharelato em 1972, desapareceu em seguida. A tríade Marx/Freud/Lévi-Strauss, que representava 6,6% dos textos

11 Francine Le Bret, entrevista com o autor.

12 Pinto, *Le Philosophes entre le lycée et l'avant-garde*, p.157.

propostos em 1972, 9% em 1975, fica reduzida a 3,7% em 1978 e a 1,2% em 1987. Em contrapartida, os autores clássicos conhecem uma progressão constante. A tríade Platão/Descartes/Kant passa sucessivamente de 12,3% dos textos propostos em 1972 para 17,1% em 1975, 17,3% em 1985, para atingir 25,3% em 1987.[13]

Francine Le Bret, que participou em meados da década de 1980 das reuniões do Plan Académique de Formation (PAF) sobre o uso das ciências humanas no ensino de filosofia, depõe a respeito da evolução em curso: "Assisti nessa ocasião a uma discussão na qual se dizia que é perfeitamente possível fazer um curso sobre o inconsciente sem ter de mencionar Freud, sem mesmo ler qualquer texto de Freud".[14] Aconselha-se aos professores que contornem Freud por intermédio dos neokantianos franceses, como Pierre Janet, para organizar as aulas sobre o inconsciente.

Essa mudança disciplinar envolve, portanto, sérios riscos de retrocesso quando se consegue convencer os professores de que a filosofia se reduz a um número limitado de questões da *philosophia perennis* e a um *corpus* reduzido de autores canonizados. Por isso, numerosos professores do secundário fazem seu *mea culpa*, considerando que se perderam nos meandros de problemas não filosóficos e pecaram por positivismo. Daí o risco elevado de um retorno puro e simples à tradição, ocultando todo um período de renovação, como se nada se tivesse passado: "Existe hoje uma tendência dominante para a eliminação das ciências humanas do horizonte do ensino de filosofia. Chega-se a ponto de persuadir as pessoas de que isso não é filosofia".[15] Sobre os presumidos cadáveres de Marx e Freud, a filosofia parece reencontrar a sua pureza original, fora de toda a parasitagem exógena, e proclama-se então, no plano midiático, a grande barrela necessária para consumar o seu renascimento entre as humanidades.

É contra esse corte que se levanta um filósofo que organizou um imenso trabalho enciclopédico sobre as noções filosóficas e sobre a história das ideias linguísticas: Sylvain Auroux.[16] Ele vê, pelo contrário, a

---

13 Estatísticas estabelecidas pelo autor a partir dos temas do bacharelado.

14 Francine Le Bret, entrevista com o autor.

15 Ibidem.

16 Auroux, *La Sémiotique des encyclopedistes*. O autor também dirigiu o volume II da *Encyclopédia philosophique universelle*: les notions philosophiques, Dictionnaire, 1990.

restrição do campo filosófico como uma mutilação, e preconiza uma nova ordem filosófica que tenta preservar a unidade do saber, ao mesmo tempo que permite ao filósofo refletir a partir das descobertas científicas da modernidade à qual pertence.

Sylvain Auroux, como já vimos, optou por abandonar o território clássico da filosofia para adquirir uma competência profissional no domínio da epistemologia das ciências da linguagem, e é como filósofo que ele intervém nesse campo, na interface de um saber técnico e de uma problematização filosófica. Adverte contra a ideia de um corte entre uma filosofia que retornaria às suas origens e o domínio das ciências em geral, que seria visto como exterior à filosofia: "Seria insensato querer que o empreendimento filosófico retorne à sua base. Os rios jamais remontam à sua fonte; entretanto, podem comportar esteiros de águas mortas: a sabedoria manda secar as águas estagnadas".[17]

O regresso a uma "filosofia filosófica" representa, por conseguinte, um certo número de perigos de ocultações, de riscos de regressão. Mas é, por outro lado, a manifestação do caráter artificial das proclamações dos anos estruturais sobre o fim próximo da filosofia que devia ceder o lugar a questionamentos fora do campo filosófico. Nesse plano, o fenômeno atual traduz o fracasso de um programa de vocação universal e a manifestação de uma ambição desmedida: "O que me impressiona é que o pós-estruturalismo se caracteriza por um retorno ao filosófico, uma volta da abordagem filosófica ao que é praticável, depois ou além das abordagens dos desconstrutores".[18]

O risco de ilhotas disciplinares

No transcorrer dos anos 1980, esse movimento de recuo, essa renúncia às abordagens transversais são perceptíveis um pouco por toda a parte e não apenas em filosofia. Pierre Ansart, professor de sociologia em Paris-VII, deplora esse confinamento em cada ilhota disciplinar e a ausência de interrogações sobre o que fundamenta a legitimidade dos isolamentos

17 Idem, *Barbarie et philosophie*, p.23.

18 Roger-Pol Droit, entrevista com o autor.

em vigor. Enquanto nos anos 1960 os estudantes procuravam abrir caminhos originais na interdisciplinaridade vivida como via fecunda, "agora, as igrejinhas se apresentam como lugares de segurança. Como presidente do Conseil National des Universités (CNU) em sociologia, vejo muito bem como isso se passa no tocante às nomeações".[19]

O parcelamento, a ausência de ambição globalizante e de preocupação universalizante têm um outro efeito perverso para os estudantes, que adquirem linguagens a tal ponto compartimentadas que não podem se comunicar. Ao término de três anos de estudos, adquiriram vocabulários diferentes, mas não linguagem: "Você tem estudantes que possuem tecnicidade, mas quanto à interpretação é muito diferente: eles têm uma bagagem completamente heteróclita".[20] E Pierre Ansart, que foi, no entanto, um crítico do paradigma estruturalista, lamenta o caráter estritamente empírico dos trabalhos apresentados hoje, desprovidos de toda e qualquer reflexão epistemológica. Considera trágico o total desconhecimento pelos jovens estudantes da obra de Lévi-Strauss: "Eles não conhecem absolutamente nada de Lévi-Strauss. Falo dele aos meus alunos do quarto ano, com os quais tenho de partir da estaca zero. É aflitivo, apesar de tudo".[21]

Por outro lado, os homens de letras se retirarem para seu próprio campo, o da literatura, após terem concentrado as atenções numa textualidade que englobava todos os fenômenos de escritura. Os historiadores reataram com os discretos charmes da história lavissiana, da pura descrição dos eventos que não mais procura se vincular a qualquer sistema ou estrutura causal. Esses retornos são característicos de uma crise de identidade das ciências humanas, cuja ambição foi alicerçar sua universalidade no discurso da ciência, da teoria, representada por um tempo pelo programa estruturalista que a todos abalou e empolgou, e do qual seria lamentável esquecer as joias legítimas sob os artifícios.

19 Pierre Ansart, entrevista com o autor.
20 Ibidem.
21 Ibidem.

37
O naturalismo estrutural

O paradigma estrutural em declínio como possível semiologia geral encontrou, não obstante, um meio de perpetuar-se transformando-se a partir de uma nova aliança. A ambição, expressa nos anos 1950 por Lévi-Strauss, de inscrever-se entre as ciências da natureza, torna-se programa num segundo momento do estruturalismo, quando a linguística é preterida como ciência-piloto e substituída pela biologia. A tensão interna das ciências humanas, colhida entre as humanidades, por um lado, e as chamadas ciências exatas, por outro, expressa-se num primeiro tempo por um método rigoroso, que se apresentava como estrutural no plano de sua grade de análise do real.

A estrutura na natureza

Nesse segundo momento, parece que se assiste efetivamente a um deslocamento: a estrutura não mais é considerada um simples método de abordagem para restabelecer o sentido; ela própria se encontra na natureza. A esperança consiste, portanto, em superar o dualismo natureza/cultura, ao reencontrar no seio dos circuitos mentais, em seu modo de funcionamento, uma realidade estrutural natural cujo método de mesmo nome seria apenas o seu prolongamento cultural.

Essa evolução é particularmente perceptível naquele que foi o pai do estruturalismo em seus propósitos mais científicos na França: Lévi--Strauss. Ele perdeu hoje em dia algumas de suas ambições no tocante à possível descoberta do modo de funcionamento do espírito humano por meio de uma antropologia social estrutural. Se pensa que houve uma contribuição parcial importante dessa disciplina nesse sentido, também reconhece que os antropólogos não são "os únicos e certamente não os que detêm a chave do problema. São os neurologistas".[1] As principais respostas quanto às questões que ele formulava em *Les structures élémentaires de la parenté* serão, portanto, investigadas pela biologia e pela genética, que devem permitir apagar essa fronteira entre ciências naturais e ciências do homem, cuja transposição vinha sendo tentada desde o começo. Uma vez que a antropologia funciona mediante a importação de paradigmas, Lévi-Strauss importou o modelo fonológico para o campo da análise antropológica. Ele é agora muito mais receptivo aos progressos realizados pelo cognitivismo, ou pela teoria das catástrofes de René Thom. Vê nesses avanços conceituais o meio de reorientar o seu estruturalismo para uma filosofia naturalista segundo a qual "o modelo já está inscrito no corpo, a saber, no código genético".[2]

Esse segundo Lévi-Strauss se aproxima das teorias de observação científica dos fenômenos naturais de Goethe, que tinha elaborado uma teoria das cores e uma da estrutura das plantas. Goethe partia do postulado de um modelo-substrato que condiciona a realização da diversidade das percepções que se encontra por toda a parte, mas que não existe em lugar algum no real. Em suas pesquisas sobre a natureza da cor, Goethe refuta a interpretação de Newton: "Goethe opõe à experiência newtoniana a ideia de que toda percepção de cor é produto de uma interação entre fenômenos físicos e o olho".[3]

O estruturalismo lévi-straussiano desse período tende a se converter num estruturalismo ontológico, ou num realismo estrutural integral. É nessa perspectiva que Lévi-Strauss define, em 1983, o inventário que realizou da mitologia americana: "Os mitos refletem-se uns nos outros segundo eixos a partir dos quais a lista poderá ser organizada.

1 Claude Lévi-Strauss, entrevista com o autor.
2 Jean-Luc Jamard, entrevista com o autor.
3 Severi. In: Descola; Lenclud; Severi et al., *Les idées de l'anthropologie*, p.131.

Para explicar o fenômeno, é necessário postular que as operações mentais obedecem a leis, no sentido em que se fala de leis do mundo físico".[4] Remete, nessa ocasião, ao dualismo metafísico tradicional que separa ideal e real, abstrato e concreto. Opõe-lhe o fato de que os dados da consciência estão a meio caminho entre esses dois polos, "já codificados pelos órgãos sensíveis e pelo cérebro".[5] Postula um isomorfismo entre os processos físico-químicos, sobre os quais repousam as operações de codificação, e os procedimentos seguidos pelo espírito na decodificação.

O estruturalismo, em sua sofística, em seus avanços mais extremos no sentido das tentativas de formalização, nada mais fez, portanto, segundo Lévi-Strauss, do que redescobrir as leis profundas da natureza. Ele permite fazer aflorar na lógica da reconstituição intelectual os mecanismos originários do corpo, reatando, dessa maneira, um materialismo radical, o único conciliável com um saber científico. No último Lévi-Strauss, a adequação entre o real e a estrutura é completa, visto que essa última é a própria expressão do real; ela se encontra numa relação de homologia com este. Essa concepção naturalista estava presente em Lévi-Strauss desde *Les structures élémentaires de la parenté*, mas nessa época dava mais ênfase à dimensão metodológica, epistemológica, do seu estruturalismo. Ela se afirma mais no âmbito da influência exercida pelas teses de René Thom e seus discípulos:

> Esse "segundo" estruturalismo – o "primeiro" parecia, pois, mais instrumental – evidencia-se no fundo comparável, por sua aposta no real escondido (estruturas homólogas do espírito, do corpo, das coisas), às perturbadoras "semiofísicas" de um René Thom ou de um thomiano como Jean Petitot-Cocorda [...] remetendo para a identidade de seu logos-substrato.[6]

Jean Petitot-Cocorda mostra, com efeito, que todos os grandes estruturalistas são realistas que consideram a estrutura como parte integrante do real, postulando a identidade do cognoscente e do cognoscível.[7] Discípulo de René Thom, Petitot adere ao objetivo de

4 Lévi-Strauss, Structuralisme et écologie. In: *Le regard éloigné*, p.152.
5 Ibidem, p.164.
6 Jamard, Parménide, Héraclite et l'anthropologie française, *Gradhiva*, n.7, inv. 1989, p.48.
7 Petitot-Cocorda, *Morphogenèse du sens*, 1985. v. 1: Pour un schématisme de la structure.

Lévi-Strauss, visto que este quer "endurecer" a ciência "mole" antropológica, e Petitot quer "amolecer" a ciência "dura". Assim, ambos esperam realizar um movimento sinérgico que permita ultrapassar o dualismo existente até hoje entre ciências humanas e ciências exatas.

Naturalismo estrutural/diferencialismo cultural

Enquanto se acentua a naturalização do estruturalismo de Lévi-Strauss acontece um movimento que parece inverso, uma adesão às teses diferencialistas no plano cultural, perceptível desde 1971 numa nova conferência pronunciada sobre o tema raça e cultura,[8] que retoma a reflexão de 1952 de *Race et histoire*, mas de um ponto de vista sensivelmente diferente. Num primeiro momento, a contribuição de Lévi-Strauss situava-se no estrito nível cultural, como único nível pertinente de distinção. Ora, para estupefação dos responsáveis da Unesco, que o censuram por ter introduzido o lobo no redil, Lévi-Strauss leva em conta "a entrada da genética das populações na cena antropológica",[9] como fonte de um retorno fundamental com múltiplas implicações teóricas. Ao naturalizar dessa maneira as atitudes culturais, ele admite como legítimo que uma sociedade possa pensar-se acima das outras e fechar-se em seu próprio sistema de valores: "Essa incomensurabilidade [...] pode representar até o preço a pagar para que os sistemas de valores de cada família espiritual ou de cada comunidade se conservem".[10]

Esse diferencialismo cultural não deve ser combatido, segundo Lévi-Strauss, porquanto ele contém as próprias bases da possível expansão cultural. Por outro lado, o combate antirracista não pode contentar-se com as armas da crítica cultural, pois a chave fundamental se encontra no plano genético. Foi nesse sentido que Lévi-Strauss conclamou a uma "colaboração positiva entre geneticistas e etnólogos".[11] Isso não significa que Lévi-Strauss negue a necessidade de comunicação entre

8 Lévi-Strauss, Race et culture. In: *Le regard éloigné.*

9 Ibidem, p.35.

10 Ibidem, a propósito da conferência "Race et culture", p.15.

11 Ibidem, p.42.

as culturas e defenda-se de ter mudado de posição entre as suas duas contribuições para a Unesco, a de 1952 e a de 1971: "De fato, em *Race et histoire*, eu dizia as duas coisas, só que se reteve dela apenas a metade. Senti a necessidade de chamar a atenção para a face oculta da Lua. É em *Race et histoire* que falo da diversidade como um bem indispensável às sociedades humanas".[12] Mas não se pode deixar de assinalar o deslocamento operado entre esses dois textos, conduzindo a uma naturalização do paradigma estrutural. Como observa Pierre-André Taguieff, há todos os motivos para temer os possíveis efeitos dessa posição de Lévi-Strauss, ao considerar as atitudes etnocêntricas como consubstanciais à espécie humana, como entidades universais e verdadeiros *a priori* da condição humana: "O etnólogo, ao 'naturalizar' as atitudes e inclinações coletivas tais como o fechamento sobre si, a autopreferência e a oposição aos outros, dá um fundamento legítimo ao etnocentrismo e à xenofobia".[13]

O elemento essencial de continuidade entre o primeiro e o segundo Lévi-Strauss reside basicamente em sua fidelidade a um anti-humanismo teórico, próprio do paradigma estrutural, que denuncia os vícios de um humanismo ocidental incapaz de fundar a humanidade. Lévi-Strauss opõe-lhe uma abordagem naturalista, "a do homem como ser vivo",[14] por oposição ao homem como ser moral, em sua dimensão ética. Fiel à tradição etnológica, o segundo Lévi-Strauss privilegia as diferenças em detrimento da universalidade, o enraizamento às custas do desarraigamento:

> Encontra-se em Lévi-Strauss o exemplo de dois tipos de universalismo diferentes. Um, que ele aceita sem hesitar, é o da identidade biopsicológica da espécie. [...] Do outro lado, encontra-se o mau universalismo ou, melhor dizendo, o falso, aquele que não quer reconhecer as diferenças, aquele que consiste num projeto voluntarista – e, inevitavelmente, unificador.[15]

---

12 Idem, entrevista com o autor.
13 Taguieff, *La force du préjugé*, p.247.
14 Lévi-Strauss, *Le regard éloigné*, p.374.
15 Todorov, *Nous et les autres*, p.94.

Lévi-Strauss baseia seu ponto de vista numa naturalização do homem como o único nível científico que permite reatar com o universal: este existe, mas somente no plano biológico, genético. Reencontrar os fundamentos da cultura humana a partir do seu substrato físico-químico já era claramente o objetivo estrutural de Lévi-Strauss em seus primeiros trabalhos, mas o suporte cognitivo oferece uma perspectiva mais apropriada à realização desse objetivo do que o modelo fonológico da primeira fase.

O congnitivismo: um naturalismo radical

Na naturalização em curso do paradigma estrutural, Dan Sperber vai mais longe do que Lévi-Strauss. Já em 1968, ele considerava científica somente uma parte da obra de Lévi-Strauss, aquela que visava à investigação dos recintos mentais, o espírito humano, e aderia, dessa forma, ao gerativismo chomskiano numa releitura das descobertas lévi-straussianas. A renovação permitida por Chomsky remete os modelos estruturalistas, segundo Sperber, a um estágio superado da pesquisa, simplistas demais para serem operacionais e desmedidos quanto a sua ambição para que possam ser exportados para todos os campos do saber: "Ninguém mais proporá modelos estruturalistas em linguística. Como teoria, acabou, radicalmente".[16]

Dan Sperber preconiza uma dissociação radical entre o componente empirista ou literário do trabalho do antropólogo e, por outro lado, a sua obra científica: "Sob o nome de antropologia coabitam, com efeito, duas disciplinas muito diferentes que nada predispunha para uma união monogâmica".[17] De um lado, ele queria ver dissociar-se uma etnografia que reencontraria sua independência como gênero interpretativo, como disciplina ideográfica à maneira da história, como abordagem do particular, e, de outro lado, uma antropologia, verdadeira ciência que teria como objeto a natureza humana como generalidade, verdadeiro objeto dessa ciência.

16 Dan Sperber, entrevista com o autor.
17 Idem, *Le savoir des anthropologues*, p.16.

O que pode permitir sustentar o caráter científico da antropologia, segundo Sperber, deve ser procurado do lado de uma conjunção entre o gerativismo e o cognitivismo. Fundamentalmente naturalista, Dan Sperber considera que não se trata de captar as ciências sociais para deslocá-las para as ciências naturais, tal como são, mas de ampliar o domínio das ciências naturais e, portanto, de lhes modificar o caráter: "No dia em que se uniu a biologia à física, as ciências naturais deixaram de ser completamente as mesmas".[18]

Sensível ao desenvolvimento das ciências cognitivas, que considera "o grande movimento intelectual do pós-guerra",[19] Dan Sperber espera que esse movimento de renovação, oriundo da psicologia, da neurologia, da teoria dos autômatos, possa permitir o acesso de uma parte das ciências sociais à cientificidade. Essa transformação pressupõe ater-se a uma abordagem materialista radical, portanto, considerar a inexistência de quaisquer outras causas que não sejam naturais.

A análise parte do Um que é a matéria: "Há estrutura no cérebro e muito mais do que Lévi-Strauss pensa, em minha opinião. Essa estrutura do cérebro é um fator muito importante, uma fonte de coerção muito forte sobre o conteúdo das culturas".[20] O outro postulado, popperiano, consiste em considerar que toda teoria científica deve ser o mais explícita possível e deve, por conseguinte, poder testar as suas hipóteses. Nesse nível, Dan Sperber acrescenta, para evitar toda e qualquer forma de reducionismo mecânico: "Não são essas coações do cérebro que engendram as culturas, mas as populações de milhões de cérebros num meio ambiente complexo".[21] Desse ponto de vista, Lévi-Strauss deu um passo no rumo de uma posição racionalista, materialista, ao considerar que a estrutura dos sistemas simbólicos é determinada pelas aptidões humanas universais, e que o estudo dos mitos pode permitir saber-se mais acerca do espírito humano. Mas Dan Sperber censura-lhe não ter cruzado o Rubicão e ter permanecido ligado à ideia de que os mitos veiculam significações: "Ora, paradoxalmente, pode-se sustentar que um dos seus grandes méritos é ter emancipado o estudo dos

18 Idem, entrevista com o autor.
19 Ibidem.
20 Ibidem.
21 Ibidem.

mitos da preocupação de estabelecer-lhes as significações".[22] Dan Sperber saúda, portanto, em Lévi-Strauss, uma vertente particular do seu estruturalismo, a vertente ontológica, naturalista, e censura-lhe, por outro lado, a vertente metodológica, semiológica, a qual está associada ao gênero literário.

Como o gerativismo, o cognitivismo também proveio de além-Atlântico, e Sperber espera endurecer a ciência antropológica a partir desse novo paradigma: "Todas as verdadeiras aquisições científicas se situam no âmbito de uma ontologia materialista".[23] Esse paradigma não resulta de uma descoberta empírica, mas de uma descoberta puramente lógica, desde que o matemático Alan Turing permitiu que se compreendesse, em 1936, como a matéria podia pensar. O paradigma deve permitir realizar, enfim, a destruição das fronteiras que opõem as ciências do homem e as da natureza. A naturalização do paradigma no campo das ciências sociais passa pela redefinição da noção de representação a partir do cognitivismo. A antropologia é então, essencialmente, psicologia, e Dan Sperber preconiza a "dessemiologização do enfoque de Lévi-Strauss".[24] Propõe uma decomposição do enfoque em dois tempos: por um lado, apoiar-se nas descobertas das neurociências que permitem ganhar acesso aos fenômenos mentais e, por outro, os fatos socioculturais devem ser analisados com base no modelo de uma "epidemiologia das representações",[25] cujo objeto não seriam as próprias representações, as quais dependem do primeiro nível, mas sua distribuição. A explicação dos processos de encadeamentos, de transformações, dependem simultaneamente, portanto, de fatores psicológicos e de fatores ecológicos.

Pode-se perguntar, entretanto, com Lucien Scubla, se é verdadeiramente operante explicar uma realidade social a partir unicamente das esferas mentais, uma vez que, de fato, uma multidão de significações, representações, regras, escapa à explicação quando se a situa nesse nível. Lucien Scubla vê, pelo menos, duas razões para recusar essa identificação da antropologia cultural como estudo das estruturas mentais e dos

---

22 Idem, *Le savoir des anthropologues*, p.114.

23 Idem, Les sciences cognitives, les sciences sociales et le matérialisme, *Le Débat*, n.47, nov.-dez. 1987, p.104.

24 Ibidem, p.112.

25 Ibidem, p.113.

processos cognitivos.[26] Em primeiro lugar, a autonomia do simbólico, que não permite reduzir esse nível ao das representações mentais, e, em segundo lugar, o impasse criado nesse esquema de análise a respeito da dimensão técnica dos fenômenos culturais.

O paradigma cognitivista, que agrupa uma constelação de disciplinas de origens diversas (a inteligência artificial, a psicologia que se desenvolveu nos Estados Unidos nos anos 1960 em reação contra o behaviorismo, as neurociências etc.), emana também da evolução da linguística. Noam Chomsky teve, com efeito, uma influência direta e importante no surgimento e desenvolvimento das ciências cognitivas, ao investigar a estrutura profunda, o modelo de competência dissociado do modelo de desempenho. Os linguistas gerativistas olham também, como o antropólogo Dan Sperber, do lado do cognitivismo para ter acesso a um *status* científico, e rejeitam igualmente do campo da ciência a abordagem descritiva para se concentrarem na questão ontológica da natureza humana: "O marxismo e o estruturalismo foram descartados por dotarem-se de um programa de simples descrição".[27]

Segundo os chomskianos, o novo imperativo científico torna ultrapassadas as distinções saussurianas: "As noções que vêm de Saussure já não servem para grande coisa".[28] Assim, a distinção entre significante e significado, o fato de considerar a metáfora como ponto de vista paradigmático, a própria distinção entre sintagmático e paradigmático, desempenham apenas, segundo Nicolas Ruwet, um papel muito limitado, senão insignificante, na linguística contemporânea. Em contrapartida, o que conta para elucidar uma metáfora é relacioná-la com uma cadeia de operações complexas. A partir da gramática comparada, já considerada a mais próxima das ciências da natureza por sua reputação de rigor, a linguística está particularmente bem colocada na configuração das ciências cognitivas.

Um dos mais importantes círculos em que se desenvolvem na França as pesquisas na área das ciências cognitivas é o Centre de Recherche d'Épistemologie Appliquée (Crea), situado na Escola Politécnica. O seu

26 Scubla, Diversité des cultures et invariants transculturels, *La Revue du Mauss*, n.1, 3. trim. 1988, p.105.
27 Bernard Laks, entrevista com o autor.
28 Nicolas Ruwet, entrevista com o autor.

diretor, Jean-Pierre Dupuy,[29] preconiza uma abordagem transdisciplinar da complexidade e oferece uma nova sistêmica como quadro comum de modelização para as diversas frentes pioneiras da ciência moderna. Ele anima o trabalho de pesquisa de toda uma equipe de investigadores, em que se encontram Dan Sperber, Daniel Andler, François Récanati e Pierre Jacob, entre outros. À abordagem reducionista anterior, Jean-Pierre Dupuy opõe a complexidade irredutível. Por outro lado, faz prevalecerem as relações estreitas entre realidade e desordem, ao contrário da tendência precedente, que concedia o primado à invariância. "Um dos capítulos mais importantes da física atual é o estudo dos sistemas desordenados".[30] Toda uma nova dinâmica permite aos físicos dos sistemas complexos, segundo Dupuy, abordar a biologia, a neurobiologia, a inteligência artificial. Essa investigação valoriza a ideia, que parecia até então anticientífica, de autonomia, a qual não se confunde, porém, com a de controle, de total domínio: "É uma autonomia em sinergia com o que pode sempre destruí-la e a que se dá tradicionalmente o nome de heteronomia".[31] No órgão que Jean-Pierre Dupuy dirige, o Crea, considera-se que o estruturalismo levou ao impasse, e que é necessário restabelecer a naturalização das ciências sociais a partir do cognitivismo, que representa não a totalidade dos pesquisadores do centro, mas mais de um terço deles, doze de um total de trinta: "A minha ideia era que se tornara imprescindível dar um novo impulso, e Edgar Morin precedeu-me, nas ciências sociais, apoiando-se nas experiências e no saber adquirido pelas ciências da natureza e do ser vivo".[32] É a partir, portanto, da mecânica quântica, da termodinâmica para além dos limiares do sujeito, da cibernética, das ciências da informação que está em curso uma nova reflexão sobre o sujeito, e não a partir do simples regresso à psicologia tradicional ou behaviorista: "Não podemos mais definir o homem, mas podemos investigar-lhe o rastro".[33]

Esse centro fora fundado no início do ano de 1981 por Jean-Marie Domenach, sob a denominação de Centre de Recherche d'Épistemologie et Autonomie. Este último termo, que significava que a pesquisa

29 Dupuy, *Ordres et désordres*. Essai sur un nouveau paradigme.
30 Idem, entrevista em Plessis-Pasternak, *Faut-il brûler Descartes?*, p.107.
31 Ibidem, p.113.
32 Jean-Marie Domenach, entrevista com o autor.
33 Ibidem.

em ciências sociais era concebida no âmbito de uma investigação sobre o poder do homem para autodeterminar-se sem negar o determinismo que pesa sobre ele, corria então o risco de ser confundido com a autonomia como fenômeno político, no momento em que os anarquistas "autônomos" quebravam vitrinas e destruíam automóveis à margem das manifestações de rua. Ele decidiu, portanto, dar novo nome ao centro.

Para Domenach, o estruturalismo situa-se como o ponto culminante da intuição do século XIX, segundo a qual era necessário reduzir todas as ciências a uma única, ambição que é comum aos esforços de Auguste Comte, Durkheim e Lévi-Strauss: "A meus olhos, o estruturalismo marca o resultado, portanto o fim dessa utopia".[34] Entretanto, o congnitivismo retoma, em seus aspectos essenciais, essa ambição, pois utiliza conceitos operacionais das ciências da natureza para fazê-los funcionar nas ciências sociais. Nesse sentido, situa-se também em continuidade com a vontade de estabelecer uma ponte entre o natural e o social. Mas, diferentemente do estruturalismo, em vez de anular o corte natureza/cultura, Domenach adota uma dialética autorreferencial:

> A cultura é o motor dessa impregnação do homem na natureza e da natureza no homem. Uma questão continua me obcecando: como se explica que o mundo se assemelhe cada vez mais aos conceitos que têm a nossa preferência? A todos esses temas da complexidade corresponde um mundo que se diasporiza, se libaniza, se balcaniza.[35]

Desse ponto de vista, o modelo binário, a dualidade estrutural, está derrotado. O pensamento paradoxal sucede ao pensamento binário para explicar melhor a crescente complexidade, "porque ele é capaz de manter os contrários em níveis diferentes".[36]

O êxito do cognitivismo acarreta igualmente toda uma corrente da filosofia que pode, consequentemente, aproximar-se dos cientistas em programas comuns de pesquisa, o que é uma novidade radical na França. Essa corrente filosófica é essencialmente anglo-saxônica, é a filosofia analítica, que já se interessava há muito tempo pela gramática

34 Ibidem.
35 Ibidem.
36 Ibidem.

do pensamento. O Crea é justamente o lugar em que se desenvolvem pesquisas desse tipo – ainda raras na França. A filósofa Joëlle Proust trabalha nesse centro, considerado "o santuário da filosofia analítica na França".[37] Ela se queixa do caráter ainda marginal demais dessa atividade no campo da filosofia francesa, que se ocupa quase exclusivamente de questões da história da filosofia e "deixa de lado o desenvolvimento da filosofia viva".[38]

Entretanto, o Centre National de la Recherche Scientifique (CNRS) realizou, em 1988, uma pesquisa de opinião acerca desse novo campo de pesquisas representado pelas disciplinas cognitivas. Em julho de 1989, Jean-Pierre Changeux remeteu seu relatório sobre as averiguações feitas ao Ministério da Pesquisa, que se comprometia a lançar uma grande ação em favor do desenvolvimento das ciências cognitivas. Mas a defasagem continua sendo grande em relação ao mundo anglo-saxão.

Com a filosofia analítica, a reflexão sobre o sujeito, reprimida no tempo do paradigma estrutural, volta a ser um objeto privilegiado de estudo. Mas não é o sujeito da psicologia tradicional que está de volta. Esse sujeito não é considerado um baluarte da não ciência, um espaço de liberdade em que o sentido floresce ao abrigo dos sistemas de objetivação. Pelo contrário, é naturalizado a partir de postulados materialistas e concebido como o lugar de regras a explicitar: "Há hoje trabalhos apaixonantes sobre a visão, sobre a linguagem, sobre o conceito e o raciocínio, os quais nos fornecem uma enormidade de elementos acerca do aspecto computacional das atividades mentais".[39]

Essa conexão entre o trabalho sobre a inteligência artificial e a filosofia se serve, inclusive, de antecedentes históricos. Hubert Dreyfus sugere, assim, que a filosofia de Kant teria preparado o terreno para a inteligência artificial.[40] Por seu lado, Joëlle Proust reconhece também na pesquisa das condições de possibilidade da atividade simbólica, que é o horizonte teórico das ciências cognitivas, a retomada do projeto kantiano: "A investigação transcendental de Kant foi que forneceu o primeiro exemplo".[41] Paul Ricœur já dizia de Lévi-Strauss, nos anos 1960,

37 Joëlle Proust, entrevista com o autor.
38 Ibidem.
39 Ibidem.
40 Dreyfus, *Intelligence artificielle, mythes et limites.*
41 Proust, L'intelligence artificielle comme philosophie, *Le Débat*, n.47, nov.-dez. 1987, p.91.

que ele representava, em sua opinião, um kantismo sem sujeito transcendental. Manifestamente, embora assente em bases diferentes, existe, de uma certa maneira, continuidade patente de ambição entre o projeto estrutural e o cognitivo.

O homem neuronal?

Uma das bases essenciais dessa naturalização do pensamento que procurava, numa primeira fase estrutural, estribar-se em algo essencialmente cultural, as regras da linguagem, apoia-se hoje nos recentes e importantes progressos da neurociência, das quais o professor no Collège de France e diretor do laboratório de neurologia molecular do Instituto Pasteur, Jean-Pierre Changeux, é um dos representantes mais conhecidos na França, graças ao seu livro de 1983, *L'homme neuronal*. Neurobiologista, ele percebe todas as atividades mentais, tanto reflexas quanto emocionais, como simples resultantes dos influxos nervosos. Para compreender a atividade do pensamento, cumpre realizar, portanto, uma importante inversão epistemológica que consiste em não conceber mais a natureza como transformada pelo espírito humano, prisioneira de suas grades perceptivas, mas em considerar, pelo contrário, o espírito humano como a simples expressão das leis da natureza e exclusivamente isso: "A máquina cerebral é uma montagem de neurônios, e o nosso problema consiste doravante em investigar os mecanismos celulares que permitem passar de um nível a outro".[42] Assim, a complexa atividade psíquica pode ser reduzida e explicada pelo conhecimento da arquitetura neurônica do cérebro. Cada um dos dez bilhões de neurônios está em conexão com uma centena de milhares de outros. Toda uma rede múltipla circula, portanto, e provoca êxtases dendríticos, orgasmos axônicos, explosões corticais, acelerações biônicas e sismos bioquímicos. Sem dúvida, esse dispositivo é ao mesmo tempo complexo e infinito em suas possibilidades de associações, mas Changeux espera assim mesmo associar um objeto mental singular a cada rede de conexões entre neurônios. Ele se apresenta, portanto, como

42 Changeux, *L'homme neuronal*, p.170

portador de uma ciência que pode, potencialmente, resolver o enigma da consciência, do pensamento em geral, que seria apenas "a expressão de um estado particular da matéria", como respondeu ao seu contraditor, o matemático Alain Connes.[43]

Entende-se a importância do desafio lançado às ciências humanas que se edificaram na interface entre natureza e cultura numa recusa do reducionismo biológico, como é o caso das diversas correntes da psicologia e, sobretudo, da psicanálise, contestada frontalmente pelas conclusões de Changeux, para quem "o homem, por conseguinte, nada mais tem a fazer do espírito, basta-lhe ser um homem neuronal".[44] Reinterpretar o conjunto das atividades mentais a partir de sua base física é um desafio da ontologia materialista, e os psicanalistas são os mais hostis a essa visão fisicalista e reducionista.

O psicanalista André Green repele, assim, radicalmente a pertinência das teses de Changeux, que considera "totalmente inaceitáveis".[45] Mas isso não significa que negue a importância desse nível neuronal, e prefere a tese desenvolvida pelo neuroendocrinologista Jean-Didier Vincent,[46] segundo a qual as glândulas endrócrinas segregam hormônios que, há muito tempo já se sabe, intervêm no crescimento do indivíduo e em suas necessidades elementares. Mas Vincent ampliou o campo de influência desses hormônios ao perceber também seus efeitos sobre as paixões humanas e seus humores. Entretanto, "jamais pretendeu que o amor fosse um produto exclusivamente hormonal".[47]

Pelo contrário, a posição de Changeux, segundo André Green, "é uma maneira de se permanecer no estruturalismo".[48] Encontra-se aí a mesma ambição de reduzir a realidade complexa a um sistema simples, a um número limitado de variáveis que basta juntar, reunir, com a vantagem, no caso das neurociências, de se estar manipulando o tangível, o demonstrável, para daí deduzir a homogeneidade do homem,

43 Idem; Connes, *Matière à pensée*.

44 Changeux, *L'homme neuronal*, p.237.

45 André Green, entrevista com o autor.

46 Vincent, *Biologie des passions*.

47 Dortier, *Sciences humaines*, n.4, jun.-jul. 1989, p.7.

48 André Green, entrevista com o autor.

> [...] enquanto a questão da complexidade, da heterogeneidade, obriga a tomar em consideração vários sistemas de comunicação e de difusão. Há sistemas que funcionam por contiguidade neurônica; sistemas que funcionam na base da difusão hormonal. Não é a mesma coisa. Ao que se soma a complexificação pelos mediadores químicos no nível da contiguidade pelas sinapses.[49]

André Green permanece fiel a uma postura de construção do campo psicanalítico em sua autonomia que possa resistir a toda e qualquer forma de reducionismo, quer seja resistindo ontem à eliminação da dimensão dos afetos quando se tratava de reduzir o inconsciente aos jogos da linguagem, quer seja contestando hoje a posição que visa naturalizar o inconsciente reduzindo-o a um jogo de neurônios.

Decididamente, as ciências humanas têm algumas dificuldades quando se trata de defender sua especificidade, sua autonomia, visto que são periodicamente colocadas no torno redutor de empreitadas científicas. O naturalismo estrutural dá-se aqui como a realização do projeto de dissolver o homem na matéria e, assim sendo, não oferece resposta definitiva à complexidade da atividade psíquica, que só pode provir da consideração da "heterogeneidade do significante".[50]

---

49 Ibidem.

50 Ibidem.

38

A ASSIMILAÇÃO DO PROGRAMA

Se o estruturalismo não para de retroceder do horizonte teórico desde 1975, nem por isso se deve crer que a diminuição do brilho midiático de que ele se beneficiava nos anos 1960 permita diagnosticar um coma superado, e que bastaria uma "grande barrela" para se fazer tábula rasa de um passado morto e acabado. Sem dúvida, importantes inflexões transformaram o paradigma estrutural ou abalaram-no fortemente. As ambições desmedidas são agora inadmissíveis e a modéstia é indispensável; novas alianças se contraem segundo o duplo imperativo de uma nova situação histórica e dos avanços científicos.

Mas subsistem conquistas essenciais. Para apreciá-las, importa fazer a separação entre o que é circunstancial, o que resulta de uma resposta de vocação científica a um período preciso, ultrapassado, e, por outro lado, os avanços incontornáveis realizados graças à efervescência teórica desse período estruturalista. À semelhança da história do homem como indivíduo, a de um paradigma dominador segue o curso de uma temporalidade que o conduz às alturas, depois conhece a hora dos rendimentos decrescentes, para em seguida reencontrar o leito mais calmo de uma história lenta e silenciosa. Portanto, não deve crer que toda essa agitação foi vã, que o fogo de artifício oferecido não passou de um astucioso engodo.

Um estado de espírito duradouro

Ficou de tudo isso uma época particularmente rica, fecunda, e um acervo de experiências que mudaram de forma duradoura nossa visão do mundo e nossa grade de leitura. Essa dimensão não pertence, por definição, à ordem do sensacionalismo, mas decorre de funções "digestivas", assimiladoras, no quadro do desenvolvimento das ciências sociais. O retorno ao... estruturalismo deve, desse ponto de vista, evitar o que preconizava Althusser, seguindo o conselho de Lenin, quando dizia que era preciso pensar nos extremos. Pelo contrário, essa alternância de, por um lado, só as estruturas e, por outro, só o indivíduo tem por efeito nefasto não apreender o essencial, a interação entre aquelas e este. Ela evita o reconhecimento dos avanços do período precedente, zona penumbrosa, opacificada, deliberadamente desconhecida, para melhor jogar sobre ela a placa de chumbo do esquecimento, e partir assim mais livremente numa direção oposta, com o mesmo terrorismo intelectual, é evidente, do período anterior.

É por isso que se deve esperar, com Marc Guillaume, que possamos reingressar "na era geológica das ciências sociais, à qual as ciências exatas estão acostumadas".[1] Nessa ótica, as ciências sociais teriam conhecido com o estruturalismo a primeira camada acumulada depois da de Auguste Comte, que já não seria tão ruim. E se pesquisarmos aquém dos efeitos de moda a atividade estruturalista nos anos 1980, veremos com efeito que ela prossegue ativamente e ainda inspira numerosos trabalhos em todas as disciplinas: "É um fenômeno em estágios", segundo Marcel Gauchet.[2]

Cumpre realmente diferençar no fenômeno estruturalista o fascínio por um programa que promete unificar o campo das ciências humanas e as metodologias particulares que ligaram essa esperança em cada uma das disciplinas, segundo seu objeto próprio e sua posição distinta no campo geral da universidade e da pesquisa, aos fenômenos de concorrência disciplinares, às batalhas por uma posição de liderança, às hegemonias temporárias, posições-piloto e alianças

1 Marc Guillaume, entrevista com o autor.
2 Marcel Gauchet, entrevista com o autor.

táticas que incendiaram o domínio universitário em torno do combate entre humanidades e ciências sociais, modernidade e tradição. Desse ponto de vista, pelo combate que encarnava, o estruturalismo está identificado com o conjunto da história intelectual francesa da segunda metade do século XX: "Existe um espírito estruturalista que me parece refletir uma experiência duradoura e que se confunde, para mim, com a experiência do século. Nada tem a ver com o fracasso local ou o esgotamento dos modelos estruturalistas, tal como funcionaram em determinadas disciplinas".[3]

De maneira difusa mas profunda, uma preocupação de rigor, uma vontade de apreender conjuntos significativos animam o trabalho intelectual contemporâneo, e é a prova tangível da assimilação incontestável de uma exigência estrutural, mesmo por aqueles que sentem a necessidade de rejeitar esse período e de proclamar sua morte definitiva. Isso também é verdadeiro para uma nova geração que, ignorando até a significação do termo estruturalista, faz, como *Monsieur* Jourdain, estruturalismo sem o saber. Marcel Gauchet, não obstante ser um severo crítico em relação ao que o estruturalismo representou, reconhece que "hoje ninguém lê mais um texto de qualquer espécie da mesma maneira, porque foi introduzida uma exigência de tipo estrutural. Por toda a parte se trabalhou sobre totalidades significantes, na ideia de reconstituir coerências".[4]

Também Edgar Morin combateu desde o início o sucesso estruturalista, que ele qualificou de engodo em sua pretensão insensata de dissolver o homem em categorias pretensamente científicas. Mas reconhece, num certo nível, a existência de méritos no paradigma estrutural-epistêmico, creditado por três contribuições: a ênfase sobre a ideia de estrutura, a crítica radical do *logos* ocidental e, por fim, a instauração do simbólico como instância capital.[5] Assim é que as modas, objeto privilegiado de estudo dos estruturalistas, passam, mas o estruturalismo permanece para muitos como um importante horizonte teórico.

O psicanalista Jean Allouch exprime claramente essa permanência por trás do que alguns acreditavam ter enterrado: "Não vejo como se

3 Ibidem.
4 Ibidem.
5 Morin, Ce qui a changé dans la vie intellectuelle française, *Le Débat*, maio 1986, p.72-84.

poderia ser outra coisa senão estruturalista. Eu me mantenho inteiramente estruturalista, porque, do ponto de vista da psicanálise, o sujeito só pode ser pensado como estrutura. Se não houve estrutura do sujeito, não há clínica possível".[6]

Essa dimensão prática do uso do estruturalismo explica igualmente a importância das saídas oferecidas hoje à linguística pelo desenvolvimento das "indústrias da língua", da informática, dos sistemas *experts*. Desse ponto de vista, a passagem da formação universitária clássica, das humanidades literárias, para a formação de engenheiros que trabalham na IBM revela o verdadeiro sentido da batalha que foi travada nos anos 1960 sob a bandeira da modernidade estrutural. Ela representa o acesso dos profissionais de letras à ciência operacional, às tecnologias de ponta da sociedade moderna. O desafio foi aceito pelo estruturalismo. Sylvain Auroux considera, inclusive, que é necessário ir mais longe no sentido da formalização matemática, e vê na criação do sistema MAS (matemática e ciências humanas) o bom caminho, mesmo que, de momento, este não corresponda à expectativa.

Após o período de completa inversão das humanidades tradicionais, marcado pela vontade de demolição dos antigos métodos e de um apetite teórico bulímico, chegou o tempo mais pragmático da utilização dos métodos, de construção de novos sistemas operacionais: "Agora, apresentam-se verdadeiros problemas, do gênero: Construa-me um dicionário que tenha um controle ortográfico para uma secretária; e você se pergunta o que se deve escolher como estruturas de palavras".[7] Dá-se aí uma ruptura de geração. O combate travado pela geração estruturalista dos anos 1960 é considerado terminado pela nova geração, posto que percebe como ponto assente o fato de que a tradição foi abolida. Ela pode, portanto, reiniciar a pesquisa sobre objetivos simultaneamente novos e, dessa vez, integrados no interior das modernas tecnologias.

Certas ambições são, contudo, abandonadas. A corrente mais cientista do estruturalismo, a da semiótica greimasiana que aspirava a descobrir a verdade do sentido de toda a linguagem a partir unicamente do quadrado semiótico, é hoje um ramo da atividade linguística que se recolheu às margens da semiótica do discurso religioso.

---

6 Jean Allouch, entrevista com o autor.

7 Sylvain Auroux, entrevista com o autor.

A ciência em que a semiótica quis se converter tem, nesse domínio, um excelente convívio com as exegeses religiosas: "Não há um só pastor na França que não conheça a semiótica, porque são essas as pessoas que ainda têm um pouco de fé e que aceitam a regra do jogo segundo a qual não se fala do referente".[8] Assim, em Québec, o único grupo que sobreviveu ao refluxo da reflexão semiótica é um grupo de análise de textos evangélicos.

O antigo diretor da revista jesuíta *Études*, Paul Valadier, reconhece que um dos grandes méritos do estruturalismo foi introduzir "uma nova interpretação dos textos bíblicos".[9] A desconstrução dos textos bíblicos participou plenamente da voga estrutural nos anos 1960-1965. Paul Valadier se lembra de ter assistido durante esse período a um congresso de teólogos moralistas e exegetas sobre a abordagem semiótica das Escrituras. Tal como nos outros campos de pesquisa, o modelo historicista parecia ter esgotado sua vitalidade na pesquisa sistemática para relacionar o texto com um meio cultural situado de forma precisa no tempo e no espaço. Esse esforço tendia a reduzir de modo mecanicista a explicação do texto ao seu meio de origem: "O estruturalismo ajudava a levar em conta o fato de haver uma narrativa que vale como tal".[10]

Essa atenção à narrativa permitiu restabelecer a inventividade, as variações múltiplas de episódios similares da vida de Cristo segundo são contados por Mateus, Marcos, Lucas... Entretanto, Paul Valadier constata a partir de então um certo desgaste do modelo, que tende a produzir resultados repetitivos. Esse estruturalismo semiótico em matéria bíblica prossegue, todavia, especialmente no grupo de trabalho animado por Louis Panier na Faculdade Católica de Lyon.[11]

---

8 Algirdas-Julien Greimas, entrevista com o autor.

9 Paul Valadier, entrevista com o autor.

10 Ibidem.

11 Panier, *Écriture, foi, révélation*: le statut de l'Écriture dans la révélation; idem, *Récit et commentaires de la tentation du Christ au desert*: approche sémiotique du discours interpretatif.

Françoise Héritier-Augé: além de Lévi-Strauss

"Un oevre désormais incontournable" é o título do artigo publicado por *Le Monde* a propósito da edição de *Regard éloigné* em 1983.[12] De fato, o refluxo da moda estruturalista não arrasta em seu movimento o mestre e iniciador dessa corrente de pensamento, cujo método continua a inspirar uma boa parte da disciplina antropológica. O laboratório de antropologia social prossegue em seu trabalho científico na esteira de Lévi-Strauss, no prolongamento direto de sua obra. Ocorre nesse plano uma interiorização dos procedimentos, dos métodos e da inspiração lévi-straussiana nos jovens pesquisadores em antropologia, mesmo que a versão modernizada que se lhes deu se aparente mais com a antropologia cognitiva, tendência que, como se viu, corresponde bem à evolução do próprio Lévi-Strauss no sentido de um estruturalismo naturalista.

Com Françoise Héritier-Augé, que assume a direção do laboratório de antropologia social em 1982, Lévi-Strauss encontrou uma sucessora de grande talento. Em 1984, ela ingressa no Collège de France, na cátedra de estudos comparados das sociedades africanas. Sua obra sobre as regras de parentesco, de aliança e de filiação nos sistemas Omaha se inscreve no prolongamento direto do estruturalismo de Lévi-Strauss.[13]

Sua aula inaugural revela, porém, que ela não se contenta em gerir a herança, mas continua enriquecendo-a pelas orientações e problematizações novas que contribuem para ressaltar o interesse científico da disciplina. Assim é que ela não considera mais pertinente a oposição entre o estatismo estrutural e a contingência das perturbações históricas: "Todo sistema, por muito articulado que seja, facilita aberturas, franjas equívocas, brechas, que ficam expostas à inovação sob os lances da história".[14] Por outro lado, considera a sociedade em seu conjunto, e não apenas as entidades culturais, tanto mais que as sociedades africanas estabelecem vínculos inextricáveis entre as três ordens (meteorológica, biológica e social), numa mesma globalidade significante.

Françoise Héritier-Augé permanece, no fundo, fiel ao espírito lévi-straussiano quando opõe dois modos de pensamento antropológico

12 Meunier, Les Réussites et les patiences de Claude Lévi-Strauss, *Le Monde*, 27 maio 1983.
13 Héritier-Augé, *L'exercice de la parenté*.
14 Idem, *Leçon inaugurale au Collège de France*, p.30.

antinômicos: o primeiro remete a diversidade incomunicável das múltiplas culturas humanas para universais em que essa diversidade se dissolve, ao passo que o segundo, ao qual ela adere, "associa o dado fenomenológico variável das sociedades a mecanismos invariantes, subjacentes, que são em pequeno número, ordenam esse dado e conferem-lhe seu sentido".[15]

O principal ponto de inflexão na obra de Françoise Héritier-Augé em relação a Lévi-Strauss está em dar ao corpo, aos seus humores, um lugar central no estudo da representação simbólica. Recusando-se a ceder às concepções culturalistas e relativistas, ela inscreve suas pesquisas no interior da ambição estrutural, a fim de colocar em evidência invariantes próprias do espírito humano, capazes de restabelecer uma gramática universal. Isso não significa que aceite uma concepção neuronal do espírito humano, mas investiga seu modo de funcionamento, além das diferenças sociais e culturais, a partir de *themata* arcaicos inscritos no corpo e na diferença dos sexos: "Penso que existe uma unidade do espírito humano, que há possibilidades limitadas e que o espírito humano faz parte da observação".[16] A gramática que ela se propõe a reconstituir possui vocação universal e se inscreve numa vontade de ultrapassar o quadro lévi-straussiano, o qual, sobretudo em *Mythologiques*, ligou-se essencialmente à área cultural ameríndia.

A segunda inflexão, em relação a Lévi-Strauss, consiste em partir do próprio do homem como corpo e em considerar que todos os sistemas de representação derivam dele. Ora, "a coisa mais elementar de todas, sobre a qual se fixa a inteligência humana, é a diferença dos sexos".[17] É essa oposição que permite compreender que nem todos os possíveis em matéria de relações de parentesco são realizados, pois certos sistemas que não se encontram em parte alguma introduziriam uma superioridade de poder da mulher sobre o homem no par fundamental irmão/irmã: "Existe, portanto, uma invariante em todas as sociedades do mundo que é a dominação masculina".[18] É ao que Françoise Héritier-Augé chama a valência diferencial dos sexos, a qual permite

15 Ibidem, p.32.
16 Françoise Héritier-Augé, entrevista com o autor.
17 Ibidem.
18 Ibidem.

compreender a escolha de certos sistemas de parentesco e sua ancoragem nos corpos, no biológico articulado com o social.

Foi ao descobrir a região dos samo de Burkina-Faso (antigo Alto Volta) que Françoise Héritier-Augé encontrou um sistema de parentesco que lhe pareceu incongruente: "Comecei por observá-los como uma galinha pode olhar uma faca",[19] antes de se dar conta de que estava, de fato, diante de regras clássicas de sistemas semicomplexos de alianças. Ela realiza, então, uma investigação minuciosa numa série de aldeias samo, nas quais recolhe genealogias mediante o cruzamento de múltiplas informações. Por outro lado, constrói o sistema de parentesco e o de alianças possíveis graças aos seus informantes, ao considerar com estes todas as soluções de parentesco imagináveis. Esse trabalho de pesquisa de campo com a população nada tem de fácil, pois "a pessoa mais perspicaz do mundo não está em condições de responder de pronto à pergunta: 'Como é que você chama a filha da filha da irmã do pai de sua mãe?' e 'Tem o direito de casar com ela?'. É necessário, em primeiro lugar, representar isso num esquema".[20] Françoise Héritier-Augé inventa, pois, meios simples de simbolização que lhe permitem construir esquemas englobando de oito a dez gerações: pequenas conchas para representar o sexo feminino, calhaus ou cacos de vidro para o sexo masculino, pauzinhos ou palitos de fósforos para figurar as relações, as filiações. Isso permitia delimitar o campo dos possíveis, assim como as suas orlas, as áreas limítrofes que, se forem transpostas, significam a saída do campo.

A segunda etapa da análise foi informatizar todo esse material, o que permitiu caracterizar as práticas em uso como decorrentes do sistema Omaha, segundo o qual dois indivíduos do mesmo sexo, provenientes do mesmo casal, são idênticos, mas se são de sexos diferentes, a sua diferença é então absoluta. A valência diferente dos sexos desempenha, portanto, um importante papel, e se a criança que provém de um casal considera que o irmão de seu pai é também seu pai e a irmã de sua mãe é também sua mãe, em contrapartida uma irmã é sempre considerada, seja ela mais velha ou mais moça, como filha de seu irmão: "Ela depende da geração abaixo, de sorte que os primeiros

19 Ibidem.
20 Ibidem.

viajantes que descobriram os índios da América e viram homens de 90 anos dirigindo-se a uma menina de 5 anos chamando-a de 'minha mãe' comentavam ser realmente preciso que fossem selvagens para não perceber a diferença".[21]

A partir desse campo do parentesco, François Héritier-Augé passou a abordar o domínio de todos os humores do corpo em sua relação com o social, e a apreender, além das particularidades de uma sociedade, as coerências dos sistemas de pensamento numa escala estrutural. Ela investiga, assim, as bases de uma gramática universal aplicável ao campo antropológico adotando como ponto de ancoragem o corpo e as questões relativas à oposição fecundidade/esterilidade. Como o espírito humano funciona por associações, Françoise Héritier-Augé utiliza uma metáfora que foi buscar ao campo da biologia, a das cadeias autoestruturadas: "Se você pensa em fecundidade, pensa necessariamente em esterilidade. Se você opuser fecundidade e esterilidade, pensa em sexualidade, o que o leva a pensar nos humores do corpo: no leite, no esperma, no sangue. A ideia é que esses conceitos funcionam por cadeias que se estruturam a si mesmas".[22] De um modo geral, são encontrados todos os elementos da cadeia, embora possa eventualmente faltar algum, ou mesmo alguns entre eles possam desempenhar um papel de placa giratória, isto é, propiciando a abertura para múltiplas direções potenciais ou a saída para determinados canais: "Assim se descreve ao mesmo tempo as anamorfoses mas igualmente as tomografias, ou seja, os cortes, os itinerários, que permitem descrever um campo conceitual como sendo a totalidade de escolhas potenciais".[23]

A fecundidade do estruturalismo lévi-straussiano não cessou, portanto, de produzir seus frutos, mesmo que se note um desvio sensível dos temas que permitem o ressurgimento do que foi recalcado, mantido a distância durante o primeiro período. Assim são o referente corporal em Françoise Héritier-Augé e o referente natural num outro discípulo de Lévi-Strauss, Philippe Descola, que defendeu tese em 1983 e a publicou um pouco mais tarde.[24] Ele explora o simbolismo e a prática

21 Ibidem.
22 Ibidem.
23 Ibidem.
24 Descola, *La nature domestique*.

na ecologia de um grupo *jivaro* da Amazônia equatoriana, os *achuars*, cujas formas diversas de socialização da natureza estudou.

Sua perspectiva retoma o projeto de Lévi-Strauss de ultrapassar o corte natureza/cultura, real/simbólico, mitologia/tecnologia. Nessa antropologia comparativa das formas de socialização da natureza, dos sistemas de representação da natureza, Philippe Descola desloca, entretanto, o ponto de vista de Lévi-Strauss "ao contestar a ideia, se bem que muito fecunda no plano heurístico em *Les Mythologiques*, de uma distinção absoluta natureza/cultura".[25] A análise da sociedade concreta jivaro deixa transparecer que as distinções utilizadas por essa população passam por canais muito diferentes e não se organizam sistematicamente em torno de uma distinção entre os homens de um lado e a natureza do outro.

Philippe Descola põe, portanto, a natureza no centro da análise, ao passo que em Lévi-Strauss ela ocupa tão somente um papel acessório de repertório, de léxico de objetos naturais ao qual recorrem os grupos humanos para aí selecionar um número limitado de elementos significantes. A natureza tem aí o *status* de receptáculo, de referente mantido à distância, isolado num papel passivo: "Nesse caso, a natureza tem um papel muito subalterno, ao passo que a natureza humana, a estrutura das línguas e do espírito, portanto, a estrutura do cérebro é o regador dirigido para a natureza".[26] O duplo retorno da natureza doméstica e do corpo como polos significantes revela claramente o caminho percorrido desde os postulados iniciais que punham à margem o que era considerado como o extrassigno: o quadro referencial.

Novas vitalidades semiológicas

O programa semiológico não é, por certo, tão ambicioso hoje quanto o era em 1966, está prosseguindo e conquistando até novos territórios que pareciam resistir à sua aplicação. Assim, o nível descritivo, gênero abandonado e considerado como objeto que está por definir,

25 Philippe Descola, entrevista com o autor.
26 Ibidem.

reingressa com Philippe Hamon no campo da análise semiológica para fazê-lo sair do "grau zero metodológico".[27] Essa apropriação do gênero descritivo sob suas diversas formas (cronografia, topografia, prosopografia, etopeia, prosopopeia) é reforçada em Philippe Hamon por uma análise que leva em conta a evolução histórica do *status* do descritivo. Até a Idade Média, esse gênero faz "principalmente parte do gênero epidíctico que reclama, com efeito, a descrição sistemática, sobretudo sob a forma de elogio, de certas pessoas, lugares, momentos do ano, monumentos ou objetos socialmente privilegiados".[28] A literatura é, então, concebida como evitação do descritivo, que se isola numa estrita funcionalidade social, concebida como expressão de uma atividade dotada de uma finalidade precisa. Verdadeiro perigo a combater, a descrição é percebida, portanto, como ameaça para a homogeneidade da obra literária.

É preciso aguardar o final do século XVIII e começo do século XIX para ver o gênero descritivo sair do estado de dependência em que se encontrava em relação aos outros procedimentos textuais. Nasce uma nova estética em torno da trilogia personagem/cenário/leitor, "convertendo-se desse modo a descrição no operador tonal que orienta o consumo do texto pelo leitor no seio de uma estética global da homogeneidade".[29] O campo dos possíveis no nível das formas da expressão literária é, nesse caso, estudado por Philippe Hamon não só no tocante à sua estrutura interna, mas também como participante numa episteme particular a historicizar. A assimilação do programa estruturalista retoma também o exame do quadro referencial, contextual, que parece efetivamente induzir a existência de uma ética histórica portadora de uma estética em mutação.

As distinções saussurianas, os trabalhos fonológicos do Círculo de Praga, de Jakobson e de Trubetzkoy continuam sendo ainda, para muitos, a condição de um trabalho científico em linguística. Embora Bernard Laks veja no chomskismo a própria expressão da ciência nessa disciplina, ele encara, sobretudo, o paradigma estruturalista em sua continuidade e considera necessária a retomada dessa herança no interior do paradigma mais forte no plano científico que é o chomskismo.

---

27 Hamon, Introduction. In: *Analyse du descriptif*, p.7.

28 Ibidem, p.9.

29 Ibidem, p.20.

Por conseguinte, verifica-se nele, como em outros, a assimilação dos postulados básicos, o reconhecimento do importante papel desempenhado pelos ancestrais e iniciadores, mesmo que isso seja acompanhado pelo distanciamento em relação a certas orientações desse período.

Analisando o caráter prematuro das esperanças depositadas na colaboração entre linguistas e homens de letras, Nicolas Ruwet considera que aquele que encarnou as esperanças mais despropositadas, Roman Jakobson, teve certa influência nas desilusões que daí resultaram. O programa definido por Jakobson em *Linguistique et poétique* era razoável, segundo Ruwet, mas "a maneira como Jakobson o formulava devia prestar-se à confusão".[30] Ele vê quatro razões para isso: em primeiro lugar, o próprio estilo de Jakobson, que manipula indistintamente hipóteses como se fossem afirmações e argumentos de autoridade com a função de demonstrações. Em segundo lugar, a definição que ele dá dos aspectos linguísticos do poético (visto como "o objetivo final [...] da mensagem como tal, o acento atribuído à mensagem por sua própria conta")[31] permitiu todas as confusões possíveis em torno da natureza da mensagem: conteúdo ou forma? E ela conduziu à ideia absurda segundo a qual a linguagem poética seria por si mesma a sua própria referência. No plano do uso dos tropos, Jakobson cometeu o erro, segundo Ruwet, de reduzir o domínio da poesia a uma oposição binária na qual "ele assimila a metáfora ao princípio de equivalência e a metonímia ao princípio de contiguidade".[32] Em terceiro lugar, Jakobson teria subestimado o papel da sintaxe, espinha dorsal da língua poética, e domínio de predileção dos chomskianos. Em último lugar, Nicolas Ruwet descortina uma defasagem entre as proposições teóricas de Jakobson e suas aplicações práticas: "Com frequência, a prática está mais avançada do que a teoria, as descrições concretas são mais ricas do que as proposições teóricas explícitas. [...] Exagerando um pouco, direi que em Jakobson ocorre o inverso, pelo menos em poética".[33]

No domínio cinematográfico, um trabalho universitário de semiologia do cinema prossegue na perspectiva aberta por Christian Metz.

---

30 Ruwet, Jakobson, *Linguistique et poétique*, vingt-cinq ans après. In: Dominicy, *Le souci des apparences*, p.12.

31 Jakobson, Linguistique et poétique. In: *Essais de linguistique générale*, p.218.

32 Ruwet, Jakobson, *Linguistique et poétique*, vingt-cinq ans après, p.14.

33 Ibidem, p.18.

É certo que não provoca tanto ruído quanto as críticas de curto prazo da atualidade nem acolhe mais as esperanças dos anos 1960, mas nem por isso deixa de ser uma dimensão importante da análise da produção fílmica. Também no campo da investigação é notável uma certa evolução a partir da assimilação da grade estrutural. Assim é que Marc Vernet considera que a significação está organizada estruturalmente mas, por outro lado, acha que no tocante às narrativas fílmicas cumpre levar em conta a dimensão ideológica para que a estrutura possa funcionar para um espectador: "O embate, o *páthos* provém essencialmente dos conflitos de valores, muito mais do que da sentimentalidade".[34]

Ao passo que a crítica tradicional tem tendência para ver o gênero cinematográfico renovar-se ao ritmo acelerado da sucessão dos cineastas e como expressão de situações históricas precisas e moventes, Marc Vernet, pelo contrário, privilegia as permanências. Assim, aceita o cinema norte-americano como um mito duradouro, consumido como tal por uma população que nele investiu sua ideologia, fortemente ancorada na religião, que lhe fornece um sistema de valores que perdura. Capta assim, nas narrativas dos filmes norte-americanos, o reflexo de uma tensão similar à que é suscitada pelos diferentes gêneros de filmes, e que opõe a preocupação de homogeneidade e a realidade de uma jovem nação federal de imigrantes. O cinema funciona nesse nível como "mito fundador da nação norte-americana", para retomar o título do livro de Élise Marienstras, publicado em 1976 nas Éditions Maspero. Ele relativiza as diferenças entre períodos e traduz na tela a ambição, repetidamente reiterada, de assegurar a difícil coesão de um território de dimensões continentais. O cinema permite, pois, integrar uma população que pode se sentir em situação de exclusão ou de excentração relativamente aos polos ativos da vida cultural norte-americana: Nova Iorque, Chicago, São Francisco... "É por isso que não vejo diferenças entre o *western* e o policial."[35]

O que se registra nos dois casos é uma tensão similar entre o poder local e o poder federal, e a difícil repartição de poderes entre esses dois níveis. O *western* encena um conflito entre o sistema geral que se organiza em torno da estrada de ferro e a lógica local da coerência do grupo

34 Marc Vernet, entrevista com o autor.
35 Ibidem.

local. Quanto ao filme policial, opõe o detetive particular ao FBI e formula o problema da necessária articulação entre essas duas lógicas: a da proteção da vizinhança e a da defesa da manutenção da ordem em escala nacional: "Sou siderado pela permanência das formas, pela permanência das estruturas. Quando os [norte-]americanos dizem que Hollywood não mudou em nada entre 1917 e 1960, estou inteiramente de acordo".[36]

Tal abordagem permanece fiel aos pressupostos estruturalistas e não confere pertinência à conexão entre a obra e o cineasta. É por isso que tais análises se inscrevem na contracorrente da abordagem biográfica do discurso contemporâneo sobre o cinema. Parece mais fácil, com efeito, para o leitor, sentir que possui a totalidade da obra de um cineasta e "existe esse sentimento muito fetichista nos cinéfilos de possuir o objeto sob a forma de um livro, ao passo que há nele, em geral, um sentimento de perda do objeto, de inacessibilidade, o que faz parte, aliás, do seu charme".[37]

Portanto, a semiologia do cinema prossegue, mesmo que seja menos ruidosa, mais subterrânea, e não espera absorver tudo. Renunciou a crer-se uma soberba máquina para tratar de tudo, uma espécie de robô para toda obra, no qual bastaria meter tudo para sair dele o sentido último. Essa semiologia teve de introduzir o referente, seja sob a forma da ideologia com Marc Vernet, ou da psicanálise com Christian Metz, que passou do estudo das estruturas narrativas do filme para o estudo da metapsicologia do espectador: "Passei da mensagem para o receptor".[38] À margem das modas, esses trabalhos semiológicos enriqueceram consideravelmente a leitura cinematográfica e permitiram difundir um certo número de ferramentas de análise a partir de então assimiladas por uma boa parte da crítica. Assim, admite-se hoje que o filme está codificado, mesmo que o crítico não empreenda o estudo sistemático do filme que analisa. Ora, "há dez anos, essa ideia quase não era admitida, passou a ser há bem pouco".[39]

---

36 Ibidem.
37 Ibidem.
38 C. Metz, entrevista com Marc Vernet e Daniel Percheron, *Ça, Cinéma*, maio 1975, p.37.
39 Ibidem, p.40

François Ewald e a herança de Foucault

Foucault não deixou escola, não deixou ortodoxia, mas a tal ponto marcou uma geração que numerosos são aqueles que pretendem inspirar-se na riqueza de sua contribuição para o pensamento, sem que por isso mantenham uma relação hagiográfica com sua obra. Foi nesse espírito que em 31 de maio de 1986 uma trintena de universitários, tendo trabalhado em relação com Michel Foucault, criou uma associação para dar origem a um Centro Michel Foucault, presidido por François Ewald. Esse centro quer converter-se no local de confluência de todos os trabalhos sobre Foucault ou inspirados por sua obra, e recolher o fundo mais completo possível de arquivos disponíveis.[40] Um colóquio internacional realizou-se de 9 a 11 de janeiro de 1988 no teatro do Rond-Point, o que permitiu reunir cerca de trinta intervenções de investigadores de numerosas nacionalidades, publicadas em seguida pela editora Le Seuil.[41] Esse colóquio fez aparecer a polivalência, a multiplicidade de pontos de vista sobre a obra de Foucault, e permitiu situá-los na história da filosofia, julgando, a partir desses diversos pontos de vista, laudatórios ou críticos, suas consequências éticas e políticas.

As intuições foucaultianas não cessaram, portanto, de dinamizar o pensamento e já encontraram um herdeiro em François Ewald, cujo trabalho sobre o direito se inspira claramente na desconstrução de Foucault. Autor de *L'État-providence* (1986), ele tem por alvo a filosofia do direito, cujas evidências quer desestabilizar, à maneira como Foucault atacara o discurso psiquiátrico.

François Ewald opõe à filosofia do direito a ideia de que o direito não existe como tal, mas apenas por suas práticas. Segundo ele, os conceitos em uso são tão somente os reflexos dessas práticas, cuja genealogia cumpre tecer. Aplica ao direito a historicização foucaultiana, o que equivale a fazer explodir a unicidade do objeto e a vê-lo funcionar em sua pluralidade, em sua fragmentação, no seio de seu espaço de dispersão: "Reduzir alguma coisa, generalizar, é sempre falso. As filosofias

---

40 O Fundo Foucault encontra-se na Bibliotèque du Saulchoir, 43 *bis*, rue de la Glacière, 75013, Paris.

41 *Michel Foucault philosophe.*

do direito funcionam sempre por assimilações".[42] Ewald, na esteira de Foucault, preconiza um positivismo que parte das práticas e não das teorias jurídicas.

Segunda inversão foucaultiana, o direito segundo Ewald, que é essencialmente o direito civil, não está fundamentado, na verdade, no fato de punir, mas de repartir as somas de dinheiro. Mais do que por seu caráter repressivo, deve ser apreendido, portanto, em sua positividade. "Outro problema que é completamente foucaultiano é a maneira como se constitui a objetividade, uma ciência, um saber que passará por verdadeiro."[43]

No domínio do direito, Ewald se defronta com essa dialetização entre poder e saber que atravessa toda a obra de Foucault e que tem um imenso valor heurístico no caso do direito. Pois o que caracteriza um julgamento jurídico é o fato de que sua validade depende de sua objetividade e não de decisões arbitrárias. Essa objetividade evolui e deve, portanto, uma vez mais à maneira como Foucault procedeu, ser historicizada: "O direito é um objeto muito foucaultiano porque é, ao mesmo tempo, um objeto completamente histórico".[44]

O direito evolui incessantemente e o Código Civil (francês), que se tende a considerar inalterado desde 1804, não tem hoje praticamente um único artigo que seja o mesmo de sua constituição. Compete ao investigador, portanto, correlacionar precisamente as práticas do direito em sua multiplicidade, historicizando-as. Mais uma vez nos encontramos com Foucault, para quem "o direito é uma técnica".[45] No lugar de se considerar o direito a partir de uma axiomática de base que permitiria deduzir as práticas jurídicas, é a postura inversa que se deve adotar. Ela revela a heterogeneidade dessas práticas e os compartimentos que confinam cada jurista em seu domínio particular: "Os juristas praticantes jamais se relacionam, em sua prática, com o direito".[46] O especialista em direito mercantil só conhece, em geral, esse domínio com exclusão dos outros, e o especialista em direito constitucional

42 François Ewald, entrevista com o autor.

43 Ibidem.

44 Ibidem.

45 Ibidem.

46 Ibidem.

nada sabe de direito civil. Tanto pelo objeto escolhido quanto pelos métodos de investigação, pode-se avaliar a que ponto, no caso de François Ewald, as intuições foucaultianas ainda são frutuosas.

A filiação epistemológica

A sucessão de Foucault, assegurada por Gilles Gaston-Granger[47] no Collège de France para a cátedra de epistemologia comparada, prova também a continuidade da problematização epistêmica que foi dominante na época do estruturalismo triunfante. Gaston-Granger inscreve suas investigações na filiação que vai do seu mestre Guéroult a Foucault, passando por Hyppolite. Entretanto, não vai tão longe quanto esse último no sentido da historicização dos saberes, o que ele revela pela escolha do título de sua cátedra, a qual abandona o termo de história: "A filosofia das ciências, conforme já venho tentando praticá-la desde longa data, não enfatiza a história".[48] Gaston-Granger adota um ponto de vista menos relativista que Foucault e distingue, à maneira de Kuhn, dois regimes na evolução do saber: o de sua socialização, na qual múltiplos paradigmas concorrem entre si (é o estágio da protociência, ainda fortemente influenciada pelo ideológico), e um segundo regime que implica uma ruptura a partir da qual o conhecimento passa a ser verdadeiramente científico. Fiel ao ensino de Bachelard e de Foucault, Granger privilegia, portanto, as descontinuidades ("O fato epistemológico essencial, que é a ruptura"),[49] mas essa constatação não subentende, para ele, a ausência de progresso cumulativo das ciências e, consequentemente, a utilização do saber anterior à ruptura no estágio ulterior da nova linguagem científica: "São essas fragmentações sucessivas dos sistemas teóricos que tornam possível o verdadeiro progresso".[50]

Há, portanto, numerosas continuidades e não reviravoltas enigmáticas de suportes epistêmicos esvaziados que não permitiriam discernir

47 Ver o volume I deste livro, O campo do signo.
48 Gaston-Granger, *Leçon inaugurale au Collège de France*, p.7.
49 Ibidem, p.14.
50 Ibidem, p.15.

os avanços por trás das rupturas. Segundo Gaston-Granger, compete ao epistemólogo distinguir também dois regimes de relações entre o conhecimento e seus fatores exógenos: o do primeiro estágio, o da protociência, no decorrer do qual o contexto desempenha um importante papel, e o do conhecimento científico constituído, após a ruptura epistemológica, estágio em cujo transcurso "as determinações exógenas deixam de desempenhar o papel de motor em seu desenvolvimento interno".[51]

Recusando encerrar-se na falsa alternativa entre continuísmo e descontinuísmo, Granger definiu o trabalho do epistemólogo como o de localização dos desequilíbrios dinâmicos; somente a identificação de tais desequilíbrios pode permitir a conciliação da invenção criadora e do quadro de atividade anterior no qual ela se inscreve.

A filiação liberal

Uma outra vertente da assimilação do programa estrutural encontra-se na corrente liberal, representada essencialmente por Jean-Marie Benoist, autor de *La révolution structurale*. O estruturalismo inspirou o essencial de seus trabalhos em múltiplas direções. Encontra-se, com efeito, essa herança na própria natureza da coleção que Jean-Marie Benoist dirigiu nas Presses Universitaires de France (PUF) até seu falecimento (julho de 1990). O título dessa coleção evoca a ambição transdisciplinar e uma preocupação essencialmente epistemológica: "Croisées". Assim, o livro de Gerard Holton, *L'invention scientifique*, que ele faz publicar em sua coleção em 1982, participa na reflexão aberta por Bachelard e o estruturalismo. Físico e historiador das ciências, Holton acentua o papel fundamental dos *themata* na criatividade científica, ou seja, das imagens teóricas subjacentes numa atividade científica não redutível à observação empírica. Num registro diferente, a publicação na mesma coleção do livro de John Rajchman, *Foucault ou la liberté de savoir*, ilustra a fecundidade da passagem estruturalista e o prosseguimento da polêmica contra todas as formas de positivismo: "É uma investigação dos imaginários fundadores e das epistemes, das configurações

51 Ibidem, p.16.

epistemológicas no que elas possuem de riqueza e de ainda não informadas ou purificadas por um superego positivista. Isso é o que eu devo à inteligência estrutural".[52]

Mas Jean-Marie Benoist não se limitou ao domínio da epistemologia; ele também vê o estruturalismo como uma ferramenta heurística inteiramente fecunda no domínio da filosofia política. Assim é que, em *Les outils de la liberté* (1985), propõe uma investigação dos fundamentos da cidade livre, da sociedade civil baseada no contrato social, a separação dos poderes a fim de lançar os alicerces de um "Estado garante" contra o "Estado gerente". A principal inspiração é, nesse caso, um kantismo sem sujeito transcendental para elaborar o que se dá como uma crítica da razão liberal. Trata-se de pensar o conjunto multipolar de uma sociedade civil em que dialogam o libertário e o liberal: "O estruturalismo nos ajuda duplamente a pensar melhor as questões do inconsciente do político, da sobredeterminação de um certo número de esquemas, de entidades a 'desideologizar', a 'desontologizar'".[53]

No final de sua vida, Jean-Marie Benoist tinha encontrado um novo prolongamento para a inteligibilidade estrutural em estudos de polemologia, de defesa e de estratégia, com a relativização em curso da noção de frente mediante procedimentos que, no essencial, dão acesso ao simbólico e ao que se designa por estratégias indiretas. A arte suprema da guerra consiste em submeter o inimigo sem combate. Importa, nesse caso, ver a teoria da dissuasão como um conjunto de interdependências e expô-la "em sua riqueza estrutural".[54]

A filiação marxista

A vertente marxista continua também a se inspirar no método estrutural, e Maurice Godelier é um bom representante, por sua tentativa de conciliação das duas posturas. Numa situação de proximidade mas também, ao mesmo tempo, de distância em relação às teses

52 Jean-Marie Benoist, entrevista com o autor.

53 Ibidem.

54 Ibidem.

althusserianas, Godelier jamais defendeu uma abordagem mecanicista do marxismo. Ele tem em vista, cada vez mais, a eliminação da fronteira entre o material e o ideal: "No cerne das relações materiais do homem com a natureza, aparece uma parte ideal".[55]

Tal concepção rompe como o causalismo simples em uso no pensamento marxista e abre o campo da investigação antropológica para o econômico, para as relações sociais de produção, dimensão que falta ao estruturalismo lévi-straussiano. Godelier reencontra Marx na ideia de totalidade social, de dinâmica da reprodução, e em sua preocupação de investigar "uma hierarquia das coerções e das funções que permitem essa reprodução".[56] O meio ambiente em Godelier não é um simples repertório de coerções e de técnicas, porquanto se define também por suas dimensões imaginárias. Sua concepção de forças produtivas se amplia pela inclusão do horizonte estrutural do pensamento e da linguagem como dimensões essenciais.

A exploração das relações de parentesco e do simbólico por Lévi-Strauss terá assim conduzido a antropologia marxista, tal como a concebe Godelier, a considerar a importância do ideal no real, seu importante papel nas normas de conduta em uso, nos juízos de valor, não mais considerados como simples reflexos do real, mas como interpretações ativas na reprodução do real.

A diversidade de usos do método estrutural, por disciplinas com objetos de estudo muito variados e por investigadores situados em polos inteiramente opostos no plano ideológico, mostra até que ponto o funeral com grande pompa do estruturalismo não deve fazer esquecer a fecundidade subterrânea que subsiste de uma revolução que, quanto ao essencial, cumpriu suas metas.

O prolongamento sistêmico

As aproximações em curso em torno da ideia de uma sistêmica, de uma ciência dos sistemas, a partir das teorias de auto-organização, têm

55 Godelier, *L'idéal et le matériel*, p.21.

56 Ibidem, p.47.

também uma correlação com o estruturalismo que dominou a década de 1960. Sem dúvida, o novo paradigma está sensivelmente deslocado, mas é possível reconhecer, entretanto, um certo número de pontos comuns. Em primeiro lugar, o sistemismo se define, antes de tudo, tal como o estruturalismo, por seu projeto e não por seu objeto. Observa-se a mesma articulação sobre os avanços mais modernos da cientificidade, a mesma preocupação pluridisciplinar, multidimensional, que desloca as fronteiras. O triângulo estrutural, linguística/antropologia/psicanálise, que tinha por finalidade dissolver o homem, é substituído por toda uma constelação feita de ciências da comunicação, da informação, da computação, da cognição, da organização... Nos dois casos, o modelo cibernético desempenhou um papel importante com sua noção de autorregulação própria do funcionamento da estrutura, depois na conexão dos sistemas naturais e artificiais com seus conceitos de caixa preta funcional, de comportamentos e subsistemas finalizados. A cibernética, definida em 1948 pelo matemático Norbert Wiener, pôde então investir e modelizar a biologia, a eletrônica, a economia, a psicologia... Do estruturalismo ao sistemismo, vamos encontrar o mesmo postulado globalizante segundo o qual o todo é mais do que a soma das partes, bem como a mesma preocupação com o universal. A ciência dos sistemas pode, portanto, ser percebida em parte como a dupla resultante dos dois paradigmas fundadores que são a cibernética e o estruturalismo.[57]

Entretanto, um certo número de importantes deslocamentos não permite reduzir a ciência dos sistemas a uma simples representação da herança estruturalista. A preponderância concedida à ordem, à sua reprodução, à invariância, ao tempo do estruturalismo, dá pouco a pouco lugar às teorias da emergência e da ordem nascida do ruído, da desordem. Essas novas orientações, longe de coisificar o homem, de reduzi-lo ao estado de cadáver pronto para a autópsia a fim de tornar-se objeto da ciência, permitem, pelo contrário, conceber as noções essenciais de autonomia, de interação, de dialógica entre os diversos níveis, biológico, antropológico e social. Joël de Rosnay apresenta a revolução sistêmica como o advento de uma nova cultura.[58] Essa abordagem sistêmica dota-se até de um novo conceito, após o do microscópio para o

57 Le Moigne, *La science des systèmes, science de l'artificiel.*
58 Rosnay, *Le macroscope.*

infinitamente pequeno e do telescópio para o infinitamente grande, é do macroscópio, de que nos devemos servir como ferramenta para o infinitamente complexo. Ele permite filtrar os detalhes e ampliar o que liga as diversas instâncias do real: "Existe uma abordagem comum que permite compreender melhor e descrever melhor a complexidade organizada".[59] Os trabalhos dos cientistas nos mergulham de novo, com efeito, num universo quente, constituído de eventos, de irreversibilidade, de fumaça, que está muito longe da ambição cristalina do estruturalismo e de sua temporalidade fria.

A filiação comtiana, durkheimiana, depois estruturalista, que pressupunha uma reificação do observador, uma negação da subjetividade, um fechamento local da análise a partir das variáveis próprias do modelo escolhido, a delimitação das leis como resultantes unicamente das constantes do modelo, tudo isso está hoje fortemente abalado pelas descobertas de pesquisadores que, pelo contrário, acentuam os processos de emergência imprevisíveis e irreversíveis dos dispositivos estruturados. Assim, o prêmio Nobel de Química, Ilya Prigogine, elaborou toda uma teoria das "estruturas dissipativas" que permite compreender a criação da ordem a partir da desordem: "Uma das descobertas fundamentais dos últimos decênios é justamente a instabilidade das partículas elementares".[60] Os níveis da física clássica pluralizam-se e o aleatório desempenha um papel crescente.

Nessa nova abordagem da matéria, a temporalidade, que tinha sido vivida como um elemento de perturbação do espírito científico, retoma todo o seu lugar, central, no processo dialógico entre ciência, cultura e sociedade: "Ontem, a ciência nos falava de leis eternas. Hoje, ela nos fala de história do universo ou da matéria, da qual decorre uma evidente aproximação com as ciências humanas".[61] Elaborada nos anos 1950 em torno de Heinz von Foerster, a primeira teoria dos sistemas auto-organizantes foi retomada, aplicada aos sistemas vivos e largamente difundida pelo biologista e filósofo Henri Atlan em 1972.[62] Ele popularizou o princípio do acaso organizador sob a forma da ordem pelo ruído.

---

59 Ibidem, p.85.

60 Prigogine. In: Plessis-Pasternak, *Faut-il brûler Descartes?*, p.33.

61 Ibidem, p.37.

62 Atlan, *L'organisation biologique et la théorie de l'information*.

A outra grande ruptura com o estruturalismo é a reintegração, nessa constelação da sistêmica, do sujeito. O observador está totalmente integrado, investido em sua observação. Edgar Morin define, inclusive, essa dimensão como essencial. Isso não significa que se deva renunciar a toda e qualquer forma de objetividade, mas, em todo o caso, às diversas ilusões cientistas. O cientista não reina num extramundo; está totalmente ancorado no campo que modeliza, e a ciência que preconiza não é dissociável da consciência.[63] Aquele que vai mais longe nessa reintrodução do sujeito é mesmo um físico, Bernard d'Espagnat. Com efeito, ele considera que a ideia de um universo dotado de uma realidade independente do homem que o estuda não se sustenta mais, em face das descobertas recentes: "Em meu entender, existe uma verdadeira objetividade, mas que é fraca. É aquilo a que chamo precisamente a intersubjetividade".[64]

Retorno do sujeito, retorno da historicidade, retorno do sentido? As chamadas ciências "duras", em vias de "amolecimento", oferecem às ciências humanas orientações muito diferentes daquelas da *Belle Époque* estrutural. São essas ciências "duras" as que tinham servido de modelo heurístico para esses esvaziamentos no domínio das ciências humanas; elas estão hoje na base de sua reabilitação na perspectiva da construção de uma ciência global do homem.

63 Morin, *Science avec consciente.*

64 D'Espagnat. In: Plessis-Pasternak, *Faut-il brûler Descartes?*, p.119.

PARTE 5

O TEMPO, O ESPAÇO, A DIALÓGICA

39

Clio no exílio

O estruturalismo terá temporariamente afastado a musa da história do seu campo a fim de romper com a filologia clássica, que recorria essencialmente às explicações históricas, etimológicas. A preponderância concedida à sincronia correspondia à busca da lógica interna da língua, tanto mais que os progressos realizados graças a Saussure na descrição da língua permitiam o nascimento de uma nova fase de interesse pelas línguas orais, as línguas vivas. Até então, os linguistas trabalhavam sobre textos escritos, línguas mortas, historicamente fixadas, portanto, sobre estados da língua que permitiam situá-los no interior de um estudo comparativo e numa diacronia.

Esse desenraizamento histórico foi o preço a pagar pela linguística para tornar-se método capaz de ter acesso à contemporaneidade dos vernáculos da Europa, assim como aos dialetos, patoás e outras línguas orais do mundo colonizado, sobretudo as africanas. A radicalidade e a fecundidade desse ruptura serviram em seguida de modelo para fundamentar a cientificidade das ciências sociais.

O século XX nascente desvia-se, então, do historicismo do século XIX e abre-se uma verdadeira crise do pensamento do tempo que envolverá diversos domínios do pensamento do homem, tanto mais que os sobressaltos da história do século XX ampliarão esse fenômeno de retirada em relação à historicidade, alimentado agora por um desencanto do mundo, que se aprofundava a cada nova etapa.

O fim da história?

A filosofia da história é substituída pela ciência como horizonte da modernidade com um duplo jogo das ciências da natureza e do homem. Pôde-se crer realizada a análise de Hegel anunciando o fim da história: "Isso não quer dizer que a história parou, mas que entramos no longo processo do fim da história que pode durar, talvez, milênios".[1] Aferido por essa imobilização de um tempo que só se desenrola num infinito presente, o estruturalismo não faz mais do que exprimir essa ausência de peso histórico para além da criação de um método que se aplica mais à sincronia do que à diacronia. Era natural, portanto, que o estruturalismo linguístico encontrasse também forte repercussão num estruturalismo especulativo que envolve, a par de todas as disciplinas das ciências sociais, o pensamento filosófico. Pode-se encontrar, a esse respeito, uma correlação entre um pensamento que privilegia as invariantes e uma sociedade na qual as rupturas já não pertencem a um devir possível ou desejável: "Não vislumbro nada que pudesse ter acontecido de forma diferente daquela que foi exigida pela Revolução Francesa e pelo idealismo alemão: liberdade, igualdade e fraternidade para todos os homens da Terra".[2] Todos os eventos maiores do século XX parecem inscrever-se nessa filiação, sem fornecer qualquer novidade significativa em relação a esses princípios fundadores. Oferecem tão somente o dilúvio de cataclismos que têm por efeito abrir fissuras cada vez mais graves no otimismo racional encarnado na história no século XIX e quebrar toda teleologia, seja ela restauradora ou revolucionária.

O processo histórico não pode continuar sendo pensado de modo axiológico. Em face dos traumatismos que o século XX conhece, o pensamento estruturalista não gerou uma teleologia da decadência que pudesse ter substituído a crença no progresso do período precedente. O saber não justifica mais nenhum sentido da história, segundo os estruturalistas. Eles retomam, nesse ponto, o ensinamento de Spinoza, que já tinha rechaçado toda ideia de sentido da história: "As razões pelas quais Althusser admira Spinoza me parecem excelentes. A razão mais forte

1 Kostas Axelos, entrevista com o autor.

2 Ibidem.

para ser spinozista é que nele não existe sentido da história".[3] Entretanto, em Lévi-Strauss, pode-se descortinar uma relação de negação da historicidade que recebe o reforço de uma ideia de degenerescência progressiva daquela, de erosão cada vez mais avançada dos verdadeiros elos e redes intermediários de socialidade.

Essa dupla situação de crise da história, por razões heurísticas e políticas, permitiu o êxito de uma corrente de pensamento que privilegiou a estabilidade, a imutabilidade, a busca de invariantes e a rápida superação do que se dava, em primeiro lugar, como simples método de análise em termos de visão do mundo. A história está, portanto, imobilizada no cristal estrutural nesse primeiro tempo do estruturalismo. Este, porém, evoluiu e, após ter afastado radicalmente a significância da história em proveito da fixidez do seu objeto, um segundo momento tomará em consideração a historicidade para melhor a desconstruir de dentro para fora: é essa a tarefa que se impuseram Foucault, de um ponto de vista nietzschiano, e Derrida, de um ponto de vista heideggeriano. Numa primeira fase, Lévi-Strauss e Piaget tinham concebido o estruturalismo como instrumento de emancipação em face de uma filosofia que se apresentava como discurso que englobava e diluía tanto a singularidade quanto a autonomia de seus próprios campos respectivos de experimentação científica: o psicológico para Piaget e o antropológico para Lévi-Strauss. Mas não tardaram a ser rapidamente alcançados pelos filósofos: estes responderam ao desafio que eles representavam para recuperar seu programa transformando em filosofia as suas posições epistemológicas. A história, considerada até aí como o campo dos possíveis, é então vivenciada como fechamento, senão como esquecimento progressivo do Ser, numa perspectiva heideggeriana.

O comtismo das ciências sociais

Clio retirou-se para dar lugar à ambição das ciências sociais de se apresentarem como o terceiro discurso, entre humanidades e ciências da natureza. Elas seguiram, assim, o ensinamento de Auguste Comte,

3 Étienne Balibar, entrevista com o autor.

que lhes atribuía o papel de precursores da nova era positiva e para quem o progresso, no sentido filosófico, só se realiza como progresso da ordem. Daí resultou um desafio contra todo elemento de desordem capaz de vir perturbar os equilíbrios. A sociedade fria se torna desse modo a própria encarnação do objeto ideal, como o mito que, por definição, não suporta modificações. É certo que, para Lévi-Strauss, essa referência à oposição entre sociedades frias e sociedades quentes deu lugar a numerosos mal-entendidos: "Trata-se de noções que têm apenas um valor heurístico. Há muito frio no quente e quente no frio, sempre e por toda parte. Em segundo lugar, isso não são propriedades intrínsecas das sociedades, mas distinções que se referem antes à maneira como as sociedades pensam a si mesmas".[4] Entretanto, a estrutura procurada é, sem dúvida, essa hierarquização canônica que imobiliza o tempo, suspende seu movimento em sua reprodução.

Colhidas entre o cristal e a fumaça, segundo a expressão de Henri Atlan, as ciências sociais optaram por privilegiar o cristal, ou seja, a estrutura, às custas da fumaça, da não estrutura, do informal. À semelhança dos biólogos, em seu estudo da célula viva sob o microscópio, presos entre o fantasma e o cadáver, as ciências do homem optaram por estudar o homem morto. Vão dissecá-lo como um cadáver, enquanto o homem se situa mais do lado do fantasma, do que se movimenta, do inalcançável: "Há uma bela frase de George Steiner que diz: 'Uma árvore tem raízes, um homem tem pernas'. Esse é todo o problema".[5]

Ora, o objeto estrutural de predileção foi constituído por pequenas sociedades fechadas sobre si mesmas, como a dos bororos, sociedade solidificada na eternidade, tal como a descreveu Lévi-Strauss, uma vez que criou mecanismos muito complexos para defender-se das mudanças, repelir todas as formas de heteronomia e viver em total independência. Esse tipo de sociedade serviu incontestavelmente de paradigma para definir a abordagem antropológica. Ao mesmo tempo, terá permitido a toda uma geração ávida sair da teleologia marxista.

Essa visão de um tempo sereno, repousado, encontrava-se em total correspondência com a evolução linguística de negação da diacronia em proveito da sincronia: "Eu neguei a história. A partir do momento

---

4 Claude Lévi-Strauss, entrevista com o autor.
5 Serge Viderman, entrevista com o autor.

em que se consideram as estruturas sincrônicas, essa negação passa a ser dominante".[6] Existe, portanto, um anti-historicismo constitutivo do paradigma estrutural que coincide, por outros caminhos, com as posições enunciadas por Karl Popper ("O nosso enfoque [...] visa refutar o historicismo"[7]), que propõe também libertar as ciências sociais da tutela historiadora, ao negar toda possibilidade de história teórica.

Essa negação permitiu jogar por terra um certo número de causalismos genéticos algo mecânicos, acolhendo a complexidade das organizações sincrônicas e permitindo ultrapassar o simples nível descritivo de análise. Nesse plano, a reação ao historicismo dominante no século XIX foi benéfica, na condição de recuperar o sentido do movimento, do deslocamento da estrutura, uma vez realizado o corte.

O a-historicismo lacaniano

O freudismo revisitado por Lacan está um pouco alijado do seu componente histórico para permitir o acesso da psicanálise a condição de ciência. A história é para Lacan "essa coisa que [ele] detesta pelas melhores razões".[8] Entretanto, Lacan tinha empreendido uma reflexão sobre a temporalidade, em 1945, no momento em que ainda estava influenciado pelo ensino hegeliano de Kojève. Os seus *Écrits* contêm a marca dessa reflexão, com seu artigo de 1945 sobre "o tempo lógico e de asserção de certeza antecipada".

Lacan restabelece o valor essencial do tempo a partir do apólogo dos três prisioneiros. Segundo essa história, o diretor de uma prisão decide fazer comparecer diante dele três reclusos selecionados e libertar um deles, que o espírito lógico distinguirá dos outros. Munido de cinco discos, dos quais três são brancos e dois são pretos, o diretor da prisão fixa um desses discos nas costas de cada um. O primeiro dos reclusos que concluir logicamente qual é a cor do disco que tem nas suas costas será beneficiado pela ordem de soltura. Lacan compara, então, as

6 Jean Dubois, entrevista com o autor.
7 Popper, *Misère de l'historicisme*, p.47.
8 Lacan, *Le séminaire*, Livre XX: *Encore (1973-1974)*, p.45.

hipóteses lógicas que podem ser feitas pelos presos e constata o predomínio da "estrutura temporal e não espacial do processo lógico".[9] Ele distingue, de maneira muito hegeliana, uma temporalidade e uma estrutura em três tempos: o tempo do olhar, o tempo para compreender e o momento de concluir em suas modulações sucessivas. A temporalidade é aí duplamente decisiva: em primeiro lugar, como sucessão necessária de momentos:

> Ver, é rápido, como diz Lacan, é sincrônico, é a estrutura. O segundo tempo é o tempo que corresponde em Aristóteles à deliberação. Já permite levar em consideração os outros, sem que seja o tempo dos outros. Para passar à decisão, é necessário um corte, uma decisão antecipada, visto que existe urgência e os outros estão lá.[10]

Desse modo, a temporalidade está presente como causa decisiva da urgência da ação precipitada do sujeito que deve adiantar-se à sua certeza "em virtude da tensão temporal de que está subjetivamente impregnado".[11]

Mas bem depressa, passando de Hegel a Heidegger e da dialética ao estruturalismo fonológico e lévi-straussiano como meio de sustentar o discurso psicanalítico, Lacan rejeitará o estatuto privilegiado que concedia à historicidade e recusar, sobretudo, toda ideia de reconhecimento de um sentido qualquer da história. Essa rejeição é, no mínimo, paradoxal para um analista cujo objeto de estudo, o inconsciente, "implica a história".[12] Como teste do real, abertura de possíveis, a prática psicanalítica é atravessada pela historicidade e toma o evento por sujeito. A estrutura do mundo histórico, tal como a concebe Lacan, define-se por quatro modos existenciais, quatro discursos cuja lógica remete para uma revolução, no sentido etimológico da circularidade da passagem de um modo de discurso para um outro. Ora, esses discursos são, no essencial, extraídos de suas condições contextuais. O discurso do Mestre, discurso metafísico, não tem, por definição, história alguma. O discurso

---

9 Lacan, Le Temps logique et l'assertion de certitude anticipée. In: *Écrits*, p.203.
10 Lemoine, entrevista com o autor.
11 Lacan, *Écrits*, p.209.
12 Juranville, *Lacan et la philosophie*, p.441.

histérico, discurso da ciência, considera a história uma ilusão. O discurso universitário, ou seja, o discurso filosófico, o da hermenêutica, "nega de novo a história ao situar sua plenitude na origem, na melhor das hipóteses reatingida em sucessivas vezes pelos grandes autores, na pior delas, plenitude perdida numa decadência irrevogável".[13] Somente o quarto discurso, o analítico, o único capaz de enunciar o inconsciente, pode ser histórico como ato, mas na condição de submeter "os discursos que ele concilia com a sincronia do dito".[14] Por conseguinte, remete apenas para um significante puro desistoricizado.

Se existe uma temporalidade em Lacan, ela envolve mais uma concepção trágica, heideggeriana, da historicidade como história da perda do objeto, como perda cada vez mais profunda do ser no ente, ou do sujeito do desejo em relação ao significante primeiro. Essa temporalidade remete menos para uma historicidade singular do sujeito do que para uma falta original, fundadora e específica da espécie humana, um inconsciente da linguagem ou das figuras topológicas cuja realidade seria transindividual. É nesse sentido que Lacan adere às posições do primeiro Lévi-Strauss sobre os recintos mentais como combinatórios desencarnados. Tal posição permitiu, sem dúvida, romper com um certo psicologismo e assentar mais solidamente os alicerces da psicanálise, mas na condição de não fazer do devir um horizonte precludido. Ora, o sujeito lacaniano, fechado em sua estrutura, só tem por futuro a simples repetição do passado num universo sincrônico: "Resta um tempo vazio, sem eficácia, puramente abstrato".[15]

Élisabeth Roudinesco, após ter sido uma fervorosa lacaniana, desligou-se parcialmente de Lacan devido ao problema criado pela sua negação da história. O modelo dos quatro discursos em sua circularidade permitia "impedir que os conceitos de Lacan, dados como um todo, fossem historicizados".[16] Essa desistoricização tornava possível um retorno a Freud a partir dos conceitos de Lacan. Os lacanianos puderam assim inverter a marcha da história ao procurar em Freud a teoria do significante ou a trilogia Real/Simbólico/Imaginário. Élisabeth Roudinesco

---

13 Ibidem, p.472.
14 Lacan, Radiophonie, *Scilicet*, n.2-3, 1970, p.96.
15 Serge Viderman, entrevista com o autor.
16 Élisabeth Roudinesco, entrevista com o autor.

reagirá contra esse tendência para considerar a psicanálise fora do seu contexto em sua *Histoire de la psychanalyse*, que permite compreender melhor em que é que o Lacan de 1936 não é o de 1950 nem o de 1970. Essa historicização permite ressituar os fluxos de paradigmas de um campo para outro do saber e relativizar, assim, o alcance dos conceitos apresentados como atemporais a partir do instante em que o sujeito Lacan passa a ser o lugar privilegiado de passagem.

René Major desvenda, por seu lago, o não dito muito circunstancial, que se refere precisamente à vivência histórica do freudismo e à posição de Lacan na história da psicanálise, a propósito da estrutura análoga que ele assinala entre *Le séminaire sur "La Lettre volée"* de Poe (1955) e o texto do mesmo período, *La direction de la cure* (1953). Em ambos os casos, Lacan pratica uma exclusão neutralizante do lugar do narrador, a respeito da qual Derrida já tinha desenvolvido sua crítica em *Le facteur de vérité* (1975).

Da mesma forma que Lacan situa o intérprete no lugar de Dupin em *La lettre volée*, também posiciona o analista em situação de exterioridade na direção da cura. Por um lado, René Major considera que Lacan é levado, de fato, a identificar-se com um dos protagonistas do conto de Edgar A. Poe, e que não há posição de predomínio possível: "Procurei mostrar que o intérprete só podia interpretar ocupando sucessivamente os diferentes lugares, identificando-se com cada um dos protagonistas e se desidentificando deles. [...] Falei de dislocução da narrativa, do lugar do narrador ou do intérprete".[17]

A revelação praticada por René Major passa pela reintrodução do contexto histórico, que desempenha um importante papel na elaboração da teoria.[18] A perspectiva estruturalista de Lacan tinha tentado mascarar o que estava realmente em jogo, subjacente nos lances circulares da carta. Mas ao mesmo tempo que esconde, ela desvenda a estrutura homóloga que restabelece a desconstrução do texto lacaniano efetuada por René Major quando determina que se Dupin, apesar de todos os sinais de inversão dos indícios da carta procurada, encontra não obstante a carta, então é porque alguma coisa lhe permite encontrá-la. A chave reside no fato de que existe uma mulher entre o

17 René Major, entrevista com o autor.
18 Major, La parabole de la lettre volée, *Études freudiennes*, n.30, out. 1987.

ministro D e ele, da mesma maneira que existe uma mulher no comentário da obra freudiana entre Lacan e Nacht no contexto preciso dos anos 1950: é Marie Bonaparte, detentora oficial da carta freudiana, a única pessoa habilitada na França a propor sua interpretação: "A analogia entre os eventos da vida real, uma série de leituras em profundidade e uma teoria da cura analítica é talvez o que há de mais 'analógico' com a escrita de Edgar Poe e as três narrativas".[19]

René Major mostra, dessa maneira, como a abordagem desconstrutiva permite recuperar o que esteve à margem da grade estrutural. Ele faz ressurgir o significado sob a barra resistente que o separava da cadeia significante, graças à historicização do enfoque textual. O que Lacan quer, de fato, significar quando afirma que a carta chega sempre ao seu destino, mesmo que ela seja interceptada, é que o ensino freudiano encontra em si mesmo a possibilidade de renascer das cinzas em que sufocava sob a autoridade esterilizadora de Marie Bonaparte.

Uma historicidade não teleológica

A reintrodução necessária da historicidade não significa, porém, o simples retorno ao historicismo do século XIX. Essa história já não pode mais ser teleológica graças ao corte estrutural, e deve conservar uma ambição universalista. O ensino estruturalista permite reconhecer os limites do historicismo, a impossibilidade de pensar nas categorias de outrora, no idêntico. O reconhecimento da alteridade permite relativizar o saber científico, ressituá-lo em seu contexto histórico. Mas para evitar toda derivação puramente relativista, faz-se ainda necessário conferir alguma estabilidade ao real a fim de se considerar a possibilidade de uma postura científica, o que implica a volta do referente.

Assim é que Sylvain Auroux define a tarefa da epistemologia histórica das ciências da linguagem como a da constituição de uma "teoria verdadeira de *dados* corretos".[20] Ele não preconiza uma simples sucessão e descrição dos *dados*, mas a reconstrução das complexas redes de

19 Ibidem, p.125.
20 Auroux, *La sémiotique des encyclopedistes*, p.11.

hipóteses e a elaboração de proposições com valor de verdade, atribuíveis a determinados campos de conhecimento. O estudo sincrônico dos sistemas, de suas conexões, apresenta-se, então, claramente como um primeiro momento, uma etapa num pensamento estruturalista historicizado: "o estudo dos sistemas parece ser uma preliminar para o estudo de suas transformações. Enquanto, porém, limitarmo-nos a isso, não teremos ideias muito precisas acerca do que é a produção de conhecimento".[21] Esses dois tempos da *démarche* permitem evitar a falsa alternativa entre continuísmo teleológico e descontinuísmo relativista.

O estatismo do primeiro estruturalismo ou o descontinuísmo do neoestruturalismo podem ser, desse modo, ultrapassados conservando, no entanto, a contribuição do método estrutural, evitando rejeitar as lógicas endógenas e exógenas que trabalham para a transformação do sistema e permitirão a criação do novo a partir de um salto qualitativo, sem deixar de conservar uma boa parte do antigo sistema numa nova organização. É essa a orientação que Patrick Tort defende em sua crítica de *La raison classificatoire* (1989), quando leva em conta a evolução científica, as rupturas inerentes às suas inovações e a conexão necessária com os fenômenos externos que comprometem os equilíbrios.

Partidário de um modelo heurístico que pudesse restabelecer a dinâmica histórica, Patrick Tort propõe a noção de contingência (*enjeu*) como central e articulada com estratégias diversas e antagônicas. Assim, ele assinala não bases discursivas imóveis como Foucault, mas períodos de crises discursivas que revelam incompatibilidades internas, tensões próprias das contradições das unidades discursivas e investidas em contingências exógenas:

> Crise do fixismo em Agassiz, crise da distinção do "reinado humano" em De Quatrefages, subversão "transformista" final do grande projeto taxionômico do "método natural" em Adanson, conflito externo e incoerências internas das classificações das ciências de Comte e de Spencer, conflito do modelo hegeliano e do modelo darwiniano na linguística evolucionista de Schleicher...[22]

21 Ibidem, p.17.
22 Tort, entrevista com Bertrand Mertz, *Critique Communiste*, set. 1989, p.24.

Do tempo suspenso ao tempo reencontrado

Numa tal perspectiva, a história não pode ser reduzida ao papel de simples contingência exógena, como quando Lévi-Strauss considera que a passagem da mitologia para a filosofia na Grécia teria podido ocorrer em qualquer outro lugar e seria, de fato, o resultado de um milagre puramente fortuito.

A escola antropológica de Jean-Pierre Vernant demonstrou claramente que, pelo contrário, essa ruptura deixa perceber relações homológicas entre o nascimento do discurso filosófico e a constituição do mundo da cidade dos iguais, no momento em que a elaboração de uma norma cívica rompe radicalmente com a tradição gentílica. A negação da historicidade ou sua redução à pura contingência levam, portanto, a não se apreender um certo número de coerências essenciais entre níveis diferentes. Essa negação foi, porém, necessária, segundo Maurice Godelier, para quebrar o historicismo do século XIX e as múltiplas investigações das origens: da família, do Estado, da propriedade... Foi necessário destruir essa armadilha: "Não se coloca a gênese antes da estrutura. O método clássico da ciência é começar por estudar a estrutura dos objetos antes de compreender a origem deles".[23] Mas esse é apenas o primeiro tempo de uma abordagem que deve em seguida apreender a mudança em sua faculdade criadora, inovadora, assim como em suas manifestações, as quais, aliás, têm frequentemente por objetivo manter a estrutura adaptando-a. A fim de conservar o idêntico, de reproduzir a estrutura, percebeu-se recentemente que era imprescindível praticar a mudança constante. Os matemáticos, físicos, biologistas integram cada vez mais, como se viu, a variável temporal em seus respectivos campos de análise, em suas equações. A ponta do saber nos Estados Unidos está hoje representada, com um suporte matemático-lógico-simbólico dos mais refinados e o apoio da informática pesada, pela "caologia", ou seja, a decifração do caos, que é visto como a figura principal do universo. É, portanto, a interpretação dinamista das coisas que tende a substituir hoje o estatismo estrutural, como se felicita George Balandier, que sempre defendeu uma antropologia e uma sociologia dinamistas.[24]

---

23 Maurice Godelier, entrevista com o autor.

24 Balandier, *Le désordre*. Éloge du mouvement.

Com efeito, é sintomático ler da pena de um biologista, Philippe Kourilsky, o que poderia aplicar-se igualmente bem à evolução recente das ciências humanas; "O fato é que até hoje a biologia molecular utiliza, sobretudo, representações estáticas. Penso que elas deverão dar lugar às representações dinâmicas".[25]

Essa exclusão da história no estruturalismo em ciências humanas é percebida nos anos 1970 por alguns, como Gérard Genette, como uma "colocação provisória entre parênteses, uma suspensão metodológica".[26] Gérard Genette preconiza também passar ao segundo tempo da abordagem, o da consideração da historicidade, mas nem por isso recomenda uma volta ao historicismo tradicional. Com efeito, ele diferencia, por um lado, a história da literatura como simples sequência de monografias e, por outro, a história literária tal como é definida por Gustave Lanson no início do século XX, a saber, uma reconstituição das condições sociais da produção e da recepção literárias, programa não realizado, mas firmemente defendido mais tarde por Lucien Febvre, em 1941, e depois por Roland Barthes, em 1960.

Uma terceira forma de história literária se manifestou com o estudo das obras como documentos históricos, como ilustrações das sensibilidades de uma época: essa forma foi praticada, por exemplo, por Lucien Goldmann. Gérard Genette critica, porém, nesse último tipo de história, um uso insatisfatório da noção muito clássica de reflexo, e o fato de passar pela literatura permanecendo sempre exterior a ela. Preconiza, portanto, uma outra forma de historicidade que "teria por objeto primeiro (e último) a literatura, uma história da literatura tomada em si mesma e para si mesma".[27] A obra ou o autor são rejeitados como objetos muito singulares para servir a uma história como essa, concebida não como ciência das sucessões mas como ciência das transformações. Gérard Genette permanece fiel, portanto, à orientação estruturalista ao dar para objeto predileto dessa história nova da literatura as variações das formas: os códigos retóricos, as técnicas narrativas, as estruturas poéticas. "Essa história, no essencial, permanece por escrever."[28]

---

25 Kourilsky, debate com J.-F. Lyotard, J.-Cl. Pecker, J. Petitot e K. Pomian, animado por M. Arvonny, F. Bott e Roger Pol-Droit, *Le Monde*, 15 abr. 1988.

26 Genette, Poétique et histoire. In: *Figures III*, p.13.

27 Ibidem, p.17.

28 Ibidem, p.18.

Ela precisa superar o preconceito que opõe como incompatível a análise sincrônica e a diacrônica. Gérard Genette defende a concepção de uma "história estrutural", que ele define, aliás, como a única história verdadeira. Somente num segundo tempo da análise é que esta poderá ser correlacionada, de maneira pertinente, com a história geral.

40
Uma topo-lógica

O estruturalismo se distanciou da historicidade a fim de permitir a eclosão de estudos sincrônicos. Assistiu-se durante todo esse período a uma refutação do olhar que fora propenso até aí a privilegiar a dialética das temporalidades, a investigação das origens, e que a partir de então se orienta para o desvendamento das lógicas espaciais, para os múltiplos jogos de posição e de localização dos limites das relações possíveis no espaço.

O uso abundante de uma terminologia geográfica que determina o "dentro", o "fora", "o horizonte", os "limites" ou "fronteiras" oferece toda uma cenografia quase teatral que Roland Barthes saberá utilizar magnificamente para analisar o teatro raciniano. Mas a paisagem estruturalista nem por isso é idêntica à do geógrafo: ela é, por definição, vazia de conteúdo e de sentido. Segundo Lévi-Strauss, ela resulta unicamente da posição dos elementos que compõem a estrutura. Esse universo vazio de lugares concretos, puramente abstrato, é, com efeito, um espaço "propriamente estrutural, ou seja, topológico".[1]

Mais próxima do discurso geográfico em Michel Foucault, Roland Barthes ou Claude Lévi-Strauss, a combinatória dessas lógicas espaciais assume com Jacques Lacan uma forma mais matemática, inspirada em

1 Deleuze, A quoi reconnaît-on le structuralisme? In: Châtelet (Dir.), *Histoire de la philosophie*. La Philosophie au XXe siècle, p.299.

Frege. Lacan aspira a fazer com que a psicanálise tenha acesso ao *status* de ciência aproximando-se, pela manipulação da fita de Moebius, por exemplo, da topologia diferencial. Lacan inspira-se, com efeito, nesse ramo das matemáticas, oriundo de Riesmann, que se atribui como objetivo fundamentar as noções de limites, de continuidades, pelo estudo das propriedades das figuras geométricas invariantes.

O lugar da falta

A topologia estruturalista pratica a desvitalização sem anestesia dos conteúdos transcendentais do espaço, substituindo-os por uma lógica dos lugares e de suas possíveis combinações. Os elementos da estrutura perdem todo o sentido singular e só recebem significação em seu jogo combinatório. O deslocamento que o estruturalismo efetua nesse ponto permite passar da observação para o campo que a torna possível, para as condições em que ela se realiza, cuja lógica significante cumpre reconstruir sem que jamais seja apreensível, visível, redutível a um objeto qualquer. A estrutura é essa falta de ser, esse buraco, essa hiância ou coisa, esse significante primeiro, esse grau zero jamais presente ao olhar, esse ser que escapa ao ente, simples virtualidade. Ao substituir a fenomenalidade por uma numenalidade kantiana estrutural, o estruturalismo investiga a lógica não na profundidade vertical de uma gênese impossível, mas na horizontalidade dos múltiplos possíveis que animam um certo número de operadores da troca generalizada: o fonema, a proibição do incesto, o objeto *a* etc. É no espaçamento que se constrói a lógica estrutural. Ora, "o espaçamento nada designa, absolutamente nada, nenhuma presença à distância; é o indicador de um fora irredutível e, ao mesmo tempo, de um movimento, de um deslocamento que indica uma alteridade irredutível".[2]

O espaço do estruturalismo é um espaço do fora, um alhures não redutível à sua atualização, é uma matriz a diferenciar, cujos efeitos secundários não se podem apreender. Compreende-se, assim, por que razão o inconsciente foi privilegiado em suas versões linguística,

2 Derrida, *Positions*, p.107.

antropológica ou psicanalítica durante a grande voga estruturalista. É a partir de um inconsciente concebido em sua indiferenciação originária que se desenvolvem as lógicas estruturais e se legitima a busca de uma causalidade estrutural em Althusser, de uma causalidade metonímica em Jacques-Alain Miller ou de um sistema binário de diferenças em Jakobson ou Lévi-Strauss. "As estruturas são inconscientes":[3] é essa falta, esse inatingível, essa *différance* no sentido derridiano, que se vê subitamente projetada para o centro do espaço estrutural.

Como vimos em cada um dos estruturalistas, "não existe estruturalismo sem esse grau zero",[4] seja ele o grau zero da fonologia, do parentesco, do mito, da simbólica... É dessa posição zero que parte a análise estrutural. Ela condiciona, pelo fato de nunca se identificar com uma identidade singular, a própria possibilidade de desenvolvimento da lógica serial do estruturalismo.

É a partir desse vazio inicial que se pode desenvolver um pensamento do espaço com seus limites, suas obras, seus lugares de conexão, instituindo uma relação entre a estrutura e sua atualização, e não mais a passagem de uma estrutura para uma outra, de um momento para um outro: "Não se pensar mais senão no vazio do homem desaparecido. Pois esse vazio não cava uma falta; não prescreve uma lacuna a preencher. Não é mais nem menos do que o desdobramento de um espaço onde, enfim, é novamente possível pensar".[5] Nesse espaço esvaziado de todo o conteúdo inicial está excluída toda pertinência da procura de um sentido original, em proveito das lógicas infinitas do signo.

A geologia foucaultiana: uma arte do olhar

É significativo que o primeiro número da revista de geografia lançada por Yves Lacoste em 1976, *Hérodote*, convidasse Michel Foucault a responder às perguntas dos geógrafos da equipe redatorial. Compreende-se o interesse estratégico, para uma geografia frequentemente

---

3 Deleuze, A quoi reconnaît-on le structuralisme?, p.310.
4 Ibidem, p.318.
5 Foucault, *Les mots et les choses*, p.353.

apresentada como o grau zero do pensamento, em mobilizar a autoridade de um Michel Foucault. Mas esse encontro se explica, sobretudo, pelo reconhecimento na obra de Foucault de uma geograficidade *lato sensu*, da qual certos conceitos centrais permitem uma abertura para a geopolítica. A revista *Hérodote* assinala, a esse respeito, a profusão de metáforas espaciais em Foucault: "posições", "deslocamentos", "lugar", "campo"..., ou propriamente geográficas: "território", "domínio", "solo", "horizonte", "arquipélago", "geopolítica", "região", "paisagem"... e surpreende-se com o fato de Foucault, quando se refere em suas análises a alguma área cultural, não as justificar de forma precisa nem as delimitar verdadeiramente.

Foucault responde, no começo um pouco na defensiva, com receio de se deixar reconquistar pela tribo dos geógrafos. Sublinha que os conceitos em questão decorrem, sobretudo, das esferas jurídico-política, econômico-jurídica, militar..., mas reconhece de bom grado que seus trabalhos são muito marcados pelas metáforas espaciais: "Censuraram-me bastante essas obsessões espaciais e, com efeito, elas me obcecaram".[6] Foucault explica claramente em que medida participa na contestação em curso do primado conferido ao temporal, porque remete para a consciência individual, ao passo que a inclinação para a espacialidade permite contornar o sujeito para situar-se no nível das relações de poder, evitando toda referência a qualquer intencionalidade e situando o ângulo de análise do lado dos efeitos tangíveis do poder no espaço discursivo.

Uma revista como *Hérodote*, que quer promover uma geopolítica até aí preterida pela disciplina geográfica, só pode felicitar-se por ver que um filósofo como Foucault não se contenta em utilizar os conceitos geográficos como metáforas, mas que estes se convertem em verdadeiros instrumentos de análise. Assim, quando Foucault dá o panóptico de Bentham como modelo social de *Surveiller et punir*: "Você evoca na conclusão, inclusive, a 'geopolítica imaginária' da cidade carceral".[7] Desde o início de seus trabalhos, Foucault tinha feito prevalecer toda uma dialética entre saber e poder baseada nas noções de estratégias, de táticas. O encontro com os geógrafos que enfatizam o fato de que a geografia

6 Foucault, *Hérodote*, n.1, 1976, p.71-85.
7 Questions à M. Foucault, *Hérodote*, n.1, 1976.

"serve, em primeiro lugar, para fazer a guerra" não podia deixar de ser frutuoso, e as barreiras disciplinares caem uma vez mais quando Foucault reconhece diante dos seus interlocutores: "Dou-me conta de que os problemas que vocês expõem a propósito da geografia são essenciais para mim [...]. A geografia deve estar claramente no âmago daquilo de que me ocupo".[8]

Com efeito, ao privilegiar os jogos do olhar, Foucault pratica uma abordagem semelhante à do geólogo que se dedica à localização das discordâncias, das lacunas e das diversas delimitações entre as camadas estratigráficas, analisadas a partir de cortes horizontais. Os fundamentos da arqueologia foucaultiana parecem, portanto, ter sólidas raízes numa geologia discursiva. Da mesma maneira que o geólogo estuda as determinantes da organização topográfica do terreno, Foucault não toma os seus objetos de estudo numa relação de imediatidade, mas estuda suas condições de possibilidade. Assim, a clínica, a prisão, a loucura, a sexualidade não são para ele objetos cuja historicidade e organização cumpriria desenrolar, mas os meios adequados para apreender as condições em que esses objetos são pensáveis, não a partir de alguma profundidade transcendental, mas interrogando as distribuições originárias do visível e do invisível "no nível da linguagem".[9] O foco incide, pois, sobre as diversas distribuições das relações entre significante e significado.

Jogo de espaços, jogo de olhares, a medicina desloca subitamente o interesse pelos sintomas para o interesse concentrado nos órgãos: "A experiência clínica se arma para explorar um novo espaço: o espaço tangível do corpo".[10] Bichat e a transformação radical dos métodos de observação médica situam-se na inversão das formas de visibilidade: "O que era fundamentalmente invisível oferece-se de súbito à clareza do olhar".[11] Pode então nascer a anatomoclínica, e a doença desligar-se da metafísica do mal. É ainda o jogo do visível e do invisível que funciona como importante operador no espaço penitenciário. Com efeito, ele se oferece como modelo na sociedade inteira para o conjunto das práticas

8 Foucault, *Hérodote*, n.1, 1976, p.71-85.
9 Foucault, *Naissance de la clinique*, p.VII.
10 Ibidem, p.123.
11 Ibidem, p.199.

disciplinares. A prisão nasce dessa preocupação em sondar um espaço social concebido como transparente. O poder disciplinar impõe "àqueles que submete um princípio de visibilidade obrigatória".[12]

A individualização e a visualidade máximas situadas no ápice durante o *Ancien Régime*, quando o poder se oferece em espetáculo no ato do suplício imposto ao condenado, são substituídas na época moderna por toda uma outra configuração, com a individualização e a visibilidade decrescentes: o poder se funcionaliza, ao mesmo tempo que se torna anônimo e invisível. O modelo é o panóptico, que permite ver da torre central sem ser visto, e serve, poranto, a múltiplas aplicações: "É um tipo de implantação dos corpos no espaço".[13] Já o quadro de Vélasquez utilizado por Foucault em *Les mots et les choses* revelava a importância que ele atribuía ao olhar e à inversão infinita do espectador e do modelo, do sujeito e do objeto. Tudo acontece na superfície da tela do pintor, simples jogo de motivos que são dispostos em sucessivas ondas num espaço finito.

Estratígrafo da discursividade em suas descontinuidades, Foucault recorre também ao vocabulário da geologia. Em *Les mots et les choses*, fala-se de "erosão", de "praia", de "lençol d'água", de "sismo", de "camada": "É ao nosso solo silencioso e ingenuamente imóvel que restituímos suas rupturas, sua instabilidade, suas falhas; e é ele que se inquieta novamente sob nossos passos".[14] A própria noção de episteme, considerada uma vasta base transversal que não pode evoluir, mas somente oscilar sob o impacto de sismos ou dar lugar a uma outra camada que se sobreporá à primeira e sedimentar-se, encontra seu correspondente na postura do geólogo; recorde-se, aliás, que Lévi-Strauss já tinha feito dele o importante inspirador de sua antropologia estrutural quando afirmava em *Tristes tropiques* que reconhecia ter "três amantes": Marx, Freud e a geologia. Não se trata, sem dúvida, para Foucault, como para Lévi-Strauss, de naturalizar a cultura, mas de substituir uma abordagem genética, histórica, por uma orientação horizontal, sincrônica, espacial.

12 Idem, *Surveiller et punir*, p.189.
13 Ibidem, p.207.
14 Idem, *Les mots et les choses*, p.16.

Os jogos do dentro e do fora

Os jogos do dentro e do fora e a combinação dos diversos lugares do espaço são objeto de uma atenção renovada. Jean-Pierre Vernant define assim o espaço dos gregos numa tensão entre dois polos: *Héstia*, que representa o interior, o recolhimento do grupo humano a si mesmo, e *Hermes*, o exterior, a mobilidade, a abertura. Essa bipolaridade espacial organiza a oposição masculino/feminino e serve para pensar a divisão do trabalho segundo esses dois polos. *Héstia* representa os valores autárquicos, endógamos e, "no plano das atividades econômicas, a mulher representa o entesouramento, o homem a aquisição".[15]

A antropologia raciniana elaborada por Roland Barthes também é essencialmente espacial. No palco do teatro de Racine, Barthes percebe toda uma lógica topográfica articulada em redor de um centro, periferias e um fora de cena: o exterior. Para fora de cena encontra-se relegada a história, ao passo que a tragédia se desenrola no espaço cênico visível: "O exterior [...] contém três espaços: o da morte, o da fuga, o do evento".[16] A unidade trágica do tempo, do lugar, delimita-se espacialmente pelos próprios contornos do que é acessível diretamente aos espectadores da tragédia. A própria definição do herói trágico é estar encerrado nesse espaço cênico: "Aquele que não pode sair sem morrer: o limite é o seu privilégio, o cativeiro a sua distinção".[17]

O evento histórico é empurrado para o último plano, para o exterior, e só intervém por seus efeitos de fala mantidos em cena. Conservado à distância, perde sua eficácia e deixa, assim, que se desenrole a inexorável lógica do combate da sombra e da luz num quadro que permanece essencialmente espacial: "O conflito trágico é uma crise de espaço".[18] É esse fechamento que relativiza o peso da história e transforma o tempo em tempo imóvel. A temporalidade só pode ser aceita numa compulsão de repetições, visto que não há possibilidade alguma de superação dialética para sair do mundo trágico retido em sua clausura espacial. Barthes entendeu o trágico como uma cenografia antimítica:

---

15 Vernant, *Mythe et pensée chez les Grecs*, v.I, p.153.

16 Barthes, *Sur Racine*, p.11.

17 Ibidem, p.14.

18 Ibidem, p.30.

ele tende a reduzir a zero todas as mediações que o mito oferece para deixar o conflito em sua brutalidade, em sua abertura dilacerante.

É também essa lógica do espaço que seduz Barthes na escritura de Robbe-Grillet. Somente a vista, uma vez mais, permite engendrar uma estética: "A escritura de Robbe-Grillet é desprovida de álibi, sem espessura e sem profundidade: ela permanece na superfície do objeto".[19] Só o percurso óptico é real, segundo Robbe-Grillet; este retoma a distinção heideggeriana entre o "ser aí", que é o essencial, e o "ser alguma coisa", que deve desaparecer... A qualificação dos objetos do *nouveau roman* de Robbe-Grillet só deve existir sob uma forma "espacial, situacional e em nenhum caso analógica".[20] O *nouveau roman* está, pois, assente na superfície para melhor rechaçar a ideia de interioridade e deixar que se desenvolva a lógica circulatória dos objetos no espaço.

Essa topo-lógica largamente exposta por todos os trabalhos estruturalistas já tinha sido privilegiada por Lévi-Strauss. As estruturas elementares do parentesco têm uma inscrição precisa no dispositivo espacial das sociedades primitivas, e quando Lévi-Strauss reconstitui a organização aldeã dos bororos em *Tristes tropiques*, está particularmente atento para a organização muito elaborada da aldeia, onde a população está repartida de um lado e do outro de um diâmetro que a divide em dois grupos: os *cera* e os *tugaré*. Essa divisão condiciona estritamente as relações de parentesco, visto que um indivíduo pertence sempre à mesma metade que a mãe dele e só pode casar com um membro da outra metade: "Se minha mãe é *cera*, eu também o sou e minha mulher será *tugaré*".[21] Tudo se organiza a partir desse fechamento organizado segundo uma estrutura binária na população bororo.

Vamos encontrar o mesmo fechamento na abordagem lévi-straussiana da mitologia. A metáfora utilizada a respeito do sentido dessa longa investigação das *Mythologiques* é sintomática da preponderância espacial, pois se trata de um "quebra-cabeça"[22] a reconstituir. Seja qual for a área cultural prospectada, os mitos, segundo Lévi-Strauss, exprimem todos a mesma coisa, o que ele quer dizer quando considera que

19 Barthes, Littérature objective, *Critique*, 1954, reimpresso em *Essais critiques*, p.30.
20 Ibidem, p.33.
21 Lévi-Strauss, *Tristes tropiques*, p.230.
22 Idem, *Du miel aux cendres*, p.395.

"a terra da mitologia é redonda".[23] Com efeito, ele postula uma dupla unidade original a descobrir, além da diversidade das comunidades sociais: unidade do sistema e da mensagem.

O *topos* neuronal

A preponderância conferida por Lévi-Strauss aos grandes cortes transversais, sincrônicos, aos *topos*, corresponde nele a uma vontade de naturalização da cultura. Aliás, a ambição maior do projeto estruturalista está essencialmente aí, na preocupação de reconciliar o que foi pouco a pouco dissociado na evolução do pensamento ocidental: a esfera do sensível e a do inteligível. A recusa desse divórcio levou Lévi-Strauss a romper com sua disciplina de origem, a filosofia, e a procurar do lado da antropologia os meios de demonstrar o caráter arbitrário de uma tal divisão do mundo, situando-se precisamente, em todas as oportunidades, na própria costura da natureza e da cultura: "O estruturalismo [...] reconcilia o físico e o moral, a natureza e o homem, o mundo e o espírito".[24]

É nessa fronteira, na passagem entre natureza e cultura, que Lévi-Strauss percebe o surgimento de uma lógica binária que coincide com as primeiras formas de simbolização. É assim que o totemismo traduz essa passagem e que Lévi-Strauss vê, antes de tudo, na utilização totêmica das espécies naturais, animais ou vegetais, a expressão de escolhas elaboradas conforme sua capacidade para dar que pensar. Lévi-Strauss chega a ponto de postular uma "homologia de estrutura entre o pensamento humano em exercício e o objeto humano a que esse pensamento se aplica".[25] É essa homologia que permite justificar o estruturalismo.

Estimulado pela evolução recente das ciências da natureza e pelos progressos das ciências cognitivas, Lévi-Strauss se encaminhou cada vez mais no sentido de uma naturalização da grade estrutural. Ele considera hoje que a chave se encontra do lado de uma topologia interior

23 Ibidem, p.201.

24 Lévi-Strauss, Structuralisme et écologie. In: *Le regard éloigné*, p.165.

25 Idem, *Le totémisme aujourd'hui*, p.130.

do cérebro humano. Portanto, é a biologia que parece dever responder ao enigma apresentado pelo desenvolvimento das ciências humanas e resolver a tensão, que atravessa toda a obra lévi-straussiana, entre um método estrutural proposto como grade de leitura do mundo e o horizonte esperado de acesso, finalmente, às leis da estrutura na natureza. Por um estranho ardil da razão, o estruturalismo lévi-straussiano, cujo programa inicial aspirava a desnaturalizar a cultura, a colocar-se a uma certa distância com relação a uma antropologia física, converte-se no seu contrário com uma naturalização da cultura, cuja chave fundamental dependeria do *topos* neuronal.

41
Por uma dialógica

O reprimido do estruturalismo, o sujeito, teve um regresso tanto mais ruidoso visto que se acreditou poder passar sem ele durante vinte anos. Apanhado numa tensão constante entre divinização e dissolução, o sujeito experimentou não poucas dificuldades para reintegrar-se no campo do pensamento, dada a complexidade que lhe é própria, dividido entre sua autonomia de poder e as redes de dependência que o condicionam. Diante da falsa alternativa, por largo tempo apresentada como inelutável, entre um sujeito onipotente e a morte do sujeito, toda uma corrente da reflexão contemporânea se desenvolveu em torno do paradigma da dialógica, do agir comunicacional, e pode representar um caminho real de emancipação como projeto social, bem como um paradigma fecundo no domínio das ciências sociais.

Da intertextualidade à dialógica

Recordar-se-á o leitor que Julia Kristeva e Tzvetan Todorov já tinham adotado, no domínio da crítica literária, a concepção de Mikhail Bakhtin segundo a qual o objeto privilegiado deve ser a intertextualidade e uma abordagem dialógica da literatura. Essa nova orientação permitiu, pouco a pouco, o renascimento da referência ao autor, a qual tinha sido primeiramente negada como nível pertinente. A normalização, a objetividade completa do criador literário, sua transformação em simples objeto de procedimentos e de processos, tinham conduzido à negação de uma dimensão fundamental: o escritor é um sujeito e dirige-se a outrem numa *démarche* de comunicação, sem a qual sua obra não teria o menor sentido.

Todorov, no contexto do início dos anos 1980, inspira-se diretamente em Bakhtin nos seus estudos críticos, e concebe o nível dialógico como importante intermediário entre a primeira fase da análise, que consiste no estabelecimento dos dados, e a última fase, que é a da correlação com mecanismos sociológicos e psicológicos. É entre esses dois níveis "que se situa a atividade mais específica e mais importante da crítica e do investigador em ciências humanas: é a interpretação como diálogo".[1]

Com a dialógica, é não somente um método novo de crítica literária que substitui a atenção exclusiva dedicada aos procedimentos da escritura, mas é também a consideração dispensada a uma dimensão essencial do que fundamenta a especificidade das ciências humanas em relação às ciências da natureza: a liberdade humana e o exercício dessa liberdade pela interpretação. É nessa polifonia de vozes, a do autor, do leitor e do crítico, que essa liberdade pode encontrar um lugar de exercício: não falar das obras, "mas com as obras".[2]

É o que realiza também Gérard Genette com sua noção de intertextualidade, que pressupõe uma correlação do texto e do contexto cultural amplo que o rodeia na contiguidade e na diacronia. O texto é nutrido, então, de todos os textos que lhe são anteriores. Ora, passa-se com bastante rapidez, nesse domínio, de uma abordagem que procura as marcas deixadas no texto pelo efeito de intertextualidade para uma abordagem mais sugestiva, intuitiva, na qual o leitor coteja o texto com suas próprias interrogações e emoções. É no interior dessa tensão que se situa o trabalho recente de Genette, que não renuncia ao programa estrutural, mas lhe imprime um novo impulso, dialógico.

Essa noção de dialógica, nascida no domínio literário, será fecunda em muitos outros domínios e, em primeiro lugar, em linguística. Toda

1 Todorov, *Critique de la critique*, p.103.
2 Ibidem, p.185.

a escola pragmática francesa, baseada no modelo anglo-saxão, apropriou-se dessa abordagem e permitiu o desenvolvimento na França de uma filosofia da linguagem que tinha sido até então ignorada no hexágono. É o caso de Francis Jacques,[3] que pretende renovar o conceito de diálogo, tão velho quanto o começo da filosofia, uma vez que Platão já exaltara seu uso no ensino da filosofia. Longe de reverter a um modo de abordagem que não levasse em conta as conquistas do pensamento contemporâneo, Francis Jacques parte do policentrismo atual, do comprometimento definitivo de uma categoria invariante de universalidade, desmentida pela experiência da diferença e da incomensurabilidade. Mas critica a exaltação pós-moderna dos arquipélagos sem relações entre si, os quais só podem redundar em novas prisões douradas; e opõe-lhe "a ideia de uma racionalidade ao mesmo tempo linguística e comunicacional para uma idade que perdeu a convicção de um *logos* único".[4]

Numa filiação mais propriamente linguística, discípula de Benveniste, e numa filiação comparatista, a de Jakobson e de Martinet, professor no Collège de France, Claude Hagège define seu projeto teórico como o de "uma concepção interativa, aqui chamada dialogal".[5] Segundo ele, a linguística foi fascinada pelos formalismos a ponto de eliminar o histórico, o social, e de transformar o humano em abstração desligada de toda e qualquer significação. Por conseguinte, Hagège espera do homem dialogal o franqueamento necessário da linguística:

> Produto sempre renovado de uma dialética de coações, cujas formas futuras se ignoram, e de liberdades, cuja medida dependerá de sua resposta aos desafios perfilados em seus horizonte, o homem dialogal sugere por sua própria natureza alguns pontos de referência de um discurso que saiba falar integralmente dele e não de suas máscaras.[6]

Essa importância da dimensão dialógica da língua chegou essencialmente a Hagège por intermédio de seus estudos de campo: "Foi, com

---

3 Jacques, *Différence et subjectivité*; idem, *L'espace logique de l'interlocution*.

4 Idem, Entre conflit et dialogue?, *Autrement*, n.102 (A quoi pensent les philosophes?), nov. 1988.

5 Hagège, *L'homme de parole*, p.9.

6 Ibidem, p.396-7.

efeito, do campo que isso me veio. Ocorreu-me que, se não se coloca no centro o que se passa no seio de um indivíduo em situação interdialogal, deixa-se escapar 80% da linguagem".[7] Se existem universais, segundo Hagège, não são algumas abstrações formais, que podem entretanto ser úteis como condições favoráveis ao desenvolvimento da linguística. Os verdadeiros universais, como mostra a experiência das crianças selvagens, são "as instâncias dialogais".[8] Hagège inscreve, portanto, o estudo da língua no social, e defende uma sociolinguística que critica o fechamento, o encerramento chomskiano em face da sociedade.

O linguista, segundo Hagège, não deve procurar uma ordem natural universal num modelo de competência à maneira de Chomsky, mas deve fazer-se historiador para apreender as várias etapas na estruturação das línguas. Sem dúvida, esse retorno à historicidade não implica o regresso a uma teoria do reflexo. Importa lembrar, com efeito, o que Hagège chama "o princípio de dupla estruturação":[9] de um lado, as línguas, ao falar o mundo, reinventam-no mediante a criação de categorias por abstração; de outro, as línguas organizam-se a si mesmas em sua sincronia. Essa face interna de estruturação "organiza as próprias línguas, em vários níveis, em redes de solidariedades".[10] Essa dupla estruturação afeiçoa a autonomia das línguas como modelos produtores de sentido: "Aí está o que as faz funcionar como reservatórios conceituais em princípios classificatórios. E é este funcionamento que traça uma fronteira epistemológica entre a linguística e as ciências da natureza".[11]

Hagège, ainda que se situe numa filiação estruturalista, como discípulo de Martinet e Beneveniste, mantém-se a uma certa distância do corte inicial entre língua e fala estabelecido por Saussure. Este instituíra-o como a própria condição do caráter científico da linguística moderna: ela devia desembaraçar-se do contingente, do singular, logo, da fala, para ligar-se às regularidades e universais da língua. Hagège recusa as justificativas para essa distinção e a falsa alternativa que ela suscitou: "Ao isolar demais a língua da fala, como o fazem nos dois extremos os estruturalistas clássicos, que privilegiam uma, e os

7 Claude Hagège, entrevista com o autor.
8 Hagège, *L'homme de parole*, p.88.
9 Ibidem, p.170.
10 Ibidem, p.171.
11 Ibidem, p.171.

pragmatistas, que entronizam a outra, ignora-se sejam os constrangimentos que a primeira impõe, seja a relação dialogal que a segunda instaura".[12] No horizonte dessa dialógica existe um sujeito, do qual se procura conhecer, ao mesmo tempo, o que o condiciona e o que fundamenta sua parte de liberdade. Não o sujeito todo-poderoso, mas aquele que pode apresentar-se como um enunciador, cuja construção é o produto da dialética entre as coerções e as liberdades que o vinculam à língua. É a partir dessa dialetização entre necessidade estrutural e liberdade humana, variável segundo os momentos da história, que se pode restabelecer a diversidade das mensagens, sua variabilidade segundo o contexto, e ter assim acesso aos seus sentidos ocultos que a intertextualidade fornece: "O mestre codificador desses textos de penumbra, também seu mestre decifrador, é o enunciador psicossocial, criptólogo assíduo".[13] Hagège faz, portanto, o sujeito regressar ao horizonte de uma linguística que continua ansiosa por preservar o saber estrutural adquirido, e permite assim reconciliar os termos do que foi por muito tempo apresentado como antinomias: o movimento e a estrutura, a história e a invariante. Existem, por certo, defasagens e dissimetrias entre a temporalidade social e a temporalidade linguística, mas cumpre lembrar que "a variação é inerente à linguagem".[14] O sujeito e a história estão decididamente de volta, e a dialógica oferece, com efeito, a perspectiva de um paradigma em ruptura com o momento estruturalista, mesmo que permita situar-se mais numa perspectiva de ultrapassagem desse último do que na de um movimento de rejeição radical.

O paradigma dialogal não é válido somente para os linguistas de profissão como técnica operacional; ele também constitui o horizonte teórico de uma filosofia, a do herdeiro atual da Escola de Frankfurt, Jürgen Habermas, professor na Universidade Goethe de Frankfurt. Crítico das teses pós-modernas e de seu niilismo subjacente, Habermas não retorna, porém, a uma concepção do sujeito todo-poderoso, e traça as vias possíveis de uma racionalidade comunicacional como fundamento de uma teoria do social.[15] A tarefa do filósofo é, segundo Habermas,

---

12 Ibidem, p.312.

13 Ibidem, p.336.

14 Ibidem, p.370.

15 Habermas, *Théorie de l'agir communicationnel*; idem, *Discours philosophique de la modernité*.

encontrar os meios de recompor o vínculo social, de evitar a dissociação crescente entre indivíduo e sistema, entre o controle das atividades científicas e a vontade democrática, reencontrando a ambição democrática e uma comunicação autêntica restabelecida entre os membros da sociedade na base da racionalidade. Esse desejo de conciliar a universalidade da razão e o ideal democrático exige reencontrar a ambição do Iluminismo e os ideais da Revolução Francesa, minados por duzentos anos de filosofia alemã. O ideal de um universalismo moral deve ser reatado pelo pensamento moderno e procurado na relação de intercompreensão entre os indivíduos, as culturas, as diferenças, e não mais fundado num sujeito ilusório plenamente consciente, senhor de si mesmo. "Também as normas devem poder fundamentalmente recolher a anuência racionalmente motivada de todos os interessados, em condições que neutralizam todos os motivos salvo a busca cooperativa da verdade".[16]

O paradigma da dialógica não podia deixar de seduzir um sociólogo francês, adversário desde a primeira hora do estruturalismo, e cuja preocupação constante foi construir um método que permitisse fazer comunicar tudo o que se apresenta disperso: Edgar Morin. A comunicação não significa para ele a redução ou a unificação no interior de uma ciência comum que refletiria a confederação da biologia, psicologia, sociologia e antropologia. Trata-se, segundo Edgar Morin, de fazer comunicar domínios inseparáveis que constituem um real indivisível e complexo. Numa tal perspectiva, a dialógica é vista como um instrumento particularmente apropriado para pensar a articulação entre esses domínios e constitui, ao mesmo tempo, uma visão do mundo que pode permitir evitar toda e qualquer forma de reducionismo: "É por meio dessa dialógica que o universo se constrói, se desenvolve, se destrói, evolui".[17] Além disso, o conceito de dialógica oferece, para Edgar Morin, a vantagem de favorecer a complementaridade das entidades contraditórias, em vez de sua posição irredutível: "Esse conceito ocorreu-me para me permitir a não utilização da palavra dialética".[18] A dialógica permite-lhe dar prosseguimento a uma reflexão sobre a contradição, sem pensar uma necessária ultrapassagem a partir da fratura da unidade. Pelo contrário, ele

16 Idem, *Théorie de l'agir communicationnel*, v.I, p.36.
17 Morin, Ce qui a changé dans la vie intellectuelle française, *Le Débat*, maio 1986, p.72-84.
18 Idem, conferência organizada pela revista *Sciences humaines*, Auxerre, 9 nov. 1991.

parte do postulado de que essa unidade pode surgir da dualidade, da união de dois princípios logicamente heterogêneos entre si.

Recusando a distinção entre ciências da natureza e ciências humanas, Morin procura estabelecer pontes entre esses dois domínios para os apreender em suas articulações. Essa recusa de compartimentação e do reducionismo com algumas variáveis formalizadas e extraídas da realidade, essa ambição situada na encruzilhada das ciências biológicas e sociais foram favorecidas, entre outras coisas, a partir do pós-Maio de 1968, pela participação de Morin, a convite do dr. Jacques Robin, no "grupo dos dez", o qual incluía ciberneticistas, biólogos e médicos. Em 1969, Morin é convidado pelo Salt Institute of Biological Studies para o departamento de assuntos humanos dirigido por Jacob Bronowski, e pôde nessa oportunidade avaliar a importância social da biologia. Para ele, não se trata, pois, de criticar a dissolução do homem celebrada pelo estruturalismo em nome de uma qualquer divinização desse último, mas de pensar na oportunidade de um mundo policêntrico, complexo, movido pela desordem e pela mudança incessante para que ocorra "a inscrição humanista no processo inacabado de hominização".[19]

O sentido e o signo

Como Paul Ricœur[20] nos mostra, a história do pensamento foi sempre dominada por uma tensão e uma contradança entre as teorias do sentido e as teorias do signo. Já no *Crátilos,* Platão não dava ganho de causa a nenhum dos dois protagonistas, Hermógenes e Crátilos, discípulos de Heráclito, aquele para quem a origem das palavras resulta de uma convenção, e aquele que acredita receber sua significação de um elo que elas continuam tendo com a natureza.

O estruturalismo teria sido uma reação contra a fenomenologia de Husserl, que colocara o uso de signos sob a dependência das lógicas do sentido. Com o estruturalismo assiste-se, portanto, a uma reversão

19 Idem, Ce qui a changé dans la vie intellectuelle française.
20 Ricœur, Signe, *Encyclopaedia universalis, Corpus,* v. 20, 1989, p.1.075-9.

decisiva, segundo a qual a noção de sentido é de novo colocada sob o império do signo. O estruturalismo reata, a esse respeito, com a velha tradição aristotélica que tinha feito prevalecer as noções de formas e se impusera de maneira decisiva na Idade Média como desenvolvimento da retórica, da lógica, do nominalismo, depois, mais tarde, com a gramática de Port-Royal, filiação explicitamente reivindicada por Chomsky.

Com a dissipação do paradigma estruturalista, assiste-se, pelo contrário, ao regresso vigoroso do sentido. O sucesso de um livro como o de George Steiner, *Réelles présences* (1991), é sintomático de um novo período ávido de sentido, e pronto para se desviar definitivamente da investigação semiológica, da nova crítica, para reencontrar os caminhos de um acesso direto à obra de arte, ao emocional. Esse retorno do pêndulo à sua posição anterior não fez mais do que revelar a aurora de uma nova época, mas ameaça produzir ao mesmo tempo uma extraordinária regressão se essa volta do pêndulo se fizer à custa da negação de todo o trabalho de elucidação do período anterior. Se George Steiner exprime bem a falta, a insatisfação que resulta de todas as tentativas de formalização da criação que foram levadas a cabo até então, ao colocar entre parênteses toda referência ao conteúdo, ao sentido, para permitir que se desenvolvessem melhor as lógicas inconscientes do signo, só se pode ficar inquieto quando ele sonha com uma cidade "da qual a crítica foi banida"[21] e que teria proscrito toda forma de comentário de obras à medida que elas se mostram autossuficientes: "A árvore definha sob o peso de uma hera ávida".[22]

Pode-se facilmente descobrir por trás desse retorno pendular a expressão de uma posição elitista que rompe com o contrato democrático de que o estruturalismo pretendia ser portador. George Steiner prefere deixar as massas diante das novelas televisivas ou dos sorteios lotéricos, enquanto uma elite poderá saborear a seu bel-prazer o Ésquilo no texto original, numa relação de imediatidade que ela é a única a poder adquirir. Se o retorno ao sentido é necessário, e se certas críticas sobre as confusões entre o lógico-matemático e a arte são justificáveis, é lamentável ver funcionar o pensamento a golpes excessivos de pêndulo que devolvem para o nada o que precedeu.

---

21 Steiner, *Réelles présences*, p.23.
22 Ibidem, p.71.

A única posição que permite evitar que todos os avanços notáveis realizados pelo paradigma que se pode indistintamente qualificar de estruturalista ou de crítico sejam submergidos pela vaga em curso dos cinco sentidos é promover uma relação dialógica entre o que Paul Ricœur define como os dois níveis do sentido: o explicativo, do jogo interno das dependências estruturais do texto, e o interpretativo, que permanece por definição aberto para a referência ao sentido e para um fora da linguagem. Ora, esses dois níveis, semiológico e interpretativo, como já pensava Gérard Genette nos anos 1960, não se excluem mutuamente mas, muito pelo contrário, completam-se.

O nível interpretativo ou hermenêutico permite deixar sempre aberta a perspectiva do trabalho crítico e favorece os novos impulsos que se manifestam a cada vez numa intersubjetividade, para além das distâncias espaciais e temporais. Permite promover uma comunicação dialógica entre mundos que recusam deixar-se arrastar para uma situação de segregados. O diálogo como modo de viver o universal na era do relativo; a dialógica como expressão da razão na era do retorno vigoroso do fundamentalismo: esse programa, tanto social quanto científico, deve realizar uma saída do estruturalismo, mas sem esquecer que este nos ensinou em definitivo que a comunicação jamais é inteiramente transparente para si mesma. Tornar a alimentar essa ilusão seria a melhor maneira de preparar um *Farenheit 451*.

Posfácio à edição de 2012*

A visão que prevaleceu nos dois volumes deste livro ao retraçar a história do estruturalismo parece cruzar as lógicas diacrônicas da história das ideias e aquelas sincrônicas, das cartografias e dos cortes socioculturais, com empenho para recuperar a trama complexa na qual evoluiu o paradigma estruturalista ao redesenhar seus contornos. Postulei, para recuperar essa história, o que Christian Delacroix qualificou como uma forma de "indeterminação epistemológica".[1]

Essa indeterminação remete ao entrelaçamento necessário entre uma abordagem puramente internalista, que leva em consideração apenas a lógica endógena do conteúdo das obras e das ideias, e uma abordagem externalista, que se satisfaz com explicações puramente externas, contextualizadas, das ideias. A história do estruturalismo me parece compreensível apenas a partir do momento em que ela pensa conjuntamente esses dois polos, indo além de uma falsa alternativa. Seria inútil considerar uma história intelectual que se interromperia no limiar das obras, descartando sua interpretação, privilegiando unicamente as manifestações externas da vida intelectual. Seria igualmente inútil limitar essa história das ideias a uma simples rede relacional ou institucional que faria apenas uso de determinações estritas segundo

* Tradução de Constância Egrejas.

1 Ver Christian Delacroix, *Esquisses psychanalytiques*, n.18, outono de 1992, p.211-5.

as lógicas utilizadas da distinção dentro de um campo específico do conhecimento.

Não são mecanismos de causalidade que podem emergir de uma abordagem ao mesmo tempo internalista e externalista, mas, mais modestamente, a comprovação de correlações, de simples ligações possíveis como hipóteses entre o conteúdo expresso, o dizer, por um lado, e a existência de redes, o pertencimento geracional, a filiação a uma escola, o período e seus desafios, por outro lado. O historiador possui uma vantagem diante dessas dificuldades de elaboração de uma história intelectual, graças a sua capacidade de tramar, de construir uma narrativa complexa que permita essa correlação, preservando ao mesmo tempo a indeterminação e o caráter probabilístico das hipóteses avançadas.

A julgar pela quantidade de críticas sofridas pela publicação desse livro e cujo dossiê publicado em 1993 no *Le Débat* deu o tom,[2] essas posições estão longe de serem unanimemente compartilhadas. Certos historiadores e sociólogos desse setor pensavam, ao contrário, continuar fiéis aos modos mais restritos de classificação. Minha vontade de constituir o momento estruturalista na pluralidade de suas questões e de seus componentes, de construir uma historicidade que não se reduzisse a uma contextualização de pensamentos ou a uma classificação das lógicas internas das obras, só poderia chocar os adeptos de determinações restritas do topo de suas posições proeminentes; fui, sobretudo, censurado por não ter estabelecido uma grade hierarquizada de valores como modo de leitura, com quadrados para preencher onde colocar os testemunhos orais e as fontes manuscritas.

O historiador Christophe Prochasson afirmava claramente que falar do conteúdo intelectual não compete ao historiador, escapando assim de suas atribuições: ele deve deixar isso aos seus vizinhos, porque "a teoria sempre o aborrece um pouco".[3] Em vez disso, ele me propunha circunscrever meu estudo a uma única obra, concebida como sintoma. Essas observações, entre muitas outras, atestavam uma real incompreensão e uma resistência manifesta diante da ideia de uma indistinção epistemológica. Se realmente eu não adotei previamente nenhuma grade de análise, foi exatamente para deixar aparecer o pluralismo de

---

2 "Le structuralisme a-t-il une histoire?". *Le Débat*, n.73, jan.-fev. 1993, p.3-38.

3 Christophe Prochasson, "L'historien aux prises avec les idées", ibidem, p.27.

determinações, a importância dos processos de subjetivação da vivência estruturalista dos atores do período, e para compreender como o estruturalismo foi objetivado.

A importante utilização das reconstituições de percursos recolhidas por meio de testemunhos orais também suscitou reticências. É verdade que as reconstruções posteriores possuem uma real fragilidade, própria desse tipo de fontes, mas a utilização desse material é essencial, não tanto para estabelecer o discurso do Verdadeiro, mas para a percepção da intensidade das diversas subjetivações do objeto estudado. Como afirma justamente Jean-François Sirinelli: "Para o testemunho oral, prática corrente e legitimamente reconhecida, os riscos de efeitos indiretos são reais e dificilmente controláveis".[4] Portanto, convém manter distância desse jogo de espelhos deformadores, de uma memória particularmente seletiva evocada pelos letrados prontos para construir e descontruir as balizas de seus próprios percursos. Esses testemunhos orais apenas dizem a verdade reconstruída no momento em que ela é coletada. O historiador deve estar consciente disso, reconhecendo ao mesmo tempo a validade de um testemunho no momento em que ele é expresso como revelação de uma forma de subjetivação do instante, e não necessariamente no encalço de uma expressão de má-fé.

A indeterminação epistemológica convém a esse entrelaçamento de relações próprias do campo intelectual, que introduzem os indivíduos em uma imbricação inexorável entre a defesa de seus valores, a de seus interesses bem assimilados, mas também, ousaria dizer sobretudo, em uma dimensão subjetiva de afetividade intensa, flutuante, à mercê das amizades e inimizades experimentadas. Aqui tem uma parte do afeto, difícil de ser revelada e, no entanto, absolutamente essencial, que as conversas orais, os depoimentos colhidos permitem aflorar. Como observa Jean-Claude Passeron, os grupos intelectuais "sempre tiveram necessidade de concordar com o conteúdo 'patético' de seu tempo, de seu século, da 'contemporaneidade'".[5]

Levando em conta essas imbricações entre teoria, escrita e afeto em toda história intelectual, o objeto do estruturalismo não foi nem

4 Jean-François Sirinelli, "Les élites culturelles" in Jean-Pierre Riou ; Jean-François Sirinelli (dir.), *Pour une histoire culturelle*. Paris: Seuil, 1997, p.296.

5 Jean-Claude Passeron, "Quel regard sur le populaire?" *Esprit*, mar.-abr. 2002, p.151.

pressuposto enquanto método ou ideologia, nem correlacionado mecanicamente com as macrodeterminações históricas clássicas, do tipo: a conjuntura política, as forças sociais... Programa, conceito, ideologia, método, paradigma, projeto, polo de adesão, geração, "efeito de moda", o estruturalismo foi tudo isso ao mesmo tempo; uma meada difícil de desembaraçar, se deixarmos de lado os momentos, as correntes e os desafios. A pergunta menos formulado foi "O que é o estruturalismo?" do que "Quando e como o estruturalismo começou a funcionar como objeto histórico?" Esse objeto foi captado como irredutível unicamente tanto no seu contexto de surgimento como nos seus conteúdos explícitos. Esse exercício de ação me permitiu sair do jogo das determinações em última instância da sofística althusseriana que eu adotara na sua época, bem como do esquema da "autonomia relativa" da instância intelectual. A pluralidade das determinações surge do próprio movimento de exposição, ou seja, no próprio interior da narrativa histórica que institui seu objeto.

Aliás fui criticado por alguns por não hierarquizar, não delimitar um *corpus* de textos relacionados unicamente com a cultura científica e assim conceder muito espaço para as repercussões midiáticas e para a imprensa. No entanto, parece-me que uma história intelectual que leve seriamente em conta a aprovação das obras não pode descartar essa dimensão que todo mundo concorda em descrever ou a difundir o papel cada vez mais central. A constatação dessa aprovação procura contornar a ilusão segundo a qual bastaria partir da intenção do autor e do conteúdo do seu significado, porque a história intelectual é feita tanto desse conteúdo explícito quanto dos contrassensos por ele ocasionados, bem como das reapropriações sucessivas feitas ulteriormente.

Certos operadores foram implementados nessa historicidade. Antes de mais nada, o estruturalismo foi considerado na minha trama como um momento que necessitava do uso da noção de período enquanto primeiro conector. Cada um dos dois volumes corresponde a uma respiração diferente: a da conquista progressiva do "campo do signo" até seu apogeu, quando qualifiquei 1966 como ano estrutural. Nessa fase ascendente, ocorreu uma progressiva desconstrução que corresponde ao segundo volume, *O canto do cisne*. O historiador examina cada uma das escansões para medir-lhes a pertinência e os efeitos. A pertinência das obras consiste em restituí-las bem precisamente aos seus quadros cronológicos.

O segundo conector que utilizei foi o de paradigma em sentido amplo de orientação intelectual que supera as fronteiras de uma disciplina particular. Com o estruturalismo, temos um tempo forte do paradigma hipercrítico, de um pensamento da suspeita que pressupõe uma verdade sempre oculta para ser desvendada. Esse programa cada vez mais unitário de semiologia geral tem por ambição desmitificar a *doxa*, a opinião ordinária atribuída ao engodo. Ele recusa o sentido aparente para revelar a má-fé e radicaliza assim a famosa ruptura produzida pela filiação epistemológica com Althusser, Foucault e outros pensadores estruturalistas. Em nome dessa ruptura, é desejável se desfazer do sentido comum a partir de uma postura erudita e de uma competência científica livre de seu invólucro ideológico.

O terceiro conector utilizado é o estudo das relações conflituosas entre o campo universitário e o mundo das letras. Ele é esclarecedor de uma disputa importante nessa nova batalha dos antigos e dos modernos e que assiste a emancipação do que o sociólogo alemão Wolf Lepenies chamou de "terceira cultura",[6] a das ciências humanas confinadas, até 1968, a dois lugares marginalizados em prol exclusivo das humanidades clássicas da velha Sorbonne. O estruturalismo se torna nesse nível o estandarte da emancipação, uma forma de socialização das ciências humanas que, graças à explosão de Maio 1968, vão realizar um golpe de Estado sob a égide estruturalista.

O quarto conector adotado e que julguei particularmente operante é o de geração. Os atores da gesta estrutural são marcados por acontecimentos-datadores, os mesmos que Marc Bloch considerou como marcadores de "comunidade de impressão". Os famosos mestres-pensadores desse momento são portadores de uma visão des-historicizada, na qual Clio está no exílio em prol de uma temporalidade amenizada, estruturada e, desse modo, efetuando um questionamento radical de todo *télos*, de toda visão eurocêntrica e evolucionista da história. A Segunda Guerra Mundial derrubou esse questionamento, acarretando a evacuação do sujeito e do referente. A descolonização também radicalizou essas posições até absolutizar as diferenças. Quanto à descoberta do *Gulag*, ela também enfatizou a tendência em sair de uma visão encantada da

6 Wolf Lepenies, *Les trois cultures. Entre science et littérature, l'avènement de la sociologie*. Paris: MSH, 1997.

história, deixando lugar para uma dupla relação de fascínio diante do científico como tábua de salvação – daí o cientificismo da época nas ciências humanas – e da autoaversão, até denunciar, como fez Roland Barthes quando se refere à escrita como uma forma de fascismo: "Eu rejeito profundamente minha civilização, chegando à náusea."[7]

Todos esses conectores me ajudaram a caracterizar e a descrever o processo de emancipação das ciências humanas que tomaram como instrumento de agrupamento o estruturalismo, com a finalidade de elaborar um amplo programa de semiologia geral. Ele reunia uma antropologia extraída por Claude Lévi-Strauss de sua ancoragem biológica, uma linguística sausurriana cortada da palavra, uma psicanálise desmedicalizada inspirada em Lacan e uma crítica literária mais atenta às condições da discursividade do que ao conteúdo do dizer. Essa elaboração se fez ao ritmo, muitas vezes contingente, de encontros (como o de Claude Lévi-Strauss com Roman Jakobson em Nova Iorque durante a guerra) e de batalhas de aparelhos, privilegiando a noção de corte com conotação de contestação das instituições – que fosse Althusser se erguendo contra o aparelho do Partido Comunista Francês (PCF), Lacan rompendo com o Instituto de Psicanálise Ativo (IPA) ou Barthes iconoclasta contra a velha Sorbonne.

Foram muitas as estratégias mais ou menos conscientes de desvio pela periferia que fizeram prosperar o programa em algumas universidades bastante descentralizadas, ou em Paris na sexta seção da École Pratique des Hautes Études (Ephe) ou ainda na muito legitimada instituição do Collège de France, que acolheu inúmeros desses pensadores. Mas, sobretudo, a atenção ao conteúdo das obras marcantes desse momento estruturalista tornou possível a exposição da circulação dos conceitos e de suas transformações na passagem de uma disciplina a outra. Desse modo, o algoritmo sausurriano do *Cours de linguistique générale* que define o signo como a equação do significante/significado é retomado como o próprio núcleo da racionalidade moderna estrutural, mas é transformado ao mudar de campo de aplicação e se reveste, com Lévi-Strauss, Lacan ou Barthes, de uma definição muito diferente daquela conferida inicialmente por Saussure.

---

7 Roland Barthes, entrevista com Raymond Bellour, *Les lettres françaises*, 20 maio 1977 (reformulado em *Le grain de la voix*, 1981, p.82).

O momento de vinculação em torno desse programa comum estruturalista é particularmente caracterizado por esses jogos de intercâmbios interdisciplinares e de empréstimos – de "caçadas furtivas" como diria Certeau. Desse modo, a noção de inconsciente em Lacan está próxima do inconsciente simbólico utilizado por Lévi-Strauss; o objeto "a" de Lacan é encontrado no "a" da *différence* grafada "*différance*" por Derrida e remetendo ao objeto da ausência; Althusser introduz uma leitura sintomática de Marx e utiliza a noção de sobredeterminação e de muitos empréstimos de Lacan e do mundo da escuta analítica; a cadeia significante provoca uma mudança constante do significado, removido para a barra de significação, seja na abordagem lévi-straussiana dos mitos, na escuta lacaniana do sujeito do inconsciente, na desconstrução derridiana; a conferência "Qu'est-ce qu'un auteur?" de Michel Foucault em 1969 foi fundamental para elaboração lacaniana da teoria dos quatro discursos; a maneira como Foucault considera uma "história geral" como espaço de dispersão na introdução de *L'archéologie du savoir* em 1969 foi absolutamente essencial na maneira como influenciou o discurso dos historiadores da École des Annales na década de 1970.

Logo, essa história do estruturalismo se interessou por uma história reflexiva, uma história de segundo grau, abrindo-se para um amplo projeto de investigação de novas convergências entre a história do pensamento e a história *tout court*. Como escreveu Marcel Gauchet em 1999: "É possível uma história intelectual diferente daquela escrita recentemente, uma história atenta à participação do pensamento no acontecimento sem ceder nada à análise do pensamento".[8] O contexto atual das ciências humanas, propiciando uma virada reflexiva e historiográfica, pode, na realidade, favorecer o crescimento dessa nova história intelectual, nem internalista nem externalista: "Temos a sorte de estarmos em um momento em que um duplo rompimento é possível, que vai relativizar uma partilha cujo caráter contraproducente aparece a partir de agora dos dois lados. É possível inscrever as obras na história sem sacrificar nada da leitura interna, mas, ao contrário, acrescentando-lhe à sua inteligibilidade interna".[9]

8 Marcel Gauchet, "L'élargissement de l'objet historique", *Le Débat*. n.103, jan.-fev. 1999, p.141.
9 Ibidem, p.143.

Referências

ABÉLÈS, M. L'anthropologie dans le désert. *Politique-Hebdo*, n.286, 24 out. 1977.

ADLER, A. Réponse a Claude Meillassoux, *L'Homme*, v.17, n.1, jan.-mar. 1977, p.129.

_____. L'ethnologie marxiste: vers un nouvel obscurantisme? *L'Homme*, v.16, n.4. out.-dez. 1976, p.118-28.

AGLIETTA, M. Le Schumpeter de l'histoire. *Espaces Temps*, n.34-35 (Braudel dans tous ses états), 1986, p.38-41.

_____. *Régulation et crises du capitalisme*. L'expérience des États-Unis. Paris: Calmann-Lévy, 1976.

_____. *Accumulation et régulation du capitalisme en longue période*. Exemple des États-Unis c1870-1970. Paris, 1974. Tese, Universidade de Paris-I.

_____.; ORLÉAN, A. *La violence de la monnaie*. Paris: PUF, 1982.

ALLOUCH, J. Les trois petits points du retour à ... *Littoral*, n.9, jun. 1983.

ALTHUSSER, L. *Positions*. Paris: Éditions Sociales, 1976.

_____. (Dir.). *Lire Le capital*. 4 vols. Paris: PCM, 1975.

_____. *Éléments d'autocritique*. Paris: Hachette, 1974.

_____. *Réponse à John Lewis*. Paris: Maspero, 1973.

_____. Idéologie et appareils idéologiques d'État. *La Pensée*, n.151, jun. 1970.

_____. Marx et Lénine devant Hegel (1968). In: *Lénine et la philosophie*. Paris: Maspero, 1969.

ANNALES, v.43, n.2 (Le temps et la mémoire aujourd'hui), mar.-abr. 1988.

______., n.3-4 (Histoire e Structure), maio-ago. 1971.
ANSART, P. *Les sociologies contemporaines*. Paris: Point-Seuil, 1990.
ANZIEU, D. Œdipe avant le complexe ou De l'interprétation psychanalytique des mythes. *Les Temps Modernes*, n.245, out. 1966, p.675-715.
ARON, J.-P. *Les Modernes*. Paris: Folio-Essais/Gallimard, 1984.
______.; KEMPF, R. *Le pénis ou la démoralisation de l'Occident*. Paris: Grasset, 1977.
ARON, R. Le Paradoxe du même et de l'autre. In: POUILLON, J.; MARANDA, P. (Eds.). *Échanges et communications*: mélanges offerts à Claude Lévi-Strauss. Paris: Mouton, 1970.
ARRIVÉ, M. *Les langages de Jarry*. Essai de sémiotique littéraire. Paris: Klincksieck, 1972.
ATLAN, H. *L'organisation biologique et la théorie de l'information*. Paris: Hermann, 1972.
AUBRAL, F.; DELCOURT, X. *Contre la nouvelle philosophie*. Paris: Gallimard, 1977.
AUGÉ, M. *La traversée du Luxembourg*. Paris: Hachette, 1985.
______. *Symbole, fonction, histoire*. Paris: Hachette, 1979.
AUROUX, S. *Barbarie et philosophie*. Paris: PUF, 1990.
______. *La sémiotique des encyclopedistes*. Paris: Payot, 1979.
______. (Dir.). *Encyclopédia philosophique universelle*: les notions philosophiques, Dictionnaire. v.2. Paris: PUF, 1990.
AUZIAS, J.-M. Structuralisme et marxisme. Paris: Union Générale d'Edition/10/18, 1970.
BACHELARD, G. *La formation de l'esprit scientifique*. Paris: PUF, [1938].
BACKÈS-CLÉMENT, C. Entretien avec Claude Lévi-Strauss. *La Nouvelle Critique*, n.61, fev. 1973, p.27-36.
______. Entretien sur *L'anti-Oedipe*. *L'Arc*, n.49, 1972.
BADIOU, A. Le (re)commencement du materialisme dialectique. *Critique*, n.240, maio 1967.
BAKHTIN, M. *L'oeuvre de Rabelais*. Paris: Gallimard, 1970.
______. *La poétique de Dostoïevski*. Paris: Seuil, 1970 [1963].
BALANDIER, G. *Le désordre*. Éloge du mouvement. Paris: Fayard, 1988.
BALIBAR, É. *Écrits pour Althusser*. Paris: La Découverte, 1991.
______. Tais-toi encore, Althusser! *Les Temps Modernes*, n.509, dez. 1988.
______. Sur la dialectique historique. Quelques remarques critiques à propos de Lire Le capital. *La Pensée*, n.170, ago. 1973, p.27-47.

BARBÉRIS, P. Sur la littérature: une grande absente de la théorie. *Le Débat*, n.34, mar. 1985, p.184-6.
BARTHES, R. *Le bruissement de la langue*. Paris: Seuil, 1984.
_____. Vers une esthétique sans entraves (1975). In: *Le bruissement de la langue*. Paris: Seuil, 1984.
_____. *Le grain de la voix*. Paris: Seuil, 1981.
_____. *La chambre claire*. Paris: Seuil, 1980. (Col. Cahiers du Cinéma.)
_____. *S/Z*. Paris: Points-Seuil, 1976 [1970].
_____. Barthes puissance trois. *La Quinzaine Littéraire*, n.205, 1-15 mar. 1975.
_____. Rash. In: KRISTEVA, J.; MILNER, J.-C.; RUWET, N. *Langue, discours, société*. Pour Émile Benveniste. Paris: Seuil, 1975.
_____. *Roland Barthes par Roland Barthes*. Paris: Seuil, 1975.
_____. *Essais critiques*. Paris: Points-Seuil, 1971 [1964].
_____. *L'empire des signes*. [Genève]/Paris: Skira/Flammarion, 1970.
_____. *Le plaisir du texte*. Paris: Points-Seuil, [197-] [1970]. BARTHES, R. L'express va plus loin... avec R. Barthes. *L'Express*, 31 maio 1970.
_____. La mort de l'auteur. *Manteia*, n.V, 1968.
_____. L'écriture de l'événement. *Communications*, n.12, 1968, p.108-12.
_____. L'effet du réel. *Communications*, n.11, 1968, p.84-9.
_____. *Système de la mode*. Paris: Seuil, 1967
_____. *Sur Racine*. Paris: Seuil, 1963.
_____. *Littérature et discontinu*. Critique, 1962.
_____. La littérature aujourd'hui. *Tel Quel*, n.7, 1961, p.32-41.
_____. Écrivains et écrivants. *Arguments*, n.20, out-nov. 1960, p.41-4.
_____. La reponse de Kafka. *France-Observateur*, 1960.
_____. Littérature littérale. *Critique*, n.100-101, set.-out. 1955, p.820-6.
_____. Littérature objective. *Critique*, 1954.
BAUDRILLARD, J. *Pour une critique de l'économie politique du signe*. Paris: Gallimard, 1982 [1972].
_____. *Oublier Foucault*. Paris: Galilée, 1977.
_____. Fonction-signe et logique de classe. *Communications*, n.13, 1969.
_____. *Le système des objets*. Paris: Gallimard, 1968.
BAYNAC, J.; LE BRAS, H.; WEBER, H. L'aventure des idées. Le Mystère 68. *Le Débat*, maio-ago. 1988, p.61-90.
BELLOUR, R. *Le livre des autres*. [Paris]: 10/18, 1978.
_____. Entretien sur la sémiologie du cinéma [com Christian Metz]. *Semiotica*, v.IV, n.1, 1971.

_____. Deuxième entretien avec Michel Foucault. Sur les façons d'ecrire l'histoire. *Les Letters Françaises*, 15 jun 1967.

_____.; CLÉMENT, C. *Claude Lévi-Strauss*. Paris: Idées/Gallimard, 1979.

BENOIST, J.-M. *Les outils de la liberté*. Paris: Laffont, 1985.

_____. *La révolution structurale*. Paris: Denoël, 1980 [1975].

BENSAÏD, D. Althusser, Terray: une déviation stalinienne? *Rouge*, 31 ago. 1973.

BENVENISTE, É. *Problèmes de linguistique générale*. v.II. Paris: Gallimard, 1985 [1974].

_____. L'appareil formel de l'énonciation. *Langages*, n.17, mar. 1970, p.12-8.

_____. Sémiologie de la langue. *Semiotica*, Paris, Mouton, n.1-2, 1969.

_____. La nature des pronoms. In: HALLE, M. (Ed.). *For Roman Jakobson*. La Haye: Mouton, 1966. cap. XX.

_____. *Problèmes de linguistique générale*. v.I. Paris: Gallimard, 1966.

_____. Le langage et l'expérience humaine. *Diogène*, n.51, jul.-set. 1965, p.3-13.

_____. *Coup d'oeil sur le développement de la lingustique*. Paris: Klincksieck, 1963.

_____. La philosophie analytique et le langage. *Les Études Philosophiques*, Paris, PUF, n.1, jan.-mar. 1963.

_____. De la subjectivité dans le langage. *Journal de Psychologie*, Paris, PUF, jul.-set. 1958.

_____. Remarques sur la fonction du langage dans la découverte freudienne. *La Psychanalyse*, v.I, 1956.

_____. *Noms d'agent et noms d'action en indo-européen*. Paris: Maisonneuve, 1948.

_____. Structure des relations de personne dans le verbe. *Bulletin de la Société de Linguistique*, v.43, n.126(1), 1946, p.1-12.

BERQUE, J. (Ed.). *Aujord'hui l'histoire*. Paris: Éditions Sociales, 1974.

BERTALANFFY, L. von. *Théorie générale des systèmes*. Paris: Dunod, 1973 [1954].

BERTAUX, D. Individualisme et modernité. *Espaces Temps*, n.37 (Je et Moi, les émois du Je. Questions sur l'individualisme), 1988, p.15-21.

_____. *Histoires de vie ou récits de pratiques?* Méthodologie de l'approche biographique en sociologie. [Paris], 1976. Relatório, Convention Cordes, n.23, mar. 1976.

BERTIN, J. *Sémiologie graphique*. Paris: Mouton, 1967.

BESNIER, J.-M.; THOMAS, J.-P. *Chronique des idées d'aujourd'hui*. Paris: PUF, 1987.

BIOBIBLIOGRAPHE. In: *Recueil d'hommages por A.-J. Greimas*. Amsterdã: [s.n.], 1985.

BIZOT, J.-F. *Les années blanches*. Paris: Grasset, 1979.

_____. *Les déclassés*. Paris: Grasset, 1976.

BLANCHOT, M. *Le livre à venir*. Paris: Gallimard, 1959.

_____. *L'espace littéraire*. Paris: Gallimard, 1955.

BONTE, P. Marxisme et anthropologie. Les malheurs d'un empiriste. *L'Homme*, v.16, n.4. out.-dez. 1976, p.129-36.

_____. Maurice Godelier: itinéraires marxistes en anthropologie. *La Pensée*, n.187, jun. 1976, p.74-92.

BOUDON, R. Individualisme et holisme dans les sciences sociales. In: BIRNBAUM, P.; LECA, J. (Dir.). *Sur l'individualisme*. Théories et méthodes. [S.l.]: FNSP, 1986.

_____. *L'idéologie ou l'origine des idées recues*. Paris: Fayard, 1986.

_____. *À quoi sert la notion de structure?* Paris: Gallimard, 1968.

_____.; BOURRICAUD, F. *Dictionnaire critique de la sociologie*. Paris: PUF, 1982.

BOUGON, P. Genet recomposé. *Magazine Littéraire*, n.286, mar. 1991.

BOURDIEU, P. *La noblesse d'État*. Paris: Minuit, 1989.

_____. *Les enjeux philosophiques des annés 50*. Paris: C. G. Pompidou, 1989.

_____. *Choses dites*. Paris: Minuit, 1987.

_____. *Homo academicus*. Paris: Minuit, 1984.

_____. *Leçon sur la leçon*. Paris: Minuit, 1982.

_____. La grande illusion des intellectuels. *Le Monde*, 4 maio 1980.

_____. *Le sens pratique*. Paris: Minuit, 1980.

_____. *Questions de sociologie*. Paris: Minuit, 1980.

_____. *La distinction*. Paris: Minuit, 1979.

_____. La lecture de Marx [ou quelques remarques critiques à propos de "Quelques remarques critiques à propos de 'Lire Le capital'"]. *Actes de la Recherche en Sciences Sociales*, v.1, n.5-6, nov. 1975, p.65-79.

_____. Présentation. *Actes de la Recherche en Sciences Sociales*, n.1, jan. 1975, p.2-3.

_____. *Esquisse d'une théorie de la pratique*. Précédé de "Trois études d'ethnologie kabyle". Paris: Droz, 1972.

_____. La maison kabyle ou le monde renversé (1963). In: POUILLON, J.; MARANDA, P. (Orgs.). *Échanges et communications*. Paris: Mouton, 1970.

_____. Structuralism and Theory of Sociological Knowledge. *Social Research*, v.XXXV, n.4, inver. 1969, p.681-706.

______. *Travail et travaillieurs en Algérie*. Paris: Mouton, 1964.
______. *Sociologie de l'Algérie*. Paris: PUF, 1961.
______.; PASSERON, J.-C. *Les Héritiers*. Paris: Minuit, 1964.
______.; ______.; CHAMBOREDON, J.-C. *Le métier de sociologue*. Paris: Bordas, 1983 [1968].
BOUVERESSE, J. *Le philosophe chez les autophages*. Paris: Minuit, 1984.
______. *Le mythe de l'intériorité*. Paris: Minuit, 1976.
______. *Wittgenstein*: la rime et la raison. Paris: Minuit, 1973.
BOYER, R. *La théorie de la régulation*: une analyse critique. Paris: La Découverte, 1986.
BRUNET, R. La composition des modèles dans l'analyse spatiale. *L'Espace Géographique*, v.9, n.4, 1980, p.253-65.
BURGUIÈRE, A. Introduction. *Annales*, n.3-4 (Histoire et Structure), maio--ago. 1971.
BURNIER, M.-A.; RAMBAUD, P. *Le Roland-Barthes sans peine*. [Paris]: Balland, 1978.
BUTOR, M. *Móbile*. Paris: Gallimard, 1962.
______. Essais sur le roman. In: *Répertoire I*. Paris: Minuit, 1960.
______. *Passage de Milan*. Paris: Minuit, 1954.
CAHEN, D. Entretien avec Jacques Derrida. *Digraphe*, n.42, dez. 1987.
CAILLÉ, A. *Critique de Bourdieu*. [S.l.]: Institut d'Anthropologie et de Sociologie/Université de Lausanne, 1987.
CALVET, L.-J. *Roland Barthes*. Paris: Flammarion, 1990.
CANGUILHEM, G. Mort de l'homme ou épuisement du cogito. *Critique*, n.242, jul. 1967.
CASTEL, R. *Le psychanalysme*. Paris: Maspero, 1973.
CASTORIADIS, C. Les mouvements des années soixante. *Pouvoirs*, n.39, nov. 1986, p.107-16.
CERTEAU, M. de. L'Opération historique. In: LE GOFF, J.; NORA, P. *Faire de l'histoire*. v.1. Paris: Gallimard, 1974.
CHANGEUX, J.-P. *L'homme neuronal*. Paris: Fayard, 1983.
______.; CONNES, A. *Matière à pensée*. Paris: O. Jacob, 1989.
CHÂTELET, F. Ou est-il question del art? *Le Monde*, 12 out. 1979.
______. L'archéologie du savoir. *La Quinzaine Littéraire*, n.72, 1-15 maio 1969.
______. Collectif "Stucturalisme et marxisme". *La Quinzaine Littéraire*, n.42, 1-15 jan. 1968.
______. Où est le structuralisme? *La Quinzaine Littéraire*, n.31, 1-15 jul. 1967.

CHEVALIER, J.-C.; ENCREVÉ, P. La création de revues dans les années 60: matériaux pour l'histoire récente de la linguistique en France. *Langue Française*, n.63, set. 1984, p.57-102.
CHOMSKY, N. *Structures syntaxiques*. Paris: Points-Seuil, 1979 [1957].
______. *Dialogues avec Mitsou Ronat*. Paris: Flammarion, 1977.
______. *Aspects de la théorie syntaxique*. Paris: Seuil, 1971.
______. *La linguistique cartésienne*. Paris: Seuil, 1969.
______. De quelques constantes de la théorie linguistique. *Diogène*, n.51, 1965.
CLAVAL, P. Mutations et permanences. *Espaces Temps*, n.40-41 (Géographe, état des lieux. Débat transatlantique), 1989, p.8-12.
______. *La nouvelle géographie*. Paris: PUF, 1977. (Col. Que sais-je?, n.1.693.)
______. Contemporary Human Geography in France. *Progress in Geography*, n.7, p.250-79.
CLÉMENT, C. *Vies et legends de Jacques Lacan*. Paris: Grasset 1985 [1981].
COLOMBEL, J. Les mots de Foucault et les choses. *La Nouvelle Critique*, n.4, maio 1967, p.8-13.
COMTE-SPONVILLE, A. Une éducation philosophique. *La Liberté de l'Esprit*, n.17 (La Manufacture), 1988.
COQUET, J.-C. Linguistique et sémiologie. *Actes Sémiotiques*, v.IX, n.88, 1987.
______. *Le discours et son sujet*. Paris: Klincksieck, 1984.
______. *Sémiotique littéraire*. [Tours]: Mame, 1973.
CORIAT, B. *L'atelier et le chronomètre*. Essai sur le taylorisme, le fordisme et la production de masse. Paris: C. Bourgois, 1979.
COULON, A. *L'ethnomethodologie*. Paris: PUF, 1987. (Col. Que sais-je.)
COURDESSES, L. Blum et Thorez en mai 1936: analyses d'énoncés. *Langue Française*, n.9, fev. 1971, p.22-33.
CRÉMANT, R. *Les matinées structuralistes*. Paris: Laffont, 1969.
CRITIQUE, n.369 (La Philosophie malgré tout), fev. 1978.
CULIOLI, A. Sur quelques contradictions en linguistique. *Communications*, Paris, Seuil, n.20, 1973, p.83-91.
DAIX, P. *Structuralisme et révolution culturelle*. [Tournai]: Casterman, 1971.
______. Du structuralisme. 1. Le divorce avec la philosophie. *Les Lettres Françaises*, n.1226, 27 mar. 1968.
______. Structuralisme et Linguistique. Entretien avec Émile Benveniste. *Les Lettres Françaises*, n.1242, 24-30 jul. 1968.
DARAKI, M. *Traversées du XXe siècle*. Paris: La Découverte, 1988.
______. Le Voyage en Grèce de M. Foucault. *Esprit*, abr. 1985, p.55-83.

DELEUZE, G. *Pourparlers*. Paris: Minuit, 1990.
______. *A propos des nouveaux philosophes*. Paris: Minuit, 1977.
______. A quoi reconnaît-on le structuralisme? In: CHÂTELET F. (Dir.). *Histoire de la philosophie*. La philosophie au XXe siècle. Paris: Hachette, 1973.
______. *Un nouvel archiviste*. Paris: Fata Morgana, 1972. (Col. Scholies.)
______. *Différence et répétition*. Paris: PUF, 1969.
______.; GUATTARI, F. *L'anti-Oedipe*. Paris: Minuit, 1972.
DELRUELLE, E. *Claude Lévi-Strauss et la philosophie*. Paris: Éditions Universitaires, 1989.
DERRIDA, J. *Limited Inc*. Paris: Galilée, 1990.
______. *La carte postale*. Paris: Aubier/Flammarion, 1980.
______. La différance. In: *Tel Quel, Théorie d'ensemble*. Paris: Points-Seuil, 1980 [1968].
______. Le facteur de vérité. *Poétique*, n.21, 1975.
______. *Glas*. Paris: Galilée, 1974.
______. *Marges*. Paris: Minuit, 1972.
______. *Positions*. Paris: Minuit, 1972.
______. *De la grammatologie*. Paris: Minuit, 1967.
______. La Structure, le signe et le jeu dans les discours des sciences humaines. In: *L'écriture et la différence*. Paris: Seuil, 1967.
______. *La voix et le phénomène*. Paris: PUF, 1967.
______. *L'écriture et la différence*. Paris: Points-Seuil, 1967.
______. Lévi-Strauss dans le XVIIIe siècle. *Cahier pour l'Analyse*, n.4, set.-out. 1966.
______. Freud et la scène de l'écriture. *Tel Quel*, n.26, 1966.
______. Cogito et histoire de la folie. *Revue de Métaphysique et de Morale*, n.4, out.-dez. 1963.
______. Force et signification. *Critique*, n.193-194, jun.-jul. 1963.
DESCAMPS, C.; ÉRIBON, D.; MAGGIORI, R. Entretien avec Gilles Deleuze. *Libération*, 23 out. 1989.
DESCHAMPS, J. Psychanalyse et structuralisme. *La Pensée*, n.135, out. 1967.
DESCOLA, P. *La nature domestique*. Paris: Éditions de la MSH, 1986.
______.; LENCLUD, G.; SEVERI, C. et al. *Les idées de l'anthropologie*. Paris: A. Colin, 1988.
DESCOMBES, V. *La philosophie par gros temps*. Paris: Minuit, 1989.
______. *Le même et l'autre*. Paris: Minuit, 1979.
DILLER, A.-M.; RÉCANATI, F. La pragmatique. *Langue Française*, Paris, Larousse, n.42, maio 1979.

DOMENACH, J.-M. Un marxisme sous vide. *Esprit*, jan. 1974, p.111-25.
DOSSE, F. *L'histoire en miettes*. Paris: La Découverte, 1987.
DREYFUS, H. L. *Intelligence artificielle, mythes et limites*. Paris: Flammarion, 1984.
______.; RABINOW, P. *Foucault, un parcours philosophique*. Paris: Gallimard, 1984.
DROIT, R.-P. Curriculum vitae e cogitatorum. *La Liberté de l'Esprit*, n.7 (La Manufacture), inv. 1988.
Du miel aux cendres. Paris: Plon, 1967
DUBOIS, J. Une deuxième révolution linguistique? *La Nouvelle Critique*, n.12, mar. 1968.
______. Structuralisme et linguistique. *La Pensée*, n.135, out. 1967.
______. *Grammaire structurale de français*: non et pronom. v.I. Paris: Larousse, 1965.
DUBY, G. La Formation de l'État, entretien avec François Ewald. *Magazine Littéraire*, n.248, dez. 1987.
______. *Guillaume le maréchal*. Paris: Fayard, 1984.
______. *Les trois ordres ou l'imaginaire du féodalisme*. Paris: Gallimard, 1978.
______. Histoire-societe-imaginaire. *Dialectiques*, n.10-11, 1975, p.111-24.
______. *La Société aux XIe et XIIe siècles dans la région mâconnaise*. Paris: A. Colin, 1953.
______.; LARDREAU, G. *Dialogues*. Paris: Flammarion, 1980.
DUCROT, O. Esquisse d'une théorie polyphonique de l'énonciation. In: *Le dire et le dit*. Paris: Minuit, 1984. p.171-233.
______. *Le dire et le dit*. Paris: Minuit, 1984.
______. *Les mots du discours*. Paris: Minuit, 1980.
______. De Saussure à la philosophie du langage. In: SEARLE, J. R. *Les actes de langage*. Paris: Hermann, 1972.
______. *Le structuralisme en linguistique*. Paris: Seuil, 1968. (Qu'est-ce que le structuralisme?)
DUFRENNE, M. *Pour l'homme*. Paris: Seuil, 1967.
DUMONT, L. *Essais sur l'individualisme*: une perspective anthropologique sur l'idéologie moderne. Paris: Seuil, 1983.
______. *Homo aequallis*. Paris: Gallimard, 1977.
______. *Homo hierarchicus*. Le sistème des castes et ses implications. Paris: Gallimard, 1967.
DUMUR, G. Ce langage que faire l'histoire. Entretien avec Émile Benveniste. *Le Nouvel Observateur*, 20 nov. 1968.

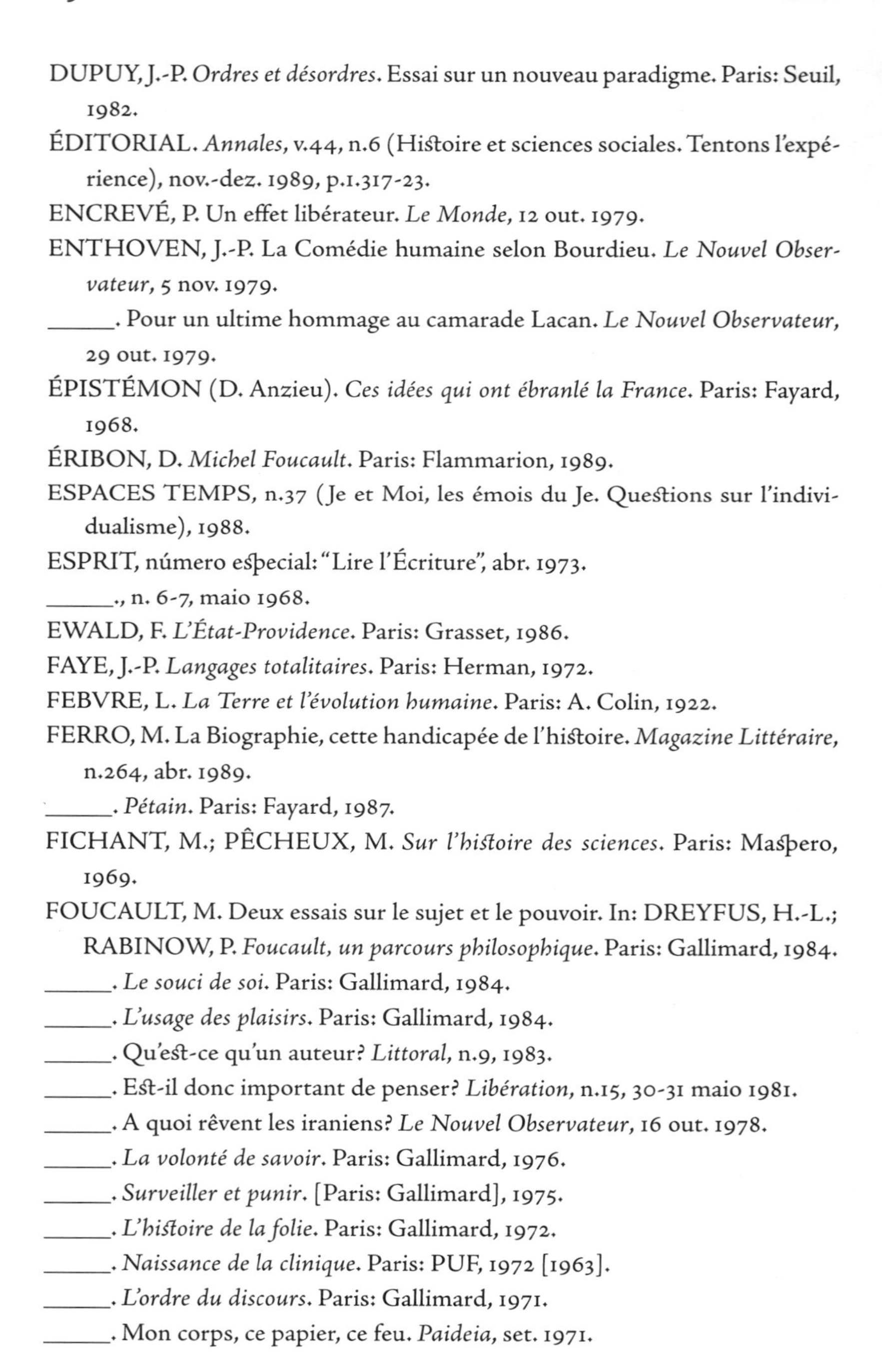

DUPUY, J.-P. *Ordres et désordres*. Essai sur un nouveau paradigme. Paris: Seuil, 1982.
ÉDITORIAL. *Annales*, v.44, n.6 (Histoire et sciences sociales. Tentons l'expérience), nov.-dez. 1989, p.1.317-23.
ENCREVÉ, P. Un effet libérateur. *Le Monde*, 12 out. 1979.
ENTHOVEN, J.-P. La Comédie humaine selon Bourdieu. *Le Nouvel Observateur*, 5 nov. 1979.
______. Pour un ultime hommage au camarade Lacan. *Le Nouvel Observateur*, 29 out. 1979.
ÉPISTÉMON (D. Anzieu). *Ces idées qui ont ébranlé la France*. Paris: Fayard, 1968.
ÉRIBON, D. *Michel Foucault*. Paris: Flammarion, 1989.
ESPACES TEMPS, n.37 (Je et Moi, les émois du Je. Questions sur l'individualisme), 1988.
ESPRIT, número especial: "Lire l'Écriture", abr. 1973.
______., n. 6-7, maio 1968.
EWALD, F. *L'État-Providence*. Paris: Grasset, 1986.
FAYE, J.-P. *Langages totalitaires*. Paris: Herman, 1972.
FEBVRE, L. *La Terre et l'évolution humaine*. Paris: A. Colin, 1922.
FERRO, M. La Biographie, cette handicapée de l'histoire. *Magazine Littéraire*, n.264, abr. 1989.
______. *Pétain*. Paris: Fayard, 1987.
FICHANT, M.; PÊCHEUX, M. *Sur l'histoire des sciences*. Paris: Maspero, 1969.
FOUCAULT, M. Deux essais sur le sujet et le pouvoir. In: DREYFUS, H.-L.; RABINOW, P. *Foucault, un parcours philosophique*. Paris: Gallimard, 1984.
______. *Le souci de soi*. Paris: Gallimard, 1984.
______. *L'usage des plaisirs*. Paris: Gallimard, 1984.
______. Qu'est-ce qu'un auteur? *Littoral*, n.9, 1983.
______. Est-il donc important de penser? *Libération*, n.15, 30-31 maio 1981.
______. A quoi rêvent les iraniens? *Le Nouvel Observateur*, 16 out. 1978.
______. *La volonté de savoir*. Paris: Gallimard, 1976.
______. *Surveiller et punir*. [Paris: Gallimard], 1975.
______. *L'histoire de la folie*. Paris: Gallimard, 1972.
______. *Naissance de la clinique*. Paris: PUF, 1972 [1963].
______. *L'ordre du discours*. Paris: Gallimard, 1971.
______. Mon corps, ce papier, ce feu. *Paideia*, set. 1971.

_____. Nietzsche, la généalogie, l'histoire. In: *Hommage à Hyppolite*. Paris: Fayard, 1971.
_____. La Naissance d'un monde (entretien avec J.-M. Palmier). *Le Monde*, 3 maio 1969.
_____. *L'archéologie du savoir*. [Paris: Gallimard, 1969].
_____. *Titre et travaux*. [Paris], 1969. Folheto editado para a candidatura ao Collège de France.
_____. Les mots et les images. *Le Nouvel Observateur*, n.154, 25 out. 1967.
_____. Réponse au Circle d'épistémologie. *Cahiers pour l'Analyse*, v.9, n.2, verão 1968, p.9-40.
_____. La pensée du dehors. *Critique*, n.229, jun. 1966, p.523-46.
FOUGEYROLLAS, P. *Contre Lévi-Strauss, Lacan et Althusser*. Paris: Savelli, 1976.
FRANK, M. *Qu'est-ce que le néo-structuralisme?* Paris: Cerf, 1989.
FREUND, J. *Philosophie philosophique*. Paris: La Découverte, 1990.
_____. *La sociologie de Max Weber*. Paris: PUF, 1983.
_____. *Sociologie du conflit*. Paris: PUF, 1983.
_____. *Qu'est-ce que la politique?* Paris: Seuil, 1978.
_____. *Les théories des sciences humaines*. Paris: PUF, 1973.
FUCHS, C.; LE GOFFIC, P. *Initiation aux problèmes des linguistiques contemporaines*. Paris: Hachette, 1985.
FURET, F. *L'historien entre l'ethnologue et le futurologue*. Paris: Mouton, 1971.
GADET, F. Le Signe et le sens. *DRLAV: Revue de Linguistique*, n.40, 1989.
_____. Recherches récentes sur les variations sociales de la langue. *Langue Française*, n.9, fev. 1971, p.74-81.
GARFINKEL, H. *Studies in Ethnomethodology*. Englewood Cliffs (NY): Prentice-Hall, 1967.
GASTON-GRANGER, G. *Leçon inaugurale au Collège de France*. 6 mar. 1987.
GENET, J. Ce qui est resté d'un Rembrandt déchiré en petits carrés bien réguliers, et foutu aux chiottes. *Tel Quel*, n.29, 1967.
GENETTE, G. *Palimpsestes*. Paris: Seuil, 1982.
_____. *Introduction à l'architexte*. Paris: Seuil, 1979.
_____. Poétique et histoire. In: *Figures III*. Paris: Seuil, 1972.
GENINASCA, J. *Les chimères de Nerval, discours critique e discours poétique*. Paris: Larousse, 1973.
GEORGE, F. *L'effet'yau de poêle*. Paris: Hachette, 1979.
GLUKSMANN, A. *La cuisinière et le mangeur d'hommes*. Paris: Seuil, 1975.
GODELIER, M. *L'idéal et le matériel*. Paris: Fayard, 1984.

_____. *Horizon*: trajets marxistes en anthropologie. 2 vols. Paris: Maspero, 1977 [1973].

_____. Anthropologie-Histoire-Idéologie. *L'Homme*, jul.-dez. 1975.

_____. Système, structure et contradiction dans "Le Capital". *Les Temps Modernes*, n.246, nov. 1966.

GOFFMAN, E. *Les rites d'interaction*. Paris: Minuit, 1974 [1967].

GRATALOUP, C. L'explorateur et le missionnaire. *L'Homme et la Société*, n.95-96, 1990, p.131-42.

_____. Géopoint: l'interrogation. *Espaces Temps*, n.4, 1976, p.46-51.

GREEC. *Crise et régulation*. Grenoble: PUG, 1981.

GREIMAS, A.-J. *Maupassant*: la sémiotique du texte. Paris: Seuil, 1975.

_____. Sur l'histoire événementielle et l'histoire fondamentale. In: KOSELLECK, R.; STEMPEL, W.-D. (Eds.). *Geschichte, Erignis und Erzählung*. München: Wilhelm Fink, 1973.

_____. *Essais de sémiotique poétique*. Paris: Larousse, 1971.

_____. *Du sens*. Essais sémiotiques. Paris: Seuil, 1970.

_____. (Dir.). *Analyse sémiotique d'un discours juridique*. Urbino: Centro Internazionale di Semiotica e di Linguistica, 1971.

GREIMAS, A.-J.; COURTÈS, J. *Sémiotique*. Dictionnaire raisonné de la théorie du langage. Paris: Hachette, 1979.

GUÉROULT, M. *Études sur Fichte*. Paris: Aubier-Montaigne, 1977.

GUIBERT, B. (Dir.). *La mutation industrielle de la France*. Du traité de Rome à la crise pétrolière. Paris: Insee, 1975. (Col. La Documentation française.)

GUILLAME, M. *Éloge du désordre*. Paris: Gallimard, 1978.

HABERMAS, J. *Le discours philosophique de la modernité*. Paris: Gallimard, 1988 [1985].

_____. *Théorie de l'agir communicationnel*. 2 vols. Paris: Fayard, 1988.

HADOT, P. Réflexions sur la notion de culture de soi. In: *Michel Foucault philosophe*. Paris: Seuil, 1989. p.261-8.

HAGÈGE, C. *L'homme de parole*. Paris: Folio: Fayard, 1985.

HAMON, H.; ROTMAN, P. *Génération II*. Paris: Seuil, 1988.

HAMON, P. *Analyse du descriptif*. Paris: Hachette, 1981.

_____. Introduction. In: *Analyse du descriptif*. Paris: Hachette, 1981.

_____. Littérature. In: POTTIER, B (Ed.). *Les sciences du langage en France au XX*[e] *siècle*. Paris: Selaf, 1980.

_____. Pour un statut sémiologique du personage. *Litterature*, n.6, maio 1972, p.86-110.

HARRIS, Z. S. *Mathematical Structures of Language*. New York: Interscience Publishers, 1968.

_____. *Methods in Structural Linguistics*. [Chicago]: The University of Chicago Press, 1951.

HAY, L. *Essais de critique génétique*. Paris: Flammarion, 1979.

HÉRITIER-AUGÉ, F. *Leçon inaugurale au Collège de France*. Paris: Collège de France, 1984.

_____. *L'exercice de la parenté*. Paris: Gallimard/Seuil, 1981.

HUSSERL, E. *L'origine de la géométrie*. Paris: PUF, 1962.

_____. *Recherches logiques*. Paris: PUF, 1959.

IDT, G. Pour une histoire littéraire tout de même. *Poétique*, n.30, abr. 1977, p.167-74.

JACCARD, R. Lettres à Lacan. *Le Monde*, 21 set. 1979.

JACQUES Derrida – La déconstruction de la philosophie. Entretien avec Michelle Perrot, une histoire de femme. *Magazine Littéraire*, n.286, mar. 1991.

JACQUES Derrida sur les traces de la philosophie, entretien avec Christian Descamps. *Le Monde*, 31 jan. 1982.

JACQUES, F. Entre conflit et dialogue? *Autrement*, n.102 (A quoi pensent les philosophes?), nov. 1988.

_____. *Dialogiques*. Recherches logiques sur le dialogue. Paris: PUF, 1985 [1979].

_____. *L'espace logique de l'interlocution*. Paris: PUF, 1985.

_____. *Différence et subjectivité*. Paris: Aubier, 1982.

JAKOBSON, R. Linguistique et poétique. In: *Essais de linguistique générale*. Paris: Seuil, 1963.

JAMARD, J.-L. Parménide, Héraclite et l'anthropologie française. *Gradhiva*, n.7, inv. 1989.

JANKÉLÉVITCH, V. *Le paradoxe de la vie morale*. Paris: Seuil, 1981.

Jean Pouillon, Introduction. De Chacun à tout autre, et réciproquement, *L'Homme*, v.26, n.97-98 (Anthropologie: état des lieux), 1986, p.27-35.

_____. *L'austerité et la vie morale*. Paris: Flammarion, 1956.

JURANVILLE, A. *Lacan et la philosophie*. Paris: PUF, 1988 [1984].

KAHN, J.-F. La minutieuse conquête du structuralisme. *L'Express*, 21 ago. 1967.

KARSZ, S. *Théorie et politique*: Louis Althusser. Paris: Fayard, 1974.

KERBRAT-ORECCHIONI, C. *L'énociation de le subjectivité dans le langage*. Lyon: PUL, 1980.

KOFMAN, S. *Lectures de Derrida*. Paris: Galilée, 1984.

KRISTEVA, J. *Les samuraïs*. Paris: Fayard, 1990.

______. Le mot, le dialogue et le roman (1966). In: *Séméiotiké, recherches pour une sémanalyse*. Paris: Points-Seuil, 1978 [1969].

______. Pour une sémiologie des paragrammes (1966). In: *Sémiotiké, recherches pour une sémanalyse*. Paris: Points-Seuil, 1978 [1969].

______. *Sèméiotikè, recherches pour une sémanalyse*. Paris: Points-Seuil, 1978 [1969].

L'HOMME, v.26, n.97-98 (Anthropologie: état des lieux), 1986.

L'UNIVERSITÉ ouverte: les dossiers de Vincennes. Grenoble: Presses Universitaires de Grenoble, 1976.

LA NOUVELLE Critique, n.38 (Littérature, sémiotique, marxisme), 1970.

LA PENSÉE géographique contemporaine. Mélanges offerts au professeur A. Meyneir. Saint-Brieuc: Presses Universitaires de Bretagne, 1972.

LACAN, J. *Le séminaire*. Livre XX: *Encore (1973-1974)*. Paris: Seuil, 1975.

______. L'étourdit. *Scilicet*, n.4, 1973.

______. *Le séminaire*. Livre XI: *Les Quatre concepts fondamentaux de la psychanalyse (1963-1964)*. Paris: Seuil, 1973.

______. Radiophonie. *Scilicet*, Paris, Seuil, n.2-3, 1970.

______. [editorial]. *Scilicet*, Paris, Seuil, n.1, 1968.

______. *Écrits*. Paris: Seuil, 1966.

______. Le temps logique et l'assertion de certitude anticipée. In: *Écrits*. Paris: Seuil, 1966.

LACOSTE, Y. *La Géographie, ça sert, d'abord, à faire la guerre*. Paris: Maspero: PCM., 1976.

______. Le Géographie. In: CHÂTELET, F. *Histoire de la philosophie*. La Philosophie des sciences sociales. Paris: Hachette, 1973.

LAKS, B. Le champ de la sociolinguistique française de 1968 a 1983. *Langue Française*, n.63, set. 1984, p.103-28.

LALLEMENT, J. Histoire de la pensée ou archéologie du savoir? Modèle économique et science sociale. *Œconomia*, Cahiers de l'Isea, série: P. E., n.2, 1984, p.61-93.

LANGAGES, n.23 (Le discours politique), set. 1971.

______., n.22 (Sémiotique narrative, récits bibliques), 1971.

______., Larousse, n.13 ("Linguistique du discours"), 1969.

______., Laurosse, n.12 ("Linguistique et littérature"), 1969.

Langue Française, Larousse, n.9 (Linguistique et société), fev. 1971.

______., Larousse, n.3 ("La description linguistique des textes littéraires"), set. 1970.

______., Larousse, n.3, ("La stylistique"), 1969.

LAPASSADE, G. *Groupes, organisations et institutions*. Paris: Gauthier-Villars, 1970.

LARDREU, G.; JAMBET, C. *L'ange*. Paris: Grasset, 1976.

LE DANTEC, J.-P. *Les dangers du soleil*. Paris: Presses d'aujourd'hui, 1978.

LE GOFF, J.; NORA, P. *Faire de l'histoire*. 3 vols. Paris: Gallimard, [197-].

LE LANNOU, M. Des géographes contre la géographie. *Le Monde*, 8-9 fev. 1976.

LE MOIGNE, J.-L. *La science des systèmes, science de l'artificiel*. Paris: Épi, 1984.

LE ROY LADURIE, E. *Histoire de France*. v.2. Paris: Hachette, 1978.

______., E. *Le territoire de l'historien*. v.2. Paris: Gallimard, 1978.

______., E. *territoire de l'histoire*. Paris: Gallimard, 1973.

______.. *Histoire du climat depuis l'an 1000*. Paris: Flammarion, 1967.

LEACH, E. *Les systèmes politiques des hautes terres de Birmanie*. Paris: Maspero, 1972 [1964].

LECLAIRE, S. L'empire des mots morts (1977). In: *Rompre les charmes*. Paris: Interéditions, 1981.

______. *Rompre les charmes*. Paris: Interéditions, 1981.

______. Le mouvement animé par Jacques Lacan. *Le Monde*, 2 out. 1979.

LECOURT, D. *Pour une critique de l'épistémologie*. Paris: Maspero, 1972.

______. Sur *L'archéologie du savoir*. *La Pensée*, n.152, ago. 1970.

LEFEBVRE, H. *Position*: contre les technocrates. Paris: Gonthier, 1967.

LEFORT, C. *Un homme en trop*. Essai sur l'*Archipel du Goulag*. Paris: Seuil, 1975.

______. Soljénitsyne. *Textures*, n.13, 1975.

LEJEUNE, P. *Moi aussi*. Paris: Seuil, 1986.

______. *Je est un autre, l'autobiographie, de la littérature aux médias*. Paris: Seuil, 1980.

______. *Le pacte autobiographique*. Paris: Seuil, 1975.

LÉVINAS, E. L'autre, utopie et justice. *Autrement*, n.102 (A quoi pensent les philosophes?), nov. 1988, p.52-60.

______. *Du sacré au saint*. Paris: Minuit, 1977.

LÉVI-STRAUSS, C. *De près et de loin*. Paris: O. Jacob, 1988.

______. *Le regard éloigné*. Paris: Plon, [1983].

______. Race et culture. In: *Le regard éloigné*. Paris: Plon, [1983].

______. Structuralisme et écologie. In: *Le regard éloigné*. Paris: Plon, [1983].

______. Les discours du récipiendaire. *Le Monde*, 18 jun. 1974.
______. *Anthropologie structurale deux*. Paris: Plon, 1973.
______. *L'homme nu*. Paris: Plon, 1971.
______. *L'origine des manières de table*. Paris: Plon, 1968.
______. A contre-courant. *Le Nouvel Observateur*, 25 jan. 1967, p.30-2.
______. Critères scientifiques dans les disciplines sociales et humaines. *Revue Internationale des Sciences Sociales*, v.XVI, n.4, 1964, p.579-97.
______. *Le cru et le cuit*. Paris: Plon, 1964.
______. *La pensée sauvage*. Paris: Plon, 1962.
______. *Le totémisme aujourd'hui*. Paris: PUF, 1962.
______. *Anthropologie structurale*. Paris: Plon, 1958.
LÉVY, B.-H. *La barbarie à visage humain*. Paris: Grasset, 1977.
LÉVY, J. Le dictionnaire d'une géographie [Sur une traduction simultanée]. *Espaces Temps*, n.2, 1976, p.2-22.
LIMINAIRE. *Change*, n.1, 1968.
LIPIETZ, A. De l'althussérisme à la théorie de la régulation. In: Fórum "The Althusserian Legacy", Stonybrook, SUNY, 23-24 set. 1988. *Anais*...
______. La trame, la chaîne, et la régulation: un outil pour les sciences sociales. In: Congresso Internacional sobre a Teoria da Regulação, Barcelona, 16-17 jun. 1988. *Anais*...
______. *Le monde enchanté*. De la valeur à l'envoi inflationniste. Paris: La Découverte, 1983.
______. *Sur le pratiques et les concepts prospectifs du matérialisme historique*. Paris, 1972. Monografia (Diploma de Estudos Superiores) – Universidade de Paris-I.
______.; BENASSY, J.P.; BOYER, R. et al. *Approches de l'inflation*: l'exemple français. Rapport Cepremap/Cordes, Miméo, 1977.
LIPOVETSVY, G. *L'ère du vide*. Paris: Gallimard, 1983.
LITTÉRATURE, n.13 ("Histoire/Sujet"), fev. 1974.
LÖWY, M. L'Humanisme historiciste de Marx ou relire "Le Capital". *L'Homme et la Société*, n.17, jul. 1970, p.111-125.
LYOTARD, J.-F. Notes sur le retour et le Kapital. In: Colóquio de Cerisy "Nietzsche aujourd'hui?", 10/18, v.1, 1973. *Anais*...
MACHEREY, P. Foucault: éthique et subjetivité. *Autrement*, n.102 (A quoi pensent les philosophes?), 1988, p.92-103.
MAI 68 et les sciences sociales. *Cahiers IHTP*, n.11, abr. 1989.
MAJOR, R. La parabole de la lettre volée. *Études freudiennes*, n.30, out. 1987.

MAKARIUS, R.; MAKARIUS, L. *Structuralisme ou ethnologie*. Paris: Anthropos, 1973.
MALDIDIER, D. Le discours politique de la guerre d'Algérie: approche synchronique et diachronique. *Langages*, n.23, set. 1971, p.57-86.
MANDEL, E. Althusser corrige Marx. *La Quatrième Internationale*, jan. 1970.
MANIFESTE. *Espaces Temps*, n.4, 1976, p.3-17.
MARCELLESI, J.-B. *Le congrès de Tours*. Paris: Le Pavillon/Roger Maria Éditeur, 1971.
MARIN, L. *Analyse structurale et exégèse biblique*. Neufchâtel: [s.n.], 1972.
_____. *Sémiotique de la passion*. Paris: Aubier, 1971.
MARTIN, S. *Le langage musical*. Sémiotique des systèmes. Paris: Klinksiek, 1975.
MARX, K. Das Kapital. In: *Werke 23*. Berlim: Dietz Verlag, 1968.
MASPERO, F. Le long combat de François Maspero. *Le Nouvel Observateur*, 27 set. 1976.
MAUGER, G. Mai 68 et les sciences sociales. *Les Cahiers de l'IHTP*, CNRS, n.11, abr. 1989.
MEILLASSOUX, Cl. *Femmes, greniers, capitaux*. Paris: Maspero, 1975.
MENDEL, G. *La psychanalyse revisitée*. Paris: La Découverte, 1988.
METZ, C. *Langage et cinéma*. Paris: Larousse, 1971.
_____. *Essais sur la signification au cinéma*. Paris: Klincksieck, 1968.
_____. La grande syntagmatique du film narratif. *Communications*, n.8, 1966.
MEUNIER, J. Les Réussites et les patiences de Claude Lévi-Strauss. *Le Monde*, 27 maio 1983.
MEYNIER, A. *Histoire de la pensée géographique en France*. Paris: PUF, 1969.
MICHEL Foucault philosophe. Paris: Seuil, 1989.
MILHAU, J. Les mots et les choses. *Cahiers du Communisme*, fev. 1968.
MILLER, J.-A. Michel Foucault et la psychanalyse. In: *Michel Foucault philosophe*. Paris: Seuil, 1989.
_____. Action da la structure. *Cahiers pour l'Analyse*, n.9, 1968.
_____. La suture. *Cahiers pour l'Analyse*, n.1, 1966.
MILNER, J.-C. *Introduction à une science du langage*. Paris: Seuil, 1989.
MORIN, E. Ce qui a changé dans la vie intellectuelle française. *Le Débat*, maio 1986, p.72-84.
_____. *Science avec consciente*. Paris: Seuil, 1982.
_____. Le retour de l'événement. *Communications*, n.18, 1972, p.6-20.
_____.; LEFORT, Cl.; COUDRAY, J.-M. *Mai 68: la brèche*. Paris: Fayard, 1968.

NÉMO, P. *L'homme structural*. Paris: Grasset, 1975.
NICOLAÏ, A. L'inflation comme régulation. *Revue Économique*, n.4, jul. 1962, p.522-47.
NISBET, R. A. *La tradition sociologique*. Paris: PUF, 1985.
NORA, P. *Essais d'ego-histoire*. Paris: Gallimard, 1987.
______. Éditorial. *Le Débat*, n.1, maio 1980.
______. Que peuvent les intellectuels? *Le Débat*, n.1, maio 1980.
NORMAND, C. Linguistique et philosophie: un instantané dans l'histoire de leurs relations. *Langages*, Paris, Larousse, n.77, mar. 1985, p.33-42.
______. Le sujet dans la langues. *Langages*, Paris, Larousse, n.77, mar. 1985, p.7-19.
PALMIER, J.-M. Le glas de la réflexion historique: la mort du roi. *Le Monde*, 3 maio 1969.
PANIER, L. *Récit et commentaires de la tentation du Christ au desert*: approche sémiotique du discours interpretatif. Paris: Cerf, 1974.
______. *Écriture, foi, révélation*: le statut de l'Écriture dans la révélation. Lyon: Profac, 1973.
PANOFSKY, E. *Architecture gothique et pensée scolastique*. Paris: Minuit, 1967.
______. *Essais d'iconographie*. Paris: Gallimard, 1967.
PARIENTE, J.-C. *Le langage et l'individuel*. Paris: A. Colin, 1973.
PAUGAM, J. *Génération perdue*. Paris: J. Laffont, 1977.
PAVEL, T. *Le Mirage linguistique*. Paris: Minuit, 1988.
PEIRCE, C. S. *Selected Writings*. Ed. Philip. P. Wiener. [S.l.]: [s.n.], 1958.
PERRIAUX, A.-S. *Le structuralisme en France*: 1958-1968. [Paris], set. 1987. Monografia (Diplôme d'études approfondies – DEA) – École des Hautes Études en Sciences Sociales (Ehess).
PHILONENKO, A. *L'oeuvre de Fichte*. Paris: Vrin, 1984.
PINCHEMEL, P. *La recherche géographique française*. Paris: Comité National Français de Géographie, 1984.
PINGAUD, B. Où va Tel Quel? *La Quinzaine Littéraire*, jan. 1968.
PINTO, L. *Le philosophes entre le lycée et l'avant-garde*. Paris: L'Harmattan, 1987.
PLESSIS-PASTERNAK, G. *Faut-il brûler Descartes?* Paris: La Découverte, 1991.
PLON, M. *La théorie des jeux*: une politique imaginaire. Paris: Maspero, 1976.
POMIAN, K. *L'ordre du temps*. Paris: Gallimard, 1984.
______. *La nouvelle histoire*. Paris: Encyclopédie Retz, 1978.

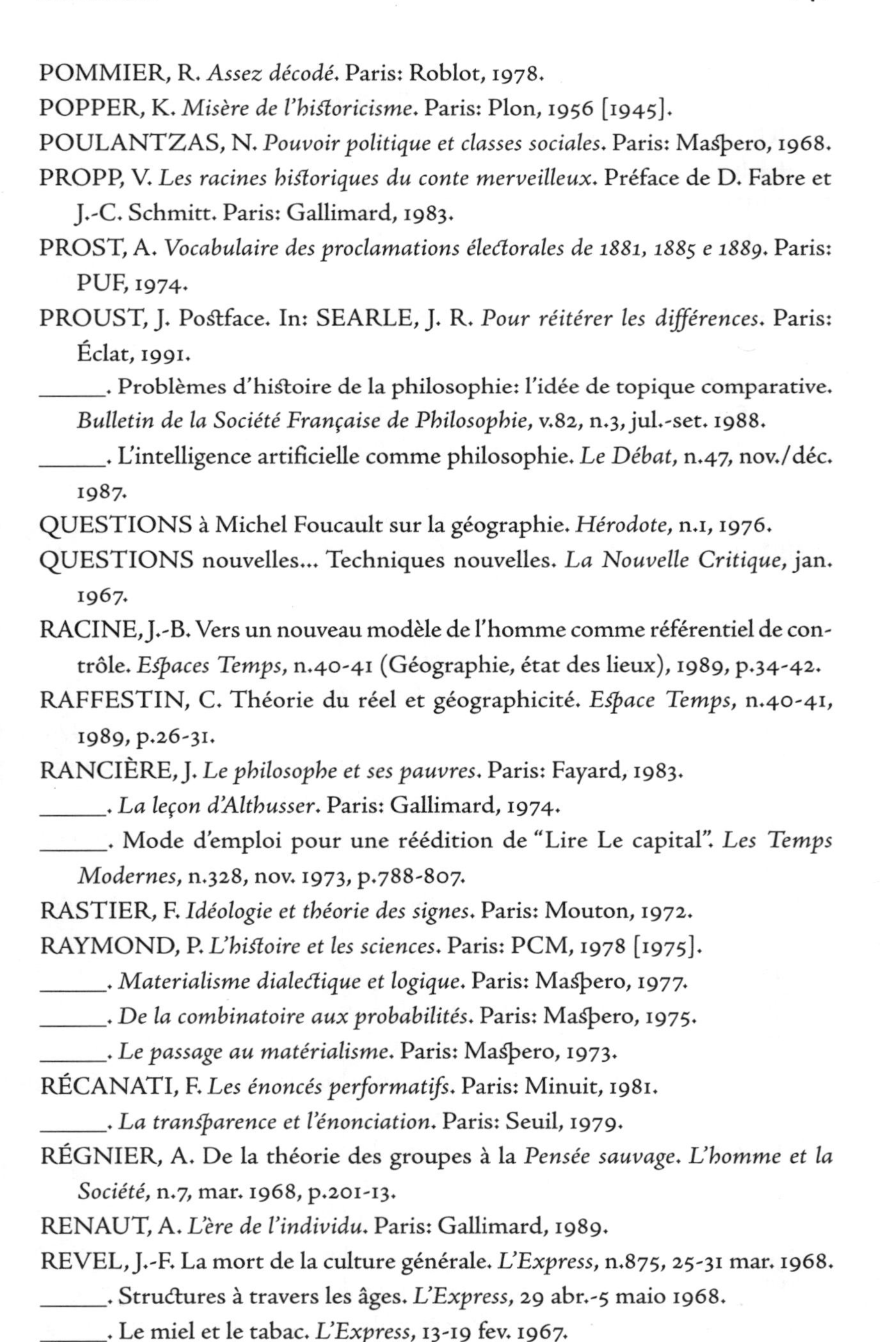

POMMIER, R. *Assez décodé*. Paris: Roblot, 1978.

POPPER, K. *Misère de l'historicisme*. Paris: Plon, 1956 [1945].

POULANTZAS, N. *Pouvoir politique et classes sociales*. Paris: Maspero, 1968.

PROPP, V. *Les racines historiques du conte merveilleux*. Préface de D. Fabre et J.-C. Schmitt. Paris: Gallimard, 1983.

PROST, A. *Vocabulaire des proclamations électorales de 1881, 1885 e 1889*. Paris: PUF, 1974.

PROUST, J. Postface. In: SEARLE, J. R. *Pour réitérer les différences*. Paris: Éclat, 1991.

_____. Problèmes d'histoire de la philosophie: l'idée de topique comparative. *Bulletin de la Société Française de Philosophie*, v.82, n.3, jul.-set. 1988.

_____. L'intelligence artificielle comme philosophie. *Le Débat*, n.47, nov./déc. 1987.

QUESTIONS à Michel Foucault sur la géographie. *Hérodote*, n.1, 1976.

QUESTIONS nouvelles... Techniques nouvelles. *La Nouvelle Critique*, jan. 1967.

RACINE, J.-B. Vers un nouveau modèle de l'homme comme référentiel de contrôle. *Espaces Temps*, n.40-41 (Géographie, état des lieux), 1989, p.34-42.

RAFFESTIN, C. Théorie du réel et géographicité. *Espace Temps*, n.40-41, 1989, p.26-31.

RANCIÈRE, J. *Le philosophe et ses pauvres*. Paris: Fayard, 1983.

_____. *La leçon d'Althusser*. Paris: Gallimard, 1974.

_____. Mode d'emploi pour une réédition de "Lire Le capital". *Les Temps Modernes*, n.328, nov. 1973, p.788-807.

RASTIER, F. *Idéologie et théorie des signes*. Paris: Mouton, 1972.

RAYMOND, P. *L'histoire et les sciences*. Paris: PCM, 1978 [1975].

_____. *Materialisme dialectique et logique*. Paris: Maspero, 1977.

_____. *De la combinatoire aux probabilités*. Paris: Maspero, 1975.

_____. *Le passage au matérialisme*. Paris: Maspero, 1973.

RÉCANATI, F. *Les énoncés performatifs*. Paris: Minuit, 1981.

_____. *La transparence et l'énonciation*. Paris: Seuil, 1979.

RÉGNIER, A. De la théorie des groupes à la *Pensée sauvage*. *L'homme et la Société*, n.7, mar. 1968, p.201-13.

RENAUT, A. *L'ère de l'individu*. Paris: Gallimard, 1989.

REVEL, J.-F. La mort de la culture générale. *L'Express*, n.875, 25-31 mar. 1968.

_____. Structures à travers les âges. *L'Express*, 29 abr.-5 maio 1968.

_____. Le miel et le tabac. *L'Express*, 13-19 fev. 1967.

______. Le structuralisme, religion des technocrates? *L'Express*, 10-16 jul. 1967.
______. *Pourquoi des philosophes?* Paris: Julliard, 1964 [1957].
REVUE de Science Religieuse, número especial: "Analyses liguistiques em théologie", jan.-mar. 1973
RICARDOU, J. Textes mis en scène. *La Quinzaine Littéraire*, 1-15 nov. 1967.
______. In: BUIN, Y. *Que peut la littérature?* Paris: L'Herne, 1965.
RICŒUR, P. *Les métamporphoses de la raison herméneutique*. Paris: Cerf, 1991.
______. *Soi-même comme un Autre*. Paris: Seuil, 1990.
______. Signe. In: *Encyclopaedia universalis, Corpus*, v.20, 1989, p.1.075-9.
______. *Du texte à l'action*. Paris: Seuil, 1986 [1970].
______. *Temps et récit*. 3 vols. Paris: Seuil, 1983-1985.
______. *De l'interprétation*. Essai sur Freud. Paris: Seuil, 1976.
______. *La métaphore vive*. Paris: Seuil, 1975.
______. *Le conflit des interprétations*. Paris: Seuil, 1969.
ROBBE-GRILLET, A. *Les Enjeux philosophiques des annés cinquante*. Paris: C. G. Pompidou, 1989.
______. *Angélique*. Paris: Minuit, 1987.
______. *Le miroir qui revient*. Paris: Minuit, 1984.
______. *Pour un nouveau roman*. Paris: Minuit, 1963.
ROBIN, R.; GUILHAUMOU, J. L'identité retrouvée. *Dialectiques*, n.15-16, 1976.
ROBIN, R.; SLAKTA, D. Idéal social et vocabulaire des statuts ("Le Couronnement de Louis"). *Langue Française*, n.9, fev. 1971, p.110-8.
ROCHE, A.; DELFAU, G. Histoire-et-littérature: un projet. *Littérature*, n.13 (Histoire/Sujet), fev. 1974, p.16-28.
ROCHLITZ, R. Esthétique de l'existence. In: *Michel Foucault philosophe*. Paris: Seuil, 1989.
RONAI, M. Paysages. *Hérodote*, n.1, 1976.
ROSNAY, J. de. *Le macroscope*. Paris: Seuil, 1975.
ROUDINESCO, É. *Histoire de la psychanalyse*. v.2. Paris: Seuil, 1986.
______. *La bataille de cents ans. Histoire de la psychanalise en France*. Paris: Ramsay, 1982.
ROUSTANG, F. *Lacan*. Paris: Minuit, 1986.
______. *Un destin si funeste*. Paris: Minuit, 1976.
ROY, C. Alice au pays de la logique. *Le Nouvel Observateur*, 22 mars 1967.
RUBY, C. *Les archipels de la différence*. Paris: Félins, 1990.
RUWET, N. R. Jakobson, *Linguistique et poétique*, vingt-cinq ans après. In: DOMINICY, M. *Le souci des apparences*. Bruxelles: Ed. de l'Université, 1989.

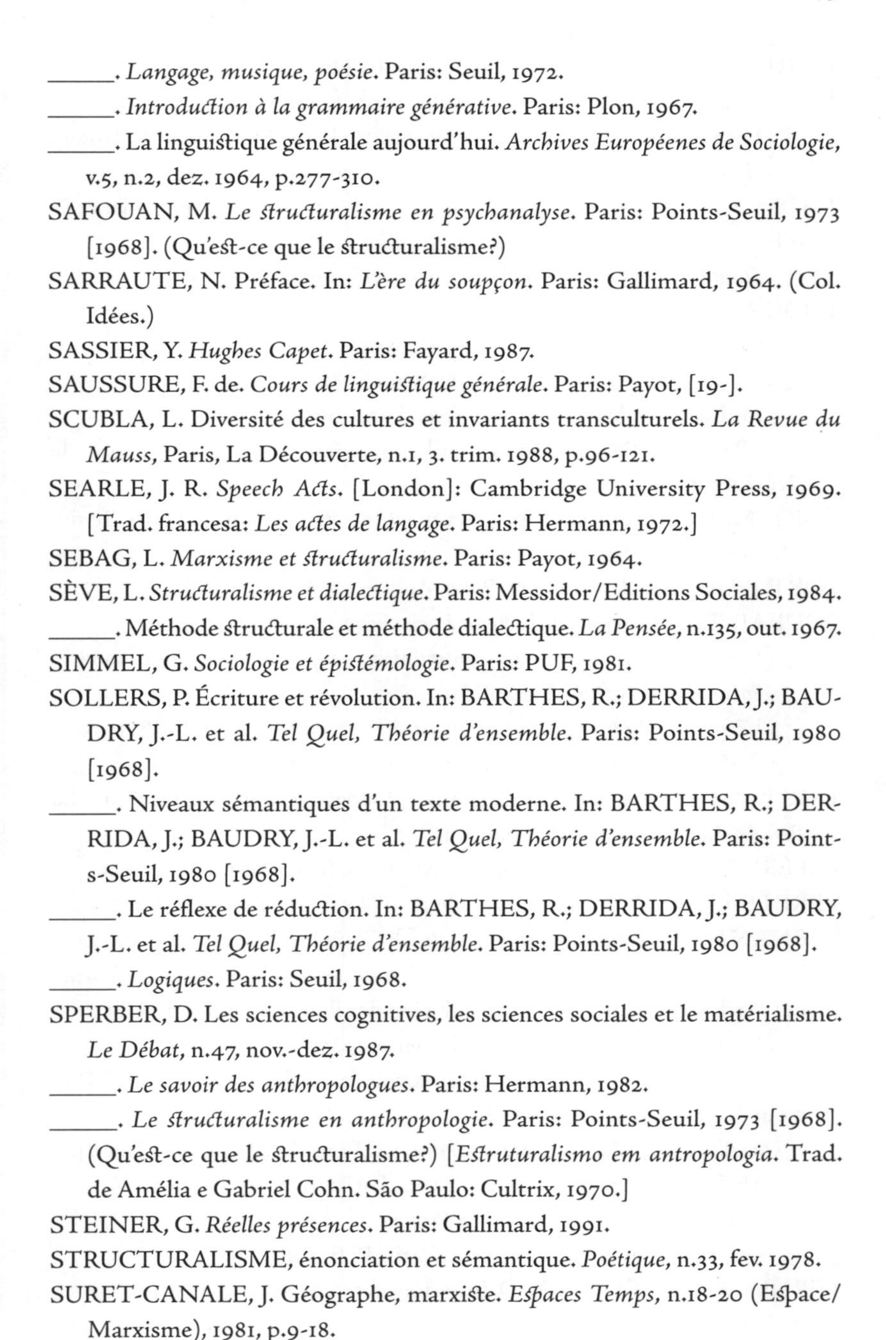

_____. *Langage, musique, poésie*. Paris: Seuil, 1972.

_____. *Introduction à la grammaire générative*. Paris: Plon, 1967.

_____. La linguistique générale aujourd'hui. *Archives Européenes de Sociologie*, v.5, n.2, dez. 1964, p.277-310.

SAFOUAN, M. *Le structuralisme en psychanalyse*. Paris: Points-Seuil, 1973 [1968]. (Qu'est-ce que le structuralisme?)

SARRAUTE, N. Préface. In: *L'ère du soupçon*. Paris: Gallimard, 1964. (Col. Idées.)

SASSIER, Y. *Hughes Capet*. Paris: Fayard, 1987.

SAUSSURE, F. de. *Cours de linguistique générale*. Paris: Payot, [19-].

SCUBLA, L. Diversité des cultures et invariants transculturels. *La Revue du Mauss*, Paris, La Découverte, n.1, 3. trim. 1988, p.96-121.

SEARLE, J. R. *Speech Acts*. [London]: Cambridge University Press, 1969. [Trad. francesa: *Les actes de langage*. Paris: Hermann, 1972.]

SEBAG, L. *Marxisme et structuralisme*. Paris: Payot, 1964.

SÈVE, L. *Structuralisme et dialectique*. Paris: Messidor/Editions Sociales, 1984.

_____. Méthode structurale et méthode dialectique. *La Pensée*, n.135, out. 1967.

SIMMEL, G. *Sociologie et épistémologie*. Paris: PUF, 1981.

SOLLERS, P. Écriture et révolution. In: BARTHES, R.; DERRIDA, J.; BAUDRY, J.-L. et al. *Tel Quel, Théorie d'ensemble*. Paris: Points-Seuil, 1980 [1968].

_____. Niveaux sémantiques d'un texte moderne. In: BARTHES, R.; DERRIDA, J.; BAUDRY, J.-L. et al. *Tel Quel, Théorie d'ensemble*. Paris: Points-Seuil, 1980 [1968].

_____. Le réflexe de réduction. In: BARTHES, R.; DERRIDA, J.; BAUDRY, J.-L. et al. *Tel Quel, Théorie d'ensemble*. Paris: Points-Seuil, 1980 [1968].

_____. *Logiques*. Paris: Seuil, 1968.

SPERBER, D. Les sciences cognitives, les sciences sociales et le matérialisme. *Le Débat*, n.47, nov.-dez. 1987.

_____. *Le savoir des anthropologues*. Paris: Hermann, 1982.

_____. *Le structuralisme en anthropologie*. Paris: Points-Seuil, 1973 [1968]. (Qu'est-ce que le structuralisme?) [*Estruturalismo em antropologia*. Trad. de Amélia e Gabriel Cohn. São Paulo: Cultrix, 1970.]

STEINER, G. *Réelles présences*. Paris: Gallimard, 1991.

STRUCTURALISME, énonciation et sémantique. *Poétique*, n.33, fev. 1978.

SURET-CANALE, J. Géographe, marxiste. *Espaces Temps*, n.18-20 (Espace/Marxisme), 1981, p.9-18.

TAGUIEFF, P.-A. *La force du préjugé*. Paris: La Découverte, 1988.
TERRAY, E. *Lettres à la fugitive*. Paris: O. Jacob, 1988.
______. *Le marxisme devant les sociétés primitives*. Paris: Maspero, 1979 [1969].
______. Un événement politique. *Le Monde*, 17 ago. 1973.
THOM, E. *Modèles mathématiques de la morphogénèse*. [Paris]: Union Générale d'Éditions, 1974. (Col. 10/18.)
______. *Stabilité structurelle et morphogénèse*. [S.l.]: Édiscience, 1972.
TODOROV, T. *Nous et les autres*. Paris: Seuil, 1989.
______. *Critique de la critique*. Paris: Seuil, 1984.
______. *La conquête de l'Amérique*. Paris: Seuil, 1982.
______. *M. Bakthine, le principe dialogique*. Paris: Seuil, 1981.
______. *Poétique*. Paris: Points-Seuil, 1973 [1968]. (Qu'est-ce que le structuralisme?)
TORT, M. De l'interprétation ou la machine hermeneutique. *Les Temps Modernes*, n.237, fev.-mar. 1966.
TORT, P. *La raison classificatoire*. Paris: Aubier, 1989.
TOURAINE, A. *Le retour de l'acteur*. Paris: Fayard, 1984.
______. *Le mouvement de mai ou le communisme utopique*. Paris: Seuil, 1968.
______. *Sociologie de l'action*. Paris: Seuil, 1965.
______. *L'évolution du travail ouvrier aux usines Renault*. Paris: CNRS, 1955.
______; RAGAZZI, O. *Ouvriers d'origine agricole*. Paris: Seuil, 1961.
TRICART, J. Premier essai sur la géomorphologie et la pensée marxiste. *La Pensée*, n.47, mar.-abr. 1953, p.62-72.
VALÉRY, P. *Oeuvres*. v.I. Paris: Gallimard, [19--]. (Col. Pléiade.)
VERDÈS-LEROUX, J. *Le révell des somnanbules*. Paris: Fayard, 1987.
VERNANT, J.-P. *Oedipe et ses mythes*. [S.l.]: Complexe, 1988 [1967]. p.1-22.
______. La mort dans les yeux. Réponses à un questionnaire. *Espaces, Journal des Psychanalistes*, n.13-14 (D'une illusion des illusions), 1986, p.75-83.
______. *La mort dans les yeux*. Paris: Hachette, 1985.
______. Il mito greco. In: Convegno Internazionale "Intervento conclusivo", Edizioni de l'Ateneobizoni, 1973. *Atti...*
______. *Mythe et tragédie en Grèce ancienne*. v.1. Paris: Maspero, 1972 [1966].
______. *Mythe et pensée chez les Grecs*. 2 vols. Paris: PCM, 1971 [1965].
______. Oedipe sans complexe. *Raison Presente*, n.4, 1967, p.3-20.
______. *Les origines de la pensée grecque*. Paris: PUF, 1962.
VERNET, M.; PERCHERON, D. Entretien avec Christian metz. *Ça, Cinéma*, maio 1975.

VEYNE, P. Foucault révolutionne l'histoire. In: *Comment on écrit l'histoire.* Paris: Points-Seuil, 1978.

_____. *Comment on écrit l'histoire.* Paris: Seuil, 1971.

VIDAL DE LA BLACHE, P. *Tableau géographique de la France.* Paris: Hachette, 1911.

VILAR, P. Histoire marxiste, histoire en construction. In: LE GOFF, J.; NORA, P. *Faire de l'histoire.* v.1. Paris: Gallimard, 1974.

_____. Pas d'économie politique à l'âge classique. *La Nouvelle Critique,* n.174, jun. 1967.

VINCENT, J.-D. *Biologie des passions.* Paris: O. Jacob, 1986.

WAHL, F. *Philosophie.* Paris: Points-Seuil, 1973 [1968]. (Qu'est-ce que le structuralisme?)

_____. Introduction générale. In: *Qu'est-ce que le struturalisme?.* Paris: Seuil, 1968.

YAGUELLO, M. *Les mots et les femmes.* Paris: Payot, 1987 [1978].

Anexo

LISTA DAS ENTREVISTAS REALIZADAS

Marc ABÉLÈS, antropólogo, pesquisador no laboratório de antropologia social, Ehess.

Alfred ADLER, antropólogo, pesquisador no laboratório de antropologia social, Ehess.

Michel AGLIETTA, economista, professor de Economia na Universidade Paris-X.

Jean ALLOUCH, psicanalista, diretor da revista *Littoral*.

Pierre ANSART, sociólogo, professor na Universidade Paris-VII.

Michel ARRIVÉ, linguista, professor na Universidade Paris-X.

Marc AUGÉ, antropólogo, diretor de estudos na Ehess, presidente da Ehess.

Sylvain AUROUX, filósofo e linguista, diretor de pesquisa no CNRS.

Kostas AXELOS, filósofo, antigo redator-chefe da revista *Arguments*, docente na Sorbonne.

Georges BALANDIER, antropólogo, professor na Sorbonne, diretor de estudos na Ehess.

Étienne BALIBAR, filósofo, mestre de conferências na Universidade de Paris-I.

Henri BARTOLLI, economista, professor na Universidade Paris-I.

Michel BEAUD, economista, professor na Universidade Paris-VIII.

Daniel BECQUEMONT, anglicista e antropólogo, professor na Universidade de Lille.

Jean-Marie BENOIST, filósofo, subdiretor da cadeira de História da Civilização Moderna no Collège de France (falecido em 1990).

Alain BOISSINOT, homem de letras, professor de Letras no ciclo preparatório do Liceu Louisle-Grand.

Raymond BOUDON, sociólogo, professor na Universidade Paris-IV, diretor do grupo de estudos de métodos de análise sociológica (Gemas).

Jacques BOUVERESSE, filósofo, professor na Universidade Paris-I.

Louis-Jean CALVET, linguista, professor na Sorbonne.

Jean-Claude CHAVALIER, linguista, professor na Universidade Paris-VII, secretário-geral da revista *Langue Française*.

Jean CLAVREUL, psicanalista.

Claude CONTÉ, psicanalista, antigo chefe de clínica na Faculdade de Medicina de Paris.

Jean-Claude COQUET, linguista, professor na Universidade Paris-VIII.

Maria DARAKI, historiadora, professora na Universidade Paris-VIII.

Jean-Toussaint DESANTI, filósofo, lecionou na Universidade Paris-I e na ENS de Saint-Cloud.

Philippe DESCOLA, antropólogo, diretor-adjunto do laboratório de antropologia social.

Vincent DESCOMBES, filósofo, professor na Universidade Johns Hopkins, Baltimore, EUA.

Jean-Marie DOMENACH, filósofo, ex-diretor da revista *Esprit*, criador do Crea.

Joël DOR, psicanalista, diretor da revista *Esquisses Psychanalytiques*, professor da Universidade Paris-VII.

Daniel DORY, geógrafo, pesquisador do CNRS em Paris-I.

Roger-Pol DROIT, filósofo, editorialista do *Le Monde*.

Jean DUBOIS, linguista, professor na Universidade Paris-X, revista *Langages*.

George DUBY, historiador, professor no Collège de France.

Oswald DUCROT, linguista, diretor de estudos na Ehess.

Claude DUMÉZIL, psicanalista.

Jean DUVIGNAUD, sociólogo, professor na Universidade Paris-VII.

Roger ESTABLET, sociólogo, membro do Cercom (Ehess), mestre de conferência na Universidade de Aix-Marselha.

François EWALD, filósofo, presidente da associação para o Centro Michel Foucault.

Arlette FARGE, historiadora, diretora de pesquisas na Ehess.

Jean-Pierre FAYE, filósofo, linguista, professor na Universidade Filosófica Europeia.

Pierre FOUGEYROLLAS, sociólogo, professor na Universidade Paris-VII.

Françoise GADET, linguista, professora na Universidade Paris-X.

Marcel GAUCHET, historiador, responsável da redação na revista *Le Débat*.

Gérard GENETTE, linguista, semiologista, diretor de estudos na Ehess.

Jean-Christophe GODDARD, filósofo, professor da classe preparatória de HEC.

Maurice GODELIER, antropólogo, diretor científico no CNRS, diretor de estudos na Ehess.

Gilles GASTON-GRANGER, filósofo, professor no Collège de France.

Wladimir GRANOFF, psicanalista, médico-chefe do Centro Médico-Psicológico de Nanterre.

André GREEN, psicanalista, antigo diretor do Instituto de Psicanálise de Paris.

Algirdas-Julien GREIMAS, linguista, diretor de estudos honorários da Ehess.

Marc GUILLAUME, economista, professor na Universidade Paris-Dauphine, mestre de conferências na Escola Politécnica, diretor do Iris.

Claude HAGÈGE, linguista, professor no Collège de France.

Philippe HAMON, linguista, professor na Universidade Paris-III.

André Georges HAUDRICOURT, antropólogo e linguista.

Louis HAY, linguista, pesquisador no CNRS.

Françoise HÉRITIER-AUGÉ, antropóloga, professora do Collège de France, diretora do laboratório de antropologia social.

Jacques HOURAU, filósofo, professor no Centro de Formação de Professores de Monlignon.

Michel IZARD, antropólogo, diretor de pesquisas no CNRS, codiretor da revista *Gradhiva*.

Jean-Luc JAMARD, antropólogo, pesquisador do CNRS.

Jean JAMIN, antropólogo, pesquisador do laboratório de etnologia do Museu do Homem, codiretor da revista *Gradhiva*.

Julia KRISTEVA, linguista, professora na Universidade Paris-VII.

Bernard LAKS, linguista, pesquisador do CNRS.

Jérôme LALLEMENT, economista, mestre de conferência na Universidade Paris-I.

Jean LAPLANCHE, psicanalista, professor na Universidade Paris-VII, diretor da revista *Psychanalyse à l'Université*.

Francine LE BRET, filósofa, professora no Liceu Jacques-Prévert de Boulogne-Billancourt.

Serge LECLAIRE, psicanalista.

Dominique LECOURT, filósofo, professor na Universidade Paris-VII.
Henri LEFEBVRE, filósofo, antigo professor nas universidades de Estrasburgo, Nanterre, Paris-VIII e da Califórnia.
Pierre LEGENDRE, filósofo, professor na Universidade Paris-I.
Gennie LEMOINE, psicanalista.
Claude LÉVI-STRAUSS, antropólogo, professor no Collège de France.
Jacques LÉVY, geógrafo, pesquisador do CNRS, um dos animadores da revista *Espaces Temps*.
Alain LIPIETZ, economista, encarregado de pesquisa no CNRS e no Cepremap.
René LOURAU, sociólogo, professor na Universidade Paris-VIII.
Pierre MACHERY, filósofo, mestre de conferências em Paris-I.
René MAJOR, psicanalista, leciona no Colégio Inernacional de Filosofia, diretor dos *Cahiers Confrontations*.
Serge MARTIN, filósofo, professor no Liceu de Pontoise.
André MARTINET, linguista, professor emérito da Universidade René Descares e da 6ª Seção da Ehess.
Claude MEILLASSOUX, antropólogo, diretor de pesquisa no CNRS.
Charles MELMAN, psicanalista, diretor da revista *Discours Psychanalitique*.
Gerard MENDEL, psicanalista, ex-interno do Hospital Psiquiátrico de la Seine.
Henri MITTERAND, linguista, professor na Nova Sorbonne.
Juan-David NASIO, psicanalista, anima o seminário de psicanálise de Paris.
André NICOLAÏ, economista, professor na Universidade Paris-X.
Pierre NORA, historiador, diretor de estudos na Ehess, diretor da revista *Le Débat*, editor da Gallimard.
Claudine NORMAND, linguista, professora na Universidade Paris-X.
Bertrand OGILVIE, filósofo, professor na Escola Normal de Cergy-Pontoise.
Michelle PERROT, historiadora, professora na Universidade Paris-VII.
Marcelin PLEYNET, escritor, antigo secretário da revista *Tel Quel*.
Jean POUILLON, filósofo e antropólogo, pesquisador do laboratório de antropologia social, Ehess.
Joëlle PROUST, filósofa, grupo de pesquisa sobre a cognição, Crea, CNRS.
Jacques RANCIÈRE, filósofo, docente, na Universidade Paris-VIII.
Alain RENAUT, filósofo, professor na Universidade de Caen, fundador do Collège de Philosophie.
Olivier REVAULT D'ALLONNES, filósofo, professor na Universidade Paris-I.
Élisabeth ROUDINESCO, escritora e psicanalista.

Nicolas RUWET, linguista, professor na Universidade Paris-VIII.
Moustafa SAFOUAN, psicanalista.
Georges-Élia SARFATI, linguista, docente na Universidade Paris-III.
Bernard SICHÈRE, filósofo, professor na Universidade de Caen, antigo membro da equipe *Tel Quel*.
Dan SPERBER, antropólogo, pesquisador do CNRS.
Joseph SUMPF, sociólogo e linguista, professor na Universidade Paris-VIII.
Emmanuel TERRAY, antropólogo, diretor de estudos na Ehess.
Tzvetan TODOROV, linguista, semiologista, pesquisador no CNRS.
Alain TOURAINE, sociólogo, diretor de pesquisa na Ehess.
Paul VALADIER, filósofo, antigo redator-chefe da revista *Études*, professor do Centre Sévres, em Paris.
Jean-Pierre VERNANT, helenista, professor honorário do Collège de France.
Marc VERNET, semiologista do cinema, professor da Universidade Paris-III.
Serge VIDERMAN, psicanalista, doutor em medicina.
Pierre VILAR, historiador, professor honorário na Sorbonne.
François WAHL, filósofo, editor na Seuil.
Marina YAGUELLO, linguista, professora na Universidade Paris-VII.

Índice onomástico

H

SOBRE O LIVRO

Formato: 14 x 21 cm
Mancha: 24,8 x 41,1 paicas
Tipologia: Adobe Jenson Pro Caption 10,5/13,5
Papel: Off-white 80 g/m² (miolo)
Cartão Supremo 250 g/m² (capa)
1ª edição Editora Unesp: 2018

EQUIPE DE REALIZAÇÃO

Coordenação Editorial
Marcos Keith Takahashi

Edição de texto
Gabriela Garcia
Tarcila Lucena
Alessandro Thomé

Projeto gráfico e capa
Grão Editorial

Editoração eletrônica
Sergio Gzeschnik

MUNDIALGRÁFICA
www.mundialgrafica.com.br